1 MONTH OF
FREE
READING

at

www.ForgottenBooks.com

By purchasing this book you are eligible for one month membership to ForgottenBooks.com, giving you unlimited access to our entire collection of over 1,000,000 titles via our web site and mobile apps.

To claim your free month visit:

www.forgottenbooks.com/free1167483

ISBN 978-0-428-38756-3
PIBN 11167483

Geschichte
von
Großbritannien,

V. Band.

Von Eduard dem Zweyten an,

bis auf

Richard den Zweyten.

Aus dem Englischen übersetzt.

Frankenthal
gedruckt bei Ludwig Bernhard Friederich Gegel,
kurpfälz. privil. Buchdruckern. 1786.

EWB

Inhalt.
des fünften Bandes

Das vierzehnte Kapitel.
Eduard II.

Seite.

Schwachheit des Königes. Seine Liebe zu seinen Lieblingen. Piers Gavaston Mißvergnügen der Baronen. Gavastons Ermordung. Krieg mit Schottland

Inhalt des fünften Bandes.

Seite

land. Schlacht bey Bannokburn.
Hugh le Despenser. Innerliche Un-
ruhen. Hinrichtung des Grafen von
Lancaster. Verschwörung wider den
König. Aufstand. Der König wird
vom Throne geworfen. Ermordet. Sein
Charakter. Vermischte Verfügungen
dieser Regierung.

Das funfzehnte Kapitel.

Eduard III.

Krieg mit Schottland. Hinrichtung des
Grafen von Kent. Hinrichtung des
Mortimer, Grafen von March.
Schottlands Zustand. Krieg mit diesem Königreiche. Des Königs Ansprüche auf die Krone Fränkreich.
Zurüstungen zum Kriege mit Fränkreich. Krieg. Sieg zur See. Häusliche Unordnungen. Händel in Bre-

tagne

tagne. Erneurung des Krieges mit Frankreich. Einfall in Frankreich. Schlacht bey Crecy. Krieg mit Schottland. Gefangenschaft des Königs von Schottland. Calais wird enge nommen.   84

Eduard III.

Das sechzehnte Kapitel.

Stiftung des Ordens vom Hosenbande. Frankreichs Zustand. Schlacht bey Poictiers. Gefangenschaft des Königs von Frankreich. Zustand dieses Königreiches. Einfall in Frankreich. Friede zu Bretigni. Frankreichs Zustand. Feldzug wider Castilien. Bruch mit Frankreich. Unglück der Engländer. Tod des Prinzen von Wallis. Tod und Charakter des Königs. Vermischte Verrichtungen unter dieser Regierung.   223

Das

Inhalt des fünften Bandes.

Das siebenzehnte Kapitel
Richard II.

Regierung während der Minderjährigkeit. Aufstand des gemeinen Volks. Mißvergnügen der Baronen. Bürgerliche Unruhen. Vertreibung und Hinrichtung der Minister des Königes. Cabalen des Herzogs von Glocester. Ermordung des Herzogs von Glocester. Verbannung des Herzogs von Hereford. Zurückkunft des Herzogs. Allgemeiner Aufstand. Absetzung des Königes. Seine Ermordung. Sein Charakter. Vermischte Verrichtungen dieser Regierung.   323

Englischen Geschichte

Das vierzehnde Kapitel.
Eduard II.

Inhalt.

Schwachheit des Königes. Seine Liebe zu seinen Lieblingen. Piers Gavaston. Mißvergnügen der Baronen. Gavastons Ermordung. Krieg mit Schottland. Schlacht bey Bannokburn. Hugh le Despenser. Innernerliche Unruhen. Hinrichtung des Grafen von Lancaster. Verschwörung wider den König. Aufstand. Der König wird vom Throne geworfen. Ermordet. Sein Charakter. Vermischte Verfügungen dieser Regierung.

1307.

Die guten Meynungen, welche die Engländer von dem jungen Eduard gefaßt hatten, verhinderten sie, den ungemeinen Verlust völlig einzusehen, den sie durch den Tod des gros-

Hume Gesch. V. B.   U   sen

sen Monarchen, der den Thron besessen hatte,
erlitten; und jedermann eilte, seinem Sohne und
Nachfolger den Eid der Treue willig zu leisten. Dieser Prinz war in dem drey und zwanzigsten Jahre
seines Alters, hatte eine angenehme Bildung,
und eine sanfte und leutselige Gemüthsart; und
weil er nie eine Neigung zu einem gefährlichen
Laster hatte blicken lassen, so konnte man von
seiner Regierung Ruhe und Glückseligkeit erwarten. Allein, die erste Handlung in seiner Regierung machte alle diese Hoffnung zunichte, und
zeigte, daß er für diese gefährliche Situation,
worinn jeder englische Monarch wegen der un-
beständigen Regierungsform, und wegen der unruhigen Gemüthsart des Volks in diesen Zeiten
das Unglück hatte, sich zu befinden, völlig ungeschickt war. Der unermüdete Robert Bruce
war nicht lange ruhig, obgleich seine Armee zerstreuet, und er selbst genöthiget war, seine Zuflucht nach den westlichen Inseln zu nehmen;
sondern schon vor dem Tode des letzten Königes war er wieder aus dem Orte seines Aufent-
halts zurück gekommen, hatte seine Anhänger wieder gesammlet, war im Felde erschienen, und
hatte durch Ueberrumpelung über den Aymer von
Valence, der die englischen Truppen anführte,

einen

einen beträchtlichen Vortheil erhalten a). Er war
itzt so wichtig geworden, daß der König von
England Ehre genug gehabt haben würde, ihn
zu überwinden, ohne sich in die geringste Gefahr zu setzen, daß er alle diese mächtigen,
von seinem Vater gemachten Zurüstungen in
der Unternehmung fehlschlagen sähe. Allein,
Eduard rückte, anstatt seine Vortheile zu verfolgen, nur ein wenig in Schottland ein; und da
er eine gänzliche Unfähigkeit und einen gleichen
Widerwillen zu und wider alle Bemühungen,
und alle ernstliche Geschäfte hatte, zog er sich
gleich wieder zurück, und ließ seine Armee aus
einander. Seine Großen des Reichs sahen aus
dieser Aufführung, daß die Macht der Krone,
da sie in so schwache Hände gefallen war, nicht
länger dürfte gefürchtet werden, und daß sie jeden Trotz ungestraft verüben könnten.

Das nächste Verfahren des Eduard machte
ihnen Lust, diejenigen Vorrechte anzugreifen, wo-
vor sie sich nicht länger zu fürchten hatten. Es
war ein gewisser Piers Gavaston, ein Sohn eines Gascognischen Ritters, der dem letzten König sehr treu gedienet, und zur Belohnung seiner Verdienste für seinen Sohn eine Bedienung

A 2   in

_____

a) Trivet. S. 346.

in dem Hofſtaate des Prinzen von Wallis erhalten hatte. Dieſer junge Menſch ſchmeichelte
ſich bald bey ſeinem Herrn ein, durch ſein an-
genehmes Betragen, und durch die G.fälligkeit,
daß er ihm alle unſchuldige und kleine Vergnügen machte, welche ſeiner Fähigkeit und ſeiner
Neigung gemäß waren. Er war ſehr ſchön von
Geſtalt und Perſon, und machte ſich durch ſeinen feinen Anſtand und ungezwungenes Betragen
merkwürdig; that ſich in allen kriegeriſchen und
artigen Leibesübungen hervor, und war wegen
der witzigen Einfälle berühmt, wodurch ſich ſein
Vaterland unterſcheidet. Durch alle dieſe Vollkommenheiten erhielt er eine ſ gänzliche Gewalt
über den jungen Eduard, deſſen Herz zu Freundſchaft und Vertraulichkeit ſehr geneigt war, daß
der vorige König, der die Folgen davon beſorgte,
ihn aus d.m Reiche vertrieben, und ſich vor ſeinem
Tode von ſeinem Sohne hätte v rſprechen laſſen, ihn
nie wieder zurück zu berufen b). Allein, er war nicht
ſo bald Herr, wie er meynte, über ſich ſelbſt,
als er den Gabaſton kommen ließ, und ihn ſo
gar vor ſeiner Ankunft am Hof mit der ganzen
Grafſchaft Cornwallis beſchenkte, welche nach
deſſen

b) Walſing. S. 95. Ypod. Neuſt. S. 499. Trivet.
　　Fortſ. S. 2.

dem Tode Edmonds, dem Sohn Richards, des
römischen Königes, der Krone zugefallen war c).
Nicht zufrieden damit, daß er ihm diese Güter
gab, welche für einen Prinzen vom Geblüte zu
Apanage genug gewesen wären, überhäufte er
ihn täglich mit neuen Ehren und Reichthümern;
verheyrathete ihn mit seiner Nichte, der Schwester des Grafen von Glocester d), und schien
kein Vergnügen an seiner königlichen Würde zu
haben, als nur in so weit sie ihn in den Stand
setzte, diesen Gegenstand seiner zärtlichen Zuneigung zu dem höchsten Glanze zu erheben.

Die hochmüthigen Baronen, durch den Vorzug eines Lieblings beleidiget, dessen Geburt, so
vornehm sie war, sie jedoch als eine weit gerin-
ringere, gegen die ihrige, verachteten, verhehl-
ten ihr Mißvergnügen nicht; und fanden bald
Gründe, ihre Feindseligkeit mit dem Charakter
und dem Betragen desjenigen, den sie haßten,
zu rechtfertigen. Anstatt den Neid durch Mäs-
sigung und Sittsamkeit in seinem Betragen zu

A 3 ent-

c) Rymer. B. III. S. 1. Heming. B. 1. S. 243.
Walsing S. 96. Ypod. Neust. S. 499. Trivet.
Fortf. S. 2.

d) Heming. B. 1. S 245. Ypod. Neust. S. 500. T.
de la More. S. 5.

entwaffnen, legte Gavaſton ſeine Gewalt und
ſein Anſehen mit der größten Pralerey an den
Tag; und hielt keinen Umſtand ſeines Glücks
für angenehmer, als den, daß er alle ſeine Nebenbuhler verdunkeln und kränken könnte. Er war
ruhmredig, verſchwenderiſch und raubſüchtig;
verliebt in äußerlichen Staat und Schimmer;
ſchwindlicht von ſeinem Glücke; und da er ſich
einbildete, daß ſein Glück itzt in dem Königreiche tief genug Wurzel geſchlagen hätte; da ſeine
Gewalt über den ſchwachen Monarchen unumſchränkt wär; ſo bemühete er ſich nicht mehr,
ſich Anhänger zu machen, welche ſeine plötzliche
und ſchlecht gegründete Größe unterſtützen könnten. Es war ihm ein Vergnügen, bey jedem
Tournier durch ſeine größere Geſchicklichkeit vor
dem engliſchen Adel hervorzuſtechen. In jeder
Geſellſchaft war dieſer der Gegenſtand ſeines Witzes
und ſeiner Spötterey: ſeine Feinde vermehrten
ſich täglich; und es fehlte nur noch eine kurze
Zeit, um ſie zu verbinden, und dieſe Verbindung
für ihn und ſeinen Herrn höchſt ſchädlich zu machen e).

　　Der König mußte nach Frankreich reiſen,
um für das Herzogthum Guienne den Huldi-
gungs-

–––––––––––––––––––––––––––––
e) T. de la More. S. 593. Walſing. S. 97.

gungseid zu leiſten, und die Prinzeßinn Iſabella
zu heyrathen, mit welcher er ſchon lange verſprochen war; obgleich unvermuthete Vorfälle
bisher die Vollziehung der Heyrath verhindert hatten f). Edward ließ den Gavaſton zum Auf-
ſeher des Reichs zurück g), mit einer weit größ-
ſern Gewalt, als einem ſolchen gewöhnlich pflegte
übergeben zu werden h); und bey ſeiner Rückkehr mit ſeiner jungen Gemahlinn erneuerte er
alle Proben der zärtlichen Zuneigung gegen ſeinen Liebling, über welchen ein jeder ſo ſehr klagte. Dieſe Prinzeßinn hatte einen ſehr herrſch-
ſüchtigen Geiſt, voll von Anſchlägen; und da
ſie ſah, daß ihres Gemahls Fähigkeit es nöthig,
und ſeine Gemüthsart ihn geneigt machte, regieret zu werden; ſo glaubte ſie dazu das größte
Recht zu haben, und warf einen tödlichen Haß
auf diejenige Perſon, welche machte, daß ihr
dieſe Hoffnung fehl ſchlug. Sie war daher ſehr
vergnügt, eine Verbindung unter dem Adel wi-
den den Gavaſton zu entdecken, der ihren Haß
gemerkt, und ſie durch neue Beſchimpfungen und
Beleidigungen muthwillig gereizet hatte.

A 4　　　　　Tho-

f) T. de la More. S. 539. Trivet. Fortſ. S 3.
g) Rymer. B III. S 47. Ypod. Neuſt. S. 499.
h) Bradys Append. N. 49.

Thomas, Graf von Lancaster, ein leiblicher Vetter des Königes, und erster Prinz von diesem Geblüte, war der reichste und mächtigste Unterthan in England, und besaß für sich, und bald nachher von seiner Frauen wegen, einer Erbinn der Familie von Lincoln, nicht weniger als sechs Grafschaften, nebst verhältnißmäßigen Landgütern, welche alle Gerichtsbarkeit und Gewalt hatten, die in den damaligen Zeiten gemeiniglich mit dem Eigenthum an Ländern verbunden waren. Er war unruhig und aufrührisch, haßte den Liebling tödtlich, dessen Gewalt über den König die seinige übertraf; und wurde bald das Haupt derjenigen Partey unter den Baronen, welche diesen unverschämten Fremdling zu stürzen suchte. Die verschwornen Adlichen verbanden sich durch einen Eid, den Gavaston aus dem Reiche zu jagen: beyde Parteyen fiengen schon an, sich in eine kriegerische Verfassung zu setzen: die Unbändigkeit der Zeit brach in Räubereyen und andre Unordnungen aus, diesen gewöhnlichen Vorspielen des bürgerlichen Krieges; und das königliche Ansehen, welches in des Königes Händen verachtet, in Gavastons Händen aber verhaßt war, wurde unkräftig, die Gesetze auszuüben, und im Reiche Frieden zu erhalten.

Zu

Zu Westminster wurde ein Parlament versammlet, wo Lancaster und seine Anhänger mit bewaf-
neten Begleitern erschienen; und also im Stande waren, ihrem Souverain Bedingungen vor-
zuschreiben. Sie verlangten Gavastons Verbannung, nahmen einen Eid von ihm, nie wieder
zurück zu kommen, und zwangen die Bischöfe,
welche sich allezeit in die bürgerlichen Angelegenheiten mischten, ihn in den Bann zu thun, wenn
er länger im Reiche bliebe i); Eduard mußte sich
unterwerfen k); Allein, selbst bey seiner Gefälligkeit gab er Proben von seiner zärtlichen Liebe zu
seinem Lieblinge. Anstatt allen Verdacht zu
entfernen, indem er ihn nach seinem Lande schicken sollte, wie man erwartete, bestellte er ihn
zum Statthalter von Irrland l), begleitete ihn
auf seiner Reise dahin bis nach Bristol, und
gab ihm vor seiner Abreise neue Länder und Reichthümer in Gascogne und England m). Gavaston,
dem es nicht am Muth fehlte, und der Geschicklichkeit zum Kriege hatte n), hielt sich während

A 5 seiner

i) Trivet. Fortf. S. 5.
k) Rymer, B. III. S. 80.
l) Rymer, B. III. S. 92. Murimuth S. 39.
m) Rymer, B. III. S 87.
n) Heming B. I. S. 248. T. de la More. S. 593.

seiner Regierung tapfer gegen einige irrländische
Rebellen, welche er überwand.

Unterdessen wandte der König, der sich
durch die widergesetzliche Gewaltthätigkeit, welche man ihm angethan hatte, weniger beleidiget,
als wegen der Abwesenheit seines Lieblings unglücklich befand, alles an, die Widersetzung der
Baronen wider seine Zurückkunft zu stillen; als
wenn ein guter Erfolg in dieser Sache der vornehmste Gegenstand seiner Regierung gewesen wäre.
Die große Bedienung eines erblichen Staatsmi-
nisters wurde dem Lancaster ertheilet. — Sein
Schwiegervater, der Graf von Lincoln, wurde
durch andre Verwilligungen abgekauft: der Graf
von Warenne wurde gleichfalls mit Höflichkeit
und Versprechen besänftiget: da man den Trotz
des Gavaston nicht mehr vor Augen hatte; so
war er nicht mehr so sehr der Gegenstand des
allgemeinen Hasses; und als Eduard die Sachen
zu seinem Entzwecke für hinlänglich zubereitet
hielt, wendete er sich an den römischen Hof,
und erhielt eine Lossprechung von dem Eide, den
die Baronen von dem Gavaston erzwungen hatten, nicht wieder ins Reich zu kommen o). Der
König reisete nach Chester, um ihn bey seiner
                                          Lan-

o) Rymer, B. III. S. 167.

Landung von Irrland zu empfangen; flog mit
Entzücken in seine Arme; und nachdem er von
den Baronen im Parlament eine förmliche Einwilligung zu seiner Wiederkunft erhalten hatte,
setzte er seiner ausschweifenden Liebe und Zuneigung keine Gränzen mehr. Gavaston selbst, der
sein voriges Unglück vergaß, und gegen die Ursachen desselben blind war, nahm dieselbige Pralerey und Unverschämheit wieder an; und wurde mehr, als jemals, der Gegenstand eines allgemeinen Abscheues der Baronen.

Der Adel entdeckte zuerst seine Feindseligkeit,
indem er sich vom Parlament entfernte; und da
er sah, daß dies Mittel keine Wirkung hatte,
fieng er an, auf schärfere und wirksamere zu
denken. Obgleich die Nation wenig andre Ursache zu klagen gehabt hatte, als über einige Ver-
schwendung des öffentlichen Schatzes: obgleich
alle Handlungen einer schlechten Regierung, die
dem Könige und seinem Lieblinge vorgeworfen
wurden, von der Art zu seyn schienen, daß sie
eher in einer Versammlung Eifer, als in einem
Reiche Unruhen anrichten könnten: so waren die
Zeiten doch so beschaffen, daß die Baronen sich
entschlossen, und fähig waren, eine gänzliche
Veränderung in der Staatsverfassung und bür-

gere-

gerlichen Regierung zu machen. Da sie trotz den
Gesetzen, und einen Verbot des Königes, mit
einem so zahlreichen Gefolge bewaffneter Leute
(den 7ten Febr.) ins Parlament gekommen waren, so spielten sie völlig den Meister; und über-
reichten eine Bittschrift, die so gut als ein Befehl war, daß Eduard die ganze Macht der Krone und des Parlaments einem auserwählten Rathe übertragen sollte. Der König war gezwungen,
(den 16ten März) eine Vollmacht zu unterschrei-
ben, welche die Prälaten und Baronen berechtig-
te, zwölf Personen zu erwählen, die bis Mi-
chaelis des folgenden Jahres die Gewalt haben
sollten, Verordnungen zur Regierung des Reiches,
und zur Einrichtung des königlichen Hofstaats
zu machen; er mußte zugeben, daß diese Anordnungen hinführo, und auf immer die Kraft eines
Gesetzes behielten: und verstatten, daß die Bevoll-
mächtigten unter sich und ihrer Freunden Verbindungen zur genauen und regelmäßigen Beobachtung derselben machten; und alles dieses zur Ver-
herrlichung Gottes, zur Sicherheit der Kirche,
und zur Ehre und zum Besten des Königes und
des Reiches p). Die Baronen unterzeichneten
dage-

p) Bradys Append. N. 50. Heming. B. 1. S. 247.
Walsing. S. 97. Ryley. S. 526.

dagegen eine Erklärung, in welcher sie bekann=
ten, daß sie diese Bewilligung blos der freyen
Güte des Königes zu danken hätten; versprachen,
daß ihm dies nie zur Beeinträchtigung gereiche;
und versicherten, daß die Gewalt der Regiements=
verbesserer sich zur gesetzten Zeit endigen sollte q).

　　　Der auserwählte Rath von zwölf Män=
nern setzte seine Verordnungen (i. J. 1311.) auf,
und legte sie dem Könige und dem Parlamente
zur Bestätigung im folgenden Jahre vor. Eini=
ge von diesen Verordnungen waren löblich, und
dienten zur ordentlichen Ausübung der Gerech=
tigkeit; wie z. E. diejenigen, welche forderten,
daß die Sherifs Eigenthümer seyn sollten; die
Gewohnheit abschaften, da man Befehle unter
dem geheimen Siegel ausgab, die Handhabung
der Gerechtigkeit auszusetzen; die Gewohnheit der
Versorgung des königlichen Hofstaats einschrän=
ten; die Verfälschung oder Veränderung der
Münzen verboten; die Fremden von der Pach=
tung der Einkünfte ausschloß, befahlen, daß alle
Zahlung an die königliche Schatzkammer richtig
geleistet würde; alle vorige Bewilligungen der
Krone widerriefen; und den Parteyen den Scha=

　　　　　　　　　　　　　　　　　　　den

q) Bradys. Append. No. 51.

den erſetzten, wenn ſie mit gerichtlichen Verfolgungen geplagt waren. Allein, was den König am meiſten betrübte, war die Verordnung,
alle böſe Rathgeber abzuſetzen, wodurch eine
große Anzahl Perſonen von allen Bedienungen
und Vortheilen namentlich ausgeſchloſſen wurden;
und Piers Gavaſton wurde auf immer von den
Gütern des Königes verbannet, unter der Be-
drohung, wenn er nicht Gehorſam leiſtete, für
einen öffentlichen Feind erkläret zu werden. Andre Perſonen, die den Baronen angenehmer waren, erhielten die Bedienungen: Und es wurde
verordnet, daß künftig alle anſehnliche Würden
in dem Hofſtaat, wie auch bey der Verwaltung
der Gerechtigkeit, der Einkünfte und des Kriegs-
weſens von den Baronen im Parlament beſetzet
werden ſollten; und die Gewalt Krieg anzufan-
gen, oder ſeine Kriegsvaſallen zu verſammlen,
ſollte nicht länger von dem Könige allein verwal-
tet, noch ohne Bewilligung des Adels ausgeübet werden.

Eduard wurde von derſelben Schwachheit
ſeiner Gemüthsart, und von ſeiner Situation,
welche ihn genöthigt hatte, dieſe uneingeſchränkte
Vollmacht den Baronen zu ertheilen, veranlaſſet, ihren Einrichtungen eine Parlamentsbeſtäti-
gung

gung zu geben: aber zu Folge eben dieses Charakters protestirte er heimlich dawider; und erklärte sich, da die Vollmacht blos gegeben worden, um Verordnungen zum Besten des Königes
und Reiches zu machen, so müßten diejenigen
Artikel, welche beyden zum Nachtheil gereichten,
für nicht genehmiget und bestätiget angesehen werden. r). Es ist nicht zu bewundern, daß er den
vesten Entschluß behielte, solche Verordnungen
zu widerrufen, welche ihm mit Gewalt aufgedrungen waren, welche das königliche Ansehen völlig vernichteten, und welche, dieses war das wichtigste, ihm die Gesellschaft einer Person raubte,
die er, durch eine außerordentliche Bethörung
höher, als die ganze Welt, und höher, als alle
Betrachtungen des Besten und der Ruhe schätzte.

So bald sich Edward demnach nach York
zurück begeben, und von dem unmittelbaren Schrecken vor der Gewalt der Baronen befreyet hatte, rief er den Gavaston aus Flandern, wohin
er seine Zuflucht genommen hatte, wieder zurück;
erklärte seine Verbannung für ungesetzmäßig, und
den Gesetzen und Gewohnheiten des Reiches zu-
wi-

r) Ryleys Placit. Parl. S. 530. 541.

wider s), und setzte ihn öffentlich in sein voriges
Ansehen wieder ein. Die Baronen, die (i. J.
1312.) über diese fehlgeschlagene Hoffnung sehr
aufgebracht wurden, und die Gefahr einsahen,
der sie wegen der öffentlich erklärten Feindseligkeit eines so mächtigen Lieblings ausgesetzet waren, sahen, daß entweder sein oder ihr Fall unvermeidlich wäre; und erneuerten ihre vorige Verbindung wider ihn mit verdoppelten Eifer. Der
Graf von Lancaster war ein gefährliches Haupt
dieser Verbindung; Guy, Graf von Warwic,
ließ sich mit einer rasenden und heftigen Hitze
in dieselbe ein. Humphrey Bohun, Graf von
Hereford, der Constable, und Aymer von Valence, Graf von Pembroke, verschafften derselben einen großen Zuwachs an Gewalt und Ansehen. So gar der Graf Warenne verließ die
königliche Sache, die er bisher unterstützet hatte, und wurde verführet, auf die Seite der
Verschwornen zu treten t); und da Robert von
Winchelsey, der Erzbischof von Canterbury, sich
gleichfalls für diese Partey erklärte, so entschloß
sich die Geistlichkeit, und folglich auch das Volk,
sich wider den König und seinen Liebling zu er-
klä-

s) Brady. App. No. 53. Walsing. 98.
t) Trivet. Fortf. S. 4.

klären. So herrschend war damals die Gewalt
des großen Adels, daß die Verbindung einiger
unter ihnen fähig war, den Thron zu erschüttern; und ein solcher allgemeiner Zusammenlauf
wurde unwiderstehlich. Der Graf von Lancaster
brachte geschwind eine Armee zusammen, und
marschirte nach York; wo er aber den König
nicht antraf, der sich nach Newcastel begeben hatte u). Er eilte ihm dahin nach; und Eduard
hatte nur eben Zeit, nach Tinmuth zu fliehen,
wo er zu Schiffe gieng, und mit dem Gavaston
nach Scarborough seegelte. Er ließ seinen Liebling auf diesem Castel, welches, wenn es mit
Vorrath hinlänglich versehen gewesen wäre, für
unüberwindlich gehalten wurde; und gieng nach
York, in der Hoffnung, eine Armee zu werben,
welche ihn wider seine Feinde schützen könnte.
Pembroke wurde von den Verschwornen abgeschickt, das Castel Scarbörugh (den 19ten May)
zu belagern; und Gavaston, der den schlechten
Zustand seiner Garnison kannte, war gezwungen, mit dem Feinde zu capituliren, und sich
gefangen zu geben x). Er machte aus, daß er
zwey

u) Walfing. S. 101.
x) Walfing. S. 101.

Hume Gesch. V. B.

zwey Monate in Pembroks Händen bleiben wollte; daß unter der Zeit von beyden Parteyen an
einem allgemeinen Vergleich gearbeitet; daß, wenn
die Bedienungen von den Baronen nicht angenommen würden, das Castel ihm in dem Stande wieder zurück gegeben werden sollte, worinn
er es überliefert hätte; und der Graf von Pembroke, und Heinrich Piercy sollten alle ihre Länder für die Erfüllung dieser Bedingungen zu Pfande setzen y). Pembroke, der itzt Meister von
diesem allgemeinen Feinde war, führte ihn nach
dem Castel Bedington, bey Banbury; wo er,
unter dem Vorwande anderer Verrichtungen,
ihn mit einer schwachen Wache zurück ließ z),
Warwic griff, vermuthlich auf Verabredung mit
dem Pembroke, dieses Castel an: die Wache wollte sich gar nicht wehren: Gavaston wurde übergeben, und nach dem Castel Warwic geführet:
die Grafen von Lancaster, Hereford, und Arundel begaben sich sogleich dahin a); und befahlen,
ohne Hinsicht auf die Gesetze oder Capitulation,
diesem schädlichen Lieblinge vom Scharfrichter den
Kopf abschlagen zu lassen b).

Der

y) Rymer. B. II. S 324.
z) T. de la More. S. 395.
a) Dudg. Baron. B. II. S. 44.
b) Walsin. S. 101. T. de la More. S. 593. Trivet.
Forts. S. 9.

Der König hatte sich gegen Norden nach
Berwic gezogen, als er von Gavaſtons Ermordung hörte; und ſeine Empfindungen hierüber
waren der Liebe gleich, welche er in ſeinem Leben für ihn gehegt hatte. Er drohete, ſich an
allen Adlichen zu rächen, welche bey dieſem blutigen Auftritte wirkſam geweſen wären, und
machte in allen Theilen von England Zurüſtungen zum Kriege. Allein, da er in ſeiner Feind-
ſchaft unbeſtändiger wär, als in ſeiner Freundſchaft; ſo gab er bald darauf Friedensbedienun-
gen Gehör; verſprach den Baronen Verzeihung
für alle ihre Beleidigungen; und da ſie gelobten,
ihn öffentlich auf den Knien um Verzeihung zu
bitten c); ſo war er mit dieſem leeren Scheine
einer äuſſerlichen Unterwerfung ſo wohl zufrieden,
daß er ihnen alle vorige Ungerechtigkeiten wirklich vergeben zu haben ſchien. Allein da ſie,
ungeachtet ihres geſetzloſen Betragens, eine groſ-
ſe Sorge für die Unterſtützung der Geſetze vorgaben; und die Einführung ihrer ehemaligen
Anordnungen, als eine nothwendige Sicherheit
zu dem Ende förderten: ſo ſagte Eduard, er
wäre willig, ihnen eine freye und geſetzmäßige
Beſtätigung derjenigen Verordnungen zu geben,

B 2   wel-

c) Ryley. S. 538. Rymer. B. III. S. 366.

welche die Vorrechte der Krone nicht beeinträch-
tigten. Diese Antwort wurde vors erste als befriedigend angenommen. Die Person des Königes war nach Gavastons Tode dem Volke weniger verhaßt geworden; und da die Verordnungen, auf welche man drang, fast eben dieselbigen zu seyn schienen, welche Mountfort ehemals
Heinrich dem Dritten abgezwungen hatte, und
welche von so vielen schädlichen Folgen begleitet
gewesen waren; so wurden sie daher mit weniger Heftigkeit von dem Adel und dem Volk ge-
fördert. Die Gemüther aller Leute schienen unter einander sehr besänftiget zu seyn; die Feindseligkeiten der Parteyen hörten auf; und man
hoffte, daß England, welches itzt unter seinem
Haupte vereiniget war, sich an allen seinen Feinden rächen würde; vornemlich an den Schotten,
deren glücklicher Fortgang der Gegenstand eines
allgemeinen Zorns und Unwillens war.

Gleich nach Eduard Rückreise aus Schottland zog Robert Bruce seine schwache Armee
wieder aus den vesten Oertern, wohin er seine
Zuflucht genommen hatte; und indem er den Mangel an Macht durch eine größre Lebhaftigkeit und
Geschicklichkeit ersetzte, machte er tiefe Eindrücke
auf alle auswärtige und einheimische Feinde. Er
ver-

verjagte den Lord Argyle, und die Chieftaine
der Macdonals von ihren Hügeln, und machte
sich von dem hohen Lande völlig Meister: Hierauf griff er die Cumminen in den niedrigen Ländern gegen Norden mit gutem Erfolg an: Er
nahm die Castele Inverneß, Forfar und Brechin
ein: er gewann täglich mehr Land; und welches
eine noch wichtigere Eroberung war, er machte
täglich seine Herrschaft dem Adel beliebter, und
brachte alle kühne Anführer, welche er mit dem
Raube seiner Feinde bereicherte, unter seine Fahne. Sir Jacob Duoglas, mit welchem die Größe
und der Ruhm dieser kriegerischen Familie anfieng,
half ihm in allen Unternehmungen. Eduard Bruce, Roberts eigner Bruder, that sich durch tapfre
Thaten hervor; und da die Furchtbarkeit der
englischen Macht sich wegen des schwachen Betragens des Königes sehr verminderte; so hoffte
auch der Muthloseste unter den Schotten die Unabhänglichkeit wieder zu gewinnen; und das ganze Reich, einige veste Schlösser ausgenommen,
welche er nicht angreifen konnte, hatte schon die
Herrschaft des Robert erkannt.

In dieser Situation hielt Eduard es für
nöthig, mit Schottland einen Waffenstillstand zu
machen; und Robert gebrauchte diese Zwischen-

zeit

zeit mit gutem Erfolge zur Befestigung seiner
Macht, und zur Einführung der Ordnung in der
bürgerlichen Regierung, welche durch den langen
Krieg und die innerlichen Unruhen getrennet war.
Die Zwischenzeit war sehr kurz: der Waffenstillstand wurde an beyden Seiten schlecht beobachtet, und zuletzt gar öffentlich gebrochen; und der
Krieg fieng mit größerer Wuth, als jemals, an.
Robert, nicht zufrieden, daß er sich selbst vertheidigte, that glückliche Einfälle in England,
unterhielt seine dürftigen Anhänger durch Plünderung des Landes, und lehrte sie das kriegerische Genie einer Nation verachten, welche lange
ein Gegenstand ihres Schreckens gewesen war.
Eduard, der endlich aus seiner Schlafsucht auf-
wachte, führte eine Armee nach Schottland;
und Robert, der nicht im Sinn hatte, gegen
einen Feind, der ihm so sehr überlegen war, zu
viel zu wagen, zog sich wieder in seine Gebirge
zurück. Der König rückte über Edimburg hinaus: da es ihm aber an Vorrath mangelte, und
er von dem englischen Adel, der itzt mit Verordnungen beschäfftiget war, wenig unterstützet
wurde, so war er bald gezwungen, wieder zurück zu kehren, ohne einigen Vortheil über seine
Feinde erhalten zu haben. Allein die anscheinende

Ver-

Vereinigung aller Parteyen in England nach
Gavaſtons Tode, ſchien dieſem Reiche ſeine vorige
Gewalt wieder zu geben, öffnete wieder eine Aus-
ſicht, Schottland zu unterwerfen, und verſprach
den glücklichen Beſchluß eines Krieges, der das
Beſte und die Neigung der Nation ſo ſehr betraf.

Eduard verſammlete (i. J. 1314.) aus allen Gegenden, in der Abſicht, dieſe wichtige Unternehmung durch einen Streich zu endigen. Er
verſammlete die Kriegriſchſten von ſeinen Vaſallen aus Gaſcogne: er nahm flandriſche und andre fremde Truppen in Dienſt: er rief eine große
Anzahl unordentlicher Irrländer, als zu einer gewiſſen Beute, herüber: er ließ zu dieſen ein Corps
Walliſer ſtoßen, welches von gleichen Bewegungsgründen getrieben wurde; und, nachdem er die
ganze engliſche Macht verſammlet hatte, marſchirte er an die Gränzen mit einer Armee, die
zufolge der ſchottiſchen Geſchichtſchreiber, ſich
auf hundert tauſend Mann belief, vermuthlich
aber dieſe Anzahl lange nicht erreichte d).

B 4   Die

---

d) Wir finden beym Rymer. B. III. S. 481. eine
Liſte von aller Infanterie, welche aus ganz England
und Wallis zuſammen gezogen war; und ſie belief
ſich

Die Armee, welche Robert verſammlet hatte,
belief ſich nicht über 30,000 ſtreitbare Männer:
beſtund aber aus Leuten, die ſich durch tapfre
Thaten hervorgethan hatten, die wegen ihres
Zuſtandes in Verzweiflung gerathen, die zu allen
Veränderungen des Glücks gewöhnet waren, und
die daher unter einem ſolchen Anführer der zahl-
reichſten und wohleingerichteſten Armee ſchreckbar
ſeyn könnten. Das Caſtel Stirling, welches,
nebſt Berwic, die einzige Veſtung in Schottland
war, welche die Engländer noch beſaßen, war
lange von dem Eduard Bruce belagert worden;
und Philipp von Mowbray, der Commandant,
war, nach einer hartnäckigen Vertheidigung, endlich gezwungen worden, zu capituliren, und zu
verſprechen, daß, wenn er vor einem gewiſſen
Tage, der itzt herannahete, keinen Entſatz erhielt, er dem Feinde ſeine Thore eröffnen wollte e). Robert ſah ein, daß dies der Ort wäre,
wo er die Engländer erwarten müßte; wählte
daher ein Schlachtfeld mit aller Geſchicklichkeit
und Klugheit, die ſich nur denken läßt, und
mach-

ſich nur auf 21,540. Es iſt daher unwahrſcheinlich,
daß die ganze Armee ſo zahlreich ſeyn konnte, als
man berichtet.

e) Rymer. B. III. S. 481.

machte die nöthigen Zubereitungen, die Feinde zu
empfangen. Er stellte sich bey Bannockborn,
über zwey Meilen von Stirling, wo er einen
Hügel an der rechten, und einen Morast an der
linken Flanke hatte; und, noch nicht zufrieden,
durch diese Vorsicht verhütet zu haben, daß er
von der zahlreichen Armee der Engländer nicht
könnte umringet werden, sah er auch die überlegene Macht der Feinde an Cavallerie vorher,
und machte seine Anstalten dagegen. Da er einen Fluß vor sich hatte; so ließ er tiefe Gruben längst den Ufern graben, spitzige Pfähle darein pflanzen, und allenthalben mit Rasen sorgfältig verdecken f). Er wurde die Engländer gegen Abend ansichtig; und zwischen zweyen Corps
Cavallerie erfolgte sogleich ein blutiger Scharmützel; wo Robert, der sich an der Spitze der
Schotten befand, sich in einem Zweykampf mit
dem Heinrich von Bohun, einem Herrn von der
Familie von Hereford einließ, und seinem Feinde den Kopf bis an das Knie in einem Hiebe
mit einer Streitart, vor dem Angesicht beyder
Armeen, spaltete. Die englische Cavallerie flohe
eiligst zu der Hauptarmee.

B 5.   Die

f) T. de la More. S. 594.

Die Schotten, ermuntert durch diesen glücklichen Vorfall, und stolz auf die Tapferkeit ihres Prinzen, prophezeyten sich einen glücklichen
Ausgang der Schlacht des folgenden Tages:
(den 25 Junii) die Engländer, voll Zuversicht
auf ihre Anzahl, aufgeblasen durch ihr voriges
Glück, sehnten sich nach Gelegenheit, sich zu
rächen; und obgleich die Nacht in dieser Jahrszeit, und in diesem Clima sehr kurz ist; so kam
sie der Ungeduld der beyden Parteyen doch sehr
lang vor. Des Morgens früh zog Eduard mit
seinen Truppen aus, und rückte gegen die Schotten. Der Graf von Glocester, sein Neffe, welcher den linken Flügel der Cavallerie commandirte, griff, von der Jugendhitze angetrieben,
die Feinde ohne Vorsichtigkeit an, und fiel unter die verdeckten Gruben, welche Bruce, um
seine Feinde zu empfangen, hatte zubereiten lassen g). Dieser Trup Reuterey kam in Unordnung: Glocester wurde überwältiget und erschlagen: Sir James Douglas, welcher die schottische Cavallerie commandirt ließ dem Feinde keine
Zeit, sich wieder in Ordnung zu stellen, sondern schlug ihn mit einem ansehnlichen Verluste
aus dem Felde, und verfolgte ihn vor dem An-
ge-

g) T. de la More. S. 524.

geſichte der ganzen Infanterie. Indem die engliſche Armee durch dieſen unglücklichen Anfang
des Treffens, welcher gemeiniglich entſcheidend
wird, erſchrocken war, wurde ſie auf einer Anhöhe zur Linken ein Heer anſichtig, welches lang-
ſam anzurücken ſchien, um ſie einzuſchlieſſen; und
gerieth durch dieſe doppelte Furcht in Verlegenheit. Es war eine Anzahl von Fuhrleuten und
Arbeitsleuten, welche Robert verſammlet, und
mit kriegeriſchen Fahnen hatte verſehen laſſen;
ſo, daß ſie in der Ferne das Anſehen einer ſtarken Armee hatten. Dieſe Kriegsliſt gelung: ein
paniſcher Schrecken ergriff die Engländer: ſie
warfen ihre Waffen nieder, und flohen: ſie wurden mit einer großen Niederlage achtzig Meilen
weit verfolget, bis ſie zu Berwic ankamen; und
die Schotten nahmen, auſſer einer unſchätzbaren
Beute, viele Perſonen von Stande, und über
400 Adliche gefangen, welchen Robert mit der
größten Leutſeligkeit begegnete h), und deren
Ranzion ein neuer Zuwachs des Reichthums für
die ſiegende Armee war. Der König ſelbſt entkam mit genauer Noth, indem er nach Dunbar
flohe, deſſen Thore ihm von dem Grafen von
March

h) Ypod. Neuſt. S. 597.

March geöffnet wurden; und von hier begab er sich zu Wasser nach Berwic.

Dieß war die große entscheidende Schlacht zu Bannockburn, welche die Unabhänglichkeit Schotlands sicherte, den Bruce auf den Thron dieses Reiches setzte, und für die größte Niederlage, welche die englische Monarchie seit der Eroberung erlitten hat, gehalten werden kann. Die Anzahl der Erschlagenen bey solchen Vorfällen ist allemal ungewiß, und wird gemeiniglich von den Siegenden sehr vergrößert: Allein, diese Niederlage machte einen tiefen Eindruck auf die Gemüther der Engländer; und man merkte an, daß einige Jahre nachher keine Ueberlegenheit an Zahl sie bewegen konnte, sich wider die Schotten im Felde sehen zu lassen i). Robert rückte in England ein, um sich seines gegenwärtigen Vortheils zu bedienen, und verheerte alle nordliche Grafschaften ohne Widerstand. Er belagerte Carlisle, obgleich dieser Ort durch die Tapferkeit des Commandanten, Sir Andreas Herkla, erhalten wurde. Er war glücklicher bey Berwic, welches er durch Sturm einnahm k); und Robert, durch sein beständiges Glück aufgeblasen, machte sich

Hoff-

i) Walsing. S. 106.

k) T. de la More. S. 594. Murimuth. S. 53.

Hoffnung, die wichtigst.n Eroberungen in England zu machen. Er schickte (i. J. 1315.) seinen
Bruder, Eduard, mit einer Armee von 6000
Mann nach Irrland; und dieser Herr nahm
den Titel eines Königes von Irrland an l): er
selbst folgte ihm bald mit einer zahlreichen Armee
nach: die erschreckliche und unvernünftige Unterdrückung, welche die Irrländer unter der englischen Regierung litten, machte, daß sie sich anfänglich unter die Fahne der Schotten begaben,
welche sie für ihre Befreyer ansahen: allein, eine
grausame Theurung, welche Irrland und Brita-
nien damals verheerte, brachte die schottische
Armee in die äußerste Noth; und Robert war
genöthiget, mit seiner Armee, welche sehr geschwächet war, wieder in sein Land zurück zu
kehren. Nachdem sein Bruder ein sehr veränder-
liches Glück gehabt hatte, wurde er von den
Engländern, unter der Anführung des Lords Ber-
mingham, bey Dundalk geschlagen, wobey er
selbst umkam m); und diese Projekte, die für die
Macht

l) Trivet. Fortf. S. 28.

m) Rymer. B. III. S. 767, 777. Walfing. S. 3.
Ypod. Neuft. S. 503. T. de la More. S. 594.
Trivet. Fortf. S. 29.

Macht der schottischen Nation so größ waren,
würden also zu Wasser.

Der König wurde, außer dem Unglücke
des Einfalls der Schotten, und der Rebellion
der Irrländer, auch durch einen Aufstand in Wallis beunruhiget n): und vornehmlich durch die
heimlichen Verbindungen seines eignen Adels,
welcher sich des öffentlichen Unglücks bediente,
seinem sinkenden Glücke Trotz both, und sich bemühete, seine eigene Unabhängligkeit auf den
Umsturz des Thrones zu bauen. Lancaster, und
die Baronen von seiner Partey, welche den Eduard in seinem schottischen Feldzuge nicht hatten
begleiten wollen, sahen ihn nicht so bald mit
Schimpf zurück kommen, als sie auf die Erneurung ihrer Verordnungen drangen, von welchen
sie vorgaben, daß sie noch ihre Gültigkeit hätten; und der unglückliche Zustand des Königes
zwang ihn, sich ihren Forderungen zu unterwerfen. Die Regierung wurde unter Lancasters Anführung von neüen eingerichtet o): dieser Herr
wurde an die Spitze des Rathes gesetzet. Es
wurde erkläret, daß alle Bedienungen durch die
Stimmen des Parlaments, oder vielmehr, nach
dem

n) Rymer. B. III. S 553.
o) Ryley. S. 560. Rymer B. III. S. 721.

dem Willen der großen Baronen von Zeit zu
Zeit sollten besetzt werden p): Und die Nation bemühete sich, unter diesen neuen Regierungsart sich in einen bessern Vertheidigungsstand wieder die Schotten zu setzen. Allein, der aufrührische Adel ließ sich durch das Glück dieser öffentlichen Feinde nicht erschrecken: er gründete
vielmehr die Hoffnung seiner künftigen Größe
auf die Schwachheit und den betrübten Zustand der
Krone. Man hatte Lancaster, und zwar mit gros-
ser Wahrscheinlichkeit, in Verdacht, als wenn
er ein heimliches Verständniß mit dem schottischen
Könige unterhielt; und ob er gleich das Commando über die englischen Armeen hatte; so sah
er doch dahin, daß jedes Unternehmen fehlschlug,
und jeder Operationsplan unglücklich ablief. Es
war damals in allen Europäischen Reichen, und
besonders in England, das Amt eines Premier-
ministers völlig unbekannt, welches man itzt in
allen regelmäßigen Monarchien so wohl kennet;
und das Volk konnte sich keinen Begriff von einem Manne machen, der, ob er gleich beständ-
dig ein Unterthan blieb, doch alle Gewalt eines
Souverains besaß, der dem Prinzen die Last
des

p) Brady. B. II. S. 122. aus den Urkunden. Apl.
No. 61. Ryley. S. 360.

Geſchäfte erleichterte, den Mängel der Erfahrung, oder der Geſchicklichkeit bey ihm erſetzte,
und alle Rechte der Krone erhielt, ohne die Grö-
ſeſten von Adel durch ihre Unterwerfung unter ſeinem Anſehen zu entehren. Edward war von Natur völlig ungeſchickt, die Zügel der Regierung
ſelbſt zu führen; er war nicht laſterhaft, hatte
aber das Unglück, zu ernſthaften Verrichtungen
gänzlich unfähig zu ſeyn: er ſah ſeine eigenen
Fehler ein, und trachtete darnach, regieret zu
werden: allein, jeder Liebling, den er ſich nach
und nach erwählte, wurde als ein Nebenun-
terthan angeſehen, der über ſeinen Rang und
Stand erhöben worden: er wurde ein Gegenſtand
des Neides des großen Adels: ſein Charakter und
ſeine Aufführung wurden von dem Volke beſchrien:
ſeine Gewalt über den König und das Reich wurde für eine Anmaßung angeſehen; und hätte der
König nicht das gefährliche Mittel ergriffen,
ſeine Gewalt dem Grafen von Lancaſter, oder
einigen mächtigen Baronen zu übergeben, deren
Familien Anſehen ſo groß war, daß es ihren Einfluß allein unterſtützen konnte; ſo hätte er weder Frieden noch Ruhe auf dem Throne erwarten können.

Der

Der vornehmste Liebling des Königes, nach Gavastons Tode, war Hugh le D'espenser oder Spenser, ein junger Herr, von Geburt ein Engländer, von hohem Stande, und aus einer adlichen Familie q): Er besaß alle äußerliche Vollkommenheiten der Bildung, und des Betragens, welche fähig waren, das schwache Herz Eduards einzunehmen; es mangelte ihm aber an der Mäßigung und Klugheit, welche ihn hätte geschickt machen können, den Neid der Größen zu mildern, und ihn durch alle Gefahr desjenigen gefährlichen Standes zu führen, zu welchem er gelanget war: Sein Vater, gleiches Namens, der vermittelst seines Sohnes eine große Gewalt über den König erhalten hätte, war wegen seines Alters ein ehrwürdiger Herr, wegen Weisheit, Tapferkeit und Aufrichtigkeit in seinem ganzen Leben geehrt, und durch seine natürlichen Gaben und Erfahrung sehr geschickt, wenn die Umstände ein Mittelperson hätten zulassen können, die Fehler des Königes und seines Lieblings zu verbessern r): Allein, Eduards Neigung für den jungen Spenser war nicht so bald bekannt geworden,

q) Dugd. Baron. B. I. S. 329.

r) T. de la More. S. 594.

worden, als der aufrührische Lancaster, und die
meisten großen Baronen ihn für ihren Nebenbuhler ansahen; ihn zu dem Gegenstande ihres Haß-
ses machten, und den gewaltsamen Vorsatz faßten, ihn zu stürzen s). Sie entdeckten ihr Mißvergnügen zuerst, indem sie aus dem Parlament
blieben; und es dauerte nicht lange, als sie einen Vorwand fanden, größte Gewaltthätigkeiten
gegen ihn auszuüben.

Der König, welcher der Gütigkeit gegen seine
Lieblinge keine Gränzen setzte, hatte den jungen
Spenser (i. J. 1321.) mit seines Bruders Tochter
verheyrathet, einer Miterbin des Grafen von Glocester, der bey Bannockburn geblieben war; und
da der Liebling, durch seine Aufnahme in diese
reiche Familie, viele Güter innerhalb den Gränzen von Wallis geerbt hatte t), und seine Macht
in diesen Gegenden immer mehr auszubreiten sich
bemühete; so wurde er angeklagt, daß er gegen
die Baronen von Aubley, und D'ammori, die
gleichfalls zwey Schwestern von eben derselben
Familie geheyrathet hatten, eine Ungerechtigkeit
begangen hätte. Es war auch ein Baron in die-

ser

---

s) Walsing. S. 113. T. de la More. S. 595. Mu-
    rimuth. S. 55.
t) Trivet, Forts. S. 25.

ßer Nachbarschaft, Namens Wilhelm von Bra-
ouse, Herr von Gower, der seine Länder dem
Johann von Mowbray, seinem Schwiegersohn,
bestimmt; und im Fall dieser Herr und sein Erbe aussterben sollte, den Grafen von Hereford
zum Erben der Baronie Gower eingesetzet hatte.
Mowbray nahm, nach dem Tode seines Schwie-
gervaters von den Gütern Besitz, ohne eine förmliche Bestätigung und Einsetzung von der Krone
zu erhalten; und Spenser, der sehr nach dieser
Baronie trachtete, beredete den König, die Strenge der Feudalgesetze auszuüben, Gower, als an
die Krone verfallen, in Besitz zu nehmen, und
ihm zu geben. Diese Handlung, welche eigentlich in die Gerichtsstube gehörte, erregte sogleich
einen bürgerlichen Krieg u). Die Grafen von Lancaster und Hereford griffen zu den Waffen: Audley
und D'ammori vereinigten ihre Macht: die beyden Rogers von Mortimer und Roger von Clifford nebst vielen andern; die aus Privatursachen
dem Spenser feind waren, vermehrten die Partey ansehnlich; und ihre Armee, die itzt fürchterlich ward, sendete eine Bothschaft an den König, verlangte von ihm, den jungen Spenser
von sich zu lassen, oder gefangen zu setzen; und
bis

C 2

u) Monach. Malmes.

drohete ihm, im Fall einer Widersetzung, ihren
Eid der Treue und Huldigungseid für nichtig zu
erklären, und sich mit eigner Gewalt an diesem
Minister zu rächen. Sie erwartete kaum eine Antwort, sondern fiel sogleich in die Länder des
jungen Spensers ein, welche sie verheerete und
zerstörete: ermordete seine Bedienten, trieb sein
Vieh weg und verbrannte seine Häuser x). Sie
fuhr fort, gleiche Verwüstungen in den Ländern
des alten Spensers auszuüben, dessen Charakter sie
bisher zu verehren geschienen hatte. Und nachdem
diese Empörer eine förmliche Verbindung unter
sich aufgesetzt und unterzeichnet hatten y), marschirten sie, mit allen ihren Truppen nach London,
setzten sich in der Nachbarschaft dieser Stadt,
und verlangten vom Könige die Verbannung beyder Spenser. Diese Herren waren damals abwesend: der Vater befand sich außer Landes;
der Sohn auf der See; und beyde hatten verschiedne Verrichtungen: der König erwiederte also, daß sein Krönungseid, der ihn die Gesetze zu
beobachten beföhle, ihm verböthe, einer so ungesetzlichen Forderung seinen Beyfall zu geben;

oder

x) Murimuth. S. 55.
y) Tyrrel. B. II. S. 280. aus dem Register des E. E.
Canterbury.

oder Leute zu verdammen, die keines Verbrechens
beschuldiget wären, und denen man keine Gelegenheit gelassen hätte, sich zu verantworten z).
Billigkeit und Gründe waren schwache Widerse-
tzungen wider Leute, welche die Waffen in der
Hand hatten, und die, da sie sich schon strafbar gemacht, keine andre Sicherheit fanden,
als durch einen glücklichen Erfolg und Sieg.
Sie rückten mit ihren Truppen in London ein;
und nachdem sie bey dem Parlament, welches
damals eine Sitzung hielt, eine Beschuldigung der
Spenser, in welcher kein Punkt erwiesen war,
eingegeben hatten, erzwangen sie durch Drohungen und Gewalt das Urtheil der beständigen
Verbannung dieser Minister, und Confiscirung
ihrer Güter a). Dies Urtheil wurde allein von
den weltlichen Baronen gesprochen; denn die Gemeinen, ob sie gleich itzt einen Sitz im Parlament hatten, wurden doch noch so wenig geachtet, daß ihre Stimme niemals gefodert wurde; und so gar die Stimmen der Prälaten wurden bey diesen gegenwärtigen Unordnungen nicht
geachtet. Das einzige Merkmaal einer Achtung
für die Gesetze, welches diese aufrührische Baro-

C 3 nen

z) Walfing. S. 114.
a) Tottles Colleĉt. Part. II. S. 50. Walfing S. 114.

nen gaben, bestund darinn, daß sie von dem
Könige eine Freysprechung von der Strafe für ihre
ungesetzliche Handlungen forderten b); worauf sie
ihre Armee aus einander ließen, und sich in Sicher=
heit, wie sie glaubten, nach ihren Schlössern begaben.

Diese Gewaltthätigkeit, worein der Kö=
nig zu bewilligen war genöthiget worden, mach=
te seine Person und sein Ansehen so verächtlich,
daß jeder berechtigt zu seyn glaubte, ihm mit
Verachtung zu begegnen. Die Königinn mußte
bald nachher bey dem Castel Leeds in Kent, wel=
ches dem Lord Badlesmere gehörte, vorbey rei=
sen, und verlangte hier ein Nachtquartier; al=
lein sie wurde nicht aufgenommen, und einige
von ihrem Gefolge, welche sich vor dem Thore
zeigten, wurden getödtet c). Die Beleidigung
und Grobheit gegen diese Prinzeßinn, welche
sich immer bemühet hatte, mit den Baronen in
gutem Vernehmen zu stehen, und welche den
jungen Spenser eben so sehr haßte, als sie, war
eine Handlung, welche kein Mensch rechtfertigen
konnte; und der König glaubte, daß er ohne
einen

b) Tottes Collect Part II. S. 54. Rymer. B. III.
    S 391.
c) Rymer B. III. S. 98. Walsing. S. 114. 115. T.
    de la More. S. 595. Murimuth S. 56.

einen allgemeinen Verdacht zu erregen, eine Armee versammlen, und sich an diesem Beleidiger rächen könnte. Niemand stund dem Badlesmere bey; und der König behielt die Oberhand d); Da er aber jetzt einige Truppen auf den Beinen fand, und mit seinen Freunden durch ganz England Maaßregeln verabredet hatte; so zog er die Larve ab, griff alle seine Feinde an, und rief den Spenser wieder zurück, deren Verurtheilung er für ungesetzlich, ungerecht, dem großen Freyheitsbriefe zuwider, ohne die Einwilligung der Prälaten gesprochen und von ihm erzwungen erklärte e). Noch izt wurde der Gemeinen von keiner Partey gedacht.

Der König hatte izt (i. J. 1322.) den Vorsprung vor seinen Feinden erhalten; ein Vortheil, der in den damaligen Zeiten gemeiniglich entscheidend war; und eilte mit seiner Armee nach den Gränzen von Wallis, dem vornehmsten Sitze seiner Feinde, welche er zum Widerstande ganz unvorbereitet fand. Viele von den Baronen in dieser Gegend suchten ihn durch ihre Unterwerfung auszusöhnen f). Ihre Castelen wurden weggenommen, und ihre Personen in Gewahrsam gebracht.

C 4 Allein

---

d) Walsing. S. 115.
e. Rymer, B. III. S. 907. T. de la More. S. 595.
f) Walsing. S. 115. Murimuth. S. 57.

Allein, Lancaster versammlete, um den völligen
Umsturz seiner Partey zu verhüten, alle seine
Vasallen und Anhänger; machte sein Bündniß
mit Schottland, weswegen man ihn lange in
Verdacht gehabt hatte, öffentlich bekannt; er
hielt das Versprechen einer Verstärkung aus diesem Lande, unter der Anführung Randolfs, des
Grafen von Murray, und Sir Jacob Douglas g); und nachdem er sich mit dem Grafen
von Hereford vereiniget hatte, rückte er dem Könige mit seiner ganzen Macht entgegen, der eine
Armee von 30,000 Mann gesammlet hatte, und
seinen Feinden überlegen war. Lancaster setzte
sich bey Burton an der Trent, und bemühete
sich, den Uebergang über diesen Fluß zu verhindern h): da aber sein Operationsplan fehl schlug,
so flohe dieser Herr, der kein kriegerisches Genie hatte, und dessen Muth man so gar in Zweifel zog, mit seiner Armee nach Norden, in der
Hoffnung, hier mit seinen schottischen Alliirten
vereinigt zu werden i). Er wurde vom Könige
verfolget, und seine Armee verminderte sich täglich: bis er nach Boroughbridge kam, wo er den

Sir

g) Rymer. B. III S. 958.
h) Walsing. S. 115.
i) Ypod. Neust. S. 504.

Sir Andrew Harkla vorfand, der sich mit einigen Truppen an der andern Seite des Flusses gesetzt hatte, und bereit war, ihm den Uebergang über den Fluß streitig zu machen. Er wurde (den 16ten Märzʒ) bey einem Versuche, den er machte, sich durchzuschlagen, zurück getrieben; der Graf von Hereford kam um; die ganze Armee der Rebellen wurde zerstreuet, Lancaster selbst war unentschlossen, ob er flüchten oder sich vertheidigen sollte; und wurde ohne Widerstand von dem Harkla gefangen genommen, und zum Könige geführt k). In diesen unruhigen Zeiten wurden die Gesetze von beyden Seiten so sehr aus den Augen gesetzet, daß die Sieger auch da, wo sie sie ohne einen merklichen Nachtheil hätten beobachten können, es für unnöthig hielten, sich im geringsten darnach zu richten. Lancaster, der sich einer öffentlichen Rebellion schuldig gemacht hatte, und mit den Waffen in der Hand wider seinen Souverain gefangen genommen war, wurde, anstatt nach den Gesetzen seines Landes, welche ihn zum Tode verdammeten, verhört zu werden, von einem Kriegsgerichte verurtheilt l) und (den 23sten Märzʒ) hingerichtet. So wenig

C 5

k) T. de la More. S. 596. Walsing. S. 116.
l) Tyrrel. B. II. S. 291. aus den Urkunden.

nig Eduard nach seinem natürlichen Temperamen-
te rachsüchtig war, so ließ er doch hier seine
Rachbegierde aus, und begegnete den Gefangenen mit eben der Verunehrung, welche man an
dem Gavaston auf seinen Befehl ausgeübet hatte. Man zog ihm elende Kleider an, setzte ihn
auf ein altes mageres Pferd ohne Zügel, setzte
ihm eine Mütze auf, und in dieser Gestalt wurde dieser Fürst unter den Zurufungen des Volks
auf eine Anhöhe bey Pomfret, einem von seinen
eigenen Castelen geführet, und enthaupret m).

So kam Thomas, Graf von Lancaster um,
der erste Prinz vom Geblüte, und einer von den
mächtigsten Baronen, die jemals in England
gewesen sind. Sein öffentliches Betragen entdeckte genugsam die Gewaltthätigkeit und Unruhe seines Charakters: seine Privataufführung
scheinet nicht unschuldiger gewesen zu seyn n):
seine heuchlerische Andacht, wodurch er sich die
Gunst der Mönche und des Pöbels erwarb, ist
mehr eine Vermehrung als Verminderung seiner
Schuld o). Badlesmere, Gifford, Barret Chey-
ney, Fleming, und mehr als achtzehn der be-
kann-

m) Lelands Coll. B. I. S. 668.

n) Knyghton. S 2540.

o) Higden. Lib. 7. cap. 42.

kanntesten Aufrührer, wurden nachher, nach gesetzmäßigen Verhör, verdammet und hingerichtet p). Viele wurden gefangen gesetzt: andre
entflohen über See: einige von des Königes Bedienten wurden mit den confiscirten Gütern belohnet: Harkla erhielt für seine Dienste die Grafschaft Carlisle q), und ein großes Gut, welches
er bald nachher wegen eines verrätherischen Ver-
ständnisses mit dem Könige von Schottland, zugleich mit seinem Leben wieder verlohr r). Allein, der größte Theil von allen diesen der Krone
zugefallenen Gütern wurde von dem jungen Spenser, dessen Haabsucht unersättlich war, eingenommen s). Viele Baronen von der königlichen Partey wurden über diese parteyische Austheilung
des Raubes mißvergnügt: der Neid gegen den
Spenser wurde itzt größer, als jemals: der gewöhnliche Trotz seines Temperaments, welcher
durch sein Glück vermehret wurde, veranlaßte
ihn, viele Gewaltthätigkeiten auszuüben t). Das
Volk

---

p) T. de la More, S. 596.

q) Rymer B. III. S. 943. Walsing. S. 118.

r) Rymer, B. III. S. 988. 994. 999 B. IV. S. 6.
   Walsing. S. 118. Ypod Neust. S. 505.

s) Dudg. B. I. S. 393.

t) Dugd. B. I. S. 393. T. de la More S. 597.

Volk, welches ihn immer haßte, machte ihn mehr und mehr zu einem Gegenstande seines Abscheues: alle Verwandten der verurtheilten Baronen und Edelleute schwuren heimlich, sich zu rächen; und obgleich die Ruhe, dem Anschein nach, in dem Reiche wieder hergestellet war; so brütete doch die allgemeine Verachtung des Königes, und der Haß gegen Spenser gefährliche Anschläge, welche Quellen künftiger Empörungen und Zerrüttungen wurden.

In dieser Situation konnte kein Glück von auswärtigen Kriegen erwartet werden; und Eduard hielt es, nach einem nochmaligen fruchtlosen Versuche wider Schottland, wo er (i. J. 1323.) mit Schande abziehen mußte, für nöthig, die Feindseligkeiten gegen dieses Reich durch einen Waffenstillstand von dreyzehn Jahren zu endigen p): und obgleich Roberts Recht auf die Krone in dem Vergleiche nicht erkannt wurde, so war er doch vergnügt, daß er sich den Besitz derselben auf eine so lange Zeit versichert hatte Er hatte alle Angriffe der Engländer mit Tapferkeit abgetrieben. Er hatte so wohl mit diesem Reiche, als mit Irland glückliche Kriege geführet; Er hatte das Ansehen des Papstes, der ihm Befehle vorschreiben, und

p) Rymer. B. III. S. 1022. Murimuth. S. 50.

und ihn mit seinen Feinden Friede zu machen
zwingen wollte, mit Verachtung verworfen: Sein
Thron war fest gegründet, theils auf die
Liebe seiner Unterthanen, theils auf die Gewalt seiner Waffen: Doch hatte er natürlicher
Weise einige Gemüthsunruhe, so lange er mit einem Staate Krieg führte, der gegenwärtig zwar
durch Unruhen in Unordnung, an sich selbst aber
ihm an Reichthum und Anzahl des Volkes sehr
überlegen war. Auch war dieser Waffenstillstand
zugleich für England sehr erwünscht; weil die
Nation in diesen Umständen mit Feindseligkeiten
von Frankreich bedrohet wurde. :

Philipp der Schöne, König in Frankreich,
der im Jahr 1315 starb, hatte die Krone seinem
Sohn Ludwig Hutin (i. J. 1324.) hinterlassen,
der nach einer kurzen Regierung ohne männliche
Erben starb, und seinen Bruder Philipp, den
Langen, zum Nachfolger hatte, dessen Tod bald
nachher Karl dem Schönen, dem jüngsten Bruder dieser Familie, den Weg zum Throne bahnte. Dieser Monarch hatte einige Ursachen, sich
über die Bedienten des Königes in Guienne zu
beklagen; und da nach den Lehnsgesetzen kein allgemeiner und billiger Richter in dieser ungewöhnlichen Art der Souverainität bestellet war; so

erzeigte er Luft, sich Eduards Schwachheit zu Nutze zu machen, und unter diesem Vorwande alle seine auswärtigen Länder einzuziehen x). Nachdem sich der Graf von Kent, des Königes Bruder, als Gesandter umsonst bemühet hatte, erhielt die Königinn Isabella Erlaubniß, nach Paris zu reisen, und sich zu bemühen, die Streitigkeiten mit ihrem Bruder freundschaftlich beyzulegen y): allein, indem sie in dieser Verrichtung einigen Fortgang machte, ließ sich Karl mit einer neuen Foderung aus, deren Rechtmäßigkeit nicht konnte streitig gemacht werden, daß Eduard selbst an seinem Hofe erscheinen, und ihm den Huldigungseid eines Vasallen für die Lehne, welche er in Frankreich besaß, leisten sollte z). Allein, es setzte viele Schwierigkeiten, ihm in dieser Foderung zu willfahren. Der junge Spenser, von welchem der König gänzlich regieret wurde, war unvermeidlich in viele Streitigkeiten mit der Königinn gerathen, welche nach eben demselben Ansehen trächtete; und obgleich diese verschlagene Prinzeßinn bey ihrer Abreise aus

Eng-

x) Rymer, B. IV. S. 74. 98.

y) Rymer. B IV. S. 140. Murimuth. S. 63.

z) T. de la More. S. 596. Walling. S. 17. Ypod Neust. S. 505. Murimuth. S. 60.

England ihre Feindseligkeit verstellet hatte a); so
wollte doch Spenser, der ihre geheime Gesinnungen wohl wußte, seinen Herrn ungern nach Paris begleiten, und an einem Hofe erscheinen,
wo ihr Ansehen ihm Beschimpfungen, wo nicht
gar Gefahr zuziehen konnte. Er trug nicht weniger Bedenken, dem Könige zu erlauben, die
Reise allein zu thun; indem er fürchtete, dieser
leutselige Prinz möchte unter eine andre Gewalt gerathen, und indem er die Gefahr voraus sah, der er sich
selbst aussetzte, wenn er ohne den Schutz des königlichen Ansehens in England bliebe, wo er so sehr
verhaßt war. Da diese Zweifel (i. J. 1325.)
Aufschub und Schwierigkeiten verursachten, schlug
Isabella vor, daß Eduard die Regierung von
Guienne seinem Sohne, der itzt dreyzehn Jahr
alt war, überlaffen, und daß dieser Prinz nach
Paris kommen, und den Huldigungseid, den jeder Vasall seinem Obern schuldig wäre, leisten
sollte b). Mit diesem Mittel, welches so bequem
schien, alle Schwierigkeiten zu heben, war man

see

a) Rymer. B. IV. S. 194.
b) Rymer. B. IV. S. 163, 164, 165. Walling. S.
190. T. de la More. S. 597. Murimuth. S. 65.

fogleich zufrieden. Spenſer war über dieſe Erfindung ſehr vergnügt: Der junge Eduard wurde nach Paris geſchickt; und keiner von dem engliſchen Rathe merkte oder argwöhnte den Untergang, der unter dieſen verderblichen Fallſtricken verborgen lag.

. . Die Königinn hatte bey ihrer Ankunft in Frankreich eine große Anzahl engliſcher Flüchtlinge; die Ueberbleibſel der Lancaſteriſchen Partey; angetroffen; und ihr gemeinſchaftlicher Haß gegen den Spenſer machte bald eine heimliche Freundſchaft, und ein Verſtändniß zwiſchen ihnen und der Prinzeßinn. Unter dieſen befand ſich auch der junge Roger Mortimer, ein mächtiger Baron an den Walliſchen Gränzen, der mit andern ſich dem Könige zu unterwerfen gezwungen, des Hochverraths überführet, und da ihm das Leben geſchenkt worden, nachher in den Tower geſetzt war, in der Abſicht, ſeine Gefangenſchaft beſtändig zu machen. Er war ſo glücklich, nach Frankreich zu flüchten c); und da er einer von den anſehnlichſten Perſonen war, die von dieſer Partey noch übrig waren, und ſich durch ſeine große Feindſeligkeit gegen Spenſer ſehr unterſchied;

c) Rymer, B. IV. S. 7. ſ. 20. T. de la More. S. 596. Walſing. S. 120. Ypod. Neuſt. S. 506.

schieb; so wurde es ihm leicht erlaubt, der Kö-
ginn Isabella seine Aufwartung zu machen. Seine persönlichen Annehmlichkeiten und seine Höflichkeit brachten ihm bald ihre Zuneigung zuwege. Er wurde ihr Vertrauter und Rathgeber in
allen ihren Anschlägen; und da er täglich mehr
Gewalt über ihr Herz gewann, brachte er sie
zuletzt dahin, daß sie ihrer Liebe alle Empfindungen der Ehre und der Treue gegen ihren Gemahl aufopferte d). Da sie izt den Mann haßte,
den sie beleidiget hatte, und den sie niemals
achtete; so ließ sie sich eifrig in Mortimers Verschwörung ein; und nachdem sie durch List den
jungen Prinzen und Erben des Reichs in ihre
Gewalt bekommen hatte, beschloß sie den gänzlichen Untergang des Königes und seines Lieblings. Sie beredete ihren Bruder, diesem sträflichen Vorhaben beyzutreten. Ihr Hof war täglich voll von den vertriebenen Baronen. Mortimer lebte mit ihr in der offenbarsten Vertraulichkeit. Sie fiengen einen heimlichen Briefwechsel mit den Mißvergnügten in England an; und
da Eduard, von diesen unruhigen Umständen benachrichtiget, ihr mit dem Prinzen eilig wieder
zu-

_____

d) T. de la More. S. 598. Murimuth. S. 85.

Hume Gesch. V. B. D

zurück zu kommen befahl; antwortete sie gerade
zu, daß sie eher keinen Fuß in England setzen
wollte, bis Spenser auf ewig aus seiner Gegenwart und aus seinem Rath ausgeschlossen wäre: eine Erklärung, welche ihr große Liebe bey
dem Volke in England erwarb, und ihrem verrätherischen Unternehmen einen anständigen Schleyer vorzog.

Eduard war bemühet, sich in einen Vertheidigungsstand zu setzen e); allein, außer den
Schwierigkeiten, die aus seiner Nachläßigkeit und
Ungeschicklichkeit entstanden, und außer dem Mangel an Ansehen, welcher folglich alle seine Anschläge begleitete, war es ihm bey dem schlechten Zustande des Reiches, und der Einkünfte sehr
schwer, eine beständige Macht zu unterhalten,
um einen Angriff abzutreiben, von welchem er
nicht wußte, warum, oder an welchem Orte er
ihn erwarten sollte. Alle seine Bemühungen waren gegen die verrätherischen und feindseligen Verschwörungen zu schwach, welche so wohl in seinem
Lande, als außer demselben, wider sein Ansehen gemacht wurden, und die täglich weiter giengen, so gar bis in seine eigene Familie. Sein
Bru-

e) Rymer. B. IV. S. 184. 188. 225.

Bruder, der Graf von Kent, ein tugendhafter, aber schwacher Prinz, der sich damals in Paris befand, ließ sich unversehens von seiner Schwägerinn und von dem Könige von Frankreich, der auch sein leiblicher Vetter war, bereden, den Angriff zu unterstützen, wobey man, seiner Meynung nach, bloß die Absicht hatte, die Spensers zu vertreiben. Er überredete seinen ältern Bruder, den Grafen von Norfolk, sich heimlich in dieses Vorhaben einzulassen: der Bruder und Erbe des Grafen von Lancaster, hatte zu viele Ursache zum Hasse gegen diesen Minister, um seinen Beystand zu versagen. Walter von Reynel, Erzbischof von Canterbury, und viele Prälaten billigten das Vorhaben der Königinn: verschiedene der mächtigsten Baronen beneideten das große Ansehen des Lieblings, und waren bereit, die Waffen zu ergreiffen: die Gemüther des Volks waren durch einige Wahrheiten und viele Verläumdungen eben dieser Partey sehr geneigt gemacht; und es fehlte nur die Erscheinung der Königinn und des Prinzen mit so vielen fremden Truppen, als nöthig waren, sie vor unmittelbarer Gewalt zu schützen, um dieses ganze Ungewitter, das so künstlich vorbereitet war, gegen den unglücklichen Eduard zu wenden.

D 2 Die

Obgleich Karl diese Parten mit seinem Ansehen und seiner Hülfe unterstützte; so schämte
er sich doch, der Königinn und dem Prinzen,
gegen das Ansehen eines Gemahls, und eines
Vaters öffentlich beyzustehen; und Isabella sah
sich genöthiget, sich um den Beystand andrer
Potentaten zu bewerben, aus deren Ländern sie
zu ihrer beschloßnen Unternehmung abreisen kön-
te. Zu dem Ende versprach sie dem jungen Eduard, den sein zartes Alter verhinderte, die Folgen hievon einzusehen, mit der Philippa, der Tochter des Grafen von Holland und Hennegau f); *)
und nachdem sie durch den öffentlichen Beystand
dieses Prinzen und den heimlichen Schutz ihres
Bruders eine Armee von beynahe 3000 Mann
geworben hatte, reisete sie aus dem Hafen Dort
ab, und landete sicher, (den 24sten September)
und ohne einigen Widerstand an der Küste von
Suffolk. Der Graf von Kent war bey ihr: Zween
andre Prinzen von Geblüte, der Graf von Norfolk, und der Bruder des Grafen von Lancaster, vereinigten sich mit ihr bald nach ihrer Landung mit allen ihren Leuten: drey Prälaten, der
Bischof von Ely, Lincoln und Hereford, brach-

ten

f) T. de la More. S. 598.

ten ihr so wohl die Macht ihrer Vasallen, als
das Ansehen ihres Charakters zu g). So gar
Robert von Wattewille, der von dem Könige
abgeschickt war, sich ihrem Fortgange in Suffolk zu widersetzen, gieng mit allen seinen Truppen zu ihr über. Um ihrer Sache ein noch bes-
sres Ansehen zu geben, erneuerte sie ihre Erklärung, der einzige Endzweck ihres Unternehmens sey, den König und das Reich von der
Tyranney der Spenser, und des Kanzlers Baldoc, seines Geschöpfes, zu befreyen h). Der
Pöbel wurde durch ihren scheinbaren Vorwand,
angelocket: die Baronen hielten sich sicher vor
der Consfscation, weil sich der Prinz von Wallis
in ihrer Armee befand; und ein schwacher un-
entschloffener König, der von höchst verhaßten
Ministern unterstützt wurde, war völlig ungeschickt, diesen Strom zu hemmen, der mit solcher unwidersprechlichen Gewalt auf ihn stürzte.

Nachdem Eduard es vergebens versuchet
hatte, die Bürger in London zu einiger Empfindung der Treue zu erwecken i), reisete er gegen

D 3 We-

g) Walsing. S. 123 Ypod. Neust. S. 507. T. de la
More. S. 598 Murimuth. S. 66.
h) Ypod. Neust. S. 508.
i) Walsing. S. 123.

Weſten, wo er eine beſſere Aufnahme hoffte ;
und er hatte ſeine Schwachheit nicht ſo bald
durch ſeine Abreiſe aus der Stadt entdecket,
als die Wuth des Pöbels wider ihn und ſeine
Miniſter ohne Zügel ausbrach. Er plünderte und
ermordete alle diejenigen, welche ihm verhaßt
waren. Er ergriff den Biſchof von Exeter, einen tugendhaften und getreuen Prälaten, indem
er durch die Straße gieng ; und nachdem er ihn
enthauptet hatte, warf er ſeinen Körper in den
Fluß k). Er bemächtigte ſich des Towers durch
Ueberrumpelung ; und hierauf machte er eine feyerliche Verbindung, daß jeder, der ſich der Unternehmung der Königiun Iſabella, und des
Prinzen zu widerſetzen unterſtünde, ohne Gnade
getödtet werden ſollte l). Ein gleicher Geiſt wurde bald allen andern Theilen von England mitgetheilet, und ſetzte die wenigen Bedienten des
Königes, welche ihre Pflicht zu beobachten Willens wären, in Schrecken und Erſtaunen.

Eduard wurde von dem Grafen von Kent,
welchem die frémden Truppen unter Johann von
Hen-

k) Walſing. S. 124. T. de la More. S. 599. Murimuth S. 66.
l) Walſing S. 124.

Hennegau beyſtunden, bis nach Briſtol hitzig
verfolget. Er ſah, daß ſeine Erwartung, in dieſen Gegenden Treue anzutreffen, fehlgeſchlagen
war; und zog ſich hinüber nach Wallis, wo er
ſich ſchmeichelte, beliebter zu ſeyn, und welches
er hoffte frey zu befinden von der Seuche der
allgemeinen Wuth, wovon die Engländer eingenommen waren m). Er ließ den alten Spenſer,
der neulich zum Grafen von Wincheſter erkläret
war, als Commandanten des Caſtels Briſtol
zurück: allein, die Beſatzung machte einen Aufſtand, und überlieferte ihn in die Hände ſeiner
Feinde. Dieſer verehrungswürdige Herr, der beynahe das neunzigſte Jahr ſeines Alters erreichet
hatte, wurde ſo gleich, ohne Unterſuchung, oder
Zeugniß, oder Anklage, oder Verantwortung von
den rebelliſchen Baronen zum Tode verdammet.
Er wurde an den Galgen gehangen; ſein Körper
in Stücke gehauen und vor die Hunde geworfen n); ſein Kopf wurde nach Wincheſter geſandt,
an dem Orte, wovon er den Titel führte, auf

D 4 eine

---

m) Murimuth. S. 67.

n) Lelands Coll. B. I. S. 673 T. de la More S.
599. Walſing. S. 125. M. Troiſſard. Vol. I. Chap.
13.

eine Stange gestecket, und den Beschimpfungen
des Pöbels ausgestellet.

Der König, dem seine Erwartung eines
Beystandes von den Wallisen von neuen fehl
geschlagen war, gieng zu Schiffe nach Irrland;
da er aber von widrigen Winden zurückgetrieben
wurde, wollte er sich in den Gebirgen von Wallis verstecken: Er wurde aber bald entdecket, der
Verwahrung des Grafen von Lancaster anvertrauet, und in dem Castel Kenilwoth eingeschlossen. Der junge Spenser, sein Liebling, der auch
in die Hände seiner Feinde fiel, wurde so, wie
sein Vater, ohne den geringsten Schein einer
gesetzmäßigen Untersuchung hingerichtet o). Der
Graf von Arundel, der beynahe der einzigste von
seinem Stande in England war, welcher treu
geblieben, wurde auch ohne Untersuchung, auf
Mortimers Anrathen, getödtet: Baldoc, der Kanzler, konnte, weil er ein Priester war, nicht so
schleunig abgethan werden; er wurde aber nach
dem Hause des Bischofs von Hereford nach London geschicket, wo er, wie es seine Feinde vermuthlich vorhersähen, von dem Pöbel ergriffen,
und in Newgate eingesperret wurde, wo er bald
dar-

o) Walsing. S. 125. Ypod. Neust. S. 508.

darauf, wegen der grausamen Begegnung, die
er ausgestanden hatte, verstarb p). So gar die
gewöhnliche Ehrerbietung für den priesterlichen
Stand mußte, wie jedwede andre Betrachtung,
der gegenwärtigen Wuth des Volks weichen.

Die Königinn versammlete, um sich der
herrschenden Verblendung zu bedienen, im Na=
men des Königes ein Parlament zu Westminster,
wo sie, vermittelst der Gewalt ihrer Armee, und
des Ansehens ihrer Anhänger unter den Baro=
nen, denen daran gelegen war, ihre vorige Ver=
rätherenen durch neue Gewaltthätigkeit (i. J. 1327.)
gegen ihren Monarchen zu sichern, von der Wuth
des Volks dem gefährlichsten Werkzeuge, das
wegen seiner Ausschweifungen am wenigsten zur
Rechenschaft gefodert werden kann, Hülfe er=
wartete. Es wurde eine Anklage (den 13ten Ja=
nuar.) wider den König aufgesetzet, in welcher
man ihm nichts, als sein schwaches Genie oder
seine Unglücksfälle vorwarf, ob sie gleich von
seinen heftigsten Feinden verfertiget war; denn
die größte Bosheit fand kein besonders Verbre=
chen, welches sie diesem unglücklichen Prinzen
vorwerfen konnte. Er wurde beschuldiget daß

D 5 er

p) Walsing. S. 126. Murimuth. S. 68.

er der Regierung unfähig sey; daß er seine Zeit
mit unnützlichen Vergnügungen zubrachte, daß er
die öffentlichen Geschäffte versäumte, daß er sich
von bösen Rathgebern regieren ließe; daß er
durch seine schlechte Aufführung das Königreich
Schottland und einen Theil in Guienne verlohren hätte; und um die Anklage zu vergrößern,
wurde ihm der Tod einiger Baronen und die
Gefangenschaft einiger Prälaten, welcher der Verrätherey beschuldiget waren, zur Last geleget q).
Es war vergebens, unter der Gewalt der Waffen und dem Aufruhr eines Volks sich auf Gesetze oder Vernunft zu berufen: die Entsetzung des
Königes wurde ohne die geringste Widersetzung von
dem Parlamente beschlossen: der Prinz, der schon
zum Regenten von seiner Parten erkläret war r);
wurde auf den Thron gesetzt; und es wurden Abgeordnete zu dem Eduard nach Kenilworth geschicket,
die von ihm forderten, der Regierung zu entsa-
gen, welches durch Drohungen und Schrecken
bald von ihm erzwungen wurde.

Allein, es war unmöglich, daß das Volk,
ob es gleich durch die Barbarey der Zeit ver-

dor-

q) Knyghton. S. 2765, 2766. Brady's App. N. 72.
r) Rymer. B. IV. S. 137. Walsing. S. 125.

borben, und durch Aufruhr noch mehr entflammet war, gegen die Stimme der Natur auf immer unempfindlich bleiben konnte. Eine Frau,
die erstlich ihren Gemahl verlassen, hierauf angegriffen, und endlich vom Throne gestoßen: die
ihren unmündigen Sohn zum Werkzeuge zu dieser unnatürlichen Begegnung gegen seinen Vater
gebraucht hatte: die durch erlogene Vorwände die
Nation zur Empörung wider ihren König gebracht; die sie zu Gewaltthätigkeiten und Grausamkeiten, wodurch sie sich entehrte, verführet
hatte: alle diese Umstände waren an sich so verhaßt, und machten eine so vielfache Scene der
Schuld, daß die geringste Aufmerksamkeit hinlänglich war, den Leuten die Augen zu öffnen,
und sie zu bewegen, daß sie diese so grobe Uiber-
tretung aller öffentlichen und Privatpflichten ver-
fluchten. Der Argwohn von dem lasterhaften Umgange der Isabella mit dem Mortimer, welcher
bald entstand; die Beweise dieser ihrer Schuld,
welche täglich ausbrachen, vermehrten den allgemeinen Abscheu gegen sie; und die unverschämte
Heuchelen, womit sie das Unglück des Königes
öffentlich beweinte s), war nicht vermögend, den

Aller-

s) Walsing S: 125.

Allerunverständigsten und Verblendetsten von ihren Anhängern zu hintergehen. Je mehr die Königinn ein Gegenstand des öffentlichen Hasses
wurde, je mehr sah man den dethronisirten Monarchen, der ein Opfer ihrer Laster und ihres
Stolzes gewesen war, mit Mitleiden, Freundschaft und Verehrung an. Man sah ein, daß
sein ganzes übles Betragen, welches seine Gegenpartey so sehr vergrößert hatte, aus einer unvermeidlichen Schwachheit, nicht aus einer vor-
setzlichen Bosheit seines Charakters herrührete.
Der neue Graf von Lancaster, dem er zur Verwahrung anvertrauet war, wurde bald von diesen
edlen Gesinnungen gerühret; und außerdem, daß
er seinem Gefangenen mit Höflichkeit und Leutseligkeit begegnete, hatte man ihn auch im Verdacht, daß er noch rühmlichere Absichten zum
Besten desselben hätte. Der König wurde daher
aus seinen Händen genommen, und dem Lord
Berkley Mautravers, und Gourray übergeben,
welche wechselsweise, jeder einen Monat, die
Sorge hatten, ihn zu bewachen. So lange er
von dem Berkley bewahrt wurde, wurde ihm diejenige Höflichkeit erwiesen, welche man seinem
Stande und seinem Unglücke schuldig war: allein,
wenn die Reihe den Moutravers und Gournay
traf,

traf, wurde alle Unanständigkeit wider ihn ausgeübet; als wenn sie die Absicht gehabt hätten,
den Geist des Prinzen völlig niederzuschlagen,
und seine Sorge und Betrübniß, statt gewaltsa-
merer und gefährlicherer Mittel, zu Werkzeugen
seines Todes zu machen t). Man erzählet, als
Eduard eines Tages seinen Bart scheeren lassen
wollte, hätten sie befohlen, kaltes und unreines
Wasser aus einem Graben zu holen; und da er
andres verlanget, und seine Foderung ihm abgeschlagen worden, sey er in Thränen ausgebrochen, welche seine Wangen benetzt; und habe
ausgerufen: er wolle, troß ihrer Grobheit, mit
klarem und warmen Wasser geschoren werden u).
Allein, da diese Mittel dem ungeduldigen Mör-
mer zu langsam schienen, den Eduard ins Grab
zu bringen; so befahl er den beyden Wächtern,
die ihm sehr ergeben waren, ihn so gleich aus
dem Wege zu räumen; und diese Mörder berath-
schlageten sich, seine Todesart so grausam und
barbarisch zu machen, als möglich wäre *). Sie
bedienten sich der Unpäßlichkeit des Berkley, unter
des-

t) Anonymi Hist. S. 838.
u) T. de la More. S. 602.
*) Den 21sten December.

deſſen Aufſicht er damals war, und der deswegen unmöglich ſeine Wache abwarten konnte x).
Sie kamen nach Berkleys Caſtel, und bemächtig-
ten ſich der Perſon des Königes.   Sie warfen
ihn auf ein Bette; hielten ihn mit Gewalt wieder mit einem Tiſche, den ſie auf ihn warfen;
ſtießen ein glühendes Eiſen in ſeinen Hintern,
welches ſie durch ein Horn einſtecken, und obgleich durch dieſes Mittel die äußerlichen Merkmaale der Gewaltthätigkeit an ſeinem Körper nicht
bemerket wurden, ſo wurde doch dieſe entſetzliche
That durch das ſchreckliche Geſchrey, womit der
ſterbende König das Caſtel erfüllte, indem ſein
Eingeweide verbrannt wurde, allen Wächtern und
Bedienten des Schloſſes bekannt y).

    Gourney und Moutravers wurden von allen
Menſchen verflucht; und da die folgende Veränderung in England ihre Beſchützer der Gewalt
beraubte, fanden ſie es nöthig, ihrer Sicherheit
halber aus dem Reiche zu fliehen.   Gournay wurde nachmals zu Marſeille gefangen, dem Sene-
ſchal in Guienne überliefert, auf ein Schiff geſetzt,

x) Cottons Abrid. S. 8.
y) Walſing S. 127. Ypod. Neuſt. S. 509. Heming.
    S. 268. T. de la More. S. 603.

ſetzt, um nach England gebracht zu werden, aber
nach einem heimlichen Befehl, wie man vermuthete, von einigen Adlichen und einigen Prälaten
in England, welche beſorgten, daß er ſeine Mit-
ſchuldigen angeben möchte, auf der See enthauptet z).   Mautravers hielt ſich einige Jahre in
Deutſchland verborgen; da er aber Mittel erfunden hatte, Eduard dem III. einige Dienſte zu
erweiſen, ſo wagte er es, ſich einer Perſon zu
nähern, that einen Fußfall, übergab ſich ſeiner
Gnade, und erhielt Vergebung a).

Es läßt ſich nicht leicht ein Menſch denken,
der unſchuldiger und weniger zu beleidigen geneigt war, als der unglückliche König, deſſen
tragiſchen Tod wir eben erzählet haben: noch
kann man ſich leicht einen König vorſtellen, der
zur Regierung eines ſo halsſtarrigen und aufrühriſchen Volks, als das ſeinige war, ungeſchickter
ſeyn konnte. Er war genöthiget, die Laſt der
Regierung, welche er weder Geſchicklichkeit noch
Luſt zu tragen hatte, andern zu übergeben: die-
ſelbige Trägheit, und der gleiche Mangel an
Einſicht verleitete ihn, Miniſter und Günſtlinge

zu

z) Walſing S. 128. Anon. Hiſt. S. 390.
a) Cottons Abrid. S. 66, 81. Rymer. B. V. S. 600.

zu wählen, welche zu den ihnen anvertrauten
Bedienungen nicht geschickt waren: die aufrührischen Großen des Reichs sahen zwar diese
Schwachheit sehr gern, beklagten sich aber darüber, verspotteten seine Person, und griffen sein
Ansehen an, unter dem Vorwande, als wenn
sie seine Minister angriffen; und das ungeduldige
Volk, dem die Quellen der Bedrückungen unbekannt waren, warf alle Schuld auf den König,
und vermehrte die öffentlichen Unordnungen durch
seine Empörung und Gewaltthätigkeit. Es war
vergebens, von den Gesetzen Schutz zu erwarten,
deren Stimme, die überhaupt in solchen Zeiten
schwach ist, unter dem Geräusch der Waffen nicht
gehöret wurde. Was den König nicht vertheidigen konnte, war noch weniger fähig, irgend
einen aus dem Volke zu schützen: die ganze Maschine der Regierung war durch Raserey und
Gewaltthätigkeit zerrissen; und anstatt sich über
die Sitten der Zeit und die Regierungsform zu
beklagen, welche den standhaftesten und geschicktesten Führer erforderten, rechnete man alle Mängel derjenigen Person zu, welche das Unglück
hatte, die Zügel des Reiches zu führen.

Allein, ob gleich solche Irrthümer natürlich
und unvermeidlich sind, so lange die Begeben-

heiten

heiten neu sind, so ist es doch bey den neuern
Geschichtschreibern eine schimpfliche Verblendung,
wenn sie sich einbilden, daß alle Prinzen in den
alten Zeiten, welche in ihrer Regierung unglücklich waren, auch in ihrer Aufführung tyrannisch
gewesen seyn, und daß die Empörungen des
Volks allemal aus einigen Kränkungen seiner
Freyheiten und Vorrechte von dem Monarchen
entstanden. Selbst ein großer und geschickter König war damals nicht sicher vor Empörung und
Aufruhr, wie wir aus dem Beyspiele Heinrichs
des Zweyten sehen; allein, ein großer König
hatte ein besseres Glück, sie zu überwinden und
zu bezwingen, wie wir aus der Geschichte derselben Zeit lernen. Man vergleiche die Regierungen und die Charakter Eduards des Iten und
IIten. Der Vater that verschiedene heftige Versuche wider die Freyheiten des Volks: seine Baronen widersetzten sich ihm: er war gezwungen,
wenigstens hielt er es für klüglich, nachzugeben.
Allein, da sie sich vor seiner Tapferkeit und seinen Fähigkeiten fürchteten, so waren sie mit billigen Bedingungen zufrieden, und trieben ihre
Vortheile nicht weiter. Die Erbittlichkeit und
Schwachheit seines Sohnes, nicht seine Gewaltthätigkeit, brachte alles in Unordnung: die Ge-

setze

feße und die Regierung waren umgekehret: ein
Versuch, sie wieder herzustellen, war ein unver-
zeihliches Verbrechen: und keine andre Erstattung,
als die Entsezung, und der tragische Tod des
Königes, konnte diesen Baronen Gnüge leisten.
Es ist leicht zu sehen, daß eine Regierungsform,
welche so sehr von dem persönlichen Charakter
des Königes abhieng, nothwendig in den meisten Fällen eine willführliche, nicht eine gesezliche
Regierung seyn mußte. Allein, wenn man immer die Schuld aller Unordnungen ohne Unterschied auf den König werfen wollte; so würde
man einen schädlichen Irrthum in die Staats-
kunst einführen, welcher beständig zu einer Entschuldigung der Verrätherey und des Aufruhrs
dienen müßte: als wäre die Unruhe der Großen,
und die Raserey des Volks nicht eben so wohl,
wie die Tyranney des Prinzen, ein Uebel, dem
die menschliche Gesellschaft unterworfen ist, und
welches in jedem wohl eingerichtetem Staat eben
so sorgfältig verhindert werden müßte.

Unterdessen, daß diese Abscheulichkeiten in
England vorgiengen, wurde Frankreich mit eben so
barbarischer, und noch öffentlicherer und über-
legter Bosheit besudelt. Der Orden der Tempelherren war in der ersten Hize der Kreuzzüge
ent-

entstanden; und weil sie diese zwey, zu der damaligen Zeit sehr beliebte Eigenschaften, Andacht
und Tapferkeit, mit einander vereinigten, und
beyde bey der beliebtesten Unternehmung, der
Vertheidigung des heiligen Landes, ausübten;
so hatten sie sich sehr bald Zutrauen und Ansehen
erworben, und durch die Frömmigkeit der Gläubigen sehr große Güter in allen Ländern von
Europa, besonders in Frankreich erhalten. Ihre
großen Reichthümer, wie auch der Lauf der Zeit,
hatten nach und nach die Strenge dieser Tugenden gemildert, und die Tempelherren hatten einen
großen Theil ihrer Liebe bey dem Volke, welche
ihnen anfangs Ehre und Ansehen verschaffte, verlohren. Durch Erfahrung mit den Beschwerlich-
keiten, und den Gefahren solcher fruchtlosen Unternehmungen im Orient bekannt, wollten sie lieber in Ruhe ihre großen Einkünfte in Europa
genießen: Und da alle Leute von Geburt, und
nach den Sitten der damaligen Zeit nicht einmal
in den ersten Anfangsgründen der Wissenschaften
unterrichtet waren; so verachteten sie die uneblen
Beschäfftigungen des Mönchlebens, und brachten
ihre Zeit allein mit den modischen Vergnügen zu,
mit Jagen, Liebeshändeln, Essen und Trinken.
Der Neben-Orden des St. Johann von Jeru-

E 2   salem,

salem, welchen die Armuth bisher vor einem
gleichen Verderben bewahret hatte, that sich
noch durch seine Unternehmungen wider die Ungläubigen hervor, und erhielt die Liebe des
Volks, welche die Tempelherren durch ihre Trägheit und Schwelgerey verlohren hatten. Allein,
obgleich diese Ursachen diesen Orden, der sonst
so berühmt und in Ansehen war, in seinem Grunde geschwächet hatten; so floß doch die unmittelbare Quelle seines Unterganges aus dem grausamen und rachsüchtigen Geiste Philipps des
Schönen her, der gegen einige vornehme Tempelherren einen Privathaß hegte, und sich entschloß, seinem Geiz und seiner Rache genug zu
thun, indem er den ganzen Orden auf einmal
zerstören wollte. Er hatte keine bessere Nachrichten, als solche, die er von zweyen Rittern eingezogen, die wegen ihrer Laster und Gottlosig-
keiten von ihrem Obern zu ewiger Gefängniß
verdammet waren, indem er befahl, daß alle
Tempelherren in Frankreich an einem Tage gefangen genommen würden: und beschuldigte sie
solcher erstaunlicher und ungereimter Verbrechen,
die schon an sich selbst die Anklage unglaublich
machen konnten. Ausserdem, daß sie überhaupt
des Mordens, Raubens, und andrer die Natur
belei-

beleidigender Laster beschuldiget wurden: gab
man auch vor, daß jeder, den sie in ihren Or⸗
ben aufnähmen, den Heiland verleugnen, das
Kreuz anspeyen b), und diese Gottlosigkeit noch
durch den Aberglauben vergrößern müßte, einen
vergüldeten Kopf anzubeten, der in einem ihrer
Häuser zu Marseille heimlich aufbewahret würde.
Sie weiheten auch, wie man sagte, jeden Candi⸗
daten mit solchen schändlichen Gebräuchen ein, die
keine andre Absicht haben konnten, als den Or⸗
ben in seinen Augen zu erniedrigen, und das
Ansehen aller seiner Obern auf immer zu zerstö⸗
ren c). Ueber hundert solcher unglücklicher Leute
wurden auf die Folter gespannet, um ein Be⸗
kenntniß ihrer Schuld von ihnen zu erzwingen:
die hartnäckigsten starben unter den Händen ihrer
Peiniger: einige bekannten das, warum man sie
befragte, um sich von den heftigen Schmerzen zu
befreyen: von andern erdichtete man, daß sie
gestanden hätten d); und Philipp schritt sogleich

E 3   zur

b) Rymer, B. III. S. 31. 101.

c) Man gab vor, daß er die Ritter, welche ihn auf⸗
nahmen, auf den Mund, den Nabel, und den Hin⸗
tern küße. Dupny, S. 15, 16. Walf. S. 99.

d) Vertot. Hist. de Chev. de Malte. B. II. S. 127,
130.

zur Einziehung ihrer Schätze, als wenn ihre
Schuld schon ausgemacht wäre. Aber die Tempelherren waren nicht sobald von ihrer Marter
befreyet, als sie einem Leben voll Schande die
grausamste Hinrichtung vorzogen, ihre Bekennt-
nisse widerriefen, über die ihnen fälschlich nach-
gesagten Geständnisse sich beschwerten, die Unschuld ihres Ordens rechtfertigten, und sich auf
alle die großen Thaten, die sie in alten und
neuern Zeiten verrichtet hatten, als auf eine Vertheidigung ihrer Aufführung beriefen. Der barbarische Tyrann, erbittert über diese Vernichtung
seiner Absicht, da er sich itzt seiner Ehre halber
genöthiget glaubte, die höchste Grausamkeit vorzunehmen, befahl vier und funfzig derselben, die
er für zurückgefallene Ketzer ausschrie, in seiner
Residenzstadt mit Feuer hinzurichten e): eine
große Menge kam nachher in den übrigen Theilen des Reiches, auf gleiche Weise um; und da
er sah, daß die Standhaftigkeit dieser unglücklichen Opfer, die ihre Unschuld rechtfertigten, einen tiefen Eindruck auf die Zuschauer gemacht
hatte; so bemühete er sich, die Beständigkeit der
Tempelherren durch neue Unmenschlichkeit zu über-

　　　　　　　　　　　　　　　　　　　win-

e) Vertot. B. II. S. 132.

winden. Der Großmeister des Ordens, Johann
von Molay, und ein anderer großer Bediente,
ein Bruder des Souverains über das Delphinat,
wurden auf ein Schavot geführet, welches vor
der Kirche Notre Dame zu Paris aufgerichtet
war. An der einen Seite wurde ihnen eine
völlige Vergebung angebothen: an der andern
aber das zu ihrer Hinrichtung bestimmte Feuer
gezeiget: diese tapfere Herren beriefen sich aber
beständig auf ihre und ihres Ordens Unschuld,
und wurden sogleich von dem Scharfrichter in
die Flammen gerissen f).

Clemens der Fünfte, der Philipps Geschöpf
war, und sich damals in Frankreich aufhielt,
trat dieser barbarischen Ungerechtigkeit völlig bey,
und schaffte den ganzen Orden, kraft seiner
apostolischen Gewalt, auf einmal ab, ohne einen
Zeugen zu befragen, oder die Wahrheit der Beschuldigungen zu untersuchen. Alle Tempelherren
in ganz Europa wurden gefangen gesetzt; ihre
Aufführung wurde genau untersuchet; die Gewalt ihrer Feinde verfolgte und unterdrückte sie;
aber nirgend sonst, als in Frankreich, fand man
die geringste Spur ihrer Schuld. England über-

E 4 schickte

f) Vertot. B. II. S. 142.

schickte ein weitläuftiges Zeugniß von ihrer Frömmigkeit und ihren guten Sitten.   Da der Orden
aber einmal zerstöret war; so wurden die Ritter
in verschiedene Klöster getheilet, und ihre Güter,
auf Befehl des Papstes, dem Johanniterorden
gegeben g).   Wir wollen itzt noch einige besondere Begebenheiten der gegenwärtigen Regierung
erzählen.

      England wurde einige Jahre unter dieser
Regierung mit einer erschrecklichen Theurung geplaget.   Beständiger Regen und kalte Witterung
zerstörten nicht nur die Erndte, sondern brüteten
auch eine Seuche unter dem Vieh, und so stieg
jede Art des Getraides zu einem sehr hohen
Preis h).   Das Parlament bemühete sich, im
Jahr 1315. mäßigere Preise der Waaren zu bestimmen; es sah nicht ein, daß ein solcher Versuch unmöglich sey, und daß, wenn es auch
möglich wäre, diese Preise des Getraides durch
andre Mittel, als durch Ueberfluß, zu erniedrigen, doch nichts dem Publico schädlicher und
nachtheiliger seyn könnte.   Wenn, zum Beyspiel,
                                          die

g) Rymer, B. III. S. 323., 956. B. IV. S. 47.
   Ypod Neust. S. 506.
h) Trivet, Cont. S. 17. 18.

die Produkten eines Jahres nur hinlänglich sind,
einen Unterhalt auf neun Monate zu verschaffen;
so ist das einzige Mittel, wenn sie für alle zwölf
Monate ausreichen sollen, die Preise zu steigern,
um das Volk dadurch zu zwingen, daß es sich
mit wenigem behelfe, und sein Getraide auf ein
fruchtbareres Jahr spare. Die Steigerung der
Preise ist aber in der That eine nothwendige Folge des Mangels; und die Gesetze vermehren nur
das Uebel, anstatt es zu heben; indem sie den
Handel einschränken und einzwängen. Das Parlament widerrief daher im folgenden Jahre seine
Verordnung, welche es unnütz und beschwerlich
gefunden hatte i).

Die vom Parlament bestimmten Preise waren etwas merkwürdig: zwey Pfund und acht
Schilling nach itzigem Geld für den besten nicht
mit Korn gefütterten Ochsen: wenn er mit Korn
gefüttert war, drey Pfund und zwölf Schilling:
für ein zweyjähriges fettes Schwein, zehn Schilling: für einen ungeschornen fetten Hamel eine
Krone: wenn er geschoren war, drey Schilling
und sechs Pfennige: für eine fette Gans sieben
und einen halben Pfennig: für einen fetten Ca-

E 5   paun

i) Walf. S. 107.

paun sechs Pfennige: für eine fette Henne drey
Pfennige: für das paar junge Hühner drey Pfennige: für zwey paar Tauben drey Pfennige: für
zwey Dutzend Eyer drey Pfennige k). Wenn
wir diese Preise bedenken, so werden wir finden,
daß Schlachterwaare bey dem damaligen Mangel
nach der Parlamentstaxe dreymal wohlfeiler bezahlt ist, als was unser gegenwärtiger Mittelpreis beträgt: Federvieh etwas weniger; weil
es itzt, als eine Delicatesse betrachtet, über sein
Verhältniß gestiegen ist. Auf dem Lande in Schottland und Irrland, wo Leckerbissen keinen Preis
haben, ist Federvieh itzt eben so wohlfeil, wo nicht
noch wohlfeiler, als Schlachterwaare. Allein die
Folgerungen, welche ich aus der Vergleichung
der Preise ziehen wollte, sind noch weit beträchtlicher: ich nehme an, daß die Parlamentstaxe
unter dem gewöhnlichen Marktpreise bey solchen
Theurungen und Viehseuchen war; und diese Waaren nicht um ein Drittheil, sondern um die Hälfte höher gestiegen, als sie itzt im Preise stehen.
Allein, die Theurung nahm damals so viel weg,
daß der Waitzen, davon der Quarter gewöhnlich

drey

k) Rot Part. 7. Edw. II. n. 35. 36. Ypod. Neust.
E. 509.

drey Pfund koſtete l), eine Zeitlang für mehr,
als vier Pfund und zehn Schillinge bezahlet worden m); das iſt ſehr viel mehr, als unſer itziger
Mittelpreis: Ein gewiſſer Beweis von dem elenden Zuſtande des Ackerbaues in den damaligen
Zeiten! Wir finden vorher, daß der Mittelpreis
des Korns in den damaligen Zeiten halb ſo hoch
war, als itzt; da der Mittelpreis des Viehes
nur um einen Achttheil höher ſtund; eben dieſe
ungeheure Ungleichheit bemerken wir hier in den
Jahren der Theurung. Hieraus kann man mit
Gewißheit ſchließen, daß die Steigerung des
Korns eine Art von Manufactur war, welche
damals wenige mit Vortheil treiben konnten; und
man hat Grund zu ſchließen, daß andre feinere
Manufacturen auch theurer, als nach den itzigen
Preiſen bezahlet worden ſind: wenigſtens iſt ein
Beweis davon unter der Regierung Heinrich des
Siebenten in den Preiſen, welche von dem Par-
lament auf Scharlach und andres breites Tuch
geſetzt ſind.

Zu

---

l) Ypod. Neuſt. S. 502. Trivet. Conc. S. 18.
m) Murimuth, S. 48. Walſingham, S. 108. ſagt,
er ſey bis auf ſechs Pfund geſtiegen.

Zu aller dieser Zeit war es bey den Prinzen
und Großen von Adel gewöhnlich, ihre samme-
tene Betten und seidene Kleider, so wie ihre
Güter und Meyerhöfe, jemanden zu vermachen n).
In der Liste der Juwelen und des Silberge-
schirrs, welches der großprahlerische Gavaston
besessen, und welches der König von dem Grafen von Lancaster nach dem Tode dieses Lieblings wieder bekommen hatte, finden wir einige
gestickte Gürtel, geblümte Hemden und seidene
Westen o). Es wurde nachher ein Artikel in der
Klage wider diesen mächtigen und reichen Grafen, als er aufs Leben angeklaget wurde, daß
er einige von diesen Gütern des Gavaston entwendet hätte. Die Unwissenheit dieser Zeit in
Manufacturen, und besonders im Ackerbau, ist
ein offenbarer Beweis, daß sie weit davon entfernt gewesen, volkreich zu seyn.

Aller Handel und alle Manufacturen waren
damals sehr schlecht: das einzige Land in den
nordlichen Theilen von Europa, worinn sie zu
einem mäßigen Grad der Vollkommenheit gelanget, war Flandern. Als Robert, der Graf dieses

n) Dugdale.

o) Rymer, B. III. S. 388.

ses Landes, von Eduard ersucht wurde, seine
Gemeinschaft mit den Schotten zu unterbrechen,
welche Eduard seine Rebellen nannte, und sag=
te, daß sie deswegen von der Kirche in den Bann
gethan wären, erwiederte der Graf, daß Flan=
dern jederzeit wäre für ein Land angesehen wor=
den, das allen Nationen gemein sey, und für
alle frey und offen stünde p).

Die Bittschrift des älteren Spenser an das
Parlament, worinn er sich über die von den Ba=
ronen in seinen Ländern angerichteten Verwüstun=
gen beklagt, enthält verschiedene besondere Um=
stände, und entdecket die Sitten der Zeit q). Er
versichert, sie hätten ihm 63 Meyerhöfe verwüstet,
und schätzet seinen Verlust auf 46,000 Pfund;
das ist nach unsrer Münze auf 138,000. Unter
andern Particularien rechnet er 28,000 Schaafe,
1000 Ochsen und junge Kühe, 12,000 Kühe mit
ihrer Zucht von zwey Jahren, 560 Baupferde,
2000 Schweine, nebst 600 Schinken, 80 Stück
Rindfleisch, und 600 Stück Schöpsenfleisch in der
Speisekammer; zehn Tonnen Eyder, Waffen für
2000

---

p) Rymer, B. III. S. 770.

q) Bradys Hist. B. II. S. 143. aus Clauf. 15. Edw. II.
M. 14. Dors in cedula.

2000 Mann, nebſt andern Rüſtungen und kriege-
riſchem Vorrath. Der Schluß daraus iſt, daß ſowohl die Spenſers ſelbſt, als alle übrige Adlichen,
ihre vielen Landgüter ſelbſt im Beſitz hatten, von
ihren Verwaltern oder Voigten verwalten, und
von ihren Leibeignen bauen ließer. Wenig oder
gar nichts davon war an Landleute verpachtet:
das Einkommen deſſelben verzehrte der Baron,
oder ſeine Bedienten in ländlicher Gaſtfreyheit: er
hielt eine große Menge müßiger Bediente zu ſeinem
Gefolge, die bey jeder Unordnung, oder jedem
Aufruhr bey der Hand waren. Er hatte über alle,
die auf ſeinen Gütern lebten, unumſchränkt zu gebieten. Anſtatt ſich an Gerichtshöfe zu wenden,
ſuchte er ſich gemeiniglich durch öffentliche Macht
und Gewalt zu rächen: der große Adel wär eine
Art von ſouverainen Potentaten, welche, wofern
ſie ſich überhaupt einigen Vorſchriften unterworfen, ſich doch weniger von Landgeſetzen, als von
einer rohen Art der Völkerrechte regieren ließen.
Die Art, wie ſie den königlichen Lieblingen und
Miniſtern begegneten, iſt eine Probe, wie ſie
gegeneinander verfuhren. Eine Partey, welche
ſich über das willkührliche Betragen der Miniſter
beklagt, muß natürlicherweiſe eine große Achtung
für die Geſetze und Staatsverfaſſung bezeigen,

und

und wenigſtens den Schein der Gerechtigkeit in
ihrem Verfahren beobachten: dennoch kamen dieſe
Baronen, wenn ſie mißvergnügt waren, mit einem bewaffneten Gefolge ins Parlament, zwangen
den König, ihren Maaßregeln beyzupflichten, und
paſſirten ohne Unterſuchung, oder Zeugen, oder
Ueberzeugung, blos nach einer vorgegebenen Weltkündigkeit der Sache, eine Verbannungsacte wider
den Miniſter, welche bey der erſten Glücksverän-
derung auf gleiche Art wieder umgeſtoßen wurde.
Das Parlament war in dieſen aufrühriſchen Zeiten nichts anders, als ein Werkzeug der jedesmaligen Gewalt. Obgleich die Perſonen, woraus
es vornehmlich beſtund, eine große Unabhänglichkeit zu beſitzen ſchienen; ſo hatten ſie doch in der
That keine wahre Freyheit; und die Sicherheit eines
jeden unter dieſen rührte nicht ſo ſehr aus dem allgemeinen Schutz der Geſetze her, als aus ſeiner und
ſeiner Bundesgenoſſen Macht. Das Anſehen des
Monarchen war zwar gar nicht unumſchränkt;
aber doch ſehr unregelmäßig, und konnte dem
Parlament leicht beykommen: der Strom einer
Faction konnte es leicht überwältigen: hundert
Betrachtungen von Wohlthaten und Beleidigungen, Freundſchaften und Feindſchaften, Hoffnung
und Furcht waren hinlänglich, in ſein Betragen

ei-

einen Einfluß zu haben: und unter diesen Bewegungsgründen hatte eine Achtung der Billigkeit,
der Gesetze und Gerechtigkeit, in diesen rauhen
Zeiten wenig Gewicht. Es kam auch niemand
einmal auf die Gedanken, sich einer gegenwärtigen
Gewalt zu widersetzen, der sich nicht stark genug
fand, ihr mit Gegengewalt das Feld streitig zu
machen, und nicht genug vorbereitet war, dem
Monarchen, oder der herrschenden Partey ein
Treffen zu liefern.

Ehe ich diese Regierung beschließe, kann ich
nicht umhin, noch eine andre Anmerkung über das
von dem ältern Spenser gemachte Verzeichniß seines Verlustes mitzutheilen; insbesondere über die
große Menge gesalzenen Fleisches, welches er in
seiner Speisekammer hatte; 600 Schinken, 80
Stück Rindfleisch, und 600 Stück Hammelfleisch.
Man bemerke, daß die Gewalt, worüber er sich
beklaget, nach dem dritten May angefangen habe,
wie wir aus derselben Schrift ersehen. Hieraus
kann man leicht muthmaßen, welch eine ungeheure
Menge von jeder Gattung er beym Anfange des
Winters muß eingenommen haben; und wir können daraus einen neuen Schluß auf den elenden
Zustand der alten Landwirthschaft machen; da
man sich mit keiner Winterfütterung für das Vieh
ver-

verſehen konnte, in einem ſo mäßigen Clima; als
Südengland hat; denn Spenſer hatte nur Ein
Gut, das ſo weit nordwärts lag, als Yorkſhire
liegt. Es waren wenige, oder gar keine einge-
hegte Felder, einige Thiergärten vielleicht ausgenommen; man hatte kein geſäetes Gras; wenig
Heu, und keine andre Mittel, das Vieh zu unter-
hälten; die Baronen ſowohl, als das Volk waren
genöthiger, ihre Ochſen und Schaafe beym Anfange des Winters zu ſchlächten und einzuſälzen, ehe
ſie auf den gemeinen Weiden mager wurden. Eine
Vorſicht, der man ſich mit den Ochſen in den am
wenigſten bebaueten Gegenden dieſer Inſel noch itzt
bedienet: Die Einſalzung des Hammelfleiſches iſt
ein elendes Mittel, welches allenthalben längſt
abgekommen iſt. Aus dieſem Umſtande; ſo geringe er auch dem Anſcheine nach ſey, kann
man wichtige Folgerungen ziehen; betreffend die
Haushaltung und Lebensart in den damaligen
Zeiten.

Die Unordnungen dieſer Zeit wegen auswärtiger Kriege und innerlicher Unruhen, vor allem
aber die grauſame Theurung, welche die Adlichen
nöthigte, viele von ihren Leuten von ſich zu laſſen,
vermehrte die Anzahl der Räuber im Reiche; und

kein Ort war vor ihren Streifereyen sicher r).
Sie zogen haufenweise, gleich einem Heer, und
überschwemmten das Land.　Es wurden sogar
zween Cardinäle, päpstliche Lezaten, ungeachtet
der großen Menge von Begleitern, die sie bey sich
hatten, geplündert, und aller ihrer Güter und
Equipage beraubt, als sie auf der Landstraße
reiseten s).

Unter andern seltsamen Grillen dieser Zeit
glaubte man auch, daß diejenigen, welche vom
Aussatz angesteckt waren, einer Krankheit, die
damals sehr gemein war, sich mit den Saracenen
beredet hätten, alle Quellen und Brunnen zu ver-
gifften; und weil die Menschen sich freuen, wenn
sie einen Vorwand finden, sich von denen zu befreyen, die ihnen zur Last sind; so wurden viele
von diesen unglücklichen Leuten, vermöge dieser
chimärischen Beschuldigung, lebendig verbrannt.
Verschiedene Juden wurden auch eben deswegen
am Leibe gestraft, und ihre Güter eingezogen t).

Die

---

r) Ypod. Neust. S. 502. Wall. S. 107.

s) Ypod. Neust S. 503. T. de la More, S. 594. Trivet.
　　cont. S. 22. Murimuth, S. 51.

t) Ypod, Neust. S. 504.

„ Dieſer König hinterließ vier Kinder; zween Söhne und zwo Töchter: den Eduard, ſeinen älteſten Sohn und Nachfolger; den Johann, nachmaligen Grafen von Cornwall, welcher jung zu Perth verſtarb; die Johanna, die nachher mit dem David Bruce, dem Könige von Schottland, vermählet wurde; und Eleonore, die ſich an den Reginald, den Grafen von Geldern, verheyrathete.

Das funfzehnte Kapitel.

Eduard III.

Krieg mit Schottland. Hinrichtung des Grafen von Kent. Hinrichtung des Mortimer, Grafen von March. Schottlands Zustand. Krieg mit diesem Königreiche. Des Königs Ansprüche auf die Krone Frankreich. Zurüstungen zum Kriege mit Frankreich. Krieg. Sieg zur See. Häusliche Unordnungen. Händel in Bretagne. Erneurung des Krieges mit Frankreich. Einfall in Frankreich. Schlacht bey Crecy. Krieg mit Schottland. Gefangenschaft des Königs von Schottland. Calais wird

eingenommen.

Die aufrührische Partey, welche wider Eduard den Zweyten die Waffen ergriffen, und diesen unglücklichen Monarchen zuletzt (i. J. 1327 den 20 Januar) abgesetzt hatte, hielt es ihrer künfti-

gen Sicherheit halber für gut, den Gesetzen in soweit einen äußerlichen Gehorsam zu leisten, daß sie
sich von dem Parlament eine Indemnität für ihr
ungesetzmäßiges Verfahren erbath, und sich auf
die Nothwendigkeit berief, welche, ihrem Vorgeben nach, sie gezwungen hatte, wider die Spensers
und andre böse Räthe, als Feinde des Reichs,
Gewalt zu gebrauchen. Alle Verurtheilungen,
welche wider den Grafen von Lancaster und seine
Anhänger ergangen waren, als das Kriegsglück
sich wider sie erkläret hätte, wurden unter dem
Triumph ihrer Partey leicht wieder aufgehoben a);
und die Spensers, deren ehemalige Verurtheilung
von dem Parlament wieder umgestoßen war, würden itzt bey diesem Wechsel des Glücks durch die
Stimmen ihrer Feinde von neuem verdammet.
Das Parlament bestellete gleichfalls einen Regierungsrath, welcher aus zwölf Personen bestund:
als fünf Prälaten, den Erzbischöfen von Canterbury und York, den Bischöfen von Winchester,
Worchester und Hereford; und sieben weltlichen
Pairs, den Grafen von Norfolk, Kent und
Surrey, und den Lords Wake, Jngham, Piercy
und Roß. Der Graf von Lancaster wurde zum

F 3   [Hof-

a) Rymer, B. IV. S. 245, 257, 258. ꝛc.

Hofmeister und Aufseher der Person des Königes
bestellet. Allein, ob man gleich mit Recht vermuthen konnte, daß, da die Schwachheit des vorigen Königes der Ausgelassenheit der Baronen den
Zügel hatte schiessen lassen, unter dieser Minderjährigkeit nicht viel Ruhe herrschen würde; so entstund die erste Unruhe doch von dem Einfalle eines
fremden Feindes.

Der König von Schottland, welcher zwar an
Jahren und an Gesundheit abnahm, und doch
immer noch seinen kriegerischen Geist behielt, der
seine Nation von der niedrigsten Stufe des Glücks
erhoben hatte, hielt diese Gelegenheit für bequem,
England anzugreifen. Seinen ersten Versuch
machte er gegen das Castel Norham, wo ihm aber
seine Absicht fehl schlug; hierauf versammlete er
eine Armee von 25,000 Mann an den Gränzen,
bestellte den Grafen von Murray und Lord
Douglas zu Generalen, und drohete einen Einfall
in die nordlichen Grafschaften. Die englische
Regierung machte, nachdem sie alles vergeblich
angewandt hatte, den Frieden mit Schottland
wieder herzustellen, eine lebhafte Rüstung zum
Kriege; und außerdem, daß sie eine Armee von
beynahe 60,000 Mann versammlete, rief sie auch
den Johann von Hennegau, und einige fremde

Ca-

Cavalleristen zurück, die sie abgedanket, und die an Kriegszucht und Streitbarkeit ihrer eignen Armee überlegen geschienen hatten. Der junge Eduard, der von Begierde zum Kriege brannte, erschien an der Spitze dieser zahlreichen Macht, und marschirte von Durham, ihrem Sammelplatze, ab, um den Feind aufzusuchen, der schon in die Gränzen eingebrochen war, und alles rund um sich mit Feuer und Schwerd verwüstet hatte.

Murray und Douglas waren die beyden berühmtesten Krieger, welche sich während der Feindseligkeiten zwischen den Engländern und Schotten gebildet hatten; und ihre Truppen in derselben Schule unterrichtet, und zur Härte, zu Ungemach und Gefahr gewöhnt, waren durch ihre Gewohnheit und Lebensart zu diesem unordentlichen und verheerenden Kriege, den sie wider die Engländer anfiengen, vollkommen geschickt. Ein Corps von ungefähr 4000 Mann zu Pferde ausgenommen, welches bewaffnet, und geschickt war, einen standhaften Angriff im Treffen zu machen, war die übrige Armee mit kleinen Pferden versehen, die allenthalben ihren Unterhalt fanden, und ihre Reuter mit schnellen und unerwarteten Märschen allenthalben hintrugen, sie mochten nun die Absicht haben, an friedsamen Einwohnern Raube-

F 4　　　　　　　　reyen

reyen zu begehen, oder eine bewaffnete Armee anzugreifen, oder sich wieder in ihr Land zurück zu begeben. Die ganze Equipage dieser Truppen bestund aus einem Sack Habermehl, den jeder Soldat, als eine Nothhülfe, hinter sich auf seinem Pferde führte; nebst einer leichten eisernen Pfanne, worinn er aus dem Habermehl auf dem Felde sogleich einen Kuchen backen konnte. Allein, sein vornehmster Unterhalt war dasjenige Vieh, was er raubte; und er war im Kochen so geschwind, als in seinen übrigen Verrichtungen. Nachdem er ein Stück Vieh geschunden hatte, hieng er die Haut an einigen Stöcken schlaff, und in der Gestalt eines Beutels auf: goß Wasser hinein, zündete Feuer darunter an, und bediente sich derselben zu einem Kessel, sein Essen zu kochen b).

Die vornehmste Schwierigkeit, welche Eduard fand; nachdem er einige gefährliche Händel zwischen seinen ausländischen und den englischen Truppen beygelegt hatte c), war, einem Feinde beyzukommen, der so schnell in seinen Märschen war, und in seinen Bewegungen so wenig Hindernisse hatte. Obgleich die Flamme und der Dampf

der

b) Froiſſard, Liv. 4. Chap. 18.
c) Froiſſard, Liv. 1. Chap. 18.

der brennenden Dörfer ihn leicht zu ihrem Lager
führte; so fand er doch, wenn er dahin eilte, daß
sie schon weg waren, und entdeckte aus neuen
Merkmalen der Verheerung, daß sie sich nach einem andern entfernten Orte begeben hatten.
Nachdem er seine Armee mit fruchtlosem Verfolgen
einige Zeit abgemattet hatte; rückte er nach Norden, setzte über den Tyne, in der Absicht, sie auf
ihrem Zurückzuge zu erwarten, und sich für alle
ihre Verheerungen an ihnen zu rächen d). Allein,
dieses ganze Land war schon durch ihre häufige
Einfälle so sehr verwüstet, daß er daselbst keinen
Unterhalt für seine Armee finden konnte; und er
war gezwungen, sich wieder südwärts zu ziehen,
und seinen Operationsplan zu ändern. Er hatte
itzt alle Spuren des Feindes verlohren; und ob er
gleich eine jährliche Belohnung von hundert Pfund
versprach, wenn ihm jemand von ihren Bewegungen Nachricht geben könnte; so blieb er doch einige
Tage unbewegt stehen, ehe er von ihnen einige
Nachricht erhielt e). Endlich erfuhr er, daß sie
ihr Lager an dem südlichen Ufer der Were aufgeschlagen hätten, als wenn sie gesonnen wären,
eine Schlacht zu erwarten: Allein, ihre kluge

F 5   Ans

d) Froissard, Liv. 4. Chap. 19.
e) Rymer, B. IV. S. 312.

Anführer hatten einen solchen Boden ausgesucht,
daß die Engländer bey ihrer Annäherung es ohne
Verwegenheit für unmöglich hielten, im Angesicht
derselben über den Fluß zu gehen, und sie in ihrer
gegenwärtigen Stellung anzugreifen. Eduard,
begierig nach Rache und Ehre, schickte ihnen einen
Fehdebrief, und foderte sie heraus, wenn sie Herz
hätten, ihn auf ebenem Felde die Stirn zu bieten,
und ihr Glück mit den Waffen zu versuchen. Der
kühne Geist des Douglas konnte diesen Trotz nicht
verschmerzen, und rieth, die Ausfoderung anzunehmen. Aber Murray vermochte mehr, als er,
und ließ dem Eduard antworten: daß er sich nie
des Raths seiner Feinde in einer seiner Unternehmungen bediene. Der König nahm seine Stellung
immer gerade gegenüber, und erwartete täglich,
daß die Noth sie zwingen würde, ihre Stellung zu
verändern, und ihm Gelegenheit zu geben, sie mit
seiner überlegenen Macht zu überwältigen. Wenige Tage darnach brachen sie plötzlich ihr Lager
ab, und marschirten den Fluß weiter hinauf; stellten sich aber beständig so, daß sie von dem Boden
Vortheil hatten, wenn der Feind sie angreifen
sollte f). Eduard drung darauf, man sollte lie-

ber

_____

f) Froissard, Liv. 4. Chap. 19.

ter alles wagen, als diese Räuber ohne Strafe
entkommen laffen; allein Mortimers Anfehen verhinderte den Angriff, und widersetzte sich dem
Muth des jungen Monarchen. Indem die Armeen
noch in dieser Stellung waren, trug sich ein Zufall
zu, der für die englische Armee beynahe sehr schlecht
ausgefallen wäre. Nachdem Douglas die Parole
der Engländer erfahren, und die Lage ihres Lagers genau übersehen hatte, gieng er zu Nachtzeit
heimlich mit einem Corps von zweyhundert ver-
wegenen Soldaten hinein, und nahete sich dem
königlichen Gezelt, in der Absicht, den Prinzen
mitten unter seiner Armee, entweder zu tödten,
oder gefangen zu nehmen. Allein, einige von
Eduards Leuten erwachten in diesem kritischen Augenblicke, und widersetzten sich ihm; und sein
Hofprediger und Kammerherr opferten ihr Leben
für seine Sicherheit auf. Der König selbst entkam
mit Hülfe der Finsterniß, nachdem er sich tapfer
gewehret hatte; und Douglas war froh, daß er
mit einigen von seinem Gefolge, nachdem er den
größten Theil desselben verlohren hatte, durch eine
eilige Flucht entwischete g). Bald nachher brach
die

g) Froissard, Liv. 4. Chap. 19. Hemingford S. 261.
Ypod. Neust. S. 509. Knyghton, S. 2552.

die schottische Armee ihr Lager in der Stille der
Nacht, ohne den geringsten Lärm, ab; und nachdem sie solchergestalt den Vorzug vor den Engländern erhalten hatte, kam sie ohne ferneren Verlust in ihrem eigenen Lande an. Da Eduard an
den Ort des schottischen Lagers kam, fand er
nichts als sechs Engländer; welchen der Feind
die Beine zerbrochen, und sie an Bäume gebunden hatte, damit sie ihren Landsleuten keine Nachrichten bringen könnten h).

Der König wurde höchst erzürnet, daß es
ihm bey seiner ersten Unternehmung und an der
Spitze einer so tapfern Armee fehlgeschlagen war.
Die Zeichen der Tapferkeit und des Geistes, welche er gegeben, erregten das größte Vergnügen,
und wurden als Vorbedeutungen von einer vor-
treflichen Regierung angesehen: allein, das allgemeine Mißvergnügen fiel sehr auf den Mortimer, der bereits der Gegenstand des allgemeinen Hasses war; und jeder seiner Anschläge vergrößerte nur den Haß der Nation gegen ihn und
die Königinn Jsabella, und trieb diesen Haß über
alle Gränzen.

Da der Regierungsrath errichtet war,
hatte Mortimer, ob er gleich völlige Gewalt da-

14

h) Froissard, Liv. 4. Chap. 13.

ja besaß, sich nicht die Mühe gegeben, eine Stelle
darinn zu bekommen; allein, dieser Schein der
Mäßigung war nur ein Schleyer der unmäßigsten
und hochmüthigsten Projekte. Er machte diesen Regierungsrath völlig unnütz, indem er die ganze unumschränkte Gewalt sich selbst anmaßte; er setzte den
größten Theil der königlichen Einkünfte für die verwittwete Königinn aus; er fragte die Prinzen von
Geblüte, und die andern Edelleute in keinem öffentlichen Geschäfte um Rath; der König selbst
war von seinen Geschöpfen so sehr belagert, daß
niemand zu ihm kommen konnte; und aller Neid,
der den Gavaston und den Spenser begleitet hatte, fiel itzt weit verdienter auf diesen neuen
Liebling.

Mortimer, welcher den anwachsenden Haß
des Volks merkte, hielt es für nöthig, sich auswärts des Friedens auf alle Bedingungen zu versichern, und ließ sich (i. J. 1328.) zu dem Ende in eine Unterhandlung mit dem Robert Bruce
ein. Da der Anspruch auf die Oberherrschaft in
England mehr, als jede andre Ursache, die
Feindseligkeit zwischen den beyden Nationen entflammet hatte; so versprach Mortimer, diesen
Anspruch gänzlich fahren zu lassen, den Huldigungseid, den das schottische Parlament und

bes

der Adel geleistet hätten, aufzugeben, und den
Robert für einen Souverain über Schottland zu
erkennen i). Gegen diese große Vortheile versprach Robert nur 30,000 Mark an England zu
zahlen. Dieser Vergleich wurde vom Parlament
genehmiget k); war aber nichts desto weniger
die Quelle eines großen Mißvergnügens unter
dem Völke, welches, da es eifrig an den Ansprüchen Eduards Theil genommen hatte, und glaubte,
daß es durch die glückliche Widersetzung eines
so viel schwächern Völks beschimpfet wäre, durch
diesen Vergleich alle Hoffnung, so wohl der Eroberung, als der Rache beraubt wurde.

Die Prinzen von Geblüte, Kent, Norfolk
und Lancaster waren in ihren Rathschlägen sehr
einig; und Mortimer argwöhnte vieles von ihren Absichten wider ihn. Da er sie zu einem
Parlamente berief, verbot er ihnen ausdrücklich
in Nahmen des Königes, nicht mit einer bewaffneten Mannschaft zu erscheinen; ein widergesetz-
liches, aber gewöhnliches Verfahren der damaligen Zeit. Da die drey Grafen nach Salisbury, dem zur Parlamentsversammlung bestimmten

i) Rymer. S. 337. Hemming. S. 270. Anon. Hist. S.
392.
k) Ypod. Neust. S. 510.

ten Orte, kamen, sahen sie, daß, ob sie gleich
nach dem Befehle des Königes nur mit ihrem
gewöhnlichen Gefolge gekommen wären, Mortimer und seine Parten jedoch alle ihre Anhänger,
mit Waffen versehen, bey sich hatte; und sie vermutheten mit Grund einen gefährlichen Anschlag
auf ihre Personen. Sie begaben sich daher zu-
tück, versammleten die Ihrigen, und kamen wieder mit einer Armee, um sich an dem Mortimer
zu rächen, als Kent und Norfolk aus Schwachheit die gemeine Sache verließen, und auch den
Lancaster nöthigten, sich zu unterwerfen l). Der
Streit schien durch Vermittelung der Prälaten
vors erste beygeleget zu seyn.

Allein, Mortimer beschloß, (i. J. 1329.)
um den Prinzen Furcht einzujagen, ein Opfer
zu haben; und die Einfalt, nebst den guten Absichten des Grafen von Kent, gaben ihm bald nachher
Gelegenheit dazu. Er bemühete sich theils selbst,
theils durch seine Ausgesandten, diesen Prinzen
zu überreden, daß sein Bruder, der König Eduard,
noch lebe, und in England in einem geheimen
Gefängnisse versteckt liege. Der Graf, dem sein
Gewissen wegen der Rolle, die er wider den vo-

rigen

l) Knygthon, S. 2554.

rigen König gespielet hatte, vermuthlich geneigt
machte, diese Nachricht zu glauben, faßte den
Entschluß, ihn wieder in Freyheit und wieder
auf den Thron zu setzen, und ihm dadurch für
das Unrecht, welches er ihm unvorsichtiger Weise
gethan hatte, einige Vergütung zu machen m).
Nachdem man dieses unschuldige Vorhaben zu
einer gewissen Weite hatte kommen lassen, wurde
der Graf (i. J. 1330.) von dem Mortimer gefangen
gesetzt, vor dem Parlament angeklaget, und von
diesen sklavischen, obgleich aufrührischen Baronen verdammet, sein Leben und seine Güter zu
verlieren. Die Königinn und Mortimer fürchteten des jungen Eduards Gelindigkeit gegen seinen Onkel, eilten mit der Hinrichtung, und der
Gefangene wurde den folgenden Tag (den 9ten
Merz) enthauptet: allein, die Zuneigung gegen den Grafen war so groß, und man hatte
mit seinem harten Schicksal so viel Mitleiden,
daß seine Feinde zwar leicht Pairs gefunden hatten, die ihn verdammten: aber doch vor Abend
keinen Scharfrichter finden konnten, der ihn hinrichten wollte n).

Der

m) Avesbury. S. 8 Anon. Hist. S 395.
n) Heming. S. 27. Ypod Neust. S. 510. Knyghton
S. 2555.

Der Graf von Lancaſter wurde bald nachher, unter dem Vorwande, als wenn er um die
Verſchwörung gewußt hätte, gefangen geſetzt:
viele andere Prälaten und Abliche wurden ge-
richtlich verfolget. Mortimer bediente ſich dieſer
Erfindung, alle ſeine Feinde zu ſtürzen, und ſich
und ſeine Familie mit den confiſcirten Gütern zu
bereichern. Die Güter des Grafen von Kent wurden für ſeinen jüngern Sohn, Gottfried, be-
ſtimmt: die großen Güter der Spenſer und ihrer
Anhänger wurden meiſtens ihm zugewendet. Er
ſtrebte nach einem Stande und einer Würde,
welche der königlichen gleich, oder noch größer
als die königliche war: ſeine Gewalt wurde einem jeden fürchterlich: man beklagte ſich täglich
über ſein ungeſetzliches Verfahren; und alle Parteyen vergaßen die vorigen Feindſeligkeiten, und
kamen in ihrem Haſſe wider den Mortimer mit
einander überein.

Es war unmöglich, daß dieſe Mißbräuche
lange der Beobachtung eines Prinzen entgehen
konnten, der mit ſo vielem Geiſt und Urtheilskraft begabt war, als der junge Eduard, der,
da er itzt in ſeinem achtzehnten Jahre war, ſich
ſelbſt zur Regierung fähig fühlte, und verdrießlich war, daß er von dieſem unverſchämten Mi-

nifter fo lange in Feffeln gehalten wurde. Al=
lein, er war von Mortimers Abgeordneten fo
fehr umgeben, daß er den Anfchlag, ihn zu ftür=
zen, mit fo vieler Heimlichkeit und Vorficht aus=
führen mußte, als wenn er eine Verfchwörung
wider feinen Souverain gemacht hätte. Er theil=
te dem Lord Mountacute feinen Vorfaß mit,
und diefer beredete die Lords Molins und Clif=
ford, den Sir Johann Nevil von Hornby, Sir
Eduard Bohun Ufford, und andre, an der Aus=
führung ihres Vorhabens Theil zu nehmen; und
das Caftel zu Nottingham wurde zum Schauplaß
des Unternehmens gewählt. Die verwittwete
Königinn und Mortimer wohnten auf diefem Ca=
ftel: der König wurde zwar hinein gelaffen, doch
nur mit fehr wenigen Begleitern; und da das Ca=
ftel genau bewahrt, die Thore alle Abend gefchlof=
fen, und die Schlüffel der Königinn überliefert
wurden, fo wurde es nöthig, den Vorfaß dem
Commandanten, Sir Wilhelm Eland, mitzuthei=
len, welcher fich deffelben mit Eifer annahm.
Auf feine Anweifung kam die Partey des Königes
durch einen unterirrdifchen Weg in das Caftel,
welcher vormals zu einem heimlichen Ausgange
aus demfelben angelegt, ißt aber verfallen war;
und Mortimer wurde ohne einigen Widerftand=

in

in einem Gemache, das an das Zimmer der Königinn stieß, ergriffen o). Es wurde sogleich
ein Parlament zu seinem Processe zusammen berufen. Er wurde vor dieser Versammlung angeklaget, daß er sich die königliche Gewalt angemaßet, wider den vom Parlament bestellten Regierungsrath: daß er den Tod des vorigen Königes verursachet: daß er den Grafen von Kent
durch einen Betrug zu einer Verbindung, diesen
König wieder einzusetzen, verführet: daß er von
den königlichen Gütern erstaunliche Abgaben gefodert, und erhalten: daß er den öffentlichen
Schatz verschwendet: daß er 20,000 Mark von
der, vom Könige vom Schottland gezahlten
Summe zu seinem Gebrauche entwandt habe,
nebst andern Verbrechen und Uebelthaten p). Das
Parlament verdammte ihn, wegen der voraus-
gesetzten Weltkündigkeit dieser Thaten, ohne Untersuchung oder Anhörung seiner Antwort, oder
Zeugenverhör; und er wurde zu Elmes, nicht
weit von London, aufgehangen. Es ist merkwürdig, daß dies Urtheil fast zwanzig Jahr nachher

G 2 von

o) Avesbury. S. 9.
p) Bradys App. N. 83. Annon Hist. S. 397. 398.
Knyghton. S. 2556.

von dem Parlament, zum Besten seines Sohnes umgestoßen wurde; und daß die vorgegebene Ursache die ungesetzliche Art zu verfahren war q). Die Grundsätze des Gesetzes und der Gerechtigkeit waren in England nicht so eingerichtet, daß sie einem ungerechten Urtheile wider eine Person, die der herrschenden Partey verhaßt war, vorbeugen konnten; doch waren sie hinlänglich, wenn diese, oder ihre Freunde wieder in Ansehen kamen, einen Vorwand zu geben, daß man das erste Urtheil wieder umstieß.

Es wurden auch (i. J. 1331.) einige geringere Verbrecher von dem Oberhause verdammet, ins besondere Simon von Bereford: Doch protestirten die Baronen bey diesem Falle, daß sie, ob sie gleich die Sache des Bereford untersuchet hätten, — welcher kein Pair wäre, dennoch nicht gezwungen seyn sollten, künftig dergleichen Anklagen anzunehmen. Die Königinn wurde in ihrem Hause zu Rißings, bey London, eingeschlossen. Ihre Einkünfte wurden auf 4000 Pfund jährlich herabgesetzt r); und obgleich der König sie während ihrer übrigen Lebenszeit jährlich ein-bis zweymal besuchte, so konnte sie sich doch niemals wieder in Ansehen setzen.

Edu

q) Cottons Abridg. S. 85. 86.
r) Cottons Abridg. S. 100.

Eduard, der itzt die Zügel der Regierung
selbst führte, bestrebte sich mit Fleiß und Einsicht, alle Beschwerden abzustellen, welche jemals
entweder aus Mangel des Ansehens der Krone,
oder aus den neulichen Mißbräuchen desselben
entstanden waren. Er ließ Befehle an die Richter ergehen, und ermahnte sie, die Gerechtigkeit
zu handhaben, ohne auf die willkührlichen Befehle der Minister zu achten; und da die Räuber,
Diebe, Mörder und Verbrecher von aller Art sich
während der öffentlichen Unruhen außerordentlich
vermehret hatten, und von den großen Baronen öffentlich geschützet wurden, welche sie wider ihre
Feinde gebrauchten; so wendete der König allen
Ernst an, diesem Uebel abzuhelfen s), nachdem er von
den Pairs ein feyerliches Versprechen im Parlament
erhalten hatte, daß sie alle Verbindungen mit
solchen Uebelthätern aufheben wollten. Viele von
diesen Rotten waren so zahlreich geworden, daß
die Zerstreuung derselben seine Gegenwart erforderte
und er bewieß Muth und Fleiß in dieser heilsamen
Verrichtung. Die Verwalter der Gerechtigkeit
wendeten, durch sein Beyspiel aufgemuntert, den
größten Fleiß an, die Verbrecher zu entdecken,
zu verfolgen, und zu bestrafen; und diese Un-

G 3 ord-

s) Cottons Abridg.

ordnung wurde nach und nach gänzlich, oder
zum wenigsten auf eine Zeitlang gehoben: das
Aeußerste, was man in Betracht einer Krankheit erwarten konnte, welche ihren Grund in
der Staatsverfassung.

So wie die Regierung im Lande mehr Gewalt
erhielt, so wurde sie auch bey den benachbarten Nationen schreckbarer; und Eduards ehrgeiziger Geist
suchte und fand bald eine Gelegenheit, sich zu
zeigen. Der weise und tapfere Robert Bruce,
der sich durch seine Waffen die Unabhängigkeit
seines Landes erworben, und in dem letzten
Friedensschlusse mit England bestätiget hatte, starb
bald darauf, und überließ seinen minderjährigen
Sohn, David, der Vormundschaft Randolfs,
des Grafen von Murray, seines Gefährten in
allen Kriegen. Es war in diesem Frieden aus-
gemachet, daß die Schottischen von Adel, welche
vor dem Anfange des Friedens Güter in England
besäßen, und die Engländer, welche Güter in Schot-
land geerbet hätten, wieder in ihre Güter eingesetzet werden sollten t): allein, obgleich dieser
Artikel von Seiten Eduards genau war gehalten
worden; so hielt doch Robert, da er sah, daß
die

t) Rymer. B. IV. S. 384.

die Güter, welche die Engländer foderten, die
andern weit übertrafen, es entweder für gefährlich, so viele heimliche Feinde im Reiche aufzu-
nehmen, oder fand es auch schwierig, seinen Anhängern diejenigen Güter aus den Händen zu
reißen, welche sie zu einer Belohnung ihrer Bemühungen und Gefahren bekommen hatten; und
hatte auf seiner Seite mit der Vollziehung dieses
Vertrages gezögert. Die Englischen von Adel,
welchen ihre Erwartung fehlschlug, fiengen an,
auf Gegenmittel zu denken; und da ihr Einfluß
in Norden sehr groß war, so wurde schon ihre
Feindschaft allein, wäre sie gleich von dem Könige
nicht unterstützet worden, dem minderjährigen Prinzen, der den schottischen Thron besaß, gefährlich.

Eduard Baliol, der Sohn Johanns, der
zum Könige von Schottland (i. J. 1332.) gekrönet war, hatte, nachdem sein Vater losgelassen
worden, noch eine Zeitlang in England gefangen gesessen; da er aber gleichfalls seine Freyheit wieder
erhalten hatte, so begab er sich nach Frankreich,
wo er auf seinen väterlichen Gütern in der Normandie lebte, ohne an die Erneuerung der Ansprüche seiner Familie auf die Krone von Schottland zu denken. Obgleich sein Recht gegründet
war, so hatten doch die Schotten demselben so

G 4   feyer-

feyerlich abgeschworen, und die Engländer hatten es so sehr verworfen, daß er gänzlich als
eine Privatperson angesehen wurde; und er war
wegen einer Privatbeleidigung der Gesetze, weswegen er angeklaget worden, gefangen gewesen.
Der Lord Beaumont, ein großer englischer Baron, der im Namen seiner Gemahlinn auf die
Grafschaft Buchau in Schottland Anspruch machte u), fand ihn in dieser Situation; und da er
ihn für ein geschicktes Werkzeug zu seinem Entzwecke hielte, machte er es mit dem Könige von
Frankreich aus, der die Folgen hievon nicht einsah, daß er ihm die Freyheit verschaffte, und
ihn mit nach England nahm.

Die Beleidigten von Adel fiengen itzt an,
da sie einen solchen Anführer hatten, ihre Rechte
mit der Gewalt der Waffen auszumachen; und
baten sich von dem Eduard Hülfe und Beystand
aus. Aber es waren verschiedene Ursachen, welche
den König abschreckten, ihrem Unternehmen öffentlich beyzutreten. In seinem Vergleiche mit
Schottland hatte er sich verschrieben, 20,000 Pfund
an den Papst zu zahlen, wenn er binnen vier
Jahren den Frieden bräche; und da die gesetzte

Zeit

u) Rymer. B. IV. S. 251.

Zeit noch nicht verfloſſen war, ſo befürchtete
er, der Papſt, der ſo viele Mittel hatte, ihn zur
Zahlung zu zwingen, möchte dieſe Geldſtrafe
einfodern. Er war auch beſorgt, daß man ihn
einer Gewaltthätigkeit und Ungerechtigkeit beſchul-
digen würde; wenn er mit einer ſo überlegenen
Macht einen minderjährigen König und einen
Schwager angriffe, deſſen unabhängliches Recht
er neulich durch einen feyerlichen Traktat erkannt
hätte. Und da der Regent von Schottland bey
jeder Foderung, welche man machte, den engliſchen Baronen ihre Güter zu erſtatten, das
Recht dieſer Anſprüche erkannt, und nur Aus-
flüchte geſucht hatte, die ſich auf ſcheinbare Vorgeben gründeten; ſo beſchloß Eduard, öffentlich
nichts wider ihn zu unternehmen, ſondern ſich
gleicher Kunſtgriffe wider ihn zu bedienen. Er
munterte den Baliol heimlich in ſeinem Unternehmen
auf; er ließ ihn in dem Nordlichen Truppen
werben, und unterſtützte die Adlichen, welche
ſich mit ihm verbinden wollten. Es wurde eine
Armee von ungefähr 2500 Mann unter dem Baliol von Umfreville, Grafen von Angus, Lords
Beaumont, Ferrars, Fitz-Warin, Wake, Stafford, Talbot und Monbray angeworben. Und
da dieſe Krieger merkten, daß die Gränzen ſehr

G 5   bewaff-

bewaffnet und beschützet seyn würden, so entschlossen sie sich, den Angriff von der See auszumachen; und nachdem sie zu Ravenspur zu Schiffe
gegangen waren, erreichten sie in wenig Tagen
die Küste von Fife.

Schottland war damals in einem ganz
andern Zustande, als es unter dem siegreichen Robert gewesen war. Außer dem Verlust dieses großen
Monarchen, dessen Genie und Ansehen das ganze
politische Gebäude unterstützte, und eine Vereinigung unter den ungezähmten Baronen erhielt,
war auch der unruhige Lord Douglas zu einem
Kreuzzuge gegen die Mohren nach Spanien gegangen, und daselbst in einer Schlacht umgekommen x); der Graf von Murray, dessen Alter
und Schwachheit beständig zunahm, war neulich
gestorben, und Donald, Graf von Marre, ein
Mann von weit geringeren Talenten, war ihm
in der Regierung gefolget: Der kriegerische Geist
der Schotten blieb zwar noch ungeschwächt; hatte aber seine gehörige Leitung und Richtung verlohren; und ein minderjähriger König schien nicht
geschickt zu seyn, eine Erbschaft zu vertheidigen,
welche zu erwerben und zu erhalten die ganze

vol-

x) Froissard. L. I. Chap. 21.

vollendete Tapferkeit und Geschicklichkeit. seines
Vaters erfodert hätte. Da die Schotten aber
von der vorhabenden Landung Nachricht erhalten hatten, liefen viele bey dem Anblicke der
englischen Flotte ans Ufer, um die Landung des
Feindes zu verhindern. Baliols Tapferkeit und
Lebhaftigkeit trieb die Schotten mit einem ansehnlichen Verluste zurück y). Er marschirte gegen Westen in das Herz des Landes, und schmeichelte sich mit der Hoffnung, daß die alten Anhänger seiner Familie sich für ihn erklären würden. Allein, da die hartnäckige Feindseligkeit,
welche zwischen den beyden Nationen entzündet
war, den Schotten ein starkes Vorurtheil wider einen Prinzen einflößte, der von den Engländern unterstützet wurde, so wurde er als ein
allgemeiner Feind angesehen; und es war dem
Regenten leicht, eine große Armee zu versammlen und ihm entgegen zu setzen. Man sagt, daß
Marre nicht weniger als 40,000 Mann unter
sich gehabt habe; allein dieselbe Eilfertigkeit und
Ungeduld, welche ihn veranlaßt hatte, eine Armee zu sammlen, deren Größe zu ihrer Gele-
gen-

y) Heming. S. 272. Walsing. S. 131. Knyghton,
S. 2560.

genheit gar kein Verhältniß hatte, machte alle
seine Bewegungen ungeschickt und unvorsichtig.
Zwischen den beyden Armeen befand sich der
Fluß Erne; und die Schotten, welche sich durch
diesen gesichert sahen, und sich auf die große
Ueberlegenheit ihrer Armee verließen, hielten in
ihrem Lager keine Ordnung. Baliol setzte bey
Nacht über den Fluß; griff die unbehutsamen
und ungeübten Schotten (den 11ten August) an;
brachte sie in Unordnung, welche durch die Finsterniß, und die große Anzahl, worauf sie sich
verließen, vermehret wurde, und schlug sie mit
großer Niederlage aus dem Felde z). Allein des
Morgens, da die Schotten schon ziemlich entfernt waren, schämten sie sich, daß sie einem
so schwachen Feinde den Sieg überlassen hätten,
und eilten zurück, um ihre Ehre wieder zu erlangen. Ihre Hitze machte, daß sie so gleich die
Schlacht anfiengen, ohne auf den uneb-nen Boden zu achten, der zwischen ihnen und dem Feinde war, und welcher ihre Glieder in Unordnung
und Verwirrung brachte. Baliol bediente sich
der günstigen Gelegenheit, rückte mit seinen Truppen gegen sie an, verhinderte sie, sich wieder in

Ord-

z) Knyghton, S. 2561.

Ordnung zu stellen, und jagte sie von neuem
mit einer doppelten Niederlage aus dem Felde.
Ueber 12,000 Schotten blieben in diesem Treffen; und unter diesen die Blüthe ihres Adels;
der Regent selbst, der Graf von Carric, ein natürlicher Sohn des vorigen Königes, die Grafen von Athole und Monteith, der Constable Lord
Hay von Errol, und die Lords Keith und Lund-
sey. Der Verlust der Engländer belief sich kaum
über 30 Mann: ein starker Beweis, unter vielen andern, von dem elenden Zustande der Kriegszucht in den damaligen Zeiten a)!

Baliol bemächtigte sich bald darauf der Stadt
Perth: konnte aber dennoch keine Schotten auf
seine Seite ziehen, Patric Dunbar, Graf von
Marche, und Sir Archibald Douglas, ein Bruder eines Lords gleiches Namens, erschienen an
der Spitze der schottischen Armee, die noch über
40,000 Mann stark war, und hatten im Sinn,
den Baliol und die englische Armee auszuhun-
gern. Sie griffen Perth zu Lande an; versammleten einige Schiffe, um es zu Wasser einzuschlies-
sen: aber Baliols Schiffe griffen die schottische
Flot-

a) Heming. S. 273. Walsing. S. 131. Knyghton.
S. 2561.

Flotte an, erhielten einen vollkommenen Sieg
über dieselben, und eröffneten die Communication
von Perth mit der See b).   Die schottische Armee
mußte aus Mangel des Soldes und der Lebensmittel aus einander gehen.   Die Nation war in
der That mit einer Handvoll Leute überwunden.
Jeder Adliche, der sich der Gefahr am nächsten
fand, unterwarf sich dem Baliol; dieser Prinz
wurde zu Scone zum Könige gekrönet: David,
sein Nebenbuhler, *) wurde mit seiner versprochenen Gemahlinn, Johanna, der Schwester Eduards, nach Frankreich geschickt; und die Häupter seiner Partey hielten bey dem Baliol um
einen Waffenstillstand an, welchen er ihnen gab,
um ein Parlament in Ruhe zu versammlen, und
sein Recht von der ganzen schottischen Nation
bestätigen zu lassen.

    Aber die Unvorsichtigkeit, oder die Noth,
verleitete den Baliol, den größten Theil seiner
englischen Anhänger von sich zu lassen; und er
wurde, ungeachtet des Waffenstillstandes, bey
Annan von dem Sir Archibald Douglas und andern Anführern dieser Partey, angegriffen, seine

                                        Ar-

b) Heming. S. 273. Knyghton. S. 2561.
*) Den 27sten December.

Armee wurde zerstreuet, sein Bruder, Johann Baliol, wurde erschlagen, er selbst in einem elenden Zustande nach England getrieben; und so verlohr er sein Reich durch eine eben so plötzliche Veränderung, als er es erworben hatte.

So lange Baliol sein kurzes und ungewisses königliches Ansehen genoß, sah er wohl ein, daß er ohne Englands Schutz den Besitz des Thrones unmöglich behaupten könne; und hatte daher eine heimliche Bittschrift an Eduard gesandt, und sich erbothen, ihn für seinen Oberherrn zu erkennen, den Huldigungseid für die Krone an ihn zu erneuern, und die Prinzeßinn Johanna zu heyrathen: wenn man die Einwilligung des Papstes erhalten könne, ihre vorige Heyrath zu trennen, die noch nicht vollzogen war. Eduard, welcher gern die Ehre haben wollte, den wichtigen Vortheil, welchen Mortimer während seiner Minderjährigkeit aufgeopfert hatte, wieder zu gewinnen, entschlug sich aller Bedenklichkeiten, und nahm das Anerbiethen willig an; da aber Baliols Verjagung diese Verabredung unwirksam gemacht hatte, so machte der König Zurüstungen, ihm den Besitz der Kron, wieder zu verschaffen: eine Unternehmung, die nach der neulichen Erfahrung, so leicht, und

so

so wenig wöglich zu seyn schien. Da er viele
Kunst besaß, sich bey dem Volke beliebt zu machen, so fragte er bey dieser Gelegenheit sein
Parlament um Rath; diese Versammlung aber
wollte, da sie wußte, daß der Entschluß bereits gefaßt war, ihre Meynung nicht sagen,
und bewilligte ihm nur, zur Unterstützung des
Unternehmens, den Funfzehnten von den persönlichen Gütern des großen und kleinen Adels,
und den Zehnten von allen beweglichen Gütern
der Bürgerschaft. Sie fügte diese Bitte hinzu,
daß der König künftig von dem Seinigen leben
möchte, ohne seine Unterthanen mit gewaltthätigen Antastungen ihrer Güter unter dem Vorwande der Versorgung des Hofstaats zu beschweren c).

Da die Schotten vermutheten, der heftigste
Angriff des Krieges würde Berwic treffen, so
warf der Regent eine starke Besatzung in diesen
Ort, unter dem Befehl des Sir Wilhelm Keith,
und zog an den Gränzen eine starke Armee zusammen, die bereit war, unter seiner Anführung
in England einzudringen, so bald Eduard jenes
Castel angreifen würde. Die englische Armee war

nicht

c) Cottons Abridgm.

nicht so zahlreich: aber beſſer mit Waffen und
Lebensmitteln verſehen; und zu einer ſtrengern
Diſciplin angehalten; und der König hatte die
Beſatzung; ungeachtet der tapfern Vertheidigung
des Keith, in zween Monaten dahin gebracht;
daß ſie capituliren mußte. Sie verſprach den
Platz zu übergeben; wenn er nicht binnen wenig
Tagen von ihren Landsleuten entſetzet würde d).
Als dieſe Nachricht nach der ſchottiſchen Armee
kam, die ſich anſchickte, in Northumberland einzufallen, veränderte ſie ihren ganzen Operationsplan; und nöthigte ſie nach Berwic zu marſchi-
ren, um dieſen wichtigen Ort zu entſetzen. Douglas; der ſich vorgeſetzet hatte; ein Haupttreffen
worinn er die Ueberlegenheit des Feindes erkannte, zu vermeiden; und den Krieg mit kleinen
Schармützeln und wechſelſeitiger Verheerung der
Länder in die Länge zu ziehen; wurde von der
Ungeduld ſeiner Truppen gezwungen, das Glück
des ganzen Reichs auf den Ausſchlag eines Tages zu ſetzen *). Er griff die Engländer bey Ha-
lidown-hill an, welches von Berwic aus ein wenig nordwärts lag; und obgleich die ſchottiſchen
Gene

d) Rymer. B. IV. S. 564. 565. 566.
*) Den 19ten Julii.

Hume Geſch. V. B. H

Gens d'Armes von ihren Pferden gestiegen waren; um das Treffen hartnäckiger und verzweifelter zu machen; so wurden sie doch von Eduard mit solcher Tapferkeit empfangen, und von den englischen Bogenschützen so sehr beunruhiget, daß sie bald in Unordnung geriethen; und da ihr Anführer Douglas fiel, wurden sie gänzlich in die Flucht geschlagen. Die ganze Armee flohe in Unordnung, und die Engländer, noch mehr die Irrländer, gaben bey dem Nachsetzen wenig Quartier: Alle Vornehmen von Adel wurden entweder gefangen genommen, oder erschlagen. Gegen 30,000 Schotten blieben in dem Treffen: da der Verlust der Engländer sich nur auf einen Ritter, einen Esquire, und dreyzehn Gemeine belief: Eine unglaubliche Ungleichheit e)!

Nach diesem unglücklichen Streiche hatte der schottische Adel keine andre Zuflucht, als die Unterwerfung; und Eduard kehrte, nachdem er ein beträchtliches Heer mit dem Baliol zurück gelassen hatte, um die Eroberung des Reiches zu vollenden, mit dem Rest seiner Armee nach England zurück. Baliol wurde von einem zu Edimburg

---

e) Heming. S. 275, 276, 277. Knyghton. S. 2559. Otterborne, S. 115.

burg versammleten Parlament zum Könige erkläret f). Englands Oberherrschaft wurde noch
einmal erkannt; viele schottische von Adel schwuren ihm den Eid der Treue; und um das Unglück dieser Nation vollständig zu machen, trat
Baliol an Eduard ab, Berwic, Dunbar, Roxborough, Edimburg und alle Länder von Schottland gegen Südost, welche auf ewig mit der
englischen Monarchie verbunden seyn sollten g).

Da Baliol, (i. J. 1334.) bey seiner ersten
Erscheinung von den Schotten, als ein Werkzeug der Engländer dieses Reich zu bezwingen,
gefürchtet wurde; so bestätigte dieser Vertrag
allen Argwohn, und machte ihn zum Gegenstande
eines allgemeinen Hasses. Ob sie gleich gezwungen waren, sich ihm zu unterwerfen; so sahen
sie ihn doch nicht für ihren Prinzen, sondern für
einen Abgesandten und einen Verschwornen ihres
öffentlichen Feindes an. Und da weder die Sitten der damaligen Zeit, noch Eduards Einkünfte ihm erlaubten, beständig eine Armee in Schottland auf den Beinen zu halten; so hatte sich
die englische Armee nicht sobald zurück gezogen,

H 2 als

f) Rymer, B. IV. S. 590.
g) Rymer, B. IV. S. 614.

als die Schottländer sich wider den Baliol em=
pörten, und zu ihrem ersten Gehorsam gegen den
Bruce zurück kehrten.   Sir Andreas Murray,
der von den Anhängern dieses Prinzen zum Re=
genten ernannt war, brauchte seine Tapferkeit
und Entschlossenheit in verschiednen kleinen aber
entscheidenden Treffen, die er dem Baliol liefer=
te; und hatte ihn in kurzem aus dem ganzen
Reiche vertrieben. Eduard war gezwungen, von
neuen eine Armee zu versammlen; (i. J. 1335.)
und nach Schottland zu marschiren: die Schot=
ten, welche durch Erfahrung belehret waren,
zogen sich in ihre Gebirge und sichere Oerter.
Er zerstörte die Häuser und Länder derjenigen,
die er Rebellen nannte: allein dieses beveftigte
sie nur noch mehr in ihrer hartnäckigen Feind=
schaft wider England, und den Baliol; und da
sie itzt in Verzweiflung gerathen waren; so wa=
ren sie bereit, sich der ersten Gelegenheit bey
dem Zurückzuge ihrer Feinde zu bedienen, und
nahmen den Engländern ihre Länder bald wieder
ab. Eduard erschien von neuen (i. J. 1336.) in
Schottland mit gleichem Glücke: alles in dem
ganzen Reiche war ihm feindlich, ausgenommen
der Ort wo er sein Lager aufgeschlagen hatte;
und ob er gleich durch alle niedrige Länder un=

gehin=

gehindert marschirte, so fehlte es doch itzt mehr
als jemals daran, daß die Nation unterjochet
und bezwungen war. Ausserdem, daß sie von
ihrem Stolz und Zorn, Leidenschaften, die schwer zu
zähmen sind, unterstützet wurden, wurden sie auch
bey ihrem vielen Unglück durch tägliche Versprechen
eines Beystandes von Frankreich aufgemuntert;
und da es itzt wahrscheinlich war, daß ein Krieg
zwischen diesem Reiche und England ausbrechen
würde; so hatten sie Ursache eine große Diversion
derjenigen Macht zu erwarten, von welcher sie
so lange unterdrücket und übermältiget waren.

Wir kommen itzt zu einer Begebenheit, (i. J.
1337.) wovon die merkwürdigsten Dinge nicht
allein in dieser langen und thätigen Regierung,
sondern auch der ganzen französischen und englischen Geschichte, in mehr als einem Jahrhundert
abhängen; und es ist daher nothwendig, eine
genaue Nachricht von den Triebfedern und den
Ursachen derselben zu geben. Man hatte lange
die Meynung geheget, daß die französische Krone
niemals auf weibliche Nachkommen käme; und
weil die Völker bey der Rechtfertigung der Grundsätze, welche sie für fundamental und ihnen ei-
genthümlich halten, sie lieber auf ein Gesetz, als
auf ein blindes Herkommen gründen wollen, so

H 3   hat

hatte man diese Maxime gewöhnlich aus einem
Anhange des salischen Codex hergeleitet; dem
Gesetze eines alten Geschlechtes unter den Fran-
ken; obgleich dieser Anhang, wenn man ihn genau untersuchet, nur diesem Grundsatze günstig
zu seyn scheinet, und, nach dem Geständniß der
besten Kritiker, nicht wirklich den Verstand hat,
den man ihm beyleget. Allein, ob es gleich bey
den Franzosen an einem eigentlichen Gesetze zu
fehlen scheinet, welches das weibliche Geschlecht
von der Thronfolge ausschließt; so war die Gewohnheit doch einmal eingerissen; und diese Regel wurde durch alte und neue ähnliche Beyspiele
ohne Widerspruch bestätiget. Unter dem ersten
Geschlechte der Monarchie waren die Franzosen
so roh und barbarisch, daß sie sich unmöglich
einer weiblichen Regierung unterwerfen konnten;
und in dieser Periode ihrer Geschichte hat man
öftere Beyspiele, daß Könige die königliche Würde zum Nachtheil solcher Frauenspersonen erlanget haben, die der Krone um einige Grade näher verwandt waren. Diese Beyspiele, nebst
andern ähnlichen Ursachen, haben die männliche
Nachfolge auch bey dem zweyten Geschlechte bestätiget; und obgleich die Beyspiele in diesem
Zeitpunkte weder so häufig noch so gewiß waren;

ren; so scheint doch der Grundsatz der Ausschlies-
sung der weiblichen Nachfolge immer beobachtet,
und die Regel des Betragens der Nation gewesen
zu seyn. Unter dem dritten Stamme kam die
Krone durch eilf Geschlechter vom Vater auf
den Sohn, von dem Hugo Capet bis auf den Ludwig Hutin; und so war die französische Monarchie in einer Zeit von neun hundert Jahren
wirklich immer von Mannspersonen beherrschet
worden; und keine Frauensperson, oder ein
Nachkommen derselben hatte jemals den Thron
bestiegen. Philipp der Schöne, Ludwig Hutins
Vater, hinterließ drey Söhne; diesen Ludwig,
Philipp den Langen, und Carl den Schönen,
und eine Tochter, Isabella, Königinn von England. Ludwig Hutin der Aelteste hint rließ bey
seinem Tode eine Tochter von der Margreta, der
Schwester des Endes, Herzogs von Burgundien; und da seine Gemahlinn schwanger war,
so wurde Philipp, sein jüngerer Bruder, zum
Regenten bestimmet, bis es sich zeigte, ob sie
mit einem Sohne oder einer Tochter entbunden
würde. Sie brachte zwar einen Sohn zur Welt,
der aber nur wenige Tage lebte: Philipp wurde
hierauf zum Könige ausgerufen; und da der
Herzog von Burgundien sich widersetzte, und

H 4　　　　　　　das

das Recht seiner Cousine behauptete, wurde sie
durch einen feyerlichen und überlegten Ausspruch
der Stände des Reichs ausgeschlossen, und alle
Nachkommen weiblichen Geschlechtes wurden auf
immer der Nachfolge auf dem französischen Throne unfähig erkläret. Philipp starb nach einer
kurzen Regierung, und hinterließ drey Töchter:
worauf sein Bruder Carl ohne Widersetzung
ihm auf dem Throne folgte. Carls Regierung
war gleichfalls kurz. Er hinterließ eine Tochter:
da seine Gemahlinn aber schwanger war, so
wurde der nächste männliche Erbe zum Regenten
ernannt, und ihm das Recht der Nachfolge zu-
erkannt, wenn sie eine Tochter gebähren würde.
Dieser Prinz war Philipp von Valois, leiblicher Vetter des verstorbenen Königes; ein Sohn
Carls von Valois, des Bruders Philipps des
Schönen. Die Königinn von Frankreich wurde
mit einer Tochter entbunden; die Regierung endigte sich; und Philipp von Valois wurde einmüthig auf den französischen Thron gesetzet.

Der König von England, der damals ein
Jüngling von funfzehn Jahren war, gerieth auf
den Gedanken, daß er seiner Mutter wegen ein
Recht zur Thronfolge dieses Reiches habe, und,
daß die Ansprüche eines Enkels näher wären,

als

als eines leiblichen Vetters. Es läßt sich nichts
Schwächeres und Ungegründeteres denken. Das
Grundgesetz von der Ausschließung der weiblichen
Nachkommen wurde durch eine alte Meynung in
Frankreich bestätiget, und hatte ein so großes
Ansehen erhalten, als eines der positivsten und
gewissesten Gesetze: Es war von alten Benspielen
bestärket: Es war durch neuere Benspiele, die
feyerlich untersuchet und entschieden waren, bestätiget: Und welches es völlig unstreitig machte,
wenn Eduard die Gültigkeit desselben hätte in
Zweifel ziehen wollen, so widerlegte er dadurch
seine eigne Ansprüche; da die drey letzten Könige
alle Töchter nachgelassen hatten, die alle am Leben waren, und die ihm in der Ordnung der
Nachfolge vorgiengen. Er sah sich daher gezwungen, zu behaupten, obgleich seine Mutter Isabella des Geschlechts wegen der Nachfolge unfähig gewesen wäre, so träfe doch dieser Einwurf
ihn selbst, als ihren Erben, nicht, und er könnte
Ansprüche auf die Thronfolge machen. Allein
außer dem, daß dieses Vorgeben dem Carl, Könige von Navarra, einem Nachkommen der
Tochter Ludwig Hutins günstiger war, war es
auch den Grundsätzen der Nachfolge in ganz Eu-

H 5   ropa

ropa h) und der Ausübung der privat und öffentlichen Erbfolge so sehr zuwider, daß niemand
in ganz Frankreich an Eduards Recht dachte.
Philipps Recht wurde überall angenommen und
für gültig erkannt i); und er ließ sich niemals
einfallen, daß er einen Nebenbuhler haben würde, vielweniger einen so fürchterlichen, als der
König von England war.

Allein, obgleich Eduards jugendliches und
ehrsüchtiges Herz sich diesen Gedanken gemacht
hatte, so hielt er es doch nicht für gut, auf seine
Ansprüche zu bringen, die ihn auf sehr ungleiche
Bedingungen in einen gefährlichen und unversöhnlichen Krieg mit einem sehr mächtigen Monarchen verwickelt haben müßten. Philipp war
ein Prinz von reifen Alter, von vieler Erfahrung,
und von einem damals befestigten Ruhme der
Klugheit und Tapferkeit, und so wohl durch diese Umstände, als durch die Einigkeit seines Volks,
und ihre Zuversicht auf sein ungezweifeltes Recht,
hatte er alle Vorzüge vor einem unerfahrnen
Jünglinge, der neulich durch Ungerechtigkeit und
Gewalt zu der Regierung über das unbändigste

und

h) Froiſſard. Lib. I. Chap. 4.
i) Froiſſard. Lib. I. Chap. 22.

und aufrührischste Volk in Europa gelanget war.
Es trug sich aber bald darauf etwas zu, welches erforderte, daß Eduard entweder seine Ansprüche öffentlich erklären oder auf ewig abschwö-
ren mußte. Er wurde berufen, für Guienne den
Huldigungseid zu leisten: Philipp rüstete sich,
ihn mit Gewalt zu zwingen: das Land war in
einem sehr schlechten Vertheidigungsstande; und
die Confiscirung einer so reichen Erbschaft war
nach dem Lehngesetze die unmittelbare Folge, wenn
er sich wegerte, die Pflicht eines Vasallen zu erfüllen. Eduard hielt es daher für klug, sich der
gegenwärtigen Nothwendigkeit zu unterwerfen.
Er gieng nach Amiens: leistete dem Philipp den
Huldigungseid; und da einige Streitigkeiten über
die Ausdrücke dieser Unterwerfung entstanden,
übersandte er nachher eine förmliche Schrift, in
welcher er erkannte, daß er der Krone Frankreich
den Huldigungseid zu leisten schuldig sey k);
welche wirklich und in den nachdrücklichsten Worten Philipps Recht auf die Krone dieses Reichs
bestätigte. Seine eigene Ansprüche waren in der
Thas

k) Rymer, B. IV. S. 477, 481. Froiffard. Liv I.
Chap. 25. Anon. Hist. S. 394. Walsing. S. 130.
Murimuth, S. 73.

That so ungegründet, und von der ganzen franzöſiſchen Nation ſo gänzlich verworfen, daß auf denſelben beſtehen, eben ſo viel hieß, als das ganze Reich erobern wollen; und vermuthlich würde er nie wieder daran gedacht haben, wenn es nicht durch einen Zufall, der zwiſchen den beyden Monarchen Feindſeligkeit erregte, geſchehen wäre:

Robert von Artois, einer von dem königlichen Geblüte in Frankreich, war ein Mann von großen Ruhm und Einfluß, hatte Philipps Schweſter geheyrathet, und war wegen ſeiner Geburt, Naturgaben, und ſeines Anſehen berechtigt, das größte Aufſehen zu machen, und die wichtigſten Bedienungen des Reichs zu bekleiden. Dieſer Prinz hatte die Grafſchaft Artois, die er vermöge des Erbrechts beſaß, durch ein Urtheil von Philipp dem Schönen, welches man gemeiniglich für unbillig hielte, verlohren; und war verführet worden, um ſie wieder zu erlangen, eine Handlung, die ſeinem Range und Character ſo unanſtändig war, nämlich eine Verfälſchung zu begehen l). Die Entdeckung dieſes Verbrechens überhäufte ihn mit Schaam und Schande: ſein Schwager ſetzte ihn nicht nur ab, ſondern ver-

l) Froiſſard. Liv. I. Chap. 29.

verfolgte ihn auch aufs heftigste: Robert, dem
es unmöglich war, Ungnade zu ertragen, verließ
das Reich, und hielt sich heimlich in den Niederlanden auf: nachdem er aus diesem Ort seiner Zuflucht durch die Drohungen und das Ansehen Philipps verjaget war, begab er sich nach
England, wurde von Eduard geneigt aufgenommen m), bald in seine Rathsversammlungen gezogen, und gewann das Zutrauen dieses Monarchen. Er überließ sich allen Regungen der
Raserey und der Verzweiflung; bemühete sich die
Vorurtheile, welche Eduard für die Gültigkeit
seiner Ansprüche auf die Krone Frankreich hegte,
wieder rege zu machen, und schmeichelte ihm so
gar, daß es einem Prinzen von seiner Tapferkeit
und Geschicklichkeit nicht unmöglich wäre, diese
Ansprüche auszuführen. Der König war sehr
geneigt, Angebungen von der Art Gehör zu geben, weil er sich über Philipps Betragen in Absicht auf Guienne zu beklagen hatte, und weil
dieser Prinz dem vertriebenen David Bruce Schutz
gegeben, und die Schotten in ihren Bemühungen nach der Unabhänglichkeit unterstützet, oder
wenig-

m) Rymer, B. IV. S. 747. Froissard. Liv. I. Chap.
27.

wenigstens ermuntert hatte. Dieser Groll füllte
die Herzen dieser beyden Monarchen, und machte sie
unfähig, den Friedensvorschlägen des Papstes,
der nie aufhörte, sie zu einem gütigen Vergleich
zu bereden, Gehör zu geben. Philipp glaubte,
daß er wider die ersten Grundsätze der Politik
verstoßen würde, wenn er von den Schotten ab-
ließe. Eduard meynte, er müßte sich aller Groß-
müthigkeit begeben, wenn er dem Robert von
Artois seinen Schutz versagte. Der Erste, welcher von einigen Zurüstungen zur Feindseligkeit,
die sein Nebenbuhler machte, unterrichtet war,
ließ das Urtheil der Verrätherey und der Confiscation wider den Robert von Artois ergehen, und
erklärte sich, daß jeder Vasall des Reichs in
oder außer demselben, eben diesem Urtheile unterworfen wäre, wenn er diesem Verräther Schutz
gäbe; eine Drohung, die leicht zu verstehen war:
Der letzte, der nicht nachzugeben entschlossen war,
bemühete sich, mit den Niederländern und an
den Gränzen von Deutschland Bündnisse zu
schliessen; welche die einzigen Gegenden waren,
wo er einen nachdrücklichen Angriff auf Frankreich machen, oder eine solche Diversion verursachen könnte; wodurch die Provinz Guienne,
wel-

welche der Macht Philipps so sehr ausgesetzet war,
schützen möchte.

Der König entdeckte zuerst sein Vorhaben
dem Grafen von Hennegau, seinem Schwiegervater, und nachdem er ihn auf seine Seite gebracht hatte, brauchte er den Dienst und Rath
dieses Prinzen, die ihm benachbarten Mächte mit
sich zu verbinden. Der Herzog von Brabant
wurde durch seine Vermittelung und durch große
Geldsummen von England verleitet, seinen Beystand zu versprechen n). Der Erzbischof von
Cöln, der Herzog von Geldern, der Marquis
von Jülich, der Graf von Namur, die Herren
von Fauquemont und Baquen wurden durch gleiche Beweggründe getrieben, mit den Engländern
in Bündniß zu treten o). Diese Herrn konnten
entweder aus ihren eignen, oder aus den an-
gränzenden Ländern eine große Menge kriegrischer
Truppen schaffen; und ausser dem Beytritt von
Flandern fehlte es an nichts, um diese Macht
in dieser Gegend sehr fürchterlich zu machen; und
Beytritt verschafte sich Eduard durch einige ungewöhnliche und außerordentliche Mittel.

Da

n) Rymer, B. IV. S. 777.
o) Froissard. Liv. IV. Chap. 29, 33, 36.

Da die Niederländer die ersten in dem nördlichen Theile von Europa waren, welche die Künste und Manufacturen verbesserten, so hatten die niedrigsten Stände dieser Provinz sich solche Reichthümer erworben, welche Leuten von ihrem Stande in dieser barbarischen Zeit allenthalben unbekannt wären, hatten Freyheiten und Unabhänglichkeit erlanget, und fiengen an, sich aus dem Stande der Vasallschaft, oder vielmehr der Sklaverey, worein der gemeine Mann durch die Lehnsgesetze überall gesunken war, heraus zu arbeiten. Es war ihnen vermuthlich schwer ihren Souverain und Adel dahin zu bringen, daß sie sich nach den Grundregeln und der bürgerlichen richteten die in allen andern Ländern so sehr versäumet wurden. Es war ihnen unmöglich, sich in ihrer Widersetzung und in ihrem Groll in den Gränzen gehörig einzuschließen: sie hatten Aufruhr angerichtet: hatten die Adlichen beschimpfet: hätten ihren Grafen nach Frankreich gejaget, und hatten, indem sie sich einem aufrührischen Anführer anvertrauet, allen Uebermuth verübt, und alle Unordnungen begangen, welche ein gedankenloser und aufgebrachter Pöbel so sehr geneigt

ist

iſt, auszuüben, wenn er das Unglück hat, ſein eigner
Herr zu ſeyn p).

Ihr gegenwärtiger Anführer war Jakob
D'Arteville, ein Brauer in Gent, der ſie weit un-
umſchränkter beherrſchte, als jemals einer von
ihren geſetzmäßigen Regenten. Er ſetzte Obrigkeiten nach ſeinem Gefallen ab und ein: er wurde
von einer Wache begleitet, die auf den geringſten
Wink von ihm, jeden, der ihm mißfiel, hinrichtete:
alle Städte in Flandern waren voll von ſeinen
Kundſchaftern; und wer ihm den geringſten Verdacht erweckte, der war gewiß des Todes. Die
wenigen Edelleute, welche im Lande blieben, lebten in beſtändigen Schrecken vor ſeiner Gewaltthätigkeit. Er zog die Güter aller derer ein, welche
er entweder verbannet oder ermordet hatte; und
indem er einen Theil ihren Frauen und Kindern
ausſetzte, wendete er das übrige zu ſeinem Gebrauche an q). Dieſes waren die erſten Wirkungen
der Gewalt des Pöbels, welche Europa ſah,
nachdem es viele Jahrhunderte hindurch unter
einer monarchiſchen oder ariſtokratiſchen Tyranney
geſeufzet hatte.

Ja-

⋆p) Froiſſard. Liv. I. Chap. 30. Meyerus.
q) Froiſſard. Liv. I. Chap. 30.

Jakob D'Artevllle war derjenige, an welchen Eduard sich wendete, um die Niederländer auf seine Seite zu bringen; und dieser Prinz, der zu seiner Zeit der hochmüthigste und kühnste war, hat um kein Bündniß mit mehr Mühe und mehr Demuth gebethen; als er gegen diesen aufrührischen und lasterhaften Handwerker bezeigte. D'Artevlle, der auf diese Vorzüge über den König von England stolz war, und einsah, wie sehr die Niederländer geneigt wären, mit den Engländern in Verbindung zu stehen, die ihnen die Materialien zu ihren Wollenmanufakturen, der vornehmsten Quelle ihrer Reichthümer, gaben; ließ sich bald auf Eduards Seite bringen, und nöthigte ihn, in die Niederlände überzukommen. Bevor Eduard diese große Unternehmung anfieng, stellte er sich, als ob er sein Parlament zu Rathe ziehen wollte, bath sich sein Gutachten aus, und erhielt seine Einwilligung r). Und um ihn noch mehr zu stärken, erhielt er eine Bewilligung von 20,000 Säcken Wolle, welche sich auf hundert tausend Pfund belaufen mochten: diese Wolle war bey den Niederländern ein gutes Instrument, und das daraus gelösete Geld ließ sich bey den Deutschen Alliirten

r) Cottons Abriß.

gebräuchen. Die übrigen nöthigen Summen erhielt er durch Darlehne, durch Verpfändung der
Edelgesteine der Krone, durch Einziehung, oder
vielmehr Ausplünderung aller Leihhäuser, welche
ißt das verhaßte Gewerbe trieben, wie ehemals die
Juden, auf Zinsen Geld zu leihen s); und er segelte, in Begleitung eines englischen Heers und
einiger Adlichen, nach Flandern.

Die deutschen Fürsten hatten, (i. J. 1338)
um ihre ungereizte Feindseligkeit gegen Frankreich
zu rechtfertigen, das Siegel einer gesetzmäßigen
Berechtigung verlanget; und Eduard hatte es,
um ihnen hierinn ein Genüge zu leisten, bey dem
Kaiser Ludwig von Bäyern ausgewirkt, daß er ihn
zum Vicar des Reichs ernannte; ein leerer Titel,
der ihm aber das Recht zu geben schien, den
deutschen Fürsten zu gebieten t). Die Niederländer, welche Vasallen von Frankreich waren,
machten Schwierigkeiten wegen des Angriffs gegen
ihren Lehnherrn. Eduard nahm, auf Anrathen
des D'Artevelle, den Titel eines Königes von
Frankreich an, und föderte, kraft seines Rechtes,
ihren Beystand, und den Philipp von Valois, den

F 2   Um-

s) Dugd. Baron. B. II. S. 146.
t) Froissards Liv. I. Chap. 31.

unrechtmäßigen Besitzer seines Reiches, zu vertreiben u). Diesen Schritt, welcher, wie er fürchtete, alle Freundschaft zwischen den beyden Reichen vertilgen und in Frankreich eine unendliche
und unversöhnliche Feindschaft erregen mußte, that er nicht ohne vielen Widerwillen und
Bedenken; und wie er an sich nicht zu rechtfertigen
war, so zog er auch in der Folge beyden Reichen
sehr viel Elend zu. Von diesem Zeitpunkte können
wir die große Feindseligkeit herrechnen, welche die
Engländer beständig gegen die Franzosen gehabt
haben, welche auf alle künftige Begebenheiten
einen so sichtbaren Einfluß haben, und welche die
Quelle vieler übereilten und unbedachten Entschließungen zwischen denselben gewesen sind, und noch
itzo sind. In allen vorhergehenden Regierungen,
seit der Eroberung, waren die Feindseligkeiten nur
zufällig gewesen, und hatten nur eine Zeitlang
gedauert; und da sie niemals mit einem blutigen
oder gefährlichen Zufalle verknüpfet gewesen waren, so wurden alle Spuren derselben durch den
ersten Friedensschluß leicht wieder vertilget. Der
englische große und kleine Adel machte sich mit seiner

u) Heming. S. 303. Walsing. S. 143.

ner französischen oder normannischen Abkunft
groß. Er bemühete sich die Sprache dieses Landes in öffentlichen Angelegenheiten und im täglichen Umgange zu gebrauchen; und da der englische
Hof und das Lager voll von Adlichen waren, die
aus einer oder der andern Provinz Frankreichs
herkamen; so waren diese beyden Nationen mehr
als jemals zwey andren verschiedne Völker, die
wir in der Geschichte antreffen, miteinander vermischt. Allein die unglücklichen Ansprüche Eduards
trenneten alle diese Banden, und ließen den Saa-
men zu einer großen Feindseligkeit in beyden Ländern, besonders unter den Engländern zurück.
Denn es ist merkwürdig, daß diese letztere Nation,
ob sie gleich gemeiniglich die angreifende Partey
war, die grausamsten Ungerechtigkeiten gegen die
andre zu verüben, doch beständig die National-
feindschaft in einem größern Grade behalten hat;
und die Franzosen haben ihren Haß gegen sie niemals in einem gleichen Grade ausgeübt. Dieses
Land liegt in der Mitte von Europa, ist nach und
nach mit allen seinen Nachbaren in Feindseligkeiten
verwickelt worden, die Vorurtheile des Volks
sind in sehr viele Candle abgeleitet und zertheilet
worden, und unter einem Volke von sanfteren

Sit-

Sitten sind diese niemals zu einem hohen Grade
wider irgend eine besondere Nation gelanget.

Philipp machte große Zurüstungen wider den
Angriff der Engländer, und zwar solche, die ihn
vor der Gefahr zu schützen mehr als hinlänglich zu
seyn schienen. Außer dem Beystande des Adels
aus seinem eignen volkreichen und kriegerischen
Lande, waren auch seine auswärtigen Bündnisse
vertrauter und mächtiger, als die Bündnisse seines Feindes. Der Papst, der sich damals zu
Avignon aufhielt, stund unter Frankreich, und
ergriff, da er sich durch die Verbindungen des
Eduards mit Ludwig von Bayern, den er in den
Bann gethan hatte, beleidiget fand, die Partey
des französischen Monarchen, mit Eifer und Aufrichtigkeit. Der König von Navarra, der Herzog
von Bretagne, der Graf von Bar, waren auf
derselben Seite: und in Deutschland der König
von Böhmen, der Churfürst von der Pfalz, die
Herzoge von Lothringen und Oesterreich, der
Bischof von Lüttich, die Grafen von Zweybrück,
Vaudemont und Genf. Eduards Alliirten in
demselben waren schwächer; und da sie keine andre
Bewegungsgründe hatten, als sein Geld, welches schon beynahe erschöpft war, so waren sie
sehr schläfrig in ihren Bewegungen, und sehr un-
ent-

entschlossen in ihrem Vornehmen. Der Herzog
von Brabant, der mächtigste unter denselben,
schien sogar (i. J. 1339.) geneigt zu seyn, sich seiner
Verbindung völlig zu entziehen; und der König
war genöthiget, den Einwohnern von Brabant
neue Freyheiten in ihrem Handel zu geben, und
seinen Sohn Eduard mit der Tochter dieses Fürsten zu verheyrathen, ehe er ihn dahin bringen
konnte, sein Versprechen zu halten. Der Sommer
war mit Conferenzen und Unterhandlungen zugebracht, ehe Eduard seine Armee ins Feld führen
konnte; und um seine deutschen Alliirten zu seinem
Vorhaben zu locken, war er genöthigt, zu verlangen, daß der erste Angriff auf Cambray, eine
Reichsstadt, die von den Franzosen besetzt war,
gemacht werden sollte x). Da er aber bey einer
nähern Betrachtung die Schwierigkeit dieser Unternehmung gewahr ward, führte er sie gegen die
Gränzen von Frankreich; und hier lernte er durch
eine empfindliche Probe die Eitelkeit seiner Erwar-
tungen. Der Graf von Namur, und sogar der
Graf von Hennegau, sein Schwager (denn der
alte Graf war gestorben) weigerten sich, gegen ihren Lehnsherrn Feindseligkeiten zu unternehmen,

J 4   und

x) Froissard. Liv. I. Chap. 39 Heming. S. 305.

und zogen sich mit allen Truppen zurück y). So wenig achteten sie Eduards Ansprüche auf die Krone Frankreich!

Der König rückte dem ungeachtet in das Land seines Feindes, und bezog zu Buonfoße bey Capelle ein Lager, mit einer Armee von beynahe 50,000 Mann, die fast ganz aus Fremden bestund. Philipp begegnete ihm mit einer Armee, die fast noch einmal so stark war, und vornehmlich aus eingebohrnen Unterthanen bestund; und man erwartete täglich, daß ein Treffen erfolgen würde. Allein der englische Monarch wollte bey einer so großen Ungleichheit kein Treffen wagen: der König von Frankreich glaubte genug zu thun, wenn er die Angriffe seines Feindes zurücktriebe, und wollte sich nicht ohne Noth in Gefahr setzen. Die beyden Armeen sahen sich ein paar Tage einander an; schickten sich einander Ausfoderungen zu; und Eduard zog sich endlich nach Flandern zurück, und ließ seine Armee auseinander z).

Dies war der fruchtlose und fast lächerliche Beschluß aller großen Zyrüstungen Eduards; und

da

y) Froissard. Liv. I. Chap. 39.

z) Froissard. Liv. I. Chap. 41, 42, 43. Heming. S. 307. Walsing. S. 143.

da seine Entschließung die klügste war, die er in seiner Situation fassen konnte; so lernte er aus der Erfahrung, in welch eine hoffnungslose Unternehmung er sich eingelassen hatte. Er hatte sehr schwere und verderbliche Kosten gehabt, ohne seinen Endzweck zu erreichen: hatte gegen 300,000 Pfund Schulden gemacht a): hatte alle seine Einkünfte sich voraus zahlen lassen: hatte alle Sachen von einigem Werthe, die ihm oder der Königinn gehörten, versetzet: er mußte sich gewissermaßen seinen Gläubigern selbst zum Pfande setzen, indem er sich ihre Erlaubniß ausbath, nach England zu reisen, um sich Zuschuß zu verschaffen, und indem er auf sein Ehrenwort versprach, selbst wieder zu kommen, wenn er ihnen ihr Geld nicht schickte.

Allein, dieser Prinz besaß zuviel Geist, als daß er durch die ersten Schwierigkeiten einer Unternehmung allen Muth verlieren sollte; und bemühete sich, seine Ehre durch glücklichere und muthigere Unternehmungen zu ersetzen. Zu dem Ende hatte er, während seines Feldzuges, seinem Sohn Eduard, den er unter dem Namen eines Aufsehers zurückgelassen hatte, den Befehl zugesandt, ein Parlament zu versammlen, um von demselben ei-

J 5

ni-

a) Cottons Abridg. S. 17.

nigen Zuschuß in seiner dringenden Noth zu fodern.
Die Baronen schienen geneigt zu seyn, sein Verlangen zu gewähren: allein die Ritter, welche in
den damaligen Zeiten oft als ein von der Bürgerschaft abgesonderter Stand handelten, machten
einige Schwierigkeiten, ihre Partey, ehe sie die
Bewilligung derselben hätten, eine Schatzung
aufzulegen; und verlangten von dem jungen
Eduard, daß er ein neues Parlament zusammen-
rufen möchte, welches zu dem Ende mit gehöriger
Vollmacht versehen wäre. Die Situation des
Königes und des Parlaments war damals derjenigen fast gleich, worinn sie zu Anfange des vorigen Jahrhunderts immer geriethen; und ähnliche
Folgen fiengen schon an, sich sichtbar zu zeigen.
Der König, der die häufigen Foderungen, welche
er von seinem Volke zu machen genöthiget seyn
würde, voraus sah, hatte sich bemühet, seinen
Freunden eine Stelle im Unterhause zu verschaffen,
und auf sein Anstiften hatten die Sherifs und
andre Beamte dahin gesehen, daß sie zu Mitgliedern dieser Versammlung erwählet waren; ein
Mißbrauch, welchen die Ritter von dem Könige
durch die Einrichtung seiner Versammlungsschrei-
ben v.rbessert wissen wollten, und welche auch ver-
bessert wurden. An der andern Seite fügten die

Rit-

Ritter ihrer beschloſſenen Bewilligung ausdrückliche Bedingungen bey, und verlangten eine be-
trächtliche Verminderung der königlichen Vorrechte, beſonders in Anſehung der Verſorgung des
Hofſtaats mit Lebensmitteln, und der Steuer,
welche die alten Lehnsträger geben mußten, wenn
des König älteſter Sohn zum Ritter geſchlagen,
und ſeine älteſte Tochter verheyrathet würde. Das
neue Parlament, welches von dem jungen Eduard
zuſammenberufen wurde, behielt denſelben freyen
Geiſt; und ob es gleich einen ſtarken Zuſchuß von
30,000 Säcken Wolle verwilligte; ſo wurde doch
nichts beſchloſſen, weil die beygefügten Bedingungen zu hoch ſchienen, als daß ſie durch eine
Verwilligung, die nur eine Zeitlang dauerte, ver-
gütet werden konnten. Als aber Eduard ſelbſt
nach England kam, verſammlete er ein andres
Parlament; und er hatte den Einfluß, einen
Zuſchuß auf mäßigere Bedingungen zu erhalten.
Eine Beſtätigung der beyden großen Freybriefe
und der Freyheiten der Flecken, eine Begnadigung
der alten Schuldner und Miſſethäter, und die
Abſchaffung einiger Mißbräuche bey der Ausübung
des Landgeſetzes, waren die Hauptbedingungen,
worauf man drang; und die Baronen und Ritter
bewilligten dem Könige, zur Vergeltung für dieſe

ſei

seine Verwilligungen, etwas Ungewöhnliches,
nämlich auf zwey Jahre den Neunten von ihren
Schaafen, Lämmern, und von der Wolle auf ihren
Ländern; imgleichen den Neunten von den unbeweglichen Gütern der Bürger nach einer aufrichtigen Schätzung. Das ganze Parlament verwilligte
auch eine Abgabe von vierzig Schilling von jedem
Sack Wolle, der ausgeführet wurde, von jedem
Dreyhundert an Schaaffellen, und für jede Last
Leder auf eben so viele Jahre. Allein, da es die
willkührliche Neigung der Krone fürchtete, so erklärte es sich ausdrücklich, daß diese Verwilligung
nicht länger dauren, noch zu einer rechtmäßigen
Foderung gemacht werden sollte. Bald darauf
merkte es, daß dieser Zuschuß, so ansehnlich, und
in den damaligen Zeiten ungewöhnlich er auch
war, langsam eingehen, und wegen der alten
Schulden des Königes und seiner Zurüstungen zum
Kriege, der dringenden Noth desselben nicht abhelfen würde; deswegen bewilligte es, daß ihm
sogleich 20.000 Säcke Wolle überliefert, und der
Werth derselben von dem Neunten, den er nachher
einzuheben hatte, abgezogen werden sollte.

Allein, es zeigte sich zu dieser Zeit eine andre
Eifersucht in dem Parlament, die sehr vernünftig
war, und sich auf einen Gedanken gründete, der
                                    daß

daſſelbe bewogen haben ſollte, den König in ſeinen ehrſüchtigen Entwürfen, von denen man
mit ſo wenig Wahrſcheinlichkeit einen glücklichen
Ausgang vermuthen konnte, und die, wenn ſie
auch glücklich ausſchlugen, doch der Nation ſo
gefährlich waren, vielmehr zurückzuhalten, als zu
unterſtützen. Eduard, der vor dem Anfange des
vorigen Feldzuges in verſchiedenen Commißionen
den Titel eines Königes von Frankreich angenommen hatte, gab ſich nunmehr ſelbſt in allen öffentlichen Schriften dieſen Namen, und ſetzte in allen
ſeinen Siegeln und Fahnen das Wapen von
Frankreich neben dem Engliſchen. Das Parlament hielt es für nöthig, den Folgen dieſer Handlung vorzubeugen, und ſagte, es wäre ihm als
König von Frankreich keinen Gehorſam ſchuldig,
und dieſe beyden Königreiche müßten auf immer
unterſchieden und voneinander unabhängig bleiben b). Es ſah ohne Zweifel vorher, daß Frankreich, ſobald es überwunden wäre, der Sitz der
Regierung ſeyn würde, und hielt dieſe vorläufize
Erklärung für nöthig, damit England nicht eine
Provinz von dieſer Monarchie würde. Eine ſehr
ſchwache Sicherheit, wenn der Fall ſich wirklich
zugetragen hätte!

Als

b) 14. Eduard III.

Als Philipp die Nachricht erhielt, daß er wegen der Zurüstungen, welche in England und in den Niederlanden (i. J. 1340.) gemacht wurden, einen zweyten Angriff von dem Eduard zu erwarten hätte, rüstete er eine große Flotte von 400 Schiffen aus, die mit 40,000 Mann besetzet waren, und legte sie bey Slys, um den König bey seiner Ueberreise aufzufangen. Die englische Flotte, die nur aus 240 Segeln bestund, war weit geringer: allein, ob es durch Eduards größre Fähigkeiten, oder durch die größere Geschicklichkeit seiner Seeleute geschah, genug, sie gewannen ihren Feinden den Wind ab, hatten die Sonne auf dem Rücken, und fiengen mit diesen Vortheilen (den 13 Jun.) das Treffen an. Die Schlacht war hartnäckig und blutig: die englischen Bogenschützen, deren Macht und Geschicklichkeit itzt sehr berühmt war, griffen die Franzosen bey ihrer Annäherung heftig an; und nachdem die Schiffe aneinander geklammert waren, und der Streit standhafter und heftiger wurde, wurden die Seeleute und Soldaten durch das Beyspiel des Königes und so vieler Adlichen, die ihn begleiteten, so sehr aufgemuntert, daß sie allenthalben die Oberhand über den Feind erhielten. Es war auch eine Unvorsichtigkeit von den

Franz

Franzosen, daß sie sich so nahe an die Küste von
Flandern gelegt; und diesen Ort zu dem Schau,
platz des Treffens gewählet hatten. Da die
Holländer die Schlacht gewahr wurden, liefen
sie sogleich aus ihren Häfen aus; und brachten
den Engländern eine Verstärkung, welche, weil
sie unerwartet kam, eine größere Wirkung that,
als sie nach ihrer Macht und Anzahl hätte thun
können. Zweyhundert und dreyßig französische
Schiffe wurden genommen: dreyßig tausend
Franzosen blieben; worunter zween Admirale
waren: der Verlust der Engländer war gegen den
großen und wichtigen Sieg unbeträchtlich c).
Man sagt, daß keiner von Philipps Ministern
sich unterstanden habe, es ihm zu sagen, bis sein
Hofnarr ihm einen Wink gegeben, woraus er ge,
merkt, daß er einen Verlust erlitten hätte d).

Der Glanz dieses großen Glücks gab dem
Könige ein noch größeres Ansehen bey seinen
Alliirten; welche ihre Truppen eilig zusammen
zogen, und zu der englischen Armee stießen.
Eduard marschirte an die Gränzen von Frankreich,
mit einer Armee von 100,000 Mann; die mehren,
theils

---

c) Froiffard. Liv. i. Chap. 51. Avesbury. S. 56.
Heming. S. 321.

d) Walfing. S. 143.

theils aus Fremden bestund. Eine zahlreichere
Armee ist niemals weder vorher, noch nachher von
einem Könige von England angeführet worden e).
Zu gleicher Zeit marschirten 50,000 Holländer unter
der Anführung Roberts von Artois aus, und
belagerten St. Omar: allein, dieses unordentliche
Heer, das gänzlich aus Handwerksleuten, die im
Kriege unerfahren waren, bestund, wurde durch
einen Ausfall, den die Besatzung that, ungeachtet
der Geschicklichkeit ihres Anführers, geschlagen,
und in solchen Schrecken gesetzt, daß es sogleich
zerstreuet wurde, und sich nachher nie wieder im
Felde sehen ließ. Eduards Unternehmungen liefen
eben so fruchtlos ab, ob sie gleich keinen so
schimpflichen Ausgang hatten. Der König von
Frankreich hatte eine Armee versammlet, die zahlreicher als die Englische war; er wurde von
den vornehmsten Adlichen seines Reichs begleitet: ihm folgten viele fremde Prinzen, und sogar
drey Monarchen, die Könige von Böhmen,
Schottland und Navarra f): dennoch blieb er beständig bey dem klugen Entschluß, nichts zu wagen; und nachdem er alle Gränzvestungen mit
                                          star-

e) Rymer, B. V. S. 197.

f) Froissard, Liv. 1. Chap. 57.

starken Besatzungen versehen hatte, zog er sich
zurück, in gewisser Hoffnung, daß sein Feind,
wenn er seine Macht mit langweiligen und unglücklichen Unternehmungen aufgerieben hätte,
ihm einen leichten Sieg anbieten würde.

Tournay war damals eine der ansehnlichsten Städte in Flandern, deren Einwohner sich
über 60,000 Mann von allen Altern beliefen, und
die der französischen Regierung geneigt waren:
und da Eduards Absichten nicht geheim genug
gehalten worden, so erfuhr Philipp, daß die
Engländer, zum Besten ihrer Alliirten in den
Niederlanden, den Feldzug mit der Belagerung
dieses Orts eröffnen wollten. Er ließ daher die
Garnison mit 14,000 Mann, die von den tapfersten
französischen von Abel angeführet wurden, verstärken; und erwartete mit Grunde, daß diese Macht,
nebst den Einwohnern, die Stadt wider alle Angriffe der Feinde vertheidigen würde. Eduard
fand daher, als er zu Ende des Julius die Belagerung anfieng, allenthalben einen halsstarri-
gen Widerstand: Die Tapferkeit der einen Partey wurde mit gleicher Tapferkeit von der andern erwiedert: jeder Angriff wurde zurück geschlagen und vernichtet; und der König war endlich genöthiget, die Belagerung in eine Blokade

zu verwandeln, in der Hoffnung, daß die Stadt
wegen der großen Anzahl der Besatzung und der
Einwohner, welche sie gegen alle Angriffe hatte
vertheidigen können, nur desto leichter durch Hunger würde bezwungen werden g). So bald der
Commandant, der Graf von Eu, erfuhr, daß
die Engländer diesen Operationsplan vorgenommen hatten, bemühete er sich, seinen Vorrath
an Proviant zu ersparen, und trieb alles unnütze Volk aus der Stadt; und der Herzog von
Brabant, der dem Unternehmen Eduards einen
schlechten Ausgang wünschte, ließ alle frey durch
seine Länder gehen.

    Nachdem die Belagerung zehen Wochen ge-
dauert hatte, gerieth die Stadt in Noth, und
Philipp zog alle seine zerstreuten Besatzungen zusammen, und setzte sich mit einer starken Armée
drey Meilen weit von dem englischen Lager, in der
Absicht, noch immer ein entscheidendes Treffen
zu vermeiden; aber eine Gelegenheit zu suchen,
daß er in diesen Ort eine Verstärkung werfen
möchte. Itzt schickte Eduard, erzürnt über den
schlechten Fortgang, den er bisher gemacht hatte, und über die unangenehme Aussicht, die er
vor

g) Froissard. Liv. I. Chap. 54.

vor sich sah, dem Philipp eine Ausfoderung durch
einen Herold, und ließ ihm antragen, daß sie
ihre Ansprüche auf die Krone von Frankreich entweder durch einen Zweykampf, oder durch ein
Treffen von hundert Mann gegen hundert, oder
durch eine allgemeine Schlacht ausmachen wollten.
Allein Philipp erwiederte, Eduard hätte ihm wegen des Herzogthums Guienne den Huldigungseid geleistet, und seine Oberherrschaft öffentlich
erkannt; es käme ihm also auf keine Weise zu,
seinem Lehnsherrn und Souverain eine Ausfoderung zu schicken: er gedächte ihn, ungeachtet aller
seiner Zurüstungen, und seiner Verbindung mit
den aufrührischen Niederländern, dennoch bald
von den französischen Gränzen zu vertreiben: da
Eduards Angriff ihn von der Ausführung eines
Feldzuges wider die Ungläubigen verhindert hätte, so verließe er sich auf den Beystand des Allmächtigen, der seine fromme Absichten belohnen,
und seinen Feind, dessen ungegründete Ansprüche seinen Vorsatz hintertrieben hätten, strafen
würde: Eduard schlüge ihm einen sehr ungleichen
Zweykampf vor, indem er nur seine Person gegen das Reich Frankreich und die Person des
Königes wagen wollte; wenn er aber mehr auf-
setzen, und das Königreich England mit auf den

Aus-

Ausgang des Zweykampfs wagen wollte; so wollte er, ungeachtet die Bedingungen noch allezeit
sehr ungleich blieben, die Ausfoderung dennoch
gern annehmen h). Es war leicht einzusehen,
daß diese wechselseitigen Großpralereyen nur in
der Absicht geschahen, um den Pöbel zu blenden, und daß die beyden Könige zu klug waren,
ihren vorgegebenen Vorsatz auszuführen.

Indem die französische und englische Armee
so gegen einander stunden, und alle Tage eine
allgemeine Schlacht erwartet wurde; suchte Johanna, eine verwittwete Gräfinn von Hennegau,
durch ihre Vermittelung zwischen den beydenStrei-
tenden Frieden zu stiften, und alles künftige
Blutvergießen zu verhüten. Diese Prinzeßinn war
eine Schwiegermutter des Eduards, und Philipps
Schwester; und ob sie sich gleich in ein Kloster
begeben und die Welt verlassen hatte; so verließ
sie doch bey dieser Gelegenheit ihren Aufenthalt,
und wendete alle ihre Kräfte an, diejenigen
Feindseligkeiten beyzulegen, die Personen, welche mit ihr und unter einander so nahe verwandt
waren, entzweyet hatten. Da Philipp keine, er-

heb-

h) Du Tillet Recueil des Traitez, &c. Heming. S.
325. 326.

hebliche Foderungen an seinen Gegner hatte, so
fand sie ihn sehr geneigt, ihren Vorschlägen Gehör zu geben; und so gar Eduards hoher und
ehrsüchtiger Sinn, von seinem fruchtlosen Versuchen überzeuget, war ihrer Vermittelung nicht
abgeneigt. Er, lernte durch die Erfahrung, daß er
sich in eine Unternehmung eingelassen hatte, die seine Kräfte weit überstieg, und daß Englands
Macht wahrscheinlicher Weise nie die Macht eines größern Reichs überwältigen würde, welches
unter einem geschickten und klugen Monarchen
vest vereinigt war. Er entdeckte, daß alle seine
Alliirten, die er durch Unterhandlungen gewinnen könnte, im Grunde einen Widerwillen gegen
seine Unternehmung hegten; und wenn sie ihn
gleich eine Zeitlang unterstützen, sich doch bald
entfernen, und der Vollendung seiner Absicht sich
selbst widersetzen würden, so bald sie dahin gebracht werden könnten, zu glauben, daß für sie
einige Gefahr damit verknüpft wäre. Er sah so
gar, daß es ihr vornehmster Endzweck wäre,
Geld von ihm zu erhalten; und da seine Zuschüsse
aus England sehr langsam eingiengen, und weit
unter seiner Erwartung waren; so wurde er von
ihrer zunehmenden Gleichgültigkeit gegen seine
Sache, und von ihrer Begierde, alle scheinba-

R 3   re

re Bedingungen zu einem Vergleich anzunehmen,
überführet.   Da er endlich (den 3ten Sept.) überzeugt war, daß eine Unternehmung, welche nur
durch Mittel, die der Absicht so schlecht entsprachen, unterstützet werden konnte, unvernünftig
seyn müßte; so schloß er einen Waffenstillstand,
der beyde Parteyen in dem Besitz ihrer gegenwärtigen Eroberungen ließ, und alle künftigen
Feindseligkeiten von Seiten der Niederlande,
Guienne und Schottland, bis nächstkommenden
St. Johannistag beylegte i). Bald nachher wurden zu Arras, unter Vermittelung der päbstlichen Legaten, Unterhandlungen angefangen, und
man suchte den Waffenstillstand in einen vesten
Frieden zu verwandeln. Eduard verlangte, daß
Philipp Guienne von allen Ansprüchen der Oberherrschaft befreyen, und sich von allem Beystand,
den Schottland von ihm genoß, los sagen sollte: da er aber, so wohl wegen seines vorigen
Glücks, als seiner künftigen Aussichten, nicht
berechtiget zu seyn schien, solche Foderungen zu
machen; so wurden sie von dem Philipp gänzlich verworfen, der nur eine Verlängerung des
Waffenstillstandes annahm.

                                              Der

_____

i) Froissard. Liv. I. Chap. 64. Avesbury. S. 65.

Der König von Frankreich zog den Kaiser Ludewig bald nachher von seiner Verbindung, mit England ab, und brachte ihn dahin, daß er den Titel eines Reichsvicars, den er dem Eduard gegeben hatte, widerrief k). Die übrigen Alliirten des Königes an den Gränzen von Frankreich waren in ihren Hoffnungen betrogen, und entzogen sich nach und nach dem Bündnisse; und Eduard selbst, der von seinen vielen und ungeduldigen Gläubigern gequälet wurde, mußte sich heimlich wegstehlen, und nach England fliehen.

Die ungewöhnliche Abgabe des neunten, von Schaafen, Lämmern und Wolle, die vom Parlament bewilliget war, imgleichen der große Mangel am Gelde, und der noch größere an Credit in England, hatten die Uebermachung der Gelder nach Flandern sehr langsam gemacht; man konnte auch vermuthen, daß von dem Könige oder seinen Ministern ein eilfertiges Mittel erfunden werden könnte, eine Taxe einzusammlen, die an sich so neu war, und die nur nach und nach einkommen konnte. Und obgleich das

K. 4   Par-

k) Heming. S. 352. Ypod. Neust. S. 54. Knyghton. S. 2580.

Parlament die Unbequemlichkeit vorhergesehen,
und 20,000 Säcke Wolle, die einzige engl. sche
Waare, die in fremden Orten einen gewissen
Preis trug, und woraus man am leichtesten
baares Geld heben konnte, als eine geschwinde
Hülfe bewilliget hatte; so mußte doch nothwendig die Einnahme einer so unbehülflichen Waare, die Zusammenführung aus dem ganzen Reiche, und der Verkauf derselben außerhalb Landes weit mehr Zeit wegnehmen, als die dringende Noth der Umstände des Königes erlaubte,
und alle diejenigen Fehlschläge verursachen, worüber man sich während des Feldzuges beklagte.
Allein, obgleich nichts geschah, was Eduard
nicht hätte vorher sehen können; so war er doch
durch den unglücklichen Erfolg seiner Kriegsunternehmungen so ungehalten, und wurde von seinen Gläubigern so sehr geplaget und beschimpfet,
daß er sich entschloß, sich des Schimpfes wegen
an irgend einem andern zu erhölen, und in einer sehr schlechten Laune nach England kam.
Er entdeckte diesen seinen Gemüthszustand durch
die erste Handlung, welche er nach seiner Ankunft vornahm. Da er unerwartet kam, fand
er den Tower etwas nachläßig bewacht; und
sogleich befahl er, den Constable, und alle andre,

wel-

welche die Aufsicht über dieses Castel hatten,
gefangen zu setzen, und begegnete ihnen mit un-
gewöhnlicher Härte l). Seine Rache fiel hierauf
auf die Hebungsbedienten, die Sherifs, die Ein-
nehmer der Taxen, die Unternehmer von aller
Art; und außerdem, daß er sie alle ihrer Bedienungen entsetzte, bestellte er auch Leute, die ihr
Verfahren untersuchen sollten; und diese fanden
gewiß, um der Laune des Königes zu willfahren, keine Person, die ihnen vorkam, unschuldig m). Sir Johann St. Paul, geheimer Siegelbewahrer, Sir Johann Stonor, der Oberrichter, Andreas Aubrey, Major von London,
wurden abgesetzt und gefangen genommen; wie
auch der Bischof von Chichester, der Kanzler
und der Bischof von Lichfield, der Schatzmeister.
Stratford, der Erzbischof von Canterbury, dem
die Einsammlung der neuen Auflagen vornehmlich anvertrauet war, fiel ebenfalls in des Königes Ungnade; da er aber bey der ersten Ankunft
des Königes abwesend war, so fühlte er die unmittelbaren Wirkungen derselben nicht.

K 5　　　　　　Wich-

l) Ypod. Neuſt. S. 513.
m) Avesbury. S. 70. Heming. S. 326. Walſingham
S. 150.

Wichtige Gründe konnten die Könige von
England zu der Zeit abschrecken, die vornehmsten Bedienungen der Krone an Prälaten und
andre geistlichen Personen zu vergeben. Diese
Leute hatten sich so sehr mit Privilegien und Freyheiten verschanzet, und verlangten so öffentlich
von aller weltlichen Gerichtsbarkeit befreyet zu
seyn, daß ihnen keine bürgerliche Strafe für ihr
übles Verhalten in ihren Aemtern konnte aufgeleget werden; und da so gar die Verrätherey
für keine Beleidigung nach dem geistlichen Rechte
gehalten wurde, auch keine hinlängliche Ursache
war, jemanden seiner Bedienung zu berauben,
oder ihn mit andern geistlichen Strafen zu belegen; so hatte dieser Stand sich fast eine gänzliche Freyheit von Strafen erworben, und war
durch keine politische Gesetze oder Verordnungen
gebunden. Allein, es waren an der andern Seite
viele besondre Ursachen, sie zu befördern. Ausserdem daß die Prälaten fast alle Gelehrsamkeit dieser Zeit besaßen, und zu bürgerlichen Bedienungen am geschicktesten waren, hatten sie auch mit
den größten Baronen einen gleichen Rang, und
gaben durch ihr persönliches Ansehen der ihnen
anvertrauten Gewalt ein Gewicht. Ueberdem setzten sie die Krone nicht dadurch in Gefahr, daß

sie

fie ihre Familie mit Reichthum und Ehrenstellen überhäuften, und wurden durch den Wohlstand ihres Charakters von jeher öffentlichen Räuberey und Gewaltthätigkeit, welche die Adlichen so oft ausübten, abgehalten. Diese Bewegungsgründe hatten den Eduard und viele von seinen Vorfahren verleitet, die vornehmsten Bedienungen der Regierung geistlichen Personen anzuvertrauen; ob er gleich dabey wagte, daß sie seine Gewalt nicht erkennen würden, so bald sie wider sie selbst gerichtet wäre.

So gieng es mit dem Erzbischof Stratford. Dieser Prälat, da er hörte, daß Eduard seinen Zorn auf ihn geworfen hatte, bereitete sich, (i. J. 1341.) zu dem Sturm; und nicht zufrieden, sich blos zu vertheidigen, entschloß er sich, den Angriff zu thun, und dem Könige zu zeigen, daß er die Freyheiten seines Standes kannte, und Muth genug hätte, sie zu behaupten. Er that alle diejenigen in den Bann, die unter irgend einem Vorwande an den Personen oder Gütern der Geistlichen Gewaltthätigkeit ausübten, die diese von dem grossen Freyheitsbriefe und dem geistlichen Rechte bestätigte Freyheiten kränkten, oder die einen Prälaten der Verrätherey oder eines andern

Lasters

Lasters beschuldigten, um ihn bey dem Könige in Ungnade zu setzen n). So gar Eduard hatte Ursache, zu glauben, daß er selbst mit diesem Urtheil gemeynet sey; so wohl weil er die beyden Bischöfe und einige andre Geistliche, welche die Einnahme der Auflagen besorgt hatten, gefangen gesetzt, als auch, weil er ihre Länder und bewegliche Güter eingezogen hatte, um sie zur Verantwortung zu ziehen, wegen irgend eines Rückstandes, den sie noch in Händen hätten. Die Geistlichkeit hatte itzt, mit dem Primas an ihrer Spitze, eine ordentliche Verbindung wider den König gemacht, und man hatte viele Verläumdungen wider ihn ausgestreut, um ihm das Zutrauen und die Liebe seines Volks zu rauben: daß er nemlich willens sey, die Generalpardon und die Erlassung aller alten Schulden, welche er bewilliget hatte, zu widerrufen, und neue und willkührliche Abgaben, ohne Bewilligung des Parlaments, zu fordern. Der Erzbischof gieng gar so weit, daß er in einem Briefe an den König selbst sagte, es gäbe zwo Mächte, von welchen die Welt regieret würde; die heilige päbstliche

apo-

n) Hemlng. S. 339. Ang. sacra, B. I. S. 21. 22. Walsing. S. 153.

apoſtoliſche Würde, und die untergeordnete königliche Gewalt: von dieſen beyden Mächten wäre die geiſtliche offenbar die vornehmſte: weil
die Prieſter vor dem Richterſtuhl des göttlichen
Gerichts von dem Betragen der Könige ſelbſt
Rechenſchaft geben müßten: die Geiſtlichen wären die geiſtlichen Väter aller Gläubigen, und
unter andern auch der Könige und Fürſten; und
durch eine himmliſche Vollmacht berechtiget, den
Willen und die Handlungen derſelben zu lenken,
und ihre Uebertretungen zu tabeln. Prälaten
hätten vormals Kaiſer vor ihren Richterſtuhl
gefodert, hätten ihr Leben und Betragen unterſuchet, und ſie für ihre halsſtarrigen Beleidigungen in den Bann gethan o). Dieſe Gründe waren nicht geſchickt, Eduards Unwillen zu beſänf-
tigen; und als er ein Parlament zuſammen rief,
ſchickte er nicht zu dem Primas, wie zu den übrigen Pairs, ein Einladungsſchreiben, in demſelben zu erſcheinen. Stratford ließ ſich durch
dieſes Merkmaal der Verachtung oder des Zorns
nicht abſchrecken; er erſchien vor den Thoren in
ſeinen pontifikaliſchen Kleidern, mit dem Biſchofs-
ſtabe in der Hand, und von einem feyerlichen

Ge-

o) Anglia ſacra. B. 1. S. 27.

Gefolge von Priestern und Prälaten begleitet; und verlangte, als der erste und größte Pair des Reiches, zu seinem Sitz zugelassen zu werden. Zween Tage lang versagte der König ihm dem Zutritt: aber da er entweder besorgte, daß diese Sache gefährliche Folgen haben möchte, oder daß er aus Ungeduld den Primas ohne Grund einer schlechten Verwaltung seines Amtes beschuldiget hätte, welches in der That der Fall gewesen zu seyn scheinet; so erlaubte er ihm endlich seinen Sitz, und wurde mit ihm ausgesöhnet p).

Eduard fand sich itzt in einer sehr schlechten Situation, so wohl gegen sein eignes Volk, als gegen auswärtige Staaten; und es erfoderte sein ganzes Genie, und alle seine Fähigkeiten, sich aus so vielfältigen Schwierigkeiten und Verwirrungen heraus zu ziehen. Seine ungerechten und unmäßigen Ansprüche an Frankreich und Schottland hatten ihn in einen unversöhnlichen Krieg mit diesen beyden Königreichen, seinen nächsten Nachbaren, gezogen; er hatte fast alle seine fremden Allianzen wegen seiner unordentlichen Zahlung verlohren: er hatte sich tief in Schul-

den

p) Anglia facra, B. I, S. 38. 39. 40. 41.

den gesetzt, für welche er schwere Zinsen zahlen
mußte: seine Kriegsoperationen waren zu Wasser geworden; und seinen Sieg zur See ausgenommen, war keine derselben mit Ehre und Ruhm
für ihn oder für die Nation verbunden gewesen:
die Feindseligkeit zwischen ihm und den Geistlichen war offenbar und erkläret: das Volk war
wegen verschiedener willkührlichen Maasregel, wozu er sich hatte verleiten lassen, mißvergnügt;
und welches noch gefährlicher war, der Adel,
welcher sich die gegenwärtige Noth zu Nutze machte,
war entschlossen, seine Gewalt zu verringern, und
durch Eingriffe in die alten Vorrechte der Krone
sich Unabhängligkeit und Gewalt zu erwerben.
Allein, Eduards hoher Geist, welcher ihn so weit
über die Gränzen der Klugheit geführt hatte,
war doch endlich stark genug, ihn wieder in sein
voriges Ansehen zu setzen, und am Ende seine
Regierung zu der herrlichsten zu machen, welche
man in der englischen Geschichte findet: ob
er gleich diesesmal genöthigt war, mit einigem
Verlust seiner Ehre dem Strom zu weichen, welcher so heftig auf ihn einstürzte.

Das Parlament machte eine Akte, von welcher zu vermuthen war, daß sie große Neuerungen in der Regierung anrichten würde. Es sagte

vorläufig, da der große Freybrief zur offenbaren Gefahr und Verläumbung des Königes, und
zum Nachtheil seines Volks bisher in verschiedenen Punkten beleidiget worden, insbesondere
durch Einziehung freyer Leute und ihrer Güter, ohne
Proceß, Anklage oder Verhör; so wäre es nöthig,
ihn von neuen zu bestätigen, und von allen vornehmen Gerichtsbedienten, auch von dem Staats-
minister, dem Oberhofmeister, und Oberkämmerer
des Hofstaats, dem geheimen Siegelbewahrer, dem
Aufseher und Großschatzmeister der Kleiderkammer,
und von denen, welche zur Erziehung des jungen Prinzen bestellet wären, die ordentliche Beobachtung desselben beschwören zu lassen. Es bemerkte auch, daß die Pairs des Reichs vormals
eingezogen und gefangen gesetzet, ihrer Güter und
Ländereyen beraubet, und so gar ohne ein Urtheil
der Pairs hingerichtet wären; und daher beschloß
es, daß diese Gewaltthätigkeiten künftig aufhören sollten, und daß kein Pair ohne einen Ausspruch der Pairs im Parlament bestrafet werden sollte. Es foderte, daß, wenn einmal eine
von den genannten Bedienungen erlediget würde,
der König dieselben, auf Anrathen seines Raths,
und mit Bewilligung andrer großen Männer,
welche sich zu der Zeit in der Nachbarschaft des

Ho-

Hofes aufhielten, vergeben sollte. Und es machte aus, daß der König an dem dritten Tage jeder Sitzung alle diese Bedienungen selbst übernehmen sollte, ausgenommen das Amt der Richter der beyden Bänke, und der Baronen des Schatzkammergerichts; daß diese Minister so lange Privatpersonen seyn sollten; daß sie in diesem Stande vor dem Parlament auf jede wider sie eingebrachte Klage antworten, und wenn sie auf einige Weise schuldig befunden würden, am Ende ihres Amtes entsetzet, und ihre Stellen geschickteren Personen gegeben werden sollten q). Durch diese letzten Vorschriften näherten die Baronen sich so sehr, sie durften nur jenen Einschränkungen, welche ehemals Heinrich dem Dritten und Eduard dem Zweyten aufgeleget, und welche wegen der mit denselben verknüpften gefährlichen Folgen so allgemein verhaßt geworden waren, daß man weder den Beystand des Volks, sie zu fodern, noch den Beystand des Königes, sie zu bewilligen, erwarten konnte.

Zur Vergeltung für diese wichtigen Verwilligungen both das Parlament dem Könige 20000

Sd.

q) 15. Eduard III.

Säcke Wolle an, und sein Mangel war wegen
des Geschreyes seiner Gläubiger und der Foderungen seiner auswärtigen Alliirten so bringend,
daß er diesen Zuschuß auf diese harte Bedingungen annehmen mußte. Er genehmigte diese Verordnung vor dem vollen Parlamente; aber heimlich machte er eine solche Gegenerklärung, von
der man hätte denken sollen, daß sie zureichend
gewesen wäre, aufs künftige allen seinen Glauben und alles Zutrauen bey seinem Volke aufzuheben: er erklärte sich, daß er, so bald seine
Umstände es erlaubten, aus eigner Gewalt alles
widerrufen wollte, was von ihm erzwungen wäre r). Dem zu Folge war er nicht so bald Besitzer der Subsidien des Parlaments, als er ein
Edikt heraus gab, welches viele außerordentliche
Sätze und Foderungen enthielt. Zuerst behauptete er, daß diese Verordnung den Gesetzen zuwider gegeben sey; gerade als wenn eine freye
                                          gesetz-

r) Statutes at large; 15. Eduard III. Daß diese Ge-
    generklärung des Königs geheim gewesen, siehet man
    daraus, weil es sonst lächerlich gewesen seyn würde,
    seine Genehmigung im Parlament anzunehmen: Ue-
    berdem gesteht der König, daß er sich verstellet habe,
    welches nicht seyn könnte, wäre seine Gegenerklärung
    öffentlich geschehen.

gesetzgebende Versammlung jemals etwas unge-
gesetzliches thun könnte. Hiernächst versicherte er,
da sie den Vorrechten der Krone, welche er zu
vertheidigen geschworen hätte, zuwider wäre, so
hätte er sich nur so gestellet, als er sie zu geneh-
migen geschienen, hätte ihr aber in seinem Herzen niemals Beyfall gegeben. Er behauptete
nicht, daß ihm oder dem Parlament eine Gewalt
geschehen sey; sondern nur, daß einige Unbequemlichkeiten würden erfolget seyn, wenn er
nicht dem Schein nach dieser geforderten Verordnung Beyfall gegeben hätte. Daher machte
er sie, auf Anrathen seines Rathes, und einiger
Grafen und Baronen, ungültig und nichtig;
und ob er sich gleich für willig und entschlossen
erkläret, diejenigen Artikel derselben zu beobachten, welche schon vorher Gesetze gewesen waren,
so erkennet er sie dennoch für unkräftig und ungültig s). Die Parlamente, welche nachher versammlet wurden, achteten nicht auf diese willführliche Ausübung der königlichen Macht, welche vermöge gleicher Gründe alle ihre Gesetze
der Gnade des Königes überließ; und in einer
Zeit von zwey Jahren hatte Eduard seine Macht

£ 2 so

s) Statutes at large, 15. Edw. III.

so weit wiederhergestellet, und sich von seiner
gegenwärtigen Noth so viel befreyet, daß er da=
mals von seinem Parlament eine gesetzmäßige
Widerrufung der verhaßten Verordnung erhielt t).
Diese Unterhandlung enthält gewiß merkwürdige
Umstände, welche die Sitten und Gesinnungen
dieser Zeit entdecken, und beweisen können, was
für ein unrichtiges Werk man von solchen rohen
Händen erwarten kann, wenn sie sich damit be=
fassen, Gesetze zu geben, und das bedenkliche
Werk übernehmen, das feine Gebäude der Ge=
setze und der Staatseinrichtung aufzuführen.

Allein, obgleich Eduard in seinem Lande
sein Ansehen glücklich wieder erlanget hatte, wel=
ches durch die Begebenheiten des französischen
Krieges geschwächet war; so hatte er doch bey
diesem Versuche so viele Demüthigung erlitten, und
sah so wenigen Erfolg voraus, daß er vermuthlich
seine Ansprüche würde haben fahren lassen, wenn
nicht eine Empörung in Bretagne ihm eine mehr
versprechende Aussicht geöffnet, und seinem un=
ternehmenden Geiste eine völlige Gelegenheit ge=
geben hätte, sich zu entdecken.

Johann

t) Cottons Abridgm. S. 38. 39.

Johann der Dritte, Herzog von Bretagne, hatte einige Jahre vor seinem Tode sein herannahendes Ende in seinem Alter und seinen Schwachheiten empfunden; und da er keine Erben hatte, so war er bemühet, diejenigen Unordnungen zu verhüten, denen eine streitige Nachfolge seine Unterthanen nach seinem Tod. hätte aussetzen können. Sein jüngerer Bruder, der Graf von Penthievre, hatte nur eine Tochter hinterlassen, welche der Herzog für seine Erbin hielt; und da seine Familie das Herzogthum durch eine weibliche Nachfolge ererbet hatte; so zog er ihr Recht dem Rechte des Grafen von Mountfort vor, welcher, als sein Halbbruder, der männliche Erbe dieser Herrschaft war n). Zu dem Ende schlug er vor, sie an eine Person zu verheyrathen, welche ihre Rechte zu vertheidigen fähig wäre; und warf seine Augen auf Carl de Blois, einen Vetter des Königes von Frankreich, von Seiten seiner Mutter, Margaretha von Valois, einer Schwester dieses Monarchen. Allein da er seine Unterthanen liebte, und von ihnen geliebt wurde; so wollte er diesen wichtigen Schritt nicht ohne ihre Bewilli-

L 3   gung

n) Froissard. Liv. I. Chap. 64.

gung thun; und nachdem er die Stände von
Bretagne versammlet hatte, zeigte er ihnen die
Vortheile dieser Allianz; und die Aussicht, welche sie ihm gäben, seine Nachfolge völlig vest zu
setzen. Die Bretagner billigten in seine Wahl; die
Heyrath wurde geschlossen. Alle seine Vasallen,
und unter andern auch der Graf von Mountfort,
schworen dem Carl und seiner Braut, als ihren
künftigen Souverainen, den Eid der Treue;
und aller Gefahr bürgerlicher Unruhen schien vor-
gebeuget zu seyn, so weit menschliche Klugheit
ein Mittel dawider vorkehren konnte.

Allein nach dem Tode dieses guten Prinzen
vernichtete der Stolz alle diese guten Einrichtungen, und erregte einen Krieg, der nicht nur
für Bretagne, sondern auch für einen großen
Theil von Europa sehr gefährlich war. Unterdessen daß Carl de Blois bey dem französischen
Hofe um die Investitur des Herzogthums anhielt,
bemühete sich Mountfort, es so gleich in Besitz
zu nehmen, und bemächtigte sich mit Gewalt
oder List der Städte Rennes, Nantz, Brest, Hennebone, nebst allen wichtigen Vestungen, und
bewegte verschiedene ansehnliche Baronen, seine

Se

Gewalt zu erkennen x). Da er einsah, daß er
von Philipp nichts zu erwarten hatte; so reisete er nach England, unter dem Vorwande,
als wollte er seine Ansprüche auf die Grafschaft
Richmond, welche ihm durch den Tod seines Bruders zugefallen war, durchsetzen; erboth sich,
dem Eduard, als Könige von Frankreich, den
Eid der Treue wegen des Herzogthums Bretagne zu schwören, und schlug eine genaue Allianz
zur Unterstützung ihrer beyderseitigen Ansprüche
vor. Eduard sah bald die Vortheile dieses Trac-
tats ein: Mountfort, ein wirksamer und tapferer Prinz, der durch sein Interesse fest mit ihm
verbunden war, öffnete auf einmal den Eingang
in das Herz von Frankreich, und gab ihm noch
viel schmeichelhaftere Aussichten, als seine Alliirten an der Seite von Deutschland und den Niederlanden, die es mit seiner Sache nicht ernstlich
meynten, und deren Fortgang durch die vielen
Vestungen verhindert wurde, welche an diesen
Grenzen angeleget waren. Robert d'Artois suchte
diesen Vorstellungen noch mehr Gewicht zu geben.
Eduards kühnes Genie war so wenig aufgelegt, bey
diesen fehlgeschlagnen Unternehmungen, die nach

£ 4   sei-

x) Froissard. Liv. I. Chap. 65. 66. 67. 68.

seiner Meynung seinen guten Namen so sehr ge=
schwächet hatten, gedulbig still zu sitzen; und es
bedurfte nur einer sehr kurzen Unterhandlung,
um eine Allianz zwischen zweyen Leuten zu schlies=
sen, die, obgleich ihre Ansprüche in Absicht auf
den Vorzug der männlichen und weiblichen Nach=
folge, sich gerade widersprachen, durch ein ge=
meines Interesse auf das genaueste verbunden
waren y).

Da dieser Traktat noch ein Geheimniß war,
erschien Mountfort nach seiner Zurückkunft in
Paris, um seine Sache vor dem Gerichtshofe
der Pairs zu vertheidigen: allein da er bemerkte,
daß Philipp und seine Richter Vorurtheile wi=
der sein Recht hegten, und besorgte, daß sie die
Absicht hätten, ihn vestzusetzen, bis er dasjenige
wieder zurück gebe, dessen er sich mit Gewalt
bemächtiget hatte; so nahm er eilig die Flucht, und
der Krieg zwischen ihm und dem Carl de Blois
brach sogleich aus z). Philipp sendete seinen äl=
testen Sohn, den Herzog von der Normandie mit
einer starken Armee dem letztern zu Hülfe, und
Mountfort, der sich wider seinen Nebenbuhler
nicht

y) Froissard. Liv. I. Chap. 9.
z) Froissard, Liv. I. Chap. 70. 71.

nicht ins Feld stellen konnte, blieb in der Stadt Nantz, worinn er belagert wurde. Die Stadt wurde durch die Verrätherey der Einwohner eingenommen: Mountfort fiel seinen Feinden in die Hände; wurde gefangen nach Paris geführet, und im Louvre eingeschlossen a).

Diese Begebenheit schien den Ansprüchen des Grafen von Mountfort ein Ende zu machen: allein seine Sachen wurden (i. J. 1342.) durch einen unerwarteten Vorfall gleich wieder hergestellet, welcher seiner Partey Leben und Muth wieder gab. Johanna von Flandern, Gräfinn von Mountfort, das ausserordentlichste Frauenzimmer dieser Zeit, wurde durch die Gefangenschaft ihres Gemahls erwecket, und von den häuslichen Geschäfften abgerufen, worauf sich ihr Genie bisher eingeschränket hatte, und unternahm mit Heldenmuth, das sinkende Glück ihrer Familie zu unterstützen. Sie hatte nicht sobald die traurige Nachricht erhalten, als sie die Einwohner von Rennes, wo sie sich damals aufhielt, versammlete. Sie trug ihren jungen Sohn auf ihren Armen, beweinte das Unglück ihres Souverains, und empfahl diesen durchlauchti-

£ 5 gen

a) Froissard. Liv. I. Chap. 73.

gen Waifen, den einzigen männlichen Nachkommen ihrer alten Fürsten, die mit so viel Nachsicht und Gelindigkeit regieret, und für welche sie
jederzeit so viele eifrige Zuneigung bezeiget hatten, ihrer Fürsorge. Sie erklärte, daß sie selbst
in einer so gerechten Sache alles mit ihnen wagen wollte; entdeckte ihnen die Hülfe, welche sie
noch immer von der Allianz mit England erwarten könnten; und ersuchte sie, nur einen Versuch gegen einen Usurpateur zu machen, welcher
ihnen von den französischen Waffen aufgedrungen wäre, und zur Vergeltung seinem Beschützer
die alte Freyheit von Bretagne aufopfern würde.
Die Zuhörer, welche von diesem beweglichen Anblick gerühret, und von dem edlen Betragen der
Prinzeßinn aufgemuntert waren, versprachen, in
der Vertheidigung der Rechte ihrer Familie zu
leben und zu sterben: alle andere vesten Oerter
in Bretagne faßten denselben Entschluß: die Gräfinn reisete von einem Orte zum andern, ermunterte die Besatzungen, versah sie mit allem nöthigen Vorrath, verabredete mit ihnen einen Vertheidigungsplan, und nachdem sie die ganze Provinz in eine gehörige Verfassung gesetzt hatte,
schloß sie sich in Hennebone ein, woselbst sie die
Ankunft der Hülfstruppen, welche Eduard ver-
spro-

sprochen hatte, mit Ungeduld erwartete. Unterdessen schickte sie ihren Sohn nach England; theils
um ihn an einen sichern Ort zu bringen, theils
um den König durch ein solches Pfand desto
mehr zu bewegen, daß er sich des Besten ihrer
Familie mit Eifer annähme.

Carl de Blois, der sich eifrig bestrebte, sich
einer so wichtigen Vestung, als Hennebonne war,
zu bemächtigen, noch mehr aber die Gräfinn gefangen zu nehmen, von deren Muth und Fähigkeit alle Schwierigkeiten wider seine Erbfolge
in Bretagne itzt abhiengen, setzte sich vor, diesen Ort mit einer großen Armee, in welcher sich
Truppen aus Frankreich, Spanien, Genua, und
einige aus Bretagne befanden; und grief die
Stadt mit unermüdetem Fleiße an b). Die Vertheidigung war nicht weniger lebhaft: die Belagerer wurden bey jedem Sturm zurückgeschlagen;
die Besatzung that viele glückliche Ausfälle; und
da die Gräfinn selbst bey allen Kriegsoperationen
das meiste that, so schämte sich ein jeder, seine
Pflicht in dieser verzweifelten Situation nicht
aufs äusserste zu beobachten. Sie erfuhr eins-
mals, daß die Belagerer, welche alle im Sturm

begrif-

b) Froiffard. Liv. I. Chap. 81.

begriffen waren, eine entfernte Gegend ihres Lagers vernachläßiget hatten, so gleich begab sie
sich an der Spitze von 200 Mann Reuterey dahin, brachte sie in Unordnung, richtete eine
große Niederlage unter ihnen an, und zündete
ihre Gezelte, Bagage und Magazinen an: Allein,
da sie zurückkehren wollte, sah sie, daß sie ab-
geschnitten war, und daß ein großes Corps Feinde sich zwischen ihr und den Thoren gesetzet hatte. Sie faßte sogleich einen Entschluß; sie befahl ihren Leuten aus einander zu gehen, und
so gut sie könnten, nach Brest zu flüchten. Sie
traf sie an dem bestimmten Sammelplatz an,
sammlete ein anderes Corps von 500 Pferden,
kehrte nach Hennebonne zurück, brach unvermuthet durch das feindliche Lager, und wurde mit
Freudengeschrey und Zurufungen von der Besatzung aufgenommen, welche durch diese Verstärkung, und durch ein so seltenes Beyspiel der
weiblichen Tapferkeit aufgemuntert, sich bis aufs
äußerste zu wehren beschloß.

Unterdessen hatten die wiederholten Angriffe
der Feinde endlich verschiedene Breschen in den
Mauren gemacht, und man sah wohl, daß ein
Generalsturm, den man alle Augenblicke erwartete, die Besatzung überwältigen würde, welche

an

an Zahl vermindert, und durch Wachen und Strapazen sehr geschwächet war. Es war nothwendig geworden, an eine Capitulation zu denken; und der Bischof von Leon war zu dem Ende im Begriff, eine Conferenz mit Carl de Blois zu halten, als die Gräfinn, welche auf einen hohen Thurm gestiegen war, und mit großer Ungeduld in die See sah, in der Ferne einige Segel entdeckte. Sie rief sogleich aus: die Hülfstruppen! die englische Hülfstruppen! keine Capitulation c)! Diese Flotte führte ein Corps englischer Gensd'armes, und 6000 Bogenschützen, welche Eduard ausgerüstet hatte, um Hennebonne zu entsetzen, die aber lange von widrigen Winden zurück gehalten waren. Sie liefen in den Hafen ein, unter der Anführung des Sir Walter Manny, eines der tapfersten englischen Generale; und nachdem sie der Besatzung neuen Muth eingeflößet, thaten sie gleich einen Ausfall, vertrieben die Belagerer aus allen ihren Posten, und nöthigten sie aufzubrechen.

Aber ungeachtet dieser Hülfstruppen, sah doch die Gräfinn von Mountfort, daß ihre Partey, von einer überlegenen Anzahl überwältiget,

M 3

c) Froissard. Liv. I. Chap. 81.

an allen Orten abnahm; und reisete nach England, um von dem Könige eine wirksamere Unterstützung zu erhalten. Eduard versprach ihr
eine ansehnliche Verstärkung unter dem Robert
von Artois, der seine Truppen auf eine Flotte
von fünf und vierzig Seegeln einschiffete, und
nach Bretagne seegelte. Bey seiner Ueberfahrt
kam der Feind ihm entgegen: es erfolgte eine
Action, worinn die Gräfinn ihren gewöhnlichen
Muth zeigte, und den Feind mit dem Schwerd
in der Hand angriff: allein die Flotten wurden, nach einer scharfen Action, von einem
Sturm aus einander getrieben, und die Engländer landeten glücklich in Bretagne. Die erste
Verrichtung des Robert von Artois war, daß
er Vannes einnahm, welches er durch kluge
Anführung und List gewann d): Aber er überlebte dieses Glück nicht lange: Der Adel in
Bretagne von Carls Partey versammlete sich
heimlich in Waffen, grief Vannes unvermuthet
an, und eroberte den Ort; vornehmlich, weil
Robert von Artois eine Wunde bekam, an welcher er bald nachher auf seiner Zurückreise nach
England auf der See starb e).

Nach

d) Froissard. Liv. I. Chap. 93.
e) Froissard. Liv. I. Chap. 94.

Nach dem Tode dieses unglücklichen Prinzen, der die vornehmste Ursache alles Unglücks
war, womit sein Land gegen hundert Jahre
lang überhäufet worden, übernahm Eduard selbst
die Vertheidigung der Gräfinn von Mountfort;
und da der vorige Waffenstillstand mit Frankreich itzt zu Ende war, so wurde der Krieg,
welchen Frankreich und England bisher, als Alliirten der Competenten von Bretagne geführet
hatten, künftig unter dem Namen und unter der
Fahne beyder Monarchen fortgesetzet. Der König landete zu Morbian bey Vannes mit einer
Armee von 12,000 Mann; und da er Meister
des Feldes war, wo kein Feind sich wider ihn
sehen lassen durfte, so bemühete er sich, seinen
Waffen einen Glanz zu geben, indem er auf
einmal drey wichtige Belagerungen gegen Vannes, Rennes und Nantz vornahm. Allein, da
er gar zu viel unternahm, so schlugen alle seine
Unternehmungen fehl. Selbst die Belagerung
von Vannes, welche Eduard in eigner Person
mit Lebhaftigkeit führte, gieng nur langsam
fort f), und die Franzosen gewannen alle nöthige Zeit, Zurüstungen wider ihn zu machen. Der
Herr

f) Froissard. Liv. I. Chap. 95.

Herzog von der Normandie, Philipps ältester
Sohn, erschien in Bretagne an der Spitze einer
Armee von 30,000 Mann Infanterie und 4000
Mann Cavallerie; und Eduard war itzt genöthiget, seine ganze Macht zusammen zu ziehen,
und sich vor Vannes stark zu verschanzen, wo
der Herzog von der Normandie bald ankam,
und die Belagerer gewissermaßen umringte. Die
Besatzung und das französische Lager waren mit
Provision reichlich versehen, da die Engländer,
welche sich nicht unterstunden, in Gegenwart einer überlegenen Armee etwas wider diesen Ort
zu versuchen, allen Unterhalt aus England zogen, wo er den Gefahren der See, und zuweilen auch der feindlichen Flotte ausgesetzet war.
In dieser gefährlichen Situation gab Eduard
(i. J. 1343.) der Vermittelung der päpstlichen Legaten, der Cardinäle von Palestine und Frescati,
gern Gehör, welche sich bemüheten, wo nicht
Frieden, doch wenigstens einen Waffenstillstand
zwischen den beyden Reichen zu bewirken. Es
wurde beschlossen, daß die Feindseligkeiten auf
drey Jahre aufhören sollten g); und Eduard
hatte, ungeachtet seiner gegenwärtigen gefährlichen

g) Froissard. Liv. I. Chap. 99. Avesbury. S. 102.

chen Situation, doch die Geschicklichkeit, sich sehr billige und rühmliche Bedingungen zu verschaffen. Es wurde ausgemacht, daß Vannes während des Waffenstillstandes den Händen der Legaten übergeben werden sollte, um damit nachmals nach Gefallen zu verfahren; und obgl.ich Eduard die Parteylichkeit des römischen Hofes gegen seine Feinde wohl kannte: so rettete er sich doch durch diese List vor dem Schimpfe, eine fruchtlose Unternehmung gethan zu haben. Es wurde auch ausgemacht, daß alle Gefangene losgelassen werden, die Städte in Bretagne in den Händen des gegenwärtigen Besitzers verbleiben, und die Allirten von beyden Seiten in dem Waffenstillstand mit begriffen seyn sollten h). Eduard gieng bald nach der Schließung dieses Traktats mit seiner Armee nach England unter Segel.

Der Waffenstillstand, von dem man eine lange Dauer vermuthete, währte gar nicht lange; und jeder Monarch wollte dem Schuld geben, daß er ihn gebrochen hätte. Die Geschichtschreiber dieser beyden Länder sind daher, wie gewöhnlich, auch in ihrer Erzählung von dieser Sache sehr verschieden. Unterdessen ist es wahrscheinn

h) Heming, S. 359.

scheinlich, was die französischen Schriftsteller behaupten, daß Eduard, als er diesen Waffenstillstand schloß, keine andre Absicht gehabt habe,
als sich aus einer gefährlichen Situation heraus
zu helfen, und hernachmals in der Beobachtung
desselben sehr sorglos gewesen sey. In allen Nachrichten, welche hievon noch vorhanden sind, beklaget er sich hauptsächlich über die Strafe, welche dem Oliver von Clisson, Heinrich von Leon
und andern Adlichen aus Bretagne aufgelegt worden, welche, wie er sagte, Anhänger der Familie des Mountfort wären, und folglich unter eng-
lischem Schutze stünden i). Aber es erhellet aus
der Geschichte, daß diese Edelleute bey Schlies-
sung des Waffenstillstandes sich so wohl in Worten, als Thaten zu der Partey des Carl von
Blois bekannt hatten k); und wenn sie sich in
ein heimliches Verständniß und in eine Verbindung mit dem Eduard eingelassen hatten, so
waren sie Verräther ihrer Partey, und verdienten, vom Philipp und von Carl für den Bruch
ihrer Treue mit Recht bestraft zu werden. Eduard,

i) Rymer, B. V. S. 413, 434, 459, 466, 469. Fleming, S. 376.

k) Froissard, Liv. I. Chap. 96. S. 100.

und hatte auch keinen gerechte Ursache, sich über
Frankreich deswegen zu beklagen. Allein, als
er dieses vorgebliche Unrecht dem Parlament
vorlegte, (i. J. 1344.) welches er bey allen Gelegenheiten zum Schein um Rath fragte; so nahm
diese Versammlung sich des Streites an, rieth
dem Könige, sich mit einem hinterlistigen Waf-
fenstillstande nicht einhalten zu lassen, und versprach ihm Zuschuß zur Erneurung des Krieges;
Die Grafschaften wurden mit einem Funfzehnten,
und die Flecken mit einem Zehnten auf zwey Jahre beschweret. Die Geistlichkeit bewilligte einen
Zehnten auf drey Jahre.

Dieser Zuschuß setzte den König in den Stand,
seine Kriegsrüstungen zu vollenden; und er schickte seinen Vetter, den Heinrich, Grafen von Derby, einen Sohn des Grafen von Lancaster, nach
Guienne, um diese Provinz zu vertheidigen l).
Dieser Prinz, der geschickteste an dem ganzen englischen Hofe, besaß die Tugenden der Menschenliebe in einem eben so hohem Grade, als die
Tapferkeit und Klugheit in der Anführung m):

M 2 und

l) Froissard. Liv. I. Chap. 103. Avesbury, S. 121.
m) Als dieser Prinz einstens vor dem Angriff einer
Stadt den Soldaten die Beute versprochen hatte,

und nicht zufrieden damit, daß er die ihm anvertrauten Provinzen schützete und pflegte, that er auch einen glücklichen Angriff auf die Feinde. Er grief den Grafen von Laille, den französischen General, zu Bergerac an, trieb ihn aus seinen Verschanzungen, und nahm den Ort ein. Er bezwang einen großen Theil von Perigord, und gieng beständig in seinen Eroberungen weiter, bis der Graf von Laille, der eine Armee von zehen bis zwölf tausend Mann gesammlet hatte, sich vor Auberoche setzte, in der Hofnung, diesen Ort, der den Engländern in die Hände gefallen war, (i. J. 1345.) wieder zu erobern. Der Graf von Derby überrumpelte ihn mit nicht mehr, als tausend Mann Cavallerie, brachte die Franzosen in Unordnung, verfolgte seine Vortheile, und erhielt einen vollständigen Sieg. De Laille selbst wurde, nebst vielen ansehnlichen Adlichen

te, trug es sich zu, daß einem Gemeinen ein sehr großer Kasten mit Geld in die Hände gerieth, welchen er sogleich zu dem Grafen brachte, indem er denselben für gar zu groß hielt, ihn behalten zu können. Allein Derby sagte zu ihm, daß sein Versprechen nicht von der Größe oder der Kleinigkeit der Summe abhienge; und ließ dem Soldaten diesen Schatz ganz zu seinem Gebrauche.

lichen gefangen n). Nach diesem wichtigen Vortheil machte Derby einen geschwinden Fortgang in Eroberungen der französischen Provinzen. Er nahm Monsegur, Monpesat, Villefrauche, Mirémont und Tonnins, nebst der Vestung Damassen ein. Aiguillon, eine bisher für unüberwindlich gehaltene Vestung, fiel ihm, durch die Zaghaftigkeit des Commendanten, in die Hände. Angouleme wurde nach einer kurzen Belagerung übergeben. Der einzige Ort, wo er einen ziemlichen Widerstand fand, war Reole, welches jedoch nach einer Belagerung von neun Wochen bezwungen wurde o). Nachdem er einen Versuch auf Blaye gemacht hatte, hielt er es für klüger, die Belagerung aufzuheben, als seine Zeit vor einem Orte von so weniger Wichtigkeit zu p) verschwenden.

Die Ursache, warum Derby ohne Widersetzung auf der Seite von Guienne (i. J. 1346.) solchen Fortgang machte, war die Noth, in welcher die französischen Finanzen sich damals befanden, und welche den Philipp genöthiget hatte,

M 3 neue

---

n) Froissard. Liv. I. Chap. 104.

o) Froissard. Liv. I. Chap. 110.

p) Froissard. Liv. I. Chap. 112.

neue Abgaben, insbesondere die Auflagen auf
Salz auszuschreiben, zum größten Mißvergnügen, und fast zur Rebellion seiner Unterthanen.
Allein, nachdem der französische Hof Geld bekommen hatte, wurden große Zurüstungen gemacht; und der Herzog von der Normandie,
nebst dem Herzoge von Burgundien und andern
Großen von Adel, führten eine mächtige Armee
gegen Guienne, der die Engländer im freyen
Felde zu widerstehen nicht hoffen konnten. Der
Graf von Derby verhielt sich nur vertheidi-
gungsweise, und ließ die Franzosen die Belagerung von Angouleme, welche ihre erste Unternehmung war, ruhig fortsetzen. Johann Lord
Norwich, der Commendant, sah sich, nach einer tapferen und lebhaften Vertheidigung, aufs
Aeusserste gebracht, und war genöthiget, eine
Kriegeslist zu gebrauchen, um seine Besatzung
zu retten, und seine fast nothwendige Ergebung
auf Discretion zu verhüten. Er ließ sich auf dem
Walle sehen, und verlangte eine Unterredung mit
dem Herzoge von der Normandie. Als der
Prinz kam, sagte er dem Norwich, daß er ver-
muthe, er wolle capituliren: „Gar nicht, er-
„ wiederte der Commendant: Allein, weil mor-
„ gen das Fest der heiligen Jungfrau ist, wel-

ches

„ ches, wie ich weiß, so wohl Sie, mein Herr,
„ als ich andächtig feyern; so verlang ich, daß
„ die Feindseligkeiten an dem Tage aufhören sol-
„ len „ . . Der Vorschlag wurde angenommen;
und Norwich, der seinen Truppen befohlen hatte, alle ihre Bagage in Bereitschaft zu halten,
marschirte aus, und rückte gegen das französische Lager an. Die Belagerer glaubten, angegriffen zu werden, und griffen zu den Waffen;
aber Norwich schickte einen Bothen an den Herzog, und erinnerte ihn an sein Versprechen. Der
Herzog, welcher sein Wort getreu halten wollte,
rief aus: Ich sehe, der Commendant ist mir
zu klug gewesen: allein, laßt uns damit
vergnügt seyn, den Ort zu gewinnen, und
man erlaubte den Engländern, ungehindert durch
das Lager zu marschiren q). Nach einigen andern glücklichen Verrichtungen belagerte der Herzog von der Normandie auch Aiguillon; und da
die natürliche Festigkeit des Ortes, nebst der
tapfern Besatzung, unter der Anführung des
Grafen von Pembroke, und des Sir Walter
Manny, es unmöglich machten, den Ort mit
Sturm zu erobern; so wollte er ihn, nach vie-

M 4 len

q) Froissard. Liv. I. Chap. 120.

len fruchtlosen Angriffen r), aushungern: allein,
ehe er seine Unternehmung endigen konnte, wurde er nach einem andern Theile des Reiches,
durch einen der größten Unglücksfälle, welche
Frankreich jemals erlitten hat, abgerufen s).

Eduard, der von der großen Gefahr, welcher Guienne ausgesetzet war, durch den Grafen
von Derby benachrichtiget worden, hatte eine
Flotte und eine Armee ausgerüstet, mit welchen
er der Provinz zu Hülfe eilte. Er gieng zu
Southampton an Bord einer Flotte von beynahe tausend Seegeln von verschiedener Größe;
und nahm ausser allen Vornehmen von Adel
auch seinen ältesten Sohn, den Prinzen von
Wallis mit, der damals funfzehn Jahr alt war t).
Der Wind war ihm lange entgegen, und der
König, welcher daran zweifelte, daß er noch zu
rechter Zeit nach Guienne kommen würde, ließ
sich endlich von Gottfried von Harcourt überre-
ben, die Bestimmung seines Feldzuges zu ändern. Dieser Herr war ein Normann von Geburt, hatte lange an dem französischen Hofe in
groß-

r) Froissard. Liv. I. Chap. 121.
s) Froissard. Liv. I. Chap. 134.
t) Avesbury, S. 123.

großem Ansehen gestanden, und wurde überhaupt
wegen seiner persönlichen Verdienste und Tapferkeit
sehr geachtet; da er aber von dem Philipp beleidiget und verfolget worden, war er nach England
geflohen, hatte sich bey Eduard, der eine vortreffliche Kenntniß der Menschen hatte, beliebt gemacht, und war dem Robert von Artois in dem
verhaßten Amte gefolget, den König in jeder Unternehmung wider sein Vaterland aufzuhetzen, und
ihm beyzustehen. Er hatte lange vorgestellet, daß
ein Feldzug in die Normandie bey den gegenwärtigen Umständen einen vortheilhaftern Erfolg, als
in Guienne haben; daß Eduard die nordlichen
Provinzen weit mehr von Kriegsmacht entblößt
finden würde, welche sich nach dem Südlichen gezogen hätte, daß diese Provinz voll von blühenden Städten wäre, deren Beute die Engländer
bereichern könnte, daß ihre bebauete Felder, die
bis dahin der Krieg noch nicht mitgenommen, ihnen
reichlich Provision verschaffen würden; und daß
die Nachbarschaft der Hauptstadt jedes Unternehmen in dieser Gegend wichtig machte u). Diese
Gründe, welche Eduard vorher noch nicht gehörig
erwogen hatte, fiengen an, mehr Eindruck bey ihm

M 5   zu.

u) Froissard, Liv. 1. Chap. 121.

zu machen, nachdem er in seiner Absicht auf Guienne unglücklich gewesen war.   Er befahl also seiner
Flotte (den 12 Jul.), nach der Normandie zu
seegeln, und schiffte seine Armee zu la Hogue
sicher aus.

Diese Armee, welche in dem folgenden Feldzuge mit dem glücklichsten Erfolg gekrönet wurde,
den jemals die Unternehmung eines englischen Monarchen gehabt hat, bestund aus vier tausend
Mann schwerer Cavallerie, zehen tausend Bogenschützen, zehen tausend Mann Infanterie aus
Wallis, und sechs tausend Irrländern.   Die
Wallisen und Irrländer waren leichte unordentliche Truppen, geschickter zum Nachsetzen, oder das
Land zu durchstreifen, als in einer Action Stand
zu halten. Der Bogen wurde jederzeit von denen
für ein schlechtes Gewehr gehalten, welchen eine
wahre Kriegszucht bekannt war, und welche regelmäßige Truppen auf den Beinen hielten. Die einzige wahre Stärke in dieser Armee waren die schwere Cavallerie; und selbst diese, weil sie zu Pferde
diente, war deswegen in dem Handgemenge bey
weiten so brauchbar nicht, als eine gute Infanterie; und da alle überhaupt neugeworbene Truppen waren; so giebt dieses uns einen schlechten
Begriff von der Kriegesmacht dieser Zeiten, welche

in

in einer jeden andern Kunst unerfahren, selbst die
Kriegskunst, die doch der einzige Gegenstand
ihrer Aufmerksamkeit war, nicht gehörig cultivirt
hatten.

Der König ernannte den Grafen von Arundel
zum Connestable, und die Grafen von Warwic
und Harcourt zu Marschällen seiner Armee. Er
machte den Prinzen von Wallis, und verschiedene
junge von Adel, gleich nach seiner Landung zu
Rittern. Nachdem er alle Schiffe zu la Hogue,
Barfleur und Cherbourg zerstöret hatte, breitete er
seine Armee über das ganze Land aus, und gab
ihr uneingeschränkte Freyheit, jeden Ort, den sie
bekam, zu verbrennen, zu verheeren und auszuplün-
tern. Die damalige schlechte Mannszucht konnte
durch diese Unordnungen nicht sehr verdorben werden; und Eduard sorgte dafür, daß er nicht überrumpelt würde, indem er seinen Truppen Befehl
gab, wohin sie sich auch den Tag über zerstreuen
möchten, sich des Nachts doch immer bey der
Hauptarmee wieder einzufinden. Auf diese Art
wurden Montbourg, Carentan, St. Lo, Valognes,
und andre Oerter in Cotentin ohne Widerstand ge-
plündrt, und die ganze Provinz in eine allgemeine
Furcht gesetzet x).

Die

---

x) Froissard, Liv. 1. Chap. 122.

Die Nachricht von diesem unerwarteten Einfall gelangte bald nach Paris, und machte den
Philipp sehr bestürzt.   Unterdessen gab er doch
Befehl, in allen Provinzen Truppen zu werben,
und schickte den Grafen d'Eu, als Constable von
Frankreich, und den Grafen von Tancarville, mit
einem Corps Truppen ab, um Caen, eine volk-
reiche aber offne Handelsstadt in der Nachbarschaft
der englischen Armee, zu vertheidigen.   Eine so
reiche Beute setzte den Eduard bald in die Versuchung, sich ihr zu nähern; und die Einwohner,
ermuntert von ihrer Anzahl, und von der Verstärkung, welche sie täglich aus der Provinz erhielten,
wagten es, wider Anrathen des Constables, ihm im
Felde die Spitze zu bieten.   Allein dieser Muth
entfiel ihnen gleich beym ersten Angriffe: sie flohen
in größter Eile: die Grafen d'Eu und Tancarville
wurden gefangen: die Sieger drangen zugleich mit
den Ueberwundenen in die Stadt, und es erfolgte
ein grausames Blutbad, ohne Unterschied des Alters, Geschlechtes oder Standes.   Die Bürger
verriegelten aus Verzweiflung ihre Häuser, und
beunruhigten die Engländer mit Steinen, Ziegeln,
und allem, was sie nur werfen konnten: die
Engländer bedienten sich des Feuers zum Untergang der Bürger, bis Eduard endlich, um sei-

ner

ner Beute und seiner Soldaten zu schonen, dem
Metzeln Einhalt that; und nachdem er die Einwohner gezwungen hatte, das Gewehr zu strecken,
gab er seinen Truppen Erlaubniß, eine regelmäßi-
gere, und nicht so gefährliche Plünderung in der
Stadt vorzunehmen. Das Plündern währte drey
Tage: der König selbst nahm die Juwelen, das
Silbergeschirr, Seidenzeuge, schöne Kleider und
feines Leinenzeug zu seinem Antheil, und überließ
seiner Armee alles übrige. Alles wurde eingeschif-
fet, und nach England geschicket; nebst dreyhundert der reichsten Bürger aus Caen, deren Ranzion
eine Zugabe zu der Beute seyn sollte, die er nachher einzuheben hoffte y). Dieses greuliche Schauspiel trug sich zu in Gegenwart zweyer Cardinäle,
welche gekommen waren, an einem Frieden zwischen den beyden Reichen zu arbeiten.

Der König gieng hiernächst nach Rouen, in
der Hoffnung, dieser Stadt eben so zu begegnen;
allein er fand, daß die Brücke schon abgeworfen,
und daß der König von Frankreich selbst mit seiner
Armee daselbst angekommen war. Er marschirte
längst den Ufern der Seine nach Paris, und verheerte das ganze Land, jede Stadt und Flecken, welche

er

---

y) Froissard, Liv. 1. Chap. 124.

er auf dem Marsche fand z). Einige von seinen
leichten Truppen setzten ihre Streifereyen sogar bis
an die Thore von Paris fort; und der königliche
Palast zu St. Germains, nebst Nanterre, Ruelle
und andre Landgüter, wurden im Gesichte dieser
Hauptstadt in die Asche gelegt. Die Engländer
wollten bey Poissy über den Fluß gehen; fanden
aber an der andern Seite des Flusses die Franzosen
im Lager, und die Brücken, sowohl an diesem, als
allen andern Orten an der Seine auf Befehl Philipps abgebrochen. Itzt sah Eduard, daß die
Franzosen ihn in ihrem Lande einzuschließen
Willens wären; um ihn mit Vortheil von allen
Seiten angreifen zu können: allein, er half sich
durch eine Kriegslist aus dieser gefährlichen Situation. Er gab seiner Armee Befehl, aufzubrechen, und weiter längst der Seine hinauf zu marschiren. Da er aber unvermuthet auf derselben
Straße zurück marschirte, kam er zu Poissy an,
welches der Feind schon verlassen hatte, um auf
seine Bewegungen Acht zu haben. Er stellte die
Brücke mit unglaublicher Geschwindigkeit wieder
her, gieng mit seiner Armee darüber, und nachdem
er sich so von dem Feinde befreyet hatte, marschirte

er

z) Froissard. Liv. I. Chap. 125.

er eilig nach Flandern. Seine Vortruppen, welche Harcourt anführte, stießen auf die Bürger von
Amiens, welche ihren König zu verstärken eilten,
und schlugen sie mit großer Niederlage a). Er
marschirte durch Beauvais, und verbrannte die
Vorstädte dieser Stadt: da er aber an die Somme
kam, fand er sich in derselben Schwierigkeit, wie
zuvor: alle Brücken über diesen Fluß waren entweder abgeworfen, oder stark besetzt: es stund
eine Armee, unter der Anführung des Godemar de
Faye, an der andern Seite des Flusses: Philipp
kam ihm von einer andern Gegend mit einer Armee
von 100,000 Mann auf den Hals; und also war
er der Gefahr ausgesetzt, eingeschlossen zu werden,
und in dem Lande seines Feindes Hungers zu sterben. In dieser Gefahr setzte er demjenigen einen
Preis aus, der ihm sagen würde, wo er über die
Somme gehen könnte. Ein Bauer, mit Namen
Gobin Agace, dessen Name durch den Antheil,
den er an dieser wichtigen Sache hatte, erhalten
ist, wurde in die Versuchung gesetzt, das Beste seines Vaterlandes zu verrathen; und gab dem
Eduard von einer Furth unter Abbeville Nachricht,
welche einen vesten Boden hatte, und bey niedrigem

a) Froiffard. Liv. 1. Chap. 125.

gem Waſſer ohne Schwierigkeit konnte durchwadet
werden b).   Der König eilte dahin, fand aber den
Gohemar de Faye an der andern Seite.   In dieſer
Noth bedachte er ſich nicht einen Augenblick, ſondern ſprang gleich mit dem Schwerte in der Fauſt,
an der Spitze ſeiner Truppen, in den Strom, trieb
die Feinde aus ihren Poſten, und verfolgte ſie eine
Strecke ins flache Feld c).   Die franzöſiſche
Armee unter dem Philipp kam bey der Furth an,
da der Nachtrapp der Engländer eben überſetzte.
Mit ſo genauer Noth entgieng Eduard durch ſeine
Klugheit und Geſchwindigkeit dieſer Gefahr! Die
auflaufende Fluth verhinderte den König von
Frankreich, ihm durch die Furth zu folgen, und
nöthigte ihn, ſeinen Marſch über die Brücke bey
Abbeville zu nehmen, wodurch einige Zeit verloren
gieng.

    Man kann ſich leicht vorſtellen, daß Philipp
an der Spitze einer ſo großen Armee ungeduldig
war, ſich an den Engländern zu rächen, und diejenige Schande zu vermeiden, welche er erwarten
mußte, wenn er litte, daß ein ſo ſchwacher Feind,
nachdem er den größten Theil ſeines Reiches ver-

wü-

b) Froiſſard, Liv. 1. Chap. 126, 127.
c) Froiſſard, Liv. 1. Chap. 127.

müffet hatte, ungeftraft entkäme. Eduard fah
gleichfalls, daß diefes die Abficht des franzöfifchen
Monarchen feyn müßte; und da er nur ein wenig
vor feinem Feinde voraus war, so erkannte er,
wie gefährlich es war, feinen Marfch durch die
Felder der Picardie zu befchleunigen, und feinen
Nachtrapp den Angriffen einer zahlreichen Cavallerie, woran die Franzofen Ueberfluß hatten, aus-
zufetzen. Er faßte daher einen fehr klugen Ent-
fchluß. Er wählte sich einen vortheilhaften Platz
(den 26 Auguft) bey dem Flecken Crecy; er ftellte
feine Armee in eine vortreffliche Ordnung; er ent-
fchloß sich, den Angriff der Feinde geruhig zu erwarten; und hoffte, daß ihre Hitze, ihn zum Gefecht zu bringen, und feinen Zurückzug zu verhindern, nachdem ihnen vorher ihre Hoffnung so oft fehl-
gefchlagen war, sie zu einer übereilten und unüber-
legten Aktion verleiten würde. Er ließ feine Armee
langfam an einer etwas fchrägen Anhöhe aufmar-
fchiren, und theilte sie in drey Colonnen. Die erfte
commandirte der Prinz von Wallis, und unter
demfelben die Grafen von Warwic und Oxford,
Harcourt, und die Lords Chandos, Holland, und
andre Adlichen. Die Grafen von Arundel und
Northampton, nebft den Lords Willoughby, Baffet,
Roes und Sir Ludwig Tufton ftunden an der

Spitze der zwoten Colonne. Er selbst übernahm
das Commando der dritten, mit welcher er entweder den beyden ersten zu Hülfe kommen, oder ihren
Zurückzug, wenn ihnen ein Unglück begegnen sollte,
sichern, oder seine Vortheile über den Feind weiter
treiben wollte. Er brauchte auch die Vorsicht, an
seinen Flanken Graben ziehen zu lassen, um sich
vor den vielen französischen Corps zu sichern,
welche ihn von der Seite vielleicht angreifen möchten; und stellte seine Bagage hinter sich in einem
Walde, welchen er gleichfalls mit einer Verschan-
zung versah d).

Die Geschicklichkeit und Regelmäßigkeit dieser
Anordnung, nebst der Ruhe, womit sie gemacht
wurde, setzten die Gemüther der Soldaten in eine
sehr gute Fassung; und der König ritte, um sie
noch mehr aufzumuntern, mit einer so fröhlichen
und muntern Miene durch die Glieder, daß er in
jedem, der ihn ansah, die größte Zuversicht erregte. Er stellte ihnen die Noth vor, worein sie
gegenwärtig gebracht wären, und den gewissen
und unvermeidlichen Untergang, der auf sie wartete, wenn sie sich in dieser gefährlichen Situation
von allen Seiten mit feindlichen Ländern umgeben,

auf

d) Froissard, Liv. 1. Chap. 128.

auf etwas anders als ihre Tapferkeit verließen,
oder diesem Feinde Gelegenheit gäben, sich für die
vielen Beschimpfungen und Beleidigungen, die sie
ihm neulich zugefüget hätten, an ihnen zu rächen.
Er erinnerte sie an die offenbare Ueberlegenheit,
welche sie bisher über alle Corps der französischen
Truppen gehabt hätten, und versicherte sie, daß
die größere Anzahl der Armee, welche ihnen itzt
über den Hals käme, derselben keine größere Macht
gäbe, sondern ein Vortheil sey, welcher durch die
Ordnung, in welcher er seine eigene Armee gestellet hätte, und durch den unerschrockenen Heldenmuth, den er von ihnen erwarte, leicht könnte
ersetzet werden. Er verlange nichts anders, sagte
er, als daß sie nur seinem und des Prinzen von
Wallis Beyspiele folgen sollten; und da die Ehre,
das Leben und die Freyheit aller sich itzt in gleicher
Gefahr befänden: so hätte er das Zutrauen zu
ihnen, daß sie sich itzt gemeinschaftlich bemühen
würden, sich aus den gegenwärtigen Schwierigkeiten herauszuhelfen, und daß ihr vereinigter
Muth ihnen den Sieg über alle ihre Feinde geben
würde.

Einige Geschichtschreiber erzählen e), daß
Eduard außer den Mitteln, welche sein Genie und

N 2 sei-

e) Jean Villaci, Lib. 12. cap. 16.

feine Gegenwart des Geistes ihm an die Hand gaben, sich auch einer neuen Erfindung gegen seinen
Feind bedienet, und vor der Fronte seiner Armee
einige Stücke groben Geschützes gestellet habe, die
ersten, davon jemand bey irgend einer merkwürdigen Gelegenheit in Europa Gebrauch gemacht
hätte. Dieses ist die Epoche einer der sonderbarsten Entdeckungen, welche unter den Menschen
gemacht sind; und welche nach und nach die
ganze Kriegskunst, und folglich viele Umstände in
der politischen Regierung in Europa geändert
haben. Allein die Unwissenheit dieser Zeit in den
mechanischen Künsten machte den Fortgang dieser
neuen Erfindung sehr langsam. Die zuerst verfertigten groben Geschütze waren so plump und so
beschwerlich zu handhaben, daß man ihren Nutzen
und ihre Wirkung nicht sogleich einsah; und selbst
bis auf die gegenwärtige Zeit sind beständig Verbesserungen an dieser wütenden Maschine gemacht
worden, welche den Krieg im Grunde weniger
blutig gemacht, und den bürgerlichen Gesellschaften eine größere Vestigkeit gegeben hat; ob sie
gleich zur Zerstörung des menschlichen Geschlechtes,
und zum Untergange der Reiche erfunden zu seyn
schien. Die Völker sind dadurch einander mehr
gleich gemacht: die Eroberungen sind langsamer

und

und seltener geworden; das Glück im Kriege ist beynahe in eine Sache verwandelt worden, die sich ausrechnen läßt; und eine Nation, die sich von ihrem Feinde überwältiget siehet, williget entweder in seine Foderungen, oder setzet sich durch Allianzen gegen seine Gewaltthätigkeit und Einfälle in Sicherheit.

Die Erfindung der Artillerie war zu der Zeit in Frankreich sowohl, als in England bekannt f): aber Philipp hatte bey seiner Eile, den Feind einzuholen, vermuthlich seine Kanonen zurückgelassen, welche er für ein unnützes Hinderniß ansah. Alle seine übrigen Bewegungen verri.then eine gleiche Unvorsichtigkeit und Uebereilung. Vom Zorn, einem gefährlichen Rathgeber, getrieben, und auf die große Ueberlegenheit seiner Anzahl sich verlassend, glaubte er, alles hienge davon ab, daß er die Engländer zu einem Treffen nöthigte, und wenn er den Feind nur auf seinem Zurückzuge erreichen könnte; so wäre der Sieg ganz gewiß auf seiner Seite. Er marschirte eilig von Abbeville aus, in größter Unordnung; nachdem er aber zwo Meilen fortgerücket war, kamen einige Officiers, welche er, um den Feind in Augenschein

N 3 zu

f) Du Cange Gloss. in verb. Bombarda.

zu nehmen, vorausgeschickt hatte, wieder zurück,
und benachrichtigten ihn, daß sie die Engländer in
vortrefflicher Ordnung aufmarschiren und seine
Ankunft erwarten gesehen hätten. Sie riethen ihm
daher, das Treffen bis auf den folgenden Tag
aufzuschieben, wenn seine Armee sich von ihren
Strapazen erholet haben würde, und in eine bessere
Ordnung gestellet werden könnte, als die gegenwärtige Eile ihnen zu beobachten erlaubte. Philipp
stimmte diesem Rath bey; allein die vorige
Eile seines Marsches, und die Ungeduld des französischen Adels machte es ihm unmöglich, diesen
Rath auszuführen. Eine Division drängte die
andre: die Befehle, Halte zu machen, waren
nicht zur rechten Zeit allen bekannt gemacht: dieses
unzählbare Heer wurde nicht von einer Kriegszucht in Ordnung gehalten, die hinlänglich war,
sie zu regieren; und die französische Armee, die
sehr unvollkommen in drey Linien gestellet war,
langte ermüdet und in Unordnung vor ihrem
Feinde an. Die erste Linie, unter dem Commando
des Anton Doria, und Karls Grimaldi, bestund
aus 15000 Genuesern, die mit stählernen Armbrüsten bewaffnet waren: die zwote wurde von dem
Grafen Alencon, einem Bruder des Königes, angeführet: der König selbst befand sich an der
Spi-

Spitze der dritten. Außer dem Könige von Frankreich waren nicht weniger als drey gekrönte Häupter bey diesem Treffen zugegen: der König von Böhmen, der römische König, sein Sohn, und der König von Majorca, nebst dem ganzen Adel und allen Vasallen der Krone Frankreichs. Die Armee bestund itzt aus mehr als 120,000 Mann; einer Anzahl, welche beynahe viermal so stark war, als der Feind. Aber die Klugheit eines Mannes war allen Vortheilen dieser Macht überlegen.

Die Engländer schlossen bey der Annäherung des Feindes ihre Glieder, und die Genueser thaten den Angriff: kurz vor dem Treffen war ein Donnerregen gefallen, welcher die Sehnen an den genuesischen Armbrüsten naß und schlaff gemacht hatte, und ihre Pfeile erreichten daher den Feind nicht. Die englischen Bogenschützen, welche ihre Bogen aus ihren Futteralen zogen, gossen einen Regen von Pfeilen auf die ihnen entgegenstehende Menge, und brachten sie bald in Unordnung. Die Genueser drungen zurück auf die Gensd'armes des Grafen d'Alencon g), welcher, durch ihre Zaghaftigkeit aufgebracht, seinen Truppen befahl,

N 4   sie

g) Froissard, Liv. I. Chap. 130.

sie niederzuhauen.   Die Artillerie feuerte unter
dieses Gedränge ;   die englischen Bogenschützen
fuhren fort, ihre Pfeile unter die Feinde zu schicken, und man sah an diesem großen Haufen
nichts, als Entsetzen und Verwirrung; Schrecken
und Bestürzung.   Der junge Prinz von Wallis
hatte die Gegenwart des Geistes, sich dieser Situation zu Nutze zu machen, und seine Linie zum
Angriffe anzuführen.   Unterdessen stellte die französische Cavallerie sich etwas wieder, und that,
von dem Beyspiel ihres Anführers aufgemuntert,
einen hartnäckigen Widerstand ; und nachdem sie
sich endlich von den genuesischen Ausreißern befreyet hatte, griff sie ihren Feind an, und fieng an,
ihn mit ihrer überlegenen Anzahl einzuschließen.
Die Grafen von Arundel und Northampton führten ihre Linien auf, um dem Prinzen zu Hülfe zu
kommen, welcher, bey seinen ersten kriegerischen
Thaten hitzig, ein Beyspiel der Tapferkeit gab,
dem alle seine Leute folgten.   Die Schlacht wurde
auf einige Zeit hitzig und gefährlich; und der Graf
von Warwic, der wegen der überlegenen Anzahl der
Franzosen in Furcht war, schickte einen Officier
an den König, und verlangte Hülfstruppen zur
Unterstützung des Prinzen.   Eduard hatte seinen
Stand auf der Spitze eines Hügels gewählet, und

über-

übersah den Schauplatz des Treffens in Ruhe, als
der Bote zu ihm kam. Seine erste Frage war: ob
der Prinz erschlagen oder verwundet wäre? Da
er eine verneinende Antwort erhielt, sagte er:
Kehret zurück zu meinem Sohn, und saget
ihm, daß ich die Ehre dieses Tages für ihn
aufgehoben habe. Ich bin überzeugt, daß
er sich der Würde eines Ritters gemäß betragen werde, womit ich ihn neulich beschenket
habe: Er wird ohne meinen Beystand schon
fähig seyn, den Feind zurück zu treiben h).
Diese Rede, welche dem Prinzen und seinem Gefolge überbracht wurde, machte ihnen neuen
Muth: Sie griffen die Franzosen mit verdoppelter
Herzhaftigkeit an, wobey der Graf d'Alencon
erschlagen wurde: diese ganze Linie von Cavallerie
wurde in Unordnung gebracht: die Reuter wurden
getödtet oder aus dem Sattel gehoben: die walli-
sche Infanterie fiel in das Gedränge, und schnitt
mit ihren langen Messern allen, welche gefallen
waren, die Kehle ab, und Quartier wurde an
diesem Tage von den Siegern durchaus nicht
gegeben i).

N 5 Der

h) Froiſſard, Liv. I, Chap. 130.
i) Ibid.

Der König von Frankreich rückte vergebens
mit dem Nachtrupp ar, um die von seinem Bruder
angeführte Linie zu unterstützen: er fand sie schon
in Unordnung; und das Beyspiel ihrer Zerstreuung vermehrte die Verwirrung, welche vorher
schon nur gar zu allgemein unter seinen Truppen
war. Ihm selbst wurde ein Pferd unter dem Leibe
getödtet. Er war auf ein neues gestiegen; und ob
er gleich schon ganz allein war, so schien er doch
beständig entschlossen, das Treffen zu erhalten,
als Johann de Hainault seinen Zügel ergriff, sein
Pferd herumzog, und ihn von dem Schlachtfelde
wegführte. Die ganze französische Armee nahm
die Flucht, und wurde von den Siegern verfolget,
und ohne Gnade niedergehauen, bis die Finsterniß
der Nacht dem Nachsetzen ein Ende machte. Als
der König wieder auf das Schlachtfeld zurück-
kehrte, flohe er in die Armee des Prinzen von
Wallis, und rief aus: Mein tapferer Sohn!
fahre fort auf deiner rühmlichen Laufbahn:
Du bist mein Sohn; denn heute hast du tapfer
das deinige gethan; Du hast dich deines Reiches würdig bezeiget k).

Die

k) Froissard, Liv. I. Chap. 131.

Diese Schlacht, welche unter dem Namen der Schlacht bey Crecy bekannt ist, sieng nach drey Uhr Nachmittags an, und dauerte bis an den Abend. Der folgende Morgen war neblicht; und da die Engländer merkten, daß viele von den Feinden in der Nacht und in dem Nebel ihren Weg verfehlet hatten, bedienten sie sich einer Kriegslist, um sie in ihre Gewalt zu bekommen. Auf den Anhöhen richteten sie einige französische Fahnen auf, die sie in dem Treffen erobert hatten; und alle, welche sich durch dieses falsche Zeichen her- beylocken ließen, wurden niedergehauen, und nie- manden Quartier gegeben. Zur Entschuldigung dieser Unmenschlichkeit wurde vorgegeben, daß der König von Frankreich seinen Truppen gleiche Be- fehle ertheilet hätte; allein die wahre Ursache war vermuthlich diese, daß die Engländer sich in ihrer gegenwärtigen Situation nicht gern mit Gefang- nen beschweren wollten. Nach einer mäßigen Rechnung blieben an dem Tage der Schlacht, und an dem darauf folgenden 1200 Ritter, 1400 Adliche, 4000 Mann von der schweren Cavallerie, und überdem noch über 30,000 Mann schlechterer Truppen l). Viele von den vornehmsten franzö-
                                                          sischen

---

l) Froissard, Liv. I. Chap. 131. Knyght. S. 2588.

fischen von Adel, die Herzoge von Lothringen und
Bourbon, die Grafen von Flandern, Blois,
Harcourt, Vaudemont, Aumale, blieben auf
dem Schlachtfelde. Auch die Könige von Böhmen
und Majorca wurden erschlagen. Das Schicksal
des ersten war merkwürdig: Er war blind vor
Alter: da er sich aber entschlossen hatte, seine
Person zu wagen, und andern ein Beyspiel zu
geben; so ließ er den Zügel seines Pferdes zu beyden Seiten an die Pferde zweyer Herren von seinem
Gefolge binden, und sein und seiner Begleiter
todte Körper fand man nachher unter den Erschlagenen, und ihre Pferde stunden bey ihnen in dieser
Stellung m). Sein Federbusch auf dem Helm bestund aus drey Straußfedern, und sein Wahl-
spruch waren diese deutschen Wörter: Ich Dien;
welche der Prinz von Wallis und seine Nachfolger
zum Andenken dieses großen Sieges annahmen.
Dieses Treffen scheinet nicht weniger merkwürdig
zu seyn wegen des geringen Verlustes der Engländer, als wegen der großen Niederlage der Franzosen. Es wurden nur ein Esquire, drey Ritter n),
und wenige von geringern Stande getödtet; ein

Be

---

m) Froissard, Liv. I. Chap. 130. Walsing. S. 166.

n) Knyghton. S. 2588.

Beweis, daß die kluge Anordnung Eduards, und
der unordentliche Angriff der Franzosen die ganze
Schlacht mehr zu einem Tumulte, als zu einem
Treffen gemacht hatte, welches in diesen Zeiten gemeiniglich der Fall bey gleichen Vorfällen war.

Die große Klugheit Eduards zeigte sich nicht
allein in der Erhaltung dieses merkwürdigen Sieges, sondern auch in den Maasregeln, womit er
ihn verfolgte. Er wurde durch sein gegenwärtiges
Glück nicht so stolz, daß er entweder die Eroberung
von dem ganzen Königreiche Frankreich, oder von
einigen ansehnlichen Provinzen erwartete; sondern
wollte sich nur einen sichern Eingang in dieses
Königreich verschaffen, welcher künftig einen Weg
zu mäßigern Vortheilen bahnen könnte. Er kannte
die große Entlegenheit der Provinz Guienne; er
hatte die Schwierigkeit erfahren, von der Seite
der Niederlande durchzubringen, und hatte von
seinem Ansehen über Flandern schon vieles durch
den Tod des Arteville verlohren, welcher von dem
Pöbel selbst, der es vormals mit ihm gehalten,
ermordet war, da er die Souverainität über diese
Provinz auf den Prinzen von Wallis bringen
wollte o). Der König schränkte daher seinen Stolz

auf

o) Froiſſard, Liv. I. Chap. 116.

auf die Eroberung von Cálais ein; und nach
sehr wenigen Tagen, in welchen er die Todten
begraben ließ, marschirte er mit seiner siegreichen Armee ab, und erschien vor dem besagten
Orte.

Johann de Vienne ein tapferer Ritter aus
Burgundien, war Commandant in Calais: und
da er mit allen zur Vertheidigung nöthigen
Mitteln versehen war; so munterte er die Bürger auf, ihre Pflicht gegen ihren König und ihr
Vaterland bis aufs Aeußerste zu beobachten. Eduard sah demnach gleich anfangs ein, daß es vergebens seyn würde, den Ort mit Gewalt anzugreifen, und wollte ihn aushungern lassen: er
wählte einen sichern Ort zu seinem Lager; ließ
Retrenchementer um die ganze Stadt ziehen, Hüt-
ten für seine Soldaten erbauen, welche mit Stroh
oder Heyde bedecket wurden, und versah seine
Armee mit allen erforderlichen Bequemlichkeiten,
um ihr den herannahenden Winter erträglich zu
machen. Da der Commandant von seinen Absichten bald benachrichtiget wurde, trieb er alle
unnütze Leute aus, die seinen Vorrath verzehren
konnten; und der König hatte die Großmuth,
diesen unglücklichen Leuten den Durchzug durch

sein

sein Lager zu erlauben, und gab ihnen so gar Geld zu ihrer Reise p).

Unterdessen daß Eduard mit dieser Belagerung beschäfftigt war, welche gegen ein Jahr dauerte, trugen sich viele andre Begebenheiten an verschiedenen Orten zu, und zwar alle zur Ehre der englischen Waffen.

Der Abzug des Herzogs von der Normandie aus Guienne überließ dem Grafen von Derby das Feld, und er war nicht nachläßig, sich diese Ueberlegenheit zu Nutze zu machen. Er nahm Mirebeau durch Sturm ein: er bemeisterte sich der Stadt Lusignan auf dieselbe Art: Taillebourg St. Jean d'Angeli fielen in seine Hände und Poictiers öffnete ihm seine Thore; und nachdem Derby solchergestalt alle Gränzvestungen dieser Gegend zernichtet hatte, streifete er bis an die Ufer der Loire, und erfüllete diesen Theil von Frankreich mit Schrecken und Verwüstung q).

Die Flamme des Krieges war zu gleicher Zeit in Bretagne entzündet. Karl de Blois griff diese Provinz mit einer ansehnlichen Armee an, und berennete die Vestung Roches de Rien: aber

die

p) Froissard. Liv. I. Chap. 133.
q) Froissard, Liv. I. Chap. 136.

die Gräfinn von Mountfort griff ihn, von einigen englischen Truppen unter dem Sir Thomas
Dageworth verstärket, des Nachts in seinen Verschanzungen an, zerstreute seine Armee, und nahm
ihn selbst gefangen r). Seine Gemahlinn, von
welcher seine Ansprüche auf Bretagne herrührten,
übernahm aus Noth die Regierung dieser Partey,
und zeigte sich als eine Nebenbuhlerinn in jeder
Gestalt, und als eine Gegnerinn der Gräfinn von
Mountfort, so wohl im Felde als im Cabinet.
Und indem diese heroischen Damen der Welt diesen außerordentlichen Auftritt zeigten, bewies eine andre Prinzeßinn in England, die von viel vor-
nehmern Stande war, sich eben so fähig, eine jede
männliche Tapferkeit auszuüben.

Nachdem die schottische Nation ihre Freyheit gegen die überlegene Macht der Engländer
mit unglaublicher Standhaftigkeit vertheidiget
hatte, rief sie ihren König, David Bruce, im
Jahre 1342 wieder zurück. Ob gleich dieser Prinz
ihr weder durch sein Alter, noch seine Fähigkeiten, einen großen Beystand leisten konnte; so
gab er ihr doch das Ansehen einer souverainen
Macht

r) Froissard. Liv. I. Chap. 134. Walsingham. S. 168.
Ypod. Neust. S. 517. 518.

Macht; und da Eduards Kriege mit Frankreich
seinen Truppen eine große Diversion machten, wurde das Gleichgewicht zwischen den beyden Reichen
gleicher. In jedem Waffenstillstand zwischen dem
Eduard und Philipp war der König von Schottland mit eingeschlossen; und als Eduard seinen
letzten Einfall in Frankreich that, wurde David
von seinen Alliirten sehr genöthiget, den Waf-
senstillstand gleichfalls zu brechen, und in die
nordlichen Grafschaften von England einzufallen. Der Adel dieser Nation war jederzeit zu
solchen Einfällen bereit. David musterte bald eine
große Armee, rückte mit einem Heer von mehr als
50,000 Mann in Northumberland ein, und trieb
seine Verwüstungen und Verheerungen bis an die
Thore von Durham s). Allein, die Königinn
Philippa versammlete ein Corps, welches wenig
mehr als 12,000 Mann stark war t), übergab
es dem Commando des Lord Piercy, und kam
zu Nevilles-Croß, nahe bey dieser Stadt zu denselben; und indem sie durch die Glieder der Armee ritt, ermahnte sie einen jeden, seine Pflicht
zu

s) Froissard. Liv. I. Chap. 137.

t) Froissard. Liv. I. Chap. 138.

zu thun, und sich an diesen barbarischen Plün.
derern zu rächen u): Man konnte sie auch nicht
eher bereden, das Feld zu verlassen, als bis die
Armeen im Begriff waren, (den 17ten October)
anzugreifen. Die Schotten sind in ihren großen
Treffen mit den Engländern oft unglücklich ge.
wesen, und zwar deswegen, weil sie gemeiniglich
solche Treffen vermieden, wo sich nicht an ihrer
Seite eine Ueberlegenheit an Mannschaft fand:
aber niemals erhielten sie einen tödtlichern Streich,
als der gegenwärtige war. Sie wurden ausein.
ander getrieben, und aus dem Felde geschlagen:
funfzehn, einige Geschichtschreiber sagen 20,000
Mann von ihnen blieben; unter welchen sich Edu.
ard Keith, Graf Mareschal, und Sir Thomas
Charteris, der Kanzler, befanden; und der Kö.
nig selbst wurde gefangen genommen, nebst den
Grafen von Southerland, Fife, Monteith, Car.
ric, dem Lord Douglas, und vielen andern von
Adel x.)

Nachdem Philippa ihren königlichen Ge.
fangenen in Tower verwahret hatte, gieng sie
von Dover zur See nach Frankreich, und wur.
de

u) Froissard. Liv. I. Chap. 139.
x) Rymer. B. V. S. 537.

de in dem englischen Lager vor Calais mit demjenigen Triumph aufgenommen, welchen man
ihrem Stande, ihren Verdiensten und ihrem
Glücke schuldig war. In diesem Zeitalter herrschten ritterliche Tapferkeit und Galanterie: Der
Hof Eduards war wegen dieser Geschicklichkeiten
so wohl, als wegen der Staatsklugheit und der
Waffen berühmt; und wenn etwas die folgsame
Dienstfertigkeit gegen das schöne Geschlecht rechtfertigen kann, so muß es die Erscheinung solcher
außerordentlichen Frauenspersonen seyn, als sich
in diesem Zeitpunkt hervorthaten.

Die Stadt Calais (i. J. 1347) war mit einer ungemeinen Wachsamkeit, Standhaftigkeit und Tapferkeit von den Bürgern, während einer ungewöhnlich
langen Belagerung, vertheidiget worden: allein
Philipp, der von ihrem bedrängten Zustande benachrichtiget war, entschloß sich endlich, einen Versuch
zu ihrem Entsatz zu machen, und nahete sich den Engländern mit einer unzählbaren Armee, welche die
Schriftsteller dieser Zeit über 200,000 Mann stark
schätzen. Aber er fand den Eduard so sehr mit
Morästen umgeben, und durch Verschanzungen
gesichert, daß er es für unmöglich hielt, etwas
wider das englische Lager zu unternehmen, ohne
Gefahr, seine Armee unvermeidlich zu Grunde

O 2 zu

zu richten. Er hätte keine andre Zuflucht, als
daß er seinem Nebenbuhler eine praterische Ausfoderung schickte, ihm im freyen Felde zu begegnen:
da ihm dieses abgeschlagen wurde, war er genöthiget, mit seiner Armee aufzubrechen, und
sie in ihre verschiedene Provinzen zu vertheilen y).

Johann de Vienne, der Commandant in
Calais, sah nunmehr die Nothwendigkeit ein,
seine Vestung zu übergeben, welche durch Hungersnoth und durch die Strapazen der Einwohner
auf das Aeusserste gebracht war. Er erschien auf
den Mauern, und gab der englischen Schildwa-
che ein Zeichen, daß er eine Unterredung verlangte. Sir Walter Many wurde vom Eduard zu
ihm geschickt. „Tapferer Ritter, rief der Com-
„mandant, es ist mir von meinem Könige das
Commando über diese Stadt anvertrauet worden:
„es ist beynahe ein Jahr, daß ihr mich belagert;
„und so wohl ich, als diejenigen, welche unter
„mir dienen, haben sich bemühet, unsre Schul-
„digkeit zu thun. Allein, ihr kennet unsre jetzi-
„gen Umstände: Wir haben keine Hoffnung zu
„einem Entsatze; wir kommen vor Hunger um;
„ich

y) Froissard. Liv. I. Chap. 144. 145. Avesbury. S.
161. 162.

„ ich bin daher entschlossen, mich zu ergeben,
„ und verlange, als die einzigste Bedingung,
„ daß ihr mir das Leben und die Freyheit dieser
„ tapfern Leute versprechet, welche so lange alle
„ Gefahr und Beschwerlichkeit mit mir getheilet
„ haben „ z).

Manny erwiederte, daß er die Absichten
des Königes von England wüßte; dieser Prinz
wäre wider die Einwohner von Calais wegen
ihrer hartnäckigten Widersetzung, und wegen der
Beschwerlichkeit erbittert, welche er und seine Unterthanen ihrentwegen erlitten hätten; er hätte
beschlossen, sich exemplarisch an ihnen zu rächen;
und würde die Stadt auf keine Bedingungen annehmen, welche ihn in der Bestrafung dieser Beleidiger einschrenken könnte. „ Bedenket, „ erwie-
„ derte Vienne, daß man so keinen tapfern Leu-
„ ten begegnet: wenn ein englischer Ritter in
„ meiner Stelle gewesen wäre; so würde euer
„ König dieselbige Aufführung von ihm erwar-
„ tet haben. Die Einwohner von Calais haben
„ das für ihren Souverain gethan, was die Hoch-
„ achtung eines jeden Prinzen verdient; noch
„ mehr aber eines so tapfern Prinzen, als Edu-

D 3   „ ard

z) Froissard. Liv. I. Chap. 146.

„ arb. Allein, ich sage euch, wenn wir sterben
„ müssen, so wollen wir nicht ungerochen ster-
„ ben; und noch sind wir nicht so weit gebracht,
„ daß wir nicht unser Leben den Siegern theuer
„ verkaufen könnten. Es ist das Beste beyder
„ Parteyen, diesem verzweifelten und äussersten
„ Mittel zuvor zu kommen; und ich hoffe, daß
„ ihr selbst tapferer Ritter, bey eurem Könige
„ für uns euer Bestes thun werdet „.

Manny wurde von der Richtigkeit dieser
Gesinnungen gerühret, und stellte dem Könige
die Gefahr der Repressalien vor, wenn er den
Einwohnern von Calais so begegnen würde. Edu,
ard ließ sich endlich überreden, die Strenge der
verlangten Bedingungen zu mildern. Er drang
nur darauf, daß ihm sechs der angesehensten Bürger geschicket werden sollten, um mit denselben
nach seinem Willkühr zu verfahren; daß sie zu
seinem Lager kommen sollten, mit den Schlüß-
seln der Stadt in der Hand, mit bloßem Kopfe,
barfuß, mit Stricken um den Hals, und unter
diesen Bedingungen versprach er das Leben aller
übrigen zu schonen a).

Als

a) Ibid.

Als diese Nachricht nach Calais kam, setzte
sie die Einwohner von neuen in Schrecken. Sechs
von ihren Mitbürgern einem gewissen Untergange
aufzuopfern, weil sie ihre Herzhaftigkeit in einer
gemeinen Sache bewiesen hatten, schien ihnen
noch strenger, als jene allgemeine Bestrafung,
womit sie vorhin bedrohet waren; und sie fanden sich, unvermögend, in einer so grausamen und
unglücklichen Situation einen Entschluß zu fassen. Endlich trat einer von den vornehmsten
Einwohnern, mit Namen Eustah de St. Pierre
hervor, dessen Name aufbewahret zu werden verdienet, und erklärte sich bereit, den Tod für die
Sicherheit seiner Freunde und Mitbürger zu leiden. Ein andrer that, durch sein Beyspiel aufgemuntert, ein eben so edles Anerbiethen: ein
dritter und vierter stellte sich zu demselben Schicksal
dar; und die ganze verlangte Zahl wurde bald vollständig. Diese sechs heroischen Bürger erschienen
vor dem Eduard in Gestalt der Uebelthäter, legten die Schlüssel ihrer Stadt zu seinen Füßen,
und sollten hingerichtet werden. Es ist erstaunlich, daß ein solcher edelmüthige Prinz jemals einen solchen barbarischen Vorsatz gegen solche Leute fassen konnte; und noch mehr, daß er auf
dem Entschlusse, sie hinzurichten, im Ernste be-

D 4 stund

stund b). Allein die Fürbitten seiner Gemahlinn
retteten sein Andenken von dieser Schande. Sie
warf sich vor ihm auf ihre Kniee, und bath mit
Thränen in den Augen um das Leben dieser Bürger. Nach em sie ihre Bitte erlanget hatte, führte sie dieselben in ihr Gezelt, ließ ihnen zu Essen vorsetzen und nachdem sie sie mit Geld und
Kleidern beschenket hatte, ließ sie sie in Sicherheit
von sich c).

Der König nahm von Calais (den 14ten
August) Besitz; und übte sogleich eine Strenge
aus, welche sich eher rechtfertigen läßt, weil sie
nothwendiger war, als diejenige, die er vorher
beschlossen hatte. Er wußte, daß jeder Franzos
ihn, ungeachtet seines vorgeblichen Rechtes auf
die Krone von Frankreich, für einen Todtfeind
hielt;

b) Diese Erzählung von den sechs Bürgern von Calais
   ist, so wie alle andre ausserordentliche Erzählungen,
   etwas unwahrscheinlich; und zwar um so viel mehr,
   da Avesbury, S. 167. welcher in seiner Erzählung
   von der Uebergabe der Stadt Calais sehr umständlich
   ist, nichts davon saget; und vielmehr die Edelmüthigkeit und Gelindigkeit des Königes gegen die Einwohner überhaupt rühmet.
c) Froissard, Liv. I. Chap. 146.

hielt: und befahl daher allen Einwohnern von
Calais, die Stadt zu räumen, und bevölkerte
sie mit Engländern; eine Politik, welche seinen
Nachfolgern die Herrschaft über diese wichtige Vestung vermuthlich so lange erhalten hat. Er legte
daselbst eine Niederlage an, von Wolle, Leder,
Zinn und Bley, den vier vornehmsten, wo nicht
einzigen Waaren des Königreichs, die in auswärtigen Märkten gefodert wurden. Alle Engländer waren gezwungen, diese Güter hieher zu
bringen: Fremde Kaufleute kamen an diesen Ort,
um sie einzukaufen; und in einem Zeitpunkte,
da die Posten noch nicht aufgerichtet und die Communication unter den Staaten noch so unvollkommen war, gereichte diese Einrichtung, ob sie
gleich der Schiffahrt schadete, doch vermuthlich
zum Vortheile des Königreiches.

Durch die Vermittelung der päbstlichen Legaten schloß Eduard (i. J. 1348). einen Waffenstillstand mit Frankreich; allein selbst während
dieser Zeit hätte er beynahe Calais verlohren,
diese einzige Frucht aller seiner Siege. Der König hatte das Commando über diesen Ort dem
Aimery de Pavie, einem Italiäner anvertrauet,
welcher Tapferkeit und Klugheit in den Kriegen
gezeiget hatte, aber gar keine Grundsätze der Eh-

O 5   re

re und der Treue befaß. Dieser Mann versprach
Calais zu überliefern für eine Summe von 20,000
Cronen; und Geoffrey de Charni, welcher die
französischen Truppen in diesen Gegenden commandirte, und wohl wußte, daß sein Herr den
Kauf nicht bereuen würde, wenn er darinn glücklich wäre, schloß mit dem Commandanten, ohne
seinen Herrn zu fragen. Nachdem Eduard von
dieser Verrätherey durch den Secretair des Ai-
meiy benachrichtiget war, foderte er denselben
unter andern Vorwänden nach London; und
nachdem er ihm die Schuld vorgeworfen hatte,
versprach er ihm sein Leben zu schenken, doch
mit der Bedingung, daß er diesen Handel zum
Untergange des Feindes brauchen sollte. Der
Italiäner verstund sich bald zu dieser doppelten
Verrätherey.   Es wurde ein Tag zu der Einlassung der Franzosen bestimmet; und Eduard,
der ungefähr tausend Mann unter dem Sir Walter Manny in Bereitschaft hatte, reiste nebst
dem Prinzen von Wallis, heimlich von London
ab, und kam, ohne in Verdacht zu gerathen,
den Abend vorher zu Calais an. Er machte eine
gehörige Anstalt zu dem Empfang des Feindes,
und hielt alle seine Truppen und die Besatzung
im Gewehre. Bey der Erscheinung des Charni
                                        wur-

wurde ein auserlesenes Corps französischer Truppen durch eine heimliche Thür eingelassen, und
Aimery versprach, nachdem er die bestimmte Summe erhalten hatte, mit Hülfe der Armee, welche
die Erfüllung seines Versprechens mit Ungeduld
erwartete, das große Thor zu öffnen. Alle Franzosen, welche hinein kamen, wurden sogleich ge
tödtet oder gefangen genommen: das große Thor
wurde geöffnet: Eduard stürzte hinaus mit einem
Feld- und Siegsgeschrey: die Franzosen bewiesen sich tapfer, ob sie gleich über diesen Vorfall erstaunten: Den 1ten Januar. 1349. erfolgte ein hartnäckiges und blutiges Treffen.
Beym Anbruch des Tages bemerkte der König,
welcher, durch seine Rüstung nicht unterschieden,
unter der Fahne des Sir Walter Manny, als
eine Privatperson fochte, einen Franzosen, mit
Namen Eustaz de Rebaumont, der eine besondere Herzhaftigkeit und Tapferkeit zeigte, und
trug Verlangen, einen Zweykampf mit ihm zu
versuchen. Er trat aus seinem Corps hervor,
foderte den Ribaumont namentlich aus, (denn
er kannte ihn) und fieng einen scharfen und gefährlichen Zweykampf mit ihm an. Er wurde
zweymal durch die Tapferkeit des Franzosen zu
Boden geschlagen, zweymal erholte er sich wieder:
die

die Streiche wurden mit gleicher Kraft von beyden Seiten verdoppelt: der Sieg war lange unentschieden: bis Ribaumont, von den Seinigen
fast gänzlich verlassen, seinem Gegner zurief, Ritter, ich übergebe mich euch als Gefangner;
und zugleich überlieferte er sein Schwerd dem
Könige. Die meisten Franzosen, die durch die
Anzahl übermannet, und auf ihrer Retirade ab-
geschnitten waren, wurden entweder getödtet oder
zu Gefangenen gemacht d).

Die französischen Officiere, welche in die Hände der Engländer gefallen waren, wurden nach
Calais geführet; woselbst Eduard ihnen den Gegner entdeckte, gegen welchen sie zu fechten die
Ehre gehabt hatten, und ihnen mit großer Hochachtung und Höflichkeit begegnete. Sie wurden
mit dem Prinzen von Wallis und dem englischen
Adel an eine Tafel gezogen; und nach der Mahlzeit kam der König selbst ins Zimmer, gieng herum, und unterredete sich freundschaftlich bald
mit dem einen, bald mit dem andern von seinen
Gefangenen. Er wandte sich auch auf eine sehr
verbindliche Art zu dem Charni, und enthielt sich,
ihm wegen seines verrätherischen Anschlages,

wel-

d) Froissard. Liv. I. 140, 141, 142,

welchen er während des Waffensti-Ilstandes wider
Calais gemacht hatte, Vorwürfe zu machen. Allein, er ertheilte dem Ribaumont öffentlich die
größten Lobsprüche; nannte ihn den tapfersten
Ritter, den er jemals gekannt, und gestund,
daß er niemals in so großer Gefahr gewesen
wäre, als da er mit ihm gefochten hätte. Hierauf nahm er ein Perlenschnur, welche er um seinen
Kopf trug, legte sie um den Kopf des Ribaumont, und sagte zu ihm: „Herr Eustaz, ich gebe
„ euch dieses Geschenk zum Zeichen meiner Hoch-
„ achtung gegen eurer Tapferkeit; und ich bitte
„ euch, daß ihr es meinetwegen ein Jahr lang tra-
„ gen möget: ich weis, ihr seyd munter und
„ verliebt, und haltet euch gern in der Gesell-
„ schaft von Damen und Mägdchen auf: lasset
„ sie alle wissen, von welchen Händen ihr dieses
„ Geschenk erhalten habt: ihr seyd nicht mehr
„ gefangen; ich erlasse euch eures Lösegeldes;
„ und morgen habt ihr die Freyheit zu thun,
„ was ihr wollet „.

Nichts beweiset die großen Vorzüge des
großen und kleinen Adels vor allen andern Ständen in diesen Zeiten deutlicher, als der sehr große
Unterschied, welchen Eduard in seinem Betragen

unter

unter diesen französischen Rittern und den sechs
Bürgers von Calais machte, welche eine viel gröſ-
sere Tapferkeit bewiesen hatten, in einer Sache
die sich weit leichter rechtfertigen läßt, und die
viel anständiger war.

Das sechszehnte Kapitel.
Eduard III.

Stiftung des Ordens vom Hosenbande. Frankreichs Zustand. Schlacht bey Poictiers. Gefangenschaft des Königs von Frankreich. Zustand dieses Königreiches. Einfall in Frankreich. Friede zu Bretigni. Frankreichs Zustand. Feldzug wider Castilien. Bruch mit
Frankreich. Unglück der Engländer. Tod des
Prinzen von Wallis. Tod und Charakter
des Königs. Vermische Verrichtungen unter dieser Regierung.

Eduards weises Betragen und großes Glück
in auswärtigen Kriegen hatte bey dem englischen Adel eine stärke Nacheiferung, und einen
kriegrischen Geist erwecket; und diese aufrührischen Baronen, welche itzt von der Krone in
Furcht gehalten wurden, gaben ihrem Ehrgeiz
eine

eine nützlichere Richtung, und verbanden sich
mit einem Fürsten, der sie anführte, Ehre und
Reichthümer zu erwerben. Um den Geist der
Nacheiferung und des Gehorsams noch mehr zu
erwecken, stiftete der König den Orden vom Hosenbande, zur Nachahmung vieler geistlichen und
kriegrischen Orden, welche in verschiedenen Theilen von Europa aufgerichtet waren. Die Anzahl der Mitglieder belief sich, ausser dem Könige, auf vier und zwanzig Personen, und da
diese niemals vermehret worden, so erhält sich
dieses Unterscheidungszeichen bey dem Ansehen,
das es bey seiner Stiftung hatte, und bleibt,
so wohlfeil er ist, das schätzbarste Geschenk, was
der König seinen größten Unterthanen geben kann.
Eine gemeine Erzählung, die aber von keinem
alten Schriftsteller bestätiget wird, saget, des
Königes Maitresse, für welche man gemeiniglich
die Gräfinn von Salisbury hält, habe auf einem Ball bey Hofe ihr Strumpfband verlohren:
der König habe es aufgenommen, und da er bemerket, daß verschiedene von seinen Hofleuten
darüber gelächelt, als wenn er diese Gunst nicht
blos zufällig erhalten hätte, so habe er ausgerufen: *Honi soit qui mal y pense*. Da nun jede ga-
lante Begebenheit bey diesen alten Kriegshelden
zu

zu einer wichtigen Sache gemacht wurde a), so
hätte er den Orden vom Hosenbande zum Andenken dieser Begebenheit gestiftet, und diese Worte zu dem Motto des Ordens gewählet. Dieser

Ur-

a) Man findet um diese Zeit ein besonderes Beyspiel
von der herrschenden Mode der Ritterschaft und Galanterie unter den Europäischen Nationen. Unter
dem Bembrough, einem Engländer und Beaumoir,
aus Bretagne, von der Partey des Carl von Blois,
sollten sich dreyßig Ritter von der einen Seite mit
dreyßig von der andern feyerlich duelliren. Die
Ritter der beyden Nationen erschienen im Felde; und
ehe die Schlacht anfieng, rief Beaumoir aus: heute
werden wir sehen, wer die schönsten Frauenzimmer
hat. Nach einem blutigen Gefecht behielten die Bretagner die Obrehand, und gewannen statt eines Prei-
ses die Freyheit, die Schönheit ihrer Gemahlinnen
zu rühmen. Es ist merkwürdig, daß zwey so berühmte Generale, als Sir Robert Knolles, und Sir
Hugh Calverley in diesem lächerlichen Gefecht ihre
Degen mit zogen. Siehe Vater Daniel B. II.
S. 536, 537. Dies Frauenzimmer munterte die Helden nicht nur zu diesen rauhen, wo nicht blutigen
Turniergefechten auf; sondern besuchte auch alle Tur-
niere unter der ganzen Regierung Eduards, dessen
heldenmüthiges Genie diese Uebungen aufmunterte.
Siehe Knyghton, S. 2597.

Urſprung, ob er gleich nichtsbedeutend iſt, ent-
ſpricht ſehr gut den Sitten dieſer Zeit; und es
iſt in der That ſonſt ſchwer, von den nichts
bedeutend ſcheinenden Worten dieſes Mottos,
oder von dem beſondern Zeichen des Ordens Rechenſchaft zu geben, welches weder auf eine Sache, die im Kriege gebraucht wurde, noch auf
eine Verzierung ein Abſehen zu haben ſcheinet.

Allein, plötzlich wurde von einer Peſt, welche dies Königreich und ganz Europa verheerte,
dieſe Feſtlichkeit und dieſer Triumph des Hofes
gedämpfet; und man rechnet, daß ſie über den
vierten Theil der Einwohner in jeder Landſchaft,
welche ſie angegriffen, dahin geriſſen hat. Sie
war wahrſcheinlicher Weiſe in großen Städten
weit heftiger, als auf dem Lande; und man
ſagt, daß über 50,000 Seelen in London allein
umgekommen ſind b). Dieſes Uebel entdeckte ſich
zuerſt in dem nordlichen Aſien, verbreitete ſich
über

b) Stows Survey, p. 478. Auf einem Kirchhofe, den
   Sir Walter Manny zum Beſten der Armen gekauft
   hatte, wurden 50,000 Körper begraben. Derſelbe
   Verfaſſer ſagt, daß in Norwich über 50,000 Menſchen an dieſer Peſt geſtorben ſind, welches ganz unglaublich iſt.

über dieses Land, schlich von einem Ende Europens zu dem andern, und verheerte unvermerkt jedes Land, wodurch es fortgieng. Mehr dieses verderbliche Unglück, als eine aufrichtige Freundschaft bewegte die Könige von Frankreich und England, den Waffenstillstand zu erhalten und zu verlängern.

Philipp von Valois starb während dieses Waffenstillstandes, (i. J. 1350.) ohne daß er den Zustand Frankreichs, den sein schlechtes Glück gegen die Engländer sehr verschlimmert hatte, wieder herstellen konnte. Dieser Monarch hatte in den ersten Jahren seiner Regierung den Namen des Glücklichen, und den Charakter eines Weisen erhalten: er behauptete aber so wenig den einen als den andern, nicht so sehr aus seinem Versehen, als weil er von dem überwiegenden Glück und Genie des Eduard übertroffen wurde. Allein, die Begebenheiten der Regierung seines Sohnes Johann gaben der französischen Nation Ursache, die unglücksvolle Regierung seines Vorfahren wieder zu wünschen. Johann unterschied sich durch verschiedene Tugenden, besonders durch eine gewissenhafte Ehre und Treue. Es fehlte ihm nicht an persönlicher Tapferkeit: allein da es ihm an der meisterhaften Klugheit

P 2 und

und Vorsicht fehlte, welche seine Umstände erfoderten, so wurde sein Reich durch innerliche
Unruhen zerrissen, und durch ausländische Kriege unterdrücket. Die vornehmste Quelle seines
Unglücks war Carl, König von Navarra, der
den Zunamen des Bösen oder Gottlosen bekam,
(i J. 1354.) zu welcher Benennung seine Thaten
Ursache genug gaben. Dieser Prinz stammte von
königlichem französischen Geblüte ab: seine Mutter
war eine Tochter des Ludwig Hutin: er selbst
hatte eine Tochter des Königes Johann geheyrathet: allein, alle diese Bande, welche ihn mit
dem Throne sollten verbunden haben, machten
ihn nur geschickter, denselben zu erschüttern und
umzustürzen. Nach seinen persönlichen Eigenschaften war er freundlich, leutselig, einnehmend
und beredt, einschmeichlerisch, und voll Höflichkeiten, geschäfftig und unternehmend. Allein,
diese glänzenden Eigenschaften waren mit solchen
Fehlern verknüpft, die ihn seinem Vaterlande
und ihm selbst schädlich und verderblich machten.
Er war wankelmüthig, unbeständig, treulos,
rachsüchtig, boshaft: keine Grundsätze und keine
Pflicht konnte ihn in Schranken halten: er war
unersättlich in seinen Foderungen: er mochte glücklich oder unglücklich in einer Unternehmung seyn:

so

so fiel er gleich auf eine andere, worinn er sich
nicht entsah, die sträflichsten und unanständigsten Mittel zu gebrauchen.

Der Constable von Eu, den Eduard bey Caen
gefangen bekommen hatte, erhielt seine Freyheit gegen die Versprechung, daß er die Stadt
Ghisnes, nahe bey Calais, worüber er Herr war,
für seine Ranzion an ihn ausliefern wollte: da
aber Johann durch diesen Vergleich beleidiget war,
durch dessen Erfüllung die Gränzen gegen seinen
Feind noch mehr geöffnet wurden, und da er vermuthete, der Commandant möchte noch gefährlichere Verbindungen mit dem Könige haben; so
ließ er ihn gefangen nehmen, und ohne gesetzmäßige und förmliche Untersuchung im Gefängniß ermorden. Carl de la Cerda wurde wieder
zum Commandanten an seine Stelle gesetzet; und
erlebte ein gleiches Schicksal: der König von Navarra ließ ihn ermorden, und die Schwachheit
der Krone war so groß, daß dieser Prinz, anstatt
eine Strafe zu befürchten, nicht einmal wegen
seiner Beleidigung um Verzeihung bitten wollte,
es sey denn mit der Bedingung, daß er mehr
Land erhielte, und den zweyten Sohn des Johann in seine Gewalt bekäme, als eine Sicherheit
für seine Person, wenn er nach Hofe käme, um

P 3 die-

diese Abbitte und Scheinbuße vor dem Könige zu
vernichten c).

Die beyden französischen Prinzen schienen itzt
völlig mit einander ausgesöhnet zu seyn: (i. J.
1355) allein diese Verstellung, die Johann aus
Noth, und Carl aus Gewohnheit angenommen
hatte, dauerte nicht lange: und der König von
Navarra wußte wohl, daß er die schwereste Rache wegen der vielen Verbrechen und Verräthereyen, die er schon begangen, und wegen der
noch größern, die er auszuüben im Begriff war,
besorgen müßte. Um sich selbst eines Schutzes
zu versichern, ließ er sich in ein heimliches Verständniß mit England ein, durch Hülfe Heinrichs,
des Grafen von Derby, itzigen Grafen von Lancaster, welcher zu der Zeit unter Vermittelung
des Papstes eine fruchtlose Unterhandlung wegen
des Friedens zu Avignon vorhatte. Johann entdeckte dieses Verständniß, und schickte, um den
schädlichen Folgen desselben vorzubeugen, eine
Armee nach der Normandie, dem vornehmsten
Sitze der Gewalt des Königes von Navarra,
und ließ seine Castele und Vestungen angreifen.
Da er aber hörte, daß Eduard eine Armee aus-

rüste-

c) Froissard, Liv. I. Chap. 144.

rüstete, um seinem Alliirten zu Hülfe zu kommen,
hatte. er die Schwachheit, einen Vergleich mit
Carln vorzuschlagen, und so gar diesem verrätherischen Unterthanen die Summe von hundert
tausend Cronen zu geben, als ein Entgeld für
einen erdichteten Vertrag, welcher ihn noch gefährlicher machte. Der König von Navarra,
trotzig auf seine vorige Ungestraftheit, und verzweifelt wegen der Gefahren, die er befürchtete,
setzte seine heimlichen Anschläge beständig fort, und
verband sich mit dem Gottfried von Harcourt, der
von Philipp von Valois Verzeihung erhalten hatte, in seinem aufrührischen Wesen aber beständig
fortfuhr, und vermehrte die Anzahl seiner Partey in allen Theilen des Königreiches. Er verführte so gar Carln, den ältesten Sohn des
Königes von Frankreich, einen jungen Herrn
von siebenzehn Jahren, der zuerst den Namen
des Dauphins führte, wegen der Wiederverei-
nigung des Delphinats mit der Krone. Allein
dieser Prinz, der die Gefahr und die Thorheit
dieser Verbindungen einsah, versprach, seine
Bundsgenossen zur Vergütung seiner Beleidigung
zu überliefern; und lud, auf Verabredung mit
seinem Vater, den König von Navarra, und
andre Abliche von dieser Partey zu einem Feste

P 4   nach

nach Rouen ein, wo sie in Johanns Hände
überliefert wurden. Einige von den gefährlichsten wurden gleich zur Strafe gezogen, und der
König von Navarra ins Gefängniß geschickt d).
Allein dieses harte Verfahren des Königes, und
diese Verrätherey des Dauphins war gar nicht
entscheidend zur Erhaltung des königlichen Ansehens. Philipp von Navarra, Carls Bruder,
und Gottfried von Harcourt, setzten alle Städte und Castelle dieses Prinzen in Vertheidigungsstand, und nahmen in dieser äussersten Gefahr
ihre Zuflucht zu Englands Schutz.

Der Waffenstillstand zwischen diesen beyden
Reichen war an beyden Seiten sehr schlecht beobachtet, und itzt zu Ende gelaufen. Eduard
hatte also völlige Freyheit, den misvergnügten
Franzosen Hülfe zu leisten. Vergnügt, daß die
Parteyen in Frankreich ihm endlich Anhänger in
dem Königreiche verschafft hätten, die seine Ansprüche auf die Krone ihm nie würden zuwege
gebracht haben, entschloß er sich, seinen Feind
von zwey Seiten anzugreifen, von Guienne aus,
unter der Anführung des Prinzen von Wallis
und von Calais, in eigner Person.

Der

d) Froissard. Liv. I. Chap. 146. Ayesbury. S. 243.

Der junge Eduard lief in die Garonne mit seiner Armee ein, auf einer Flotte von dreyhundert Seegeln, in Begleitung der Grafen von Warwic, Salisbury, Oxford, Suffolk und andrer englischen Adlichen. Nachdem er von den Vasallen von Gascogne verstärkt war, zog er ins Feld: und da die Unordnung in den Sachen Johanns einen regelmäßigen Vertheidigungsplan verhinderte, so verheerte und verwüstete er alles, nach der damaligen Art Krieg zu führen. Er ließ alle Dörfer und verschiedene Städte in Languedoc in die Asche legen: er ließ sich vor Tholouse sehen; setzte über die Garonne, und verbrante die Vorstädte von Carcassone, und verwüstete alles rund um sich her; und nach einer Streiferey von sechs Wochen kam er mit vieler Beute und einer Menge Gefangenen wieder nach Guienne, wo er sein Winterlager nahm. Der Constable von Bourbon, der in diesen Provinzen das Commando hatte, erhielt den Befehl, ob er sich gleich an der Spitze einer überlegenen Armee befand, auf keine Weise ein Treffen zu wagen.

Der Einfall des Königs von England von der Seite von Calais war von gleicher Beschaffenheit, und hatte einen gleichen Erfolg. Er rückte in

P 5   Frank-

Frankreich mit einer zahlreichen Armee ein, der
er freye Gewalt gab, das offene Land völlig aus-
zuplündern. Er marschirte nach St. Omer, wo
sich der König von Frankreich gesetzt hatte; und
da dieser sich zurückzog, folgte er ihm nach Hes-
bin e). Johann hielt sich immer in einiger Entfernung, und vermied ein Treffen: um aber seine
Ehre zu retten, schickte er dem Eduard eine Ausfoderung zu, ein Haupttreffen mit ihm zu wagen; eine damals gewöhnliche Bravade, die von
dem Duel herrührte, im Kriege aber lächerlich ist.
Der König, welcher in dieser Herausfoderung keinen Ernst fand, zog sich nach Calais zurück, und
begab sich von da nach England, um sein Reich
vor einem bevorstehenden Einfalle der Schotten
zu schützen.

Die Schotten wollten aus der Abwesenheit
des Königes und der Armee einigen Nutzen ziehen, und hatten Berwic überrumpelt, und eine
Armee zusammengezogen, um in die nordlichen
Provinzen einzufallen und sie zu verwüsten: Allein bey der Ankunft Eduards verließen sie diesen

e) Froissard. Liv. I. Chap. 144. Avesbury. S. 206.
Walsing. S. 171.

fen Ort, den sie unmöglich halten konnten, da
das Castel in den Händen der Engländer war;
zogen sich nach ihren Gebirgen zurück, und gaben ihrem Feinde die Freyheit, das ganze Land
von Berwic bis nach Edimburg zu verbrennen
und zu verwüsten f). Baliol begleitete den Eduard auf diesem Zuge; da er aber einsah, daß
seine beständige Zuneigung gegen die Engländer
seinen Landsleuten einen unüberwindlichen Widerwillen gegen seine Ansprüche beygebracht hatte,
und daß er selbst durch Alter und Schwachheit
immer mehr abnahm; so übergab er dem Könige
seine Ansprüche auf die schottische Krone g), wo-
für er ein jährliches Gehalt von 2000 Pfund
erhielt, womit er den Rest seines Lebens in der
Stille und Einsamkeit zubrachte.

Während dieser Kriegsunternehmungen erhielt Eduard Nachricht von den zunehmenden Unordnungen in Frankreich, die aus der Gefangenschaft des Königes von Navarra entstanden; und
schickte den Lancaster mit einer kleinen Armee ab,
um seine Anhänger in der Normandie zu unterstützen.

f) Walsing. S. 471.

g) Rymer, B. 5. S. 823. Ypod. Neust. S. 521.

stützen. Der Krieg wurde mit veränderlichen
Glücke geführet: meistens aber zum Nachtheile der mißvergnügten Franzosen; bis sich eine
wichtige Begebenheit in dem andern Theile des
Königreichs ereignete, welche der französischen
Monarchie beynahe den Untergang zugezogen
hätte, und alles in die äusserste Verwirrung setzte.

Der Prinz von Wallis, durch den guten
Fortgang des vorigen Feldzuges aufgemuntert,
zog (i. J. 1356) mit einer Armee ins Feld, die kein
Geschichtschreiber über 12,000 Mann angiebt,
und wovon nicht der dritte Theil Engländer waren;
und mit diesem kleinen Heer drang er in das Herz
von Frankreich. Nachdem er Agenois, Quercy
und Limousin verheeret hatte, rückte er in die
Provinz Berry, und that einige vergebliche Angriffe auf die Stadt Bourges und Issoudun.
Es schien seine Absicht zu seyn, daß er nach der
Normandie marschiren, und sich mit dem Herzog von Lancaster, und den Anhängern des Königes von Navarra vereinigen wollte; da er aber
alle Brücken über die Loire abgeworfen, und alle
Pässe sorgfältig besetzet fand, war er genöthiget,
sich wieder nach Guienne zurück zu ziehen h).

Sei-

h) Walsing. S. 171.

Seine Entschließung wurde noch nothwendiger,
da er von der Bewegung des Königes von Frankreich Nachricht erhielt. . Dieser Monarch aufgebracht durch den Schimpf, der ihm durch diesen
Einfall widerfuhr, und in der Hoffnung, aus
der Verwegenheit eines so jungen Prinzen Vortheil zu ziehen, sammlete eine so große Armee von
ungefähr 60,000 Mann, und eilte mit geschwinden Märschen, seinen Feind aufzufangen. Der
Prinz wurde der Annäherung Johanns nicht gewahr, und verlohr auf seinem Zurückzuge einige
Tage vor dem Castel Remorantin i), und dadurch gab er den Franzosen Gelegenheit, ihn
einzuholen. Er wurde ihrer ansichtig zu Mau-
pertuis nahe bey Poictiers; und Eduard sah,
daß sein Zurückzug itzt unmöglich war, und bereitete sich mit dem Muthe eines jungen Helden,
und mit der Klugheit des ältesten und erfahren-
sten Anführers zum Treffen.

Allein, auch die größte Klugheit und Tapferkeit würde nicht hinreichend gewesen seyn, ihn
zu retten, wenn der König von Frankreich sich
seines Vortheils zu bedienen gewußt hätte. Seine große Uebermacht setzte ihn in den Stand, seinen

---

i) Froissard. Liv. I. Chap. 158. Walsing. S. 171.

diesen Aufschub verursachte. Der Prinz von Wallis hatte in der Nacht Zeit gewonnen, sein Lager, welches er mit so viel Ueberlegung ausgesucht hatte, noch mehr zu verschanzen *). Er legte einen Hinterhalt von 300 Mann schwerer Cavallerie, und eben so vielen Bogenschätzen, unter dem Commando des Captals von Buche, und befahl ihm, einen Umweg zu nehmen, damit sie unter dem Treffen der französischen Armee in die Flanke oder in den Rücken kommen könnten. Der Vortrupp seiner Armee wurde von dem Grafen von Warwic, der Nachtrupp von dem Grafen von Salisbury und Suffolk, die Hauptarmee aber von ihm selbst angeführet. Die Lords Chandos, Audeley und viele andre tapfre und erfahrne Generale befanden sich an der Spitze verschiedener Corps seiner Armee.

Johann theilte sein Heer auch in drey fast gleiche Divisionen: die erste wurde von dem Herzoge von Orleans, des Königs Bruder, die zweyte von dem Dauphin, und seinen beyden jüngern Brüdern; die dritte von dem Könige selbst angeführet, der seinen vierten und liebsten Sohn

Phi-

*) Den 19ten December.

Philipp, welcher damals gegen vierzehn Jahr
alt war, bey sich hatte. Sie konnten der englischen Armee nicht anders beykommen, als durch
einen schmalen Weg, der an beyden Seiten mit
Hecken bepflanzt war: um diesen Durchgang zu
eröffnen, wurden die Marschälle, Andrehen und
Clermont beordert, mit einem Detaschement vor-
zurücken. So lange sie durch dieses Defilee marschirten, wurden sie beständig von einer Partey
Bogenschützen beunruhiget, welche sich hinter den
Büschen verstecket hatten, und sie von beyden
Seiten mit ihren Pfeilen angriffen; und da sie
ihnen sehr nahe, dennoch aber in Sicherheit waren, so zielten sie ganz ruhig auf ihre Feinde,
und schossen sie ungestraft nieder. Das französi-
sische Detaschement kam, kleinmüthig über das
unglückliche Treffen, und mit vielen Verlust,
endlich an das Ende des Defilees, wo es den
Prinzen von Wallis in einer Ebne an der Spitze
eines auserlesenen Heers bereit fand, es zu
empfangen. Es wurde in Unordnung gebracht
und über den Haufen geworfen. Einer von den
Marschällen kam um; der andre wurde gefangen, und die übrigen von dem Detaschement,
welche noch in dem schmalen Wege und den
Schüssen ihrer Feinde, ohne sich wehren zu kön-

nen, ausgesetzt waren, zogen sich nach ihrer
Armee zurück, und setzten alles in Unordnung I).
In diesem kritischen Augenblicke erschien der Captal von Buche unerwartet, und griff die Linie
des Dauphins von der Flanke an, welche in
einige Verwirrung gerieth. Landas, Bodenal
und St. Venant, welchen man die Aufsicht
über den jungen Prinzen und seine Brüder anvertrauet hatte, gar zu sehr besorgt für die Sicherheit derer, die ihnen anvertraut waren, oder
für ihre eigene, führten sie auf dem Wege nach
Chauvigny davon, und gaben daburch ein Beyspiel zur Flucht, welchen die ganze Division
folgte. Der Herzog von Orleans, von seinem
gleichen panischen Schrecken ergriffen, meynte,
alles sey verlohren, dachte nicht weiter ans
Fechten, sondern zog seine Division zurück, welche sich auch bald auf die Flucht begab. Der
Lord Chandos rief dem Prinzen zu, die Schlacht
wäre gewonnen, und rieth ihm, das Heer des
Königes Johann anzugreifen, welches zwar noch
zahlreicher als die ganze englische Armee, aber
doch über die eilige Flucht seiner Mitbrüder erschrocken war. Johann wendete alle seine Kräfte

---

I) Froissard, Liv. I. Chap. 162.

es an, dasjenige durch seine Tapferkeit wieder
zu verbessern, was seine Unvorsichtigkeit versehen
hatte: und der einzige Widerstand, den die Engländer an diesem Tage fanden, geschah von seiner Division. Der Prinz von Wallis griff einige
deutsche Cavallerieregimenter, die vor der Fronte
gestellet waren, und von den Grafen von Sal-
lebrüche, Nydo und Nosto angeführt wurden,
mit Heftigkeit an: es erfolgte ein hartnäckigtes
Treffen: die eine Partey wurde von der nahen
Hoffnung eines so großen Sieges aufgemuntert;
die andre wurde von der Schaam, einer so schwachen Armee das Feld zu überlassen, zurück gehalten. Allein, da die drey deutschen Generale,
und der Herzog von Athens, Connetable von
Frankreich, im Treffen fielen; so zog dieses Heer
Cavallerie sich zurück, und setzte den König der
Wuth der Feinde völlig blos. Die Glieder rund
um ihn her wurden jeden Augenblick verdünnet;
die Adlichen fielen an seiner Seite einer nach dem
andern: sein Sohn, der kaum vierzehn Jahre alt
war, bekam eine Wunde, indem er zur Vertheidigung seines Vaters tapfer fochte. der König
selbst, der abgemattet und eingeschlossen war,
hätte leicht können niedergehauen werden: allein
ein jeder Engländer trachtete nach der Ehre,

Q 2 die

diesen königlichen Gefangenen lebendig zu erhalten, schonete ihn, rief ihm zu, sich zu ergeben,
und bot ihm Quartier an. Einige die es ver-
suchten, ihn gefangen zu nehmen, mußten für
ihre Verwegenheit büßen. Er rief beständig: Wo
ist mein Vetter, der Prinz von Wallis; und
schien ungern ein Gefangener einer Person von
geringerm Stande werden zu wollen. Da man
ihm aber sagte, daß der Prinz auf dem Felde
weit von ihm entfernt wäre; so warf er seine
Panzer-handschuhe von sich, und ergab sich
an den Denuis von Morbec, einem Ritter von
Arras, der wegen eines Mordes sein Vaterland
hatte meiden müssen. Sein Sohn wurde zugleich
mit ihm gefangen m).

Der Prinz von Wallis, welcher sich mit dem
fliehenden Feinde, den er verfolgte, entfernt
hatte, befahl, da er sah, daß das Feld völlig
gewonnen war, ein Zelt aufzuschlagen, und
wollte nach der Arbeit der Schlacht ausruhen;
fragte aber mit vieler Bekümmerniß nach dem
Schicksal des Königes von Frankreich. Er schickte den Grafen von Warwic ab, um ihm Nach-
                                                     richt

m) Rymer. B. VI. S. 72. 154. Fröißard. Liv. I.
   Chap. 164.

richt zu bringen; und dieser Herr kam noch zum
Glücke zu rechter Zeit, um dem gefangenen Könige das Leben zu retten; denn itzt war er in
grösserer Gefahr, als er während der Hitze des
Treffens gewesen war. Die Engländer hatten
ihn mit Gewalt dem Mörder weggenommen: die
Gascogner wollten die Ehre haben, den Gefangenen zu behalten; und einige verwegene Soldaten hatten gedrohet, ihn lieber zu tödten, als
ihren Nebenbuhlern diesen Raub zu überlassen n).
Warwic setzte beyde Parteyen in Ehrfurcht, nahete sich dem Könige mit vieler Ehrerbietigkeit,
und erbot sich, ihn zu dem Gezelt des Prinzen
zu führen.

Hier fängt der wahrhafte Heldenmuth Eduards an: dem Siege sind nur gemeine Sachen
in Vergleichung mit der Mäßigung und Leutseligkeit, welche ein junger Prinz von sieben und
zwanzig Jahren, noch nicht kalt von der Hitze
des Treffens, und stolz durch einen so außerordentlichen und unerwarteten Erfolg, als jemals
eine Armee gehabt hat, blicken ließ. Er empfieng
den gefangenen König mit allen Zeichen der Hochachtung und des Mitleidens; tröstete ihn in sei-

Q 3   nem

n) Froissard. Liv. I. Chap. 164.

nem Unglücke; gab ihm das gebührende Lob,
welches seine Tapferkeit verdiente, und schrieb
seinen eigenen Sieg bloß einem blinden Kriegs-
glücke, oder einer höhern Vorsicht zu, welche
alle Bemühungen der menschlichen Gewalt und
Klugheit nach ihrem Willen lenket. o)   Die Aufführung des Königs zeigte, daß er dieser höfli-
chen Begegnung nicht unwürdig war; sein itziges
schlechtes Glück machte nicht, daß er nur auf
einen Augenblick vergaß, daß er ein König war.
Mehr gerührt durch Eduards Großmuth, als
sein eigenes Unglück, gestund er, daß seine Ehre,
ungeachtet seiner Niederlage und seiner Gefangenschaft, noch immer unvermindert wäre; und
wenn er den Sieg hätte fahren lassen müssen,
so wäre es doch ein Prinz von vollkommener
Tapferkeit und Leutseligkeit, der ihn gewonnen
hätte.

Eduard ließ eine prächtige Mahlzeit in seinem Zelte für die Gefangenen bereiten; und er
selbst wartete bey der Tafel des gefangenen Königes auf, als wenn er einer von seinem Gefolge
wäre. Er stund während der Mahlzeit hinter
dem Könige, weigerte sich beständig, einen Platz

an

o) Paull. Aemil. S. 197.

an der Tafel zu nehmen, und sagte, daß er als
ein Unterthan gar zu wohl einsähe, welch ein
Abstand zwischen ihm und der königlichen Majestät wäre, als daß er sich eine solche Freyheit
nehmen sollte. Alle Ansprüche seines Vaters auf
die Krone von Frankreich waren itzt in Vergessenheit begraben: Johann erhielt in der Gefangenschaft alle Ehre eines Königes, die man ihm
versagt hatte, als er auf dem Throne saß: man
sah auf sein Unglück, nicht auf sein Recht; und
die französischen Gefangenen, mehr durch diese
erhabene Denkungsart, als durch ihre Niederlage
überwunden, brachen in Thränen der Freude und
der Bewunderung aus, welche nur durch diese Betrachtung gehemmet wurden, daß ein so wahr-
hafter und unerschütterter Heldenmuth bey einem
Feinde am Ende gewiß ihrem Vaterlande noch
gefährlicher werden müßte p).

Alle englische und gascognische Ritter folgten dem großmüthigen Beyspiele ihres Prinzen.
Den Gefangenen wurde allenthalben mit Leutseligkeit begegnet, und sie wurden bald nachher
gegen ein mäßiges Lösegeld, welches sie demjenigen erlegten, dem sie in Hände gefallen waren,

Q 4 wie-

p) Froissard. Liv. I. Chap. 168.

wieder losgelassen. Man betrachtete die Größe
ihres Vermögens, und foderte nur so viel von
ihnen, daß sie noch genug behielten, um ihre
Kriegsdienste künftig nach ihrem Stande und
Ansehen verrichten zu können. Dennoch war die
Anzahl der adlichen Gefangenen so groß, daß
diese Ranzion und die Beute des Schlachtfeldes
die Armee des Prinzen bereicherte; und da diese
in dem Treffen sehr wenig gelitten hatte, so waren die Freude und der Triumph vollkommen.

Der Prinz von Wallis führte seinen Gefangenen nach Bourdeaux; und da seine Armee nicht
zahlreich genug war, seine Vortheile weiter zu
treiben; so schloß er einen Waffenstillstand mit
Frankreich auf zwey Jahre q), welches auch deswegen nöthig geworden war, um den gefangenen König sicher nach England bringen zu
können. Er landete (i. J. 1357. den 24sten May)
zu Southwark, und wurde von einer ungeheuren Menge Volkes von allen Orten und Ständen empfangen. Der Gefangene war in königs-
lichen Schmuck gekleidet, und saß auf einem weis-
sen Pferde, welches sich durch seine Größe und
Schönheit, und die Pracht seines Geschirrs von

q) Rymer. B. 6. S. 3.

andern unterschied. Der Sieger ritt neben ihm
in einem schlechtern Aufzuge, auf einem schwar
zen Pferde. In diesem Aufzuge, der weit präch,
tiger war, als alle ausschweifende Pracht eines
römischen Triumphs, zog er durch die Straßen
von London, und stellte den König von Frank
reich seinem Vater vor, welcher ihm entgegen
gieng, und ihn mit so vieler Höflichkeit empfieng,
als wäre er ein benachbarter Monarch, welcher
bey ihm freywillig einen freundschaftlichen Besuch
ablegte r). Wann man dieses edle Verfahren
betrachtet, so kann man unmöglich die Vortheile
übersehen, welche aus den sonst phantastischen
Grundsätzen der Ritterschaft entspringen, und
welche in diesen rohen Zeiten den Menschen einen
Vorzug gaben, so gar vor Völker einer gesitte-
tern Zeit und Nation.

Der König von Frankreich hatte, außer der
edlen Begegnung, die ihm in England erwiesen
wurde, noch den traurigen Trost der Unglücklichen, seinen Gefährten im Unglück zu sehen. Der
König von Schottland war seit eilf Jahren ein
Gefangener in Eduards Händen, und das Glück
dieses Monarchen hatten die beyden benachbar-

Q 5　　　　　ten

r) Froissard. Liv. I. Chap. 173.

ten Potentaten, wieder welche er Krieg geführet,
zu gleicher Zeit in seine Hauptstadt als Gefangne gebracht. Allein, da Eduard sah, daß Schottland durch die Gefangenschaft seines Monarchen
keineswegs erobert sey, und daß das Regiment,
welches Robert Stuart, sein Vetter und Erbe,
führte, sich noch immer selbst vertheidigen konnte; so setzte er den David Bruce für seine Ranzion von 100,000 Mark Sterling in Freyheit:
und dieser Prinz überlieferte die Söhne aller seiner vornehmsten von Adel als Geiseln für die
Zahlung s).

Unterdessen hatte die Gefangenschaft des
Königes Johann, (i. J. 1358.) und die vorigen Unordnungen in der französischen Regierung eine fast
gänzliche Aufhebung der bürgerlichen Regierung in
diesem Lande hervorgebracht, und die erschrecklichsten
und schädlichsten Verwirrungen, welche jemals eine Nation erfahren hatte, verursachet. Der Dauphin, der itzt ungefähr achtzehn Jahr alt war,
nahm natürlicher Weise, während der Gefangenschaft seines Vaters, die königliche Gewalt an;
allein, ob er gleich mit dem vortrefflichsten Eigenschaften, selbst in so jungen Jahren, begabt war;

so

s) Rymer. B. 6. S. 49.

so besaß er doch, wider die Erfahrung, noch das
Ansehen, welches nöthig war, einen Staat zu
vertheidigen, der auf einmal von einer auswär-
tigen Macht angegriffen, und von innerlichen
Unruhen erschüttert war. Um Unterstützung zu
erhalten, versammlete er die Stände des Reichs.
Diese Versammlung, anstatt seiner Regierung
Hülfe zu verschaffen, war selbst von dem Geiste
der Verwirrung eingenommen, und ergriff die
gegenwärtige Gelegenheit, Einschränkungen der
Gewalt des Prinzen, Bestrafungen der vorigen
Unordnungen, und die Freyheit des Königes von
Navarra zu verlangen. Marcel, der Prevot der
Kaufleute, und der erste Bürgermeister in Paris,
sellte sich an die Spitze des unruhigen Pöbels,
und trieb ihn an, nach der Heftigkeit und Verwegenheit seines Charakters, die sträflichsten Beleidigungen wieder die königliche Majestät zu
begehen. Sie hielten den Dauphin gewisser
maßen gefangen; sie ermordeten in seiner Gegenwart den Robert von Clermont, und Johan
von Conflans, beyde Marschälle von Frankreich:
allen übrigen Ministern droheten sie ein gleiches
Schicksal; und als Karl, der sich in die Zeit
schicken und sich verstellen muste, ihnen entflohl,
so führten sie Krieg wider ihn, und stellten die
Fahne

Fahne der Rebellion öffentlich aus. Die andern
Städte des Königreichs ahmten der Hauptstadt
nach, und schüttelten die Herrschaft des Dauphins ab; übernahmen die Regierung selbst, und
verbreiteten die Unordnungen durch alle Provinzen. Die Adlichen, die es aus Neigung immer
mit der Krone hielten, und daher geneigt waren,
die Unruhen zu stillen, hatten allen Einfluß verlohren. Es wurde ihnen ihre Feigherzigkeit vorgeworfen, da sie ihren Monarchen in der Schlacht
bey Poictiers so schändlich verlassen hätten, und
alle niedre Stände bewiesen ihnen eine allgemeine Verachtung. Die Truppen, welche sich nicht
länger in Mannszucht halten ließen, weil man
ihnen den Sold nicht bezahlte, entschlugen sich
aller Achtung gegen ihre Officire, suchten ihren
Unterhalt durch Rauben und Plündern, verdar-
ben sich mit allem lüderlichen Gesindel, woran
es damals nicht fehlte, und errichteten viele Bande, welche alle Gegenden des Reichs unsicher
machten. Sie verheerten das offene Land; ver-
brannten und plünderten die Dörfer; und indem
sie den Einwohnern der vesten Oerter alle Gemeinschaft und Nahrungsmittel abschnitten, brachten sie dieselben in die äußerste Noth. Die Bauern,
die vorher von ihrem Herrn gedrücket wären,
                                                    und

und itzt nicht von ihnen geschützet wurden, geriethen in Verzweiflung über ihr gegenwärtiges Elend, ergriffen allenthalben die Waffen, und
trieben diese Unordnungen aufs äußerste, welche
aus dem Aufruhr der Bürger und der abgedank-
ten Soldaten entstanden waren t). Die vom kleinern Adel, welche wegen ihrer Tyranney gehasset wurden, waren der Wuth des Pöbels allenthalben ausgesetzt; und anstatt wegen ihrer vorigen Würden geachtet zu werden, wurden sie vielmehr eben deswegen von den aufrührischen Bauren noch muthwilliger beschimpfet: Sie wurden
wie wilde Thiere gejaget, und ohne Gnade hingerichtet: ihre Castele wurden in Brand gesetzet
und der Erde gleich gemacht: ihre Weiber und
Töchter wurden erst geschändet, und alsdann ermordet: die Grausamkeit der Bauren gieng so
weit, daß sie einige Edelleute spießten und an
einem langsamen Feuer brateten. Ein Heer von
neun tausend Mann brach in Meaux ein, wohin
die Gemahlinn des Dauphins mit ungefähr 300
Damen geflüchtet war. Diese hülflose Gesellschaft
befürchtete die trotzigste Begegnung und die äusserste Grausamkeit: allein der Captal be Büche,

ob

t) Froissard. Liv. I. Chap. 183. 184.

Ob er gleich in Eduards Diensten stand, flohe,
von der Edelmüthigkeit und der Artigkeit eines
wahren Ritters getrieben, zu ihrer Hülfe, und
schlug die Bauren mit großem Verluste zurück.
In andern bürgerlichen Kriegen pflegen die entgegengesetzten Parteyen noch unter der Regierung
ihrer Anführer zu stehen, und gemeiniglich noch
die Spuren von einer Regierung und Ordnung unter sich zu erhalten: allein hier schien
der wilde Zustand der Natur völlig erneuert zu
seyn: ein jeder war frey, und von seinem Nächsten unabhänglich; und die große Menge des
Volks, welche aus der vorigen guten Staats-
Einrichtung entstanden war, diente nur dazu,
den Schrecken und die Verwirrung dieses Auf-
tritts zu vermehren.

Unter diesen Unordnungen entfloh der König von Navarra aus dem Gefängniß, und ward
ein gefährlicher Anführer der rasenden Mißvergnügten u). Allein, die glänzenden Talente dieses Prinzen machten ihn nur geschickt, Unheil
anzurichten, und die öffentlichen Unordnungen
zu vermehren. Ihm mangelte die erforderliche
Stätigkeit und Klugheit, seine List zum Vortheil
sei-

u) Froissard. Liv. I. Chap. 181.

feines Stolzes anzuwenden, und seine zahlreichen
Anhänger in ein ordentliches Heer zu verwandeln. Er erneuerte seine etwas veraltete Ansprüche an die Krone von Frankreich; und in der
That, wenn eine weibliche Erbfolge gelten sollte,
so gab ihm seine Mutter, Ludwig Hutins Tochter, ohne Zweifel das einzige gesetzmäßige Recht,
und gieng der Isabella, der Mutter Eduards,
in der Erbfolge vor. Allein, indem er diese Ansprüche erneuerte, berief er sich bloß auf seine
Verbindung mit den Engländern, deren eigner
Vortheil es war, seine Ansprüche zu vernichten,
und die als öffentliche und alte Feinde des Staats,
durch die Freundschaft, welche sie dem Anschein
nach für ihn hegten, seine Sache nur aufs ärgste
verschlimmerten. Auch verfuhr er in allen seinen
Operationen mehr wie ein Anführer einer Räuberbande, als einer, der das Haupt einer ordentlichen Regierung seyn wollte, und seines Amtes
halber verbunden war, sich zu bemühen, die
Ordnung in das gemeine Wesen wieder einzuführen.

Deswegen waren die Augen aller Franzosen, welche den Frieden in ihrem elenden und
verwüsteten Lande wieder zu haben wünschten,
auf den Dauphin gerichtet; und dieser junge

Prinz

Prinz besaß, ob er gleich wegen seiner kriegerischen Talente nicht merkwürdig war, so viel Klugheit und Verstand, daß er täglich mehr und mehr
die Oberhand über alle seine Feinde erhielt. Marcel, der aufrührische Prevot, wurde erschlagen,
da er dem Könige von Navarra und den Engländern die Stadt übergeben wollte; und die
Hauptstadt kehrte so gleich wieder zum Gehorsam zurück x). Die ansehnlichsten Heere aufrührischer Bauren wurden zerstreuet und niedergehauen; einige Banden kriegerischer Räuber hatten ein gleiches Schicksal; und obgleich noch
viele drückende Unordnungen übrig bließen; so
nahm Frankreich doch nach und nach die Gestalt einer regelmäßigen bürgerlichen Regierung
wieder an, und fieng an, Entwürfe zu seiner
Vertheidigung und Sicherheit zu machen.

Während der Unordnungen in den Angelegenheiten des Dauphins schien Eduard eine
bequeme Gelegenheit zu haben, seine Eroberungen
zu erweitern. Allein außerdem, daß ihm die
Hände durch den Waffenstillstand gebunden waren, und er der Partey des Königes von Navarra nur unter der Hand beystehen konnte; machte

--- te

x) Froissard. Liv. I. Chap. 187.

te auch der Zustand der englischen Finanzen und
Kriegsmacht das Königreich in diesen Zeiten uns
fähig zu einer regelmäßigen oder beständigen Ans
strengung; und nöthigte es, seine Macht nur von
Zeit zu Zeit auszuüben, wodurch meistens alle
Absichten vernichtet wurden. Eduard ließ sich,
während dieser reizenden Umstände hauptsächlich
in Unterhandlungen mit seinem Gefangenen ein;
und Johann begieng die Schwachheit, daß er
Friedensartikel unterzeichnete, die, wenn sie in
Erfüllung gegangen wären, sein Reich gänzlich
hätten zerstören und zergliedern müssen. Er ver=
sprach, alle Provinzen, welche Heinrich der Zweyte
und seine beyden Söhne besessen hatten, wieder
zurück zu geben; und sie auf immer dem engli=
schen Reiche, ohne einen Huldigungseid von Sei=
ten des englischen Monarchen, einzuverleiben.
Allein, der Dauphin und die Stände von Frankreich
verwarfen diesen Vergleich, der dem Königreiche so
unanständig und verderblich war y); und Eduard
der itzt, da der Waffenstillstand zu Ende lief,
durch Beysteuer und Sparsamkeit sich wieder ei=
nen Schatz gesammlet hatte, rüstete sich, Frank=
reich von neuem anzugreifen.

Das

---

y) Froissard, Liv. I. Chap. 201.

Hume Gesch. V. B.   R

Das große Ansehen, und der Ruhm des Königes, und des Prinzen von Wallis, der vortrefliche Fortgang der vorigen Unternehmungen, und die gewisse Hoffnung, die unvertheidigten französischen Provinzen zu plündern, brachten Englands Kriegsmacht bald zusammen; und eben diese Bewegungsgründe versammleten alle waghafte Avanturiers aus verschiedenen Ländern von Europa unter Eduards Fahne z). Er setzte nach Calais mit einer Armee von 100,000 Mann über: eine Macht, welcher der Dauphin im freyen Felde sich nicht widersetzen konnte, und deswegen bemühete er sich, einem Streiche zu entgehen, dem er unmöglich widerstehen konnte. Er setzte alle ansehnliche Städte in Vertheidigungsstand; ließ sie mit Magazinen und Kriegsbedürfnissen versehen; legte in alle Oerter eine gehörige Besatzung; brachte alle Kostbarkeiten in befestigte Städte in Sicherheit, und wählte seinen eignen Stand zu Paris, damit der Feind seine erste Wuth an dem öffnen Lande auslassen möchte.

Der König hatte (i. J. 1359.) diesen Vertheidigungsplan vermuthet, und war genöthiget sechstausend mit Proviant beladene Wagen zu Unterhaltung seiner Armee mitzunehmen. Nachdem er die Picardie verheeret hatte, rückte er in Cham-

z) Froissard. Liv. I. Chap. 126. 205.   pag.

pagne; und da er ein größes Verlangen hatte,
als König in Frankreich zu Rheims, dem gewöhnlichen Orte, wo diese Ceremonie vor sich gehet,
gekrönet zu werden, so belagerte er diese Stadt,
und setzte diese Belagerung, obgleich ohne Frucht,
siebe.. Wochen lang fort a). Der Ort wurde von
den Einwohnern (i. J. 1360.) tapfer vertheidiget,
wozu der Erzbischof, Johann von Craon, sie aufmunterte; bis die späte Jahrszeit (denn die Unternehmung hatte mit dem Eintritte des Winters
ihren Anfang genommen) den König nöthigte,
die Belagerung aufzuheben. Unterdessen war die
Provinz Champagne durch seine Streifereyen verwüstet, und er führte seine Armee in gleicher Absicht nach Burgundien. Er eroberte und plünderte Tonnerre, Saillon, Avalon und andre kleine
Oerter: allein der Herzog von Burgundien versprach ihm eine Summe von 100,000 Nobles zu
zahlen, um sein Land von fernern Verwüstungen
zu befreyen b). Hierauf lenkte Eduard seinen
Marsch gegen Nivernois, welches sich durch einen gleichen Vertrag befreyete. Er verwüstete Brie
und Gatinois; und nach einem langen Marsche,
der für Frankreich sehr schädlich, und für seine eigne

R 2 Armee

a) Froiffard. Liv. I. Chap. 208. Walfing. S. 174.
b) Rymer. B. VI. S. 161. Walfingham. S. 174.

Armee ein wenig verderblich war, erschien er vor
den Mauren von Paris, nahm Quartier in Bo-
urgla-Reine, und breitete seine Armee bis nach
Long-jumeau, Mont-rouge und Vaugiard aus.
Er suchte den Dauphin zu einer Schlacht zu rei-
zen, indem er ihm eine Ausfoderung schickte;
konnte es aber nicht dahin bringen, daß dieser
kluge Prinz den Plan seiner Operationen veränderte. Paris war wegen seiner zahlreichen Besatzung vor einem Sturm, und wegen der wohl-
versehenen Magazine vor einer Blokade sicher;
und da Eduards Armee in einem Lande, welches
von auswärtigen und einheimischen Feinden verheeret, und überdem durch die Vorsicht des Dauphins ausgeleeret war, keinen Unterhalt finden
konnte; so war er genöthiget, seine Quartiere weiter zu verlegen, und breitete seine Armee über
die Provinzen Maine, Beausse und Chartraine
aus, welche itzt der Wuth ihrer Verwüstungen
ausgesetzet waren c). Die einzige Ruhe, die
Frankreich genoß, war in dem Osterfeste, wo der
König mit seinen Verheerungen einhielt. Denn
der Aberglaube kann zuweilen die Wuth eines
Menschen stillen, den weder Gerechtigkeit noch
Menschlichkeit zu steuren vermag.

Ju-

c) Walsingham. S. 175.

Indem der Krieg auf diese verderbliche Art
fortgesetzet wurde, giengen die Friedensunterhand-
lungen beständig fort: allein da der König beständig auf die Vollziehung des Vergleichs drang,
welcher mit dem gefangenen Könige zu London
gemacht war, und von dem Dauphin durchaus
verworfen wurde; so ließ es sich wahrscheinlicher
Weise zu keinem Vergleich an. Der Graf, itzo
Herzog von Lancaster, (denn dieser Titel wurde
unter der gegenwärtigen Regierung in England eingeführet) bemühete sich, die Härte dieser Bedingungen etwas zu mildern, und den
Krieg unter billigern und vernünftigern Bedingungen zu endigen. Er stellte dem Eduard vor,
ungeachtet seiner großen und erstaunlichen Thaten wäre er dem Entzwecke des Krieges, wenn
dieser die Erlangung der Krone von Frankreich
seyn sollte, noch gar nicht näher gekommen, als
bey dem Anfange desselben; sondern vielmehr
durch solche Siege und Thaten, welche zu demselben zu führen schienen, nur noch mehr davon
entfernt. Seine Ansprüche auf die Thronfolge
hätten von Anfang an ihn keine einzige Partey
in dem Reiche gewonnen; und die Fortsetzung
dieser verderblichen Feindseligkeiten hätte alle
Franzosen zu dem unversöhnlichsten Haß wider

ihn

ihn verbunden; obgleich sich innerliche Factionen
in die Regierung von Frankreich eingeschlichen
hätten, so nähmen sie doch in jedem Augenblick
ab; und es hätte keine Partey, während der größten Hitze des Streits, wo man sich gemeiniglich lieber einem auswärtigen Feinde, als der
Herrschaft eines Mitbürgers zu unterwerfen pflegte, sich jemals der Ansprüche des Königes von
England angenommen. Der König von Navarra selbst, als der einzige Alliirte der Engländer,
wäre, anstatt der größte Freund von ihnen zu
seyn, Eduards gefährlichster Nebenbuhler, und
schiene nach der Meynung seiner Anhänger, ein
weit größeres Recht an der Krone von Frankreich zu haben. Die Verlängerung des Krieges,
wenn sie gleich die Soldaten bereicherte, wäre
doch für den König selbst schädlich, indem er
alle Kosten der Kriegsrüstung selbst tragen müßte,
ohne einige veste und dauerhafte Frucht davon
einzuerndten. Wenn die gegenwärtigen Unordnungen in Frankreich fortdauerten, so würde dieses Königreich bald so verwüstet werden, daß
die Verwüstenden keinen Raub mehr finden würden; wenn es aber eine beständigere Regierung
einführen könnte, so möchte es vielleicht das
Kriegsglück zu seinem Besten wenden, und durch

seine

seine größere Macht und Vortheile in den Stand
kommen, die itzigen Sieger zurück zu treiben. Der
Dauphin, selbst während seiner größten Gefahr,
hätte sich so klug verhalten, daß die Engländer
nicht einen Fußbreit Land in dem Königreiche gewonnen; und es wäre besser für ihn, dasjenige
durch einen Frieden zu nehmen, was er durch
Feindseligkeiten vergeblich zu gewinnen gesucht
hätte: Diese wären bisher zwar sehr glücklich,
aber außerordentlich kostbar gewesen, und könnten
sehr gefährlich ausschlagen. Und da Eduard so
vielen Ruhm durch seine Waffen erworben hätte, so
wäre die Ehre der Mäßigung die einzige, wornach
er itzt trachten könnte: eine Ehre, die um so viel
größer, weil sie dauerhaft, mit der Ehre der Weisheit verbunden wäre, und die wesentlichsten Vortheile nach sich ziehen könnte d).

    Diese Gründe bewogen den Eduard, billige-
re Bedingungen anzunehmen; und es ist wahrscheinlich, daß, um diese Veränderung seiner
Entschließung zu bemänteln, er sie einem Gelübde
zuschrieb, welches er gethan, da seine Armee auf
einem Marsche von einem erschrecklichen Sturm
angegriffen worden, und welches die alten Ge-

R 4

schicht-

d) Fr oissard, Liv. I. Chap. 211.

schichtschreiber für die Ursache dieses plötzlichen
Vertrages ausgeben e).   Die Zusammenkünfte der
englischen und französischen Commißionairen dauerten nur wenige Tage zu Bretigni in Chartraine,
und der Friede wurde endlich unter folgenden Bedingungen (den 8 May) geschloffen f).   Es wurde
ausgemacht, daß der König Johann wieder in
Freyheit gesetzet werden und für seine Ranzion drey
Millionen Kronen in Golde, gegen 1500,000 Pfund
nach unserm heutigen Gelde, zahlen g), und in ver-
schie-

e) Ibid.

f) Rymer, B. IV. S. 178. Froiffard, Liv. I. Chap. 212.

g) Dieß ist eine ungeheure Summe, und vermuthlich
beynahe die Hälfte von allen Subsidien, welche das
Parlament dem Könige seine ganze Regierung hindurch
verwilliget.   Man muß bemerken, daß ein Zehnte und
Funfzehnte, welche jederzeit für große Verwilligungen
gehalten wurden, in dem achten Jahre der Regierung
des Königs auf 29000 Pfund geschätzet wurden: daß
jährlich über 30,000 Säcke Wolle ausgeführet wurden:
und daß ein Sack Wolle, nach einem Mittelpreise, fünf
Pfund kostete.   Und wenn man dieses voraussetzet,
kann man leicht alle Verwilligungen des Parlaments
berechnen, nach der Liste, welche davon beym Tyrrel
B. 3. S. 780. stehet.   Obgleich noch allezeit vieles zu
er-

schiedenen Terminen abtragen sollte: daß Eduard auf ewig alle Ansprüche auf die Krone Frankreich und auf die Provinzen, die Normandie, Maine, Touraine und Anjou, die seine Vorfahren besessen hätten, fahren lassen, und dagegen die Provinzen Poictou, Xaintonge, l'Agenois, Perigord, Limousin, Quercy, Rouvergue, l'Angoumois nebst andern Districten in dieser Gegend, imgleichen Calais, Guisnes, Montreuil, und die Grafschaft Ponthieu, auf der andern Seite von Frankreich, dafür nehmen sollte: daß die völlige Souverainetät aller dieser Provinzen, wie auch von Guienne, der Krone England zugehören, und daß Frankreich alle Rechte des Lehns, den Huldigungseid und alle Appellationen von denselben fahren lassen sollte: daß der König von Navarra in alle seine

R 5   Eh-

errathen übrig bleibet. Dieser König nahm mehr Geld von seinen Unterthanen ein, als einer von seinen Vorfahren; und das Parlament klagte oft über die Armuth des Volks und die Bedrückungen, worunter es seufzte. Allein man muß bemerken, daß die Hälfte von dem Lösegelde des Königs von Frankreich nicht eher bezahlet wurde, bis der Krieg zwischen den beyden Kronen ausbrach. Sein Sohn wollte also lieber das Geld gebrauchen, die Engländer zu schlagen, als zu bereichern. Siehe Rymer, B. 8. S. 315.

Ehrenstellen und Güter wieder eingesetzet werden
sollte: daß Eduard sein Bündniß mit den Hollän-
dern, und Johann seine Verbindungen mit den
Schotten fahren lassen sollten: daß die Streitigkeiten wegen der Erbfolge in Bretagne, zwischen
den Familien von Blois und Mountfort, durch
Schidsrichter, die von den beyden Königen bestellet würden, entschieden werden, und wenn die
Competenten mit ihrem Aussspruche nicht zufrieden
wären, dieser Streit nicht länger eine Ursache zum
Kriege zwischen den beyden Königreichen, seyn
sollte: daß ferner vierzig Geiseln, die man für
gültig erkennen würde, nach England geschickt
werden sollten, zu einer Sicherheit für die Erfüllung aller dieser Bedingungen h).

Zu-

h) Die Geiseln waren die beyden Söhne des Königs von
Frankreich, Johann und Ludwig; sein Bruder Philipp,
Herzog von Orleans, der Herzog von Bourbon, Jakob
de Bourbon, Graf von Ponthieu, die Grafen d'Eu, de
Longueville, de St. Pol, de Harcourt, de Vendome,
de Couci, de Craon, de Montmorençi, und viele vornehme französische von Adel. Die meisten Pfänzen
wurden nach der Erfüllung gewisser Punkte losgelassen:
Einige von den Geiseln, und unter andern der Herzog
von Berri reiseten auf ihr gegebenes Wort zurück, welches sie aber nicht hielten. Rymer, B. 6. S. 278, 285, 287.

Zufolge dieses Friedenstraktats wurde der
König von Frankreich (den 8 Julii) nach Calais
gebracht, wo Eduard gleichfalls bald nachher ankam: und beyde Prinzen ratificirten die Traktaten
hier feyerlich. Johann wurde nach Boulogne
gesandt, der König begleitete ihn eine Meile auf
seiner Reise, und die beyden Monarchen schieden
voneinander, mit vielen, vermutlich aufrichtigen Versicherungen ihrer Freundschaft und Liebe.
Das edle Herz des Johann empfand die edle
Begegnung, welche ihm in England widerfahren
war, und vergaß das ganze Andenken der Uebermacht, welche sein Nebenbuhler über ihn erhalten
hatte i). Es ist selten ein Vergleich von solcher
Wichtigkeit von beyden Parteyen so getreu gehalten
worden. Eduard hatte vom Anfange an wenig
Hoffnung gehabt, die Krone von Frankreich zu
erlangen; allein da er den Johann wieder in
Freyheit gesetzt, und auf eine seinen Waffen so
rühmliche Art Frieden geschlossen, so hatte er itzt
auf alle Ansprüche von der Art Verzicht gethan.
Er hatte diesen chimärischen Anspruch für einen
hohen Preis erkaufet; und hatte itzt keinen andern
Vortheil davon, als daß er die Eroberungen behielt

i) Froissard, Liv. I. Chap. 213.

L

hielt, welche er mit so viel Klugheit und Glück erworben hatte. Johann besaß an der andern
Seite, obgleich die Bedingungen für ihn sehr
strenge und hart waren, so viel Treue und Ehre,
daß er entschlossen war, sie auf alle Weise zu beobachten, und alle Mittel anzuwenden, um einem
Monarchen Genüge zu leisten, der sein größester
politischer Feind gewesen war, und seiner Person
mit besondrer Leutseligkeit und Hochachtung begegnet hatte. Allein, ungeachtet alles Bestrebens,
verhinderten doch die vielen Schwierigkeiten ihn
an der Erfüllung seines Vorsatzes: hauptsächlich
die äußerste Widersetzung, welche viele Städte
und Vasallen in der Nachbarschaft von Guienne
bezeigten, ehe sie sich der Herrschaft der Engländer
unterwarfen k); und Johann faßte (i. J. 1363)
den Entschluß, um diese Uneinigkeiten in Ordnung
zu bringen, selbst nach England zu reisen. Seine
Räthe bemüheten sich, ihm dieses unbesonnene
Vorhaben abzurathen; und vermuthlich würden
sie es mit Vergnügen gesehen haben, wenn er mehr
Chikanen gemacht hätte, um die Vollziehung eines
so nachtheiligen Vergleichs zu hintertreiben. Allein
Johann antwortete ihnen, wenn die Treue auch
völ-

k) Froiffard. Liv. I. Chap. 214.

völlig von der Erde verbannet wäre, so müßte sie
doch noch in der Brust der Prinzen ihre Wohnung
behalten. Einige Geschichtschreiber wollen dieses
Verdienst seines redlichen Verhaltens dadurch
schmälern, daß sie sagen, Johann wäre in eine
englische Dame verliebt gewesen, der er unter
diesem Vorwande einen Besuch ablegen wollen.
Allein außer dem, daß diese Meynung auf keine
gültige Authorität gegründet ist, so ist sie auch sehr
unwahrscheinlich, in Betracht des hohen Alters
dieses Prinzen, der itzt in seinem sechs und funfzigsten Jahre war. Er bewohnte (i. J. 1364) eben
den Pallast, worinn er sich während seiner Gefangenschaft aufgehalten hatte, und worinn er auch
bald nachher krank wurde und (den 8 April) starb.
Nichts kann ein kräftigerer Beweis von der großen
Herrschaft des Glücks über die Menschen seyn, als
die Unglücksfälle, welche einen Monarchen von so
ausnehmender Tapferkeit, solcher Güte und Redlichkeit verfolgten, und in welche er blos durch
einige geringe Unvorsichtigkeiten gerieth, die in
einer andern Situation von keiner Erheblichkeit
gewesen seyn würden. Allein, obgleich seine und
seines Vaters Regierung für das Reich sehr unglücklich war; so erhielt die französische Krone
doch zu ihrer Zeit den beträchtlichsten Zuwachs,

räu-

nämlich das Delphinat und Burgundien; ob gleich
Johann die Unvorsichtigkeit begieng, diese letzte
Provinz wieder von der Krone zu trennen, indem
er sie dem Philipp, seinem vierten Sohne und
großen Lieblinge, schenkte I) eine Handlung, die
nachher die Quelle von vielen Unglücksfällen für
das Reich würde.

Carl, der Dauphin, folgte dem Johann auf
dem Thron, ein Prinz, der in der Schule der
Trübsal erzogen, und vermöge seiner Klugheit
und Erfahrung im Stande war, den Verlust, welchen das Königreich durch die Versehen seiner beyden Vorfahren gelitten hatte, zu ersetzen. Wider
die Gewohnheit aller großen Prinzen der damaligen Zeit, welche nichts höher schätzeten, als die
Tapferkeit im Kriege, schien er es sich als einen
Grundsatz vorgesetzet zu haben, nie an der Spitze
seiner Armeen zu erscheinen; und er war der erste
König in Europa, welcher zeigte, wie sehr
Staatsklugheit und Urtheilskraft, einer unbeson-
nenen und übereilten Tapferkeit vorzuziehen sind.
Die Begebenheiten seiner Regierung mit den Begebenheiten der vorigen verglichen, sind ein Beweis, wie wenig ein Reich Ursache habe, stolz auf

I) Rymer, B. 6. S. 451.

feine Siege, oder muthlos über feine Niederlagen
zu ſeyn, welche in der That der guten oder
ſchlechten Anführung der Regenten zuzuſchreiben
ſind, und ſehr wenig vermögen, den National-
charakter und die Sitten eines Volks zu beſtim-
men.

Ehe Carl daran denken konnte, einer ſo
großen Macht als England war, das Gegengewicht zu halten, mußte er nothwendig erſt den
verſchiedenen Unordnungen, welchen ſein Reich
ausgeſetzet war, abzuhelfen ſuchen. Er wendete
ſeine Waffen gegen den König von Navarra, den
großen Beunruhiger der Franzoſen in den damaligen Zeiten: er ſchlug dieſen Prinzen unter der Anführung Bertrands von Gueſclin, aus Bretagne,
eines der vollkommenſten Männer der Zeit, den
er zu einem Werkzeuge aller ſeiner Siege zu
wählen die Einſicht gehabt hatte m); und er
zwang ſeinen Feind, mäßige Bedingungen anzunehmen. Du Gueſclin war nicht ſo glücklich in
dem Kriege mit Bretagne, welcher noch immer
fortdauerte, ungeachtet der Vermittelung von
Frankreich und England. Er wurde zu Auray
von dem Chandos geſchlagen und gefangen ge-
nom-

m) Froiſſard, Liv. I. Chap. 119, 120, 121,

kommen; Carl von Blois wurde hier erschlagen, und der junge Graf von Mountfort nahm gleich nachher Besitz von dem Herzogthum n): Allein die Klugheit Carls brach die Gewalt dieses Strei- ches: Er unterwarf sich der Entscheidung des Glücks: er erkannte das Recht Mountforts, ob er gleich ein eifriger Anhänger von England war, und nahm den angebotenen Huldigungseid für seine Länder an. Aber das vornehmste Hinderniß, welches der König von Frankreich bey der Be- ruhigung seines Staats fand, waren die heimli- chen Feinde, welche sich durch ihre Verbrechen und durch ihre Anzahl gefährlich machten.

Nach dem Friedensschlusse in Bretagne wur- den die Fremden, die in vielen Kriegen ihr Glück versucht hatten, und dem Glücke Eduards gefolget waren, in verschiedene Provinzen vertheilet; und weil sie feste Plätze besaßen, weigerten sie sich, die Waffen niederzulegen, oder eine Lebensart fahren zu lassen, woran sie nun gewöhnet waren, und wodurch sie sich allein Unterhalt verschaffen konn- ten o). Sie vereinigten sich mit den Banditen, welche des Raubens und der Gewaltthätigkeiten schon

---

n) Froissard, Liv. I. Chap. 227, 228. Walsing. S. 180.
o) Froissard, Liv. I.

schon gewohnt waren; und wurden unter dem
Namen der Gesellschaften und der Gesellschafter
allen friedsamen Einwohnern schrecklich. Einige
englische gascognische Edelleute von Ansehen, insbesondere Sir Matthew Gournay, Sir Hugh
Calverley, der Chevalier Verte und andre, schämten sich nicht, das Commando über diese Räuber
zu übernehmen, deren Anzahl sich beynahe auf
40,000 Mann belief, und mehr das Ansehen einer
ordentlichen Armee, als einer Räuberbande hatte.
Diese Anführer lieferten den französischen Truppen
Haupttreffen, und erfochten Siege. In einem
derselben blieb Jakob von Bourbon, ein Prinz von
Geblüte p); und sie trieben es so weit, daß ihnen
wenig mehr, als regelmäßige Etablissements fehl-
ten, um Prinzen zu werden, und dadurch ihr
schändliches Gewerbe nach den Grundsätzen der
Welt zu rechtfertigen. Je größere Raubereyen
sie in einem Lande ausübten, je leichter fanden sie
es, ihre Anzahl zu verstärken: alle diejenigen,
welche in Armuth und Verzweifelung gebracht
waren, flohen zu ihren Fahnen: das Uebel nahm
alle Tage zu; und ob gleich der Papst sie in den
Bann

---

p) Froissard. Liv. I. Chap. 214. 215.

Wann that, so konnten diese kriegerischen Räuber, so sehr dieses Urtheil sie immer rührete, für welches sie mehr Hochachtung hegten, als für alle Grundsätze der Gerechtigkeit oder der Menschlichkeit, doch nicht dahin gebracht werden, sich zu einer ruhigern und gesetzmäßigen Handthierung zu bequemen.

Weil Carl (i. J. 1366) nicht im Stande war, solche erstaunliche Beschwerden mit Gewalt abzustellen, so wurde er theils von der Gefahr, theils von seinem Charakter bewogen, sie durch Politik zu verbessern, und ein Mittel zu erfinden, um diese gefährlichen innerlichen Unruhen in fremde Länder zu verbannen.

Peter, der König von Castilien, von seinen Zeitgenossen und den Nachkommen mit dem Beynamen, der Grausame, gebrandmalet, hatte sein Reich und seine Familie mit Blut und Morden erfüllet; und da er von seinen Unterthanen durchgehends gehasset wurde, so erhielt er sich nur immer durch Schrecken in dem Besitz des Thrones. Seine Adlichen wurden täglich Opfer seiner Strenge. Er tödtete verschiedene von seinen natürlichen Brüdern, aus unergründlicher Eifersucht. Jeder Mord wurde, indem er seine Feinde vermehrte, eine Gelegenheit zu neuen Barbareyen;

und

und da es ihm nicht an Talenten fehlte, so wurden seine Nachbaren nicht weniger, als seine eigene Unterthanen von seiner Gewaltthätigkeit und
Ungerechtigkeit beunruhiget. Die Grausamkeit seines Gemüths wurde durch seine starke Zuneigung
zur Liebe, statt dadurch besänftiget zu werden,
nur mehr entflammet, und fand darinnen Gelegenheit, sich auszulassen. Auf Anreizung der
Maria de Padilla, welche eine Herrschaft über ihn
erhalten hatte, setzte er seine Gemahlinn Blancha
von Bourbon, eine Schwester des Königs von
Frankreich, gefangen; welche bald nachher durch
Gift aus dem Wege geräumet wurde, damit er
seine Maitresse heyrathen könnte.

Heinrich, Graf von Transtamare, sein natürlicher Bruder, sah das Schicksal aller derer,
die diesem Tyrannen verhaßt geworden waren,
und ergriff die Waffen wider ihn; da ihm aber sein
Versuch mißlung, suchte er in Frankreich Schutz,
wo er alle Gemüther gegen Petern, wegen der
Ermordung der französischen Prinzeßinn, heftig
entflammet fand. Er schlug dem Carl vor, einige
von den Gesellschaften in Dienste zu nehmen, und
nach Castilien zu führen; wo er, mit Hülfe seiner
Freunde und der Feinde seines Bruders, einen
guten und unmittelbaren Fortgang hoffen könnte.

S 2   Der

Der König von Frankreich, von diesem Vorschlage
eingenommen, beorderte den Dü Guesclin, sich
mit den Anführern der Banditen in Unterhandlungen einzulassen. Der Vergleich wurde bald geschlossen. Der große Ruf der Redlichkeit, welchen
sich dieser General erworben hatte, machte, daß
jeder seinem Versprechen glaubte. Obgleich die
verabredete Unternehmung geheim gehalten wurde,
so ließen sich die Gesellschaften dennoch un-
bedinglich unter seiner Fahne annehmen; und erhielten keine andre Bedingungen, als daß sie nicht
gegen den Prinzen von Wallis in Guienne sollten
geführet werden. Aber dieser Prinz war dieser
Unternehmung so wenig zuwider, daß er einigen von
seinen Unterthanen erlaubte, unter Dü Guesclin
Dienste zu nehmen.

Dü Guesclin führte seine Armee, nachdem er
die Werbung vollbracht hatte, zuerst vor Avignon,
wo der Papst sich damals aufhielt, und foderte
mit dem Degen in der Hand Absolution für seine
Soldaten, und die Summe von 200,000 Livres.
Das erste wurde ihm gleich versprochen: mit dem
andern aber gab es etwas mehr Schwierigkeiten.
„ Ich glaube, erwiederte Dü Guesclin, daß meine
„ Gefährten wohl ohne eure Absolution einen
„ Streich ausführen können; aber das Geld
„ müß-

„ müssen wir nothwendig haben." Der Papst erzwang eine Summe von 100,000 Livres von den Einwohnern der Stadt und der Nachbarschaft, und bot sie dem Du Guesclin an. „Es ist nicht „ meine Absicht, sagte dieser großmüthige Krieger, „ das unschuldige Volk zu drücken: der Papst und „ die Cardinäle können mir diese Summe leicht „ aus ihren eignen Beuteln hergeben. Dies Geld „ muß durchaus den Eigenthümern wieder gegeben „ werden: Und sollten sie darum betrogen werden, „ so will ich von der andern Seite der Pyrenäen „ zurückkommen, und euch zwingen, es zu erstat- „ ten." Der Papst sah sich genöthiget, zu gehor- chen, und zählte ihm aus seinem eignen Schatze die verlangte Summe q): Die Armee setzte ihre Unternehmung fort, durch den Segen der Kirche eingeweihet und durch ihren Raub berei- chert.

Diese versuchte und kühne Soldaten erhielten, von einem so geschickten General angeführet, bald die Oberhand über den König von Castilien, dessen Unterthanen, anstatt ihrem Unterdrücker beizuste- hen, bereit waren, sich mit dem Feinde gegen ihn zu verbinden r).

Pe-

q) Hist. de du Guesclin.
r) Froissard, Liv. I. Chap. 230.

Peter verließ seine Länder, flohe nach Guien-
ney, und begehrte Schutz von dem Prinzen von
Wallis, welchem sein Vater die Souverainität
über diese eroberte Provinzen, unter dem Titel
des Fürstenthums von Aquitanien, gegeben hatte s).
Der Prinz schien itzt seine Denkungsart, betreffend
die spanischen Unterhandlungen, ganz geändert zu
haben. Entweder wurde er von der Großmuth,
einem unglücklichen Prinzen beyzustehen, bewogen,
und glaubte, wie es sehr gewöhnlich unter Potentaten ist, daß die Rechte eines Volks eine Sache
von weniger Wichtigkeit wären; oder er fürchtete
sich auch, daß die Franzosen einen so mächtigen
Bundsgenossen, als der neue König von Castilien
war, gewinnen möchten; oder, welches das
Wahrscheinlichste ist, er war der Ruhe und Bequemlichkeit überdrüßig, und suchte also nur eine
Gelegenheit, seine kriegerischen Eigenschaften zu
zeigen, wodurch er schon so viel Ruhm erlanget
hatte; Er versprach (i. J. 1367) dem vom Throne
gestoßenen Monarchen seinen Beystand; und,
nachdem er die Bewilligung seines Vaters erhalten hatte, warb er eine große Armee, und brach
zu seiner Unternehmung auf. Ihn begleitete sein
jün-

---

s) Rymer, B. 6. S. 384. Froissard Liv. I. Chap. 231.

jüngerer Bruder, Johann von Gaunt, der zum Herzoge von Lancaster ernannt war, in der Stelle des rechtschaffenen Prinzen dieses Namens, welcher ohne männliche Erben verstorben war, und dessen Tochter er geheyrathet hatte. Chandos welcher bey den Engländern denselben Ruhm hatte, den Dü Guesclin sich unter den Franzosen erworben, commandirte gleichfalls unter ihm in dieser Unternehmung.

Der erste Streich, welchen der Prinz von Wallis dem Heinrich von Transtamare versetzte, war, daß er alle Gesellschaften aus seinem Dienste zurück berief; und diese zeigten so viele Hochachtung für den Namen Eduard, daß sehr viele von ihnen sich sogleich aus Spanien wegbegaben, und unter seiner Fahne Dienste nahmen. Unterdessen konnte doch Heinrich, bey seinen neuen Unterthanen beliebt, und von dem Könige von Arragonien und andern seiner Nachbarn unterstützet, seinem Feinde mit einer Armee von 100,000 Mann begegnen: eine Macht, die dreymal so zahlreich war, als Eduards Armee: Dü Guesclin und alle erfahrne Officiers riethen ihm, kein entscheidendes Treffen zu wägen, dem Prinzen von Wallis die Zufuhr abzuschneiden, und ein jedes Gefechte mit einem General zu vermeiden, dessen Unternehmun-

gen

gen bisher mit so viel Klugheit geführet, und mit
so vielem Fortgange gekrönet wären.   Heinrich
verließ sich zu sehr auf seine Menge, und griff
den englischen Prinzen zu Najara (den 3 April)
an t). Die Geschichtschreiber dieser Zeit sind
gemeiniglich sehr weitläuftig, den Angriff der
Armeen, die Tapferkeit beyder Parteyen, die Erschlagenen und das verschiedene Glück an diesem
Tage zu beschreiben: allein, obgleich damals oft
bey kleineren Vorfällen wohl gefochten wurde, so
war doch die Kriegszucht immer zu unvollkommen,
in großen Armeen Ordnung zu erhalten, und solche
Treffen verdienen mehr den Namen eines unordentlichen Gefechtes, als einer Schlacht.   Heinrich wurde aus dem Felde geschlagen mit dem
Verluste von 20,000 Mann: von Seiten der
Engländer kamen nur vier Ritter und vierzig Gemeine um.

Peter, der den schändlichen Zunamen, den er
führte, so wohl verdiente, setzte sich vor, alle
seine Gefangene mit kaltem Blute zu ermorden;
wurde aber durch die Vorstellung des Prinzen von
Wallis von dieser Barbarey abgehalten.   Ganz
Castilien unterwarf sich itzt dem Sieger: Peter
wür-

t) Froissard. Liv. 1. Chap. 241.

wurde wieder auf den Thron gesetzt; und Edw
ard endigte diese gefährliche Unternehmung mit
seinem gewöhnlichen Ruhme. Allein er hatte bald
Ursache, seine Verbindung mit einem solchen
Manne, wie Peter, der alle Empfindung von
Tugend und Ehre verlohren hatte, zu bereuen.
Dieser undankbare Tyrann versagte der englischen
Armee den versprochenen Sold; und Edward,
welcher sah, daß seine Soldaten täglich durch
Krankheiten umkamen, und daß seine eigene Ge
sundheit von dem Clima geschwächet war, war ge
zwungen, ohne einige Genugthuung nach Guien
ne zurück zu kehren u).

Die abscheuliche Grausamkeit Peters gegen
seine hülflosen Unterthanen, die er itzt als über
wundene Rebellen betrachtete, erregte die Feind
seligkeit aller Castilianer wider ihn, und als Hein
rich von Trastamare, mit dem Dü Guesclin, und
einer aufs neue in Frankreich geworbenen Armee
zurück kam, wurde der Tyrann von neuem vom
Throne gestoßen und gefangen gesetzt. Sein Bru
der ermordete ihn, aus Zorn über seine Grau
samkeiten, mit eigner Hand; und wurde auf den
Thron von Castilien gesetzt, den er seinen Nach

S 5   kom

u) Froissard. Liv. I. Chap. 242, 243. Walsing. S. 182.

kommen auch hinterlaſſen hat. Der Herzog von Lancaſter, der Peters älteſte Tochter in der zweiten Ehe hatte, erbte nur den bloßen Titel dieſes Reiches, und vermehrte die Feindſeligkeit des neuen Königes von Caſtilien gegen England.

Allein der Nachtheil welchen die Sachen des Prinzen Eduard von dieſer herrlichen, aber unvorſichtigen Unternehmung erhielt] (i. J. 1368.) entgieng ſich nicht mit derſelben. Er hatte ſich durch die Zurüſtungen und durch den Sold ſeiner Truppen ſo ſehr in Schulden geſetzt, daß er es für nöthig fand, ſein Fürſtenthum bey ſeiner Zurückkunft mit einer neuen Auflage zu beſchweren, der ſich einige von dem Adel mit dem größten Widerwillen unterzogen, andre aber mit Gewalt widerſetzten x). Dieſer Vorfall erneuerte die

Feind-

x) Dieſe Auflage beſtund in einem Livre von jeder Feuerſtätte, und man vermuthete, daß dieſe Auflage jährlich 1200,000 Livres eintragen würde, welches vorausſetzet, daß die Engländer ſo viele Feuerſtätten in der Provinz beſeſſen haben müſſen. Allein dergleichen bloße Muthmaßungen haben nie ein gültiges Anſehen, vielweniger in ſolchen unwiſſenden Zeiten. Ein merkwürdiges Beyſpiel hievon findet ſich in der gegenwärtigen Regierung. Das Haus der Gemeinen verwilligte dem Könige eine Auflage von zwey und

zwan-

Feindseligkeit, welche die Einwohner gegen die Engländer hegten, und welche der Prinz durch alle seine liebenswürdigen Eigenschaften nicht zu mildern und zu besänftigen vermochte. Sie e klagten sich, daß sie als ein überwundenes Volk angesehen, daß ihre Frey

de, daß die Engländer   s' Zutrauen hätten, daß alle Ehrenstellen und einträgliche Bedienungen diesen Fremden ertheilet würden, und daß dieser Widersetzung, welche die meisten wider die Annehmung dieses neuen Joches an den Tag gelegt hätten, noch lange wider sie würde gedacht werden. Sie warfen demnach ihre Augen auf ihren alten Herrn, dessen Klug= heit den Zustand seines Reiches itzt in eine vor= treffliche Ordnung gebracht hatte; und die Gra= fen von Armagnac, Comminge und Perigord, der Lord von Albert, und andre Adliche reiseten

nach

zwanzig Schilling auf jedes Kirchspiel, vorausgesetzt, daß dieses sich auf 50,000 Pfund belaufen würde. Allein man befand, daß man sich versehen hatte, wie beynahe Sechs gegen Eins._ Cotton. S. 3. Und der geheime Rath nahm sich die Gewalt, die Auflage so zu vermehren, daß sie der Summe entsprach, wel= che davon eingehoben werden sollte. Welches gewiß ein sehr unregelmäßiges Verfahren war.

nach Paris, und wurden aufgemuntert, ihre Klagen über die Bedrückungen der englischen Regierung Carln, ihrem höchsten Lehnsherrn, vorzu-
bringen y).

In dem Frieden zu Bretigni war verabredet, daß die beyden Könige sollten Verzicht thun,
Eduard auf seine Ansprüche auf die Krone von
Frankreich, und auf die Provinzen, Normandie,
Maine und Anjou; Johann auf den Huldigungseid für Guienne und für die andern Provinzen, die er den Engländern überlassen hatte.
Allein da der Friede zu Calais bestätiget und erneuert wurde, fand man für nöthig, wegen einiger bey dem Lehnrechte gewöhnlichen Förmlich-
keiten, die wechselseitige Verzichtthuung auf einige Zeit aufzuschieben, und man beliebte, daß
die Parteyen unterdessen von diesen Ansprüchen
gegen einander keinen Gebrauch machen sollten z).
Obgleich Frankreich Schuld daran war, daß die
Verzichtthuungen nicht ausgewechselt wurden, so
schien Eduard doch keinen Argwohn zu schöpfen a); weil diese Clausel ihn völlig sicher mach-

te,

y) Froissard. Liv. I. Chap. 244.

z) Rymer, B. VI. S. 219, 230, 237.

a) Rot Franc. 35. Edw. III, m. 3. From. Tyrrel.
B. III. S. 643.

te, und weil man sich vermuthlich bey ihm wegen jeder Verzögerung mit einigem Grunde ent-
schuldigt hatte. Dennoch entschloß Carl sich auf
diesen Vorwand, so grob und unbillig er auch
immer seyn mochte, sein Recht zu gründen, daß
er sich noch immer für den Oberherrn dieser Provinzen ansehen, und die Appellationen seiner Un-
tervasallen annehmen könnte b).

Allein weil die Staatsklugheit mehr Einfluß
in die Ueberlegungen der Prinzen hat, als die
Gerechtigkeit; und weil die von den Engländern
erlittenen tödtlichen Beleidigungen, (i. J. 1369.)
der Stolz ihres Triumphs, die harten Bedingungen, die den Franzosen durch den Friedensschluß aufgelegt waren, jedes kluge Mittel zur
Rache anständig zu machen schienen; so entschloß
sich Carl, seine Maaßregeln nicht nach den Raisonnements seiner Rechtsgelehrten, sondern nach
der gegenwärtigen Situation der beyden Monarchien zu nehmen. Er betrachtete Eduards hohes
Alter, den schlechten Zustand der Gesundheit des
Prinzen von Wallis, die Zuneigung, welche die
Einwohner aller dieser Provinzen für ihren alten
Herrn hatten, ihre Entlegenheit von England,
ihre

b) Froissard Liv. l. Chap. 245.

ihre Nähe an Frankreich, die große Feindseligkeit,
welche seine eigne Unterthanen gegen diese Angreifende bezeiget hatten, und ihren brennenden Durst
nach Rache; und nachdem er in der Stille alle
nöthigen Zurüstungen gemacht hatte, ließ er den
Prinzen von Wallis an seinen Hof zu Paris,
fodern, um daselbst sein Verfahren gegen seine
Vasallen zu rechtfertigen. Der Prinz erwiederte,
er wolle zwar nach Paris kommen, aber an der
Spitze von 60,000 Mann c). Der unkriegerische
Charakter Karls machte, daß Eduard nicht
glaubte, daß es diesem Monarchen mit diesem
kühnen und waghaften Unternehmen ein Ernst
sey.

Es zeigte sich bald, welch eine schlechte Ersetzung für das in dem Streit vergossene Blut
und verschwendete Geld der König aus seiner
entfernten Eroberung erhielt, und wie unmöglich es war, Eroberungen zu erhalten, zu einer
Zeit, wo keine regelmäßige Macht konnte unterhalten werden, die hinlänglich war, sie vor
den Empörungen der Einwohner zu vertheidigen,
vielweniger, wenn diese Gefahr mit den Einfällen
eines auswärtigen Feindes verknüpfet war. Karl
                                                       fiel

c) Froissard. Liv. I, Chap. 247, 248.

sel zuerst in Ponthieu ein, welches den Engländern den Eingang in das Herz von Frankreich zu dringen verschaffte: die Einwohner von
Abbeville öffneten ihm ihre Thore d): St. Valori,
Rüe und Croton folgten diesem Beyspiele, und das
ganze Land ward (i. J. 1370.) in Kurzem überwunden. Die Herzoge von Berri und Anjou, Karls
Brüder, griffen in Begleitung des Dü Guesclin,
der aus Spanien zurück gerufen war, die südlichen Provinzen an; und machten durch ihre
gute Aufführung, durch die günstige Zuneigung
des Volks, und die Hitze des französischen Adels,
täglich einen beträchtlichen Fortgang gegen die
Engländer. Der Gesundheitszustand des Prinzen von Wallis erlaubte ihm nicht, zu Pferde
zu sitzen, oder sich so thätig zu zeigen, als er
pflegte: Chandons, der Commandant von Guienne, wurde in einem Treffen erschlagen e). Der
Captal von Buche, der ihm in diesem Amte gefolgt war, wurde in einem andern gefangen f);
und da der junge Eduard wegen seiner zunehmenden Schwachheit genöthiget war, das Comman-

do

d) Walsingham. S. 183.

e) Froissard. Liv. I. Chap. 277. Walsingham. S. 185.

f) Froissard. Liv. I. Chap. 310.

bo aufzugeben, und nach seinem Vaterlande zu
rück zu gehen, so schienen die englischen Sachen
im südlichen Theil von Frankreich einen gänzlichen Verfall zu drohen.

Eduard drohete, über diese Beleidigung erzürnt, alle französische Geiseln zu tödten, die
er noch hatte; er wurde aber durch Ueberlegung
von dieser uneblen Rache abgehalten. Nachdem
er auf Anrathen des Parlaments den leeren Titel eines Königes von Frankreich angenommen
hatte g), bemühete er sich, nach Gascognien
Hülfstruppen zu schicken; allein, alle seine Versuche zu Wasser und zu Lande schlagen fehl. Der
Graf von Pembroke wurde zur See aufgefangen,
und mit seiner ganzen Armee nahe bey Rochelle
von einer Flotte, welche Heinrich, König von
Castilien, zu dem Ende ausgerüstet hatte, genommen h). Eduard gieng selbst mit einer andern Armee nach Bourdeaux zu Schiffe; wurde
aber so lange vom widrigen Winde aufgehalten,
daß er die Unternehmung unterlassen mußte i).

Herr

g) Rymer. B. 6. S. 621. Cottons Abridg. S. 108.
h) Froissard. Liv. I. Chap. 302, 303, 304. Walsingham S. 186.
i) Froissard. Liv. I. Chap. 311. Walsing. S. 187.

Herr Robert Knolles marſchirte mit einer Armee
von 30,000 Mann aus Calais, und ſetzte ſeine
Verheerungen fort bis an die Thore von Paris,
ohne ſeinen Feind zu einem Treffen bringen zu
können. Er ſetzte ſeinen Marſch bis an die Provinz Maine und Anjou fort, welche er verwü-
ſtete; allein da ein Theil ſeiner Armee hier von
du Gueſclin geſchlagen wurde, der itzt zum Connetable von Frankreich ernannt war, und der
erſte vollkommne General in Europa zu ſeyn
ſchien; ſo wurde der Reſt aus einander gejagt
und zerſtreuet, und die wenigen Uebriggebliebe-
nen flohen, anſtatt nach Guienne zu gehen, nach
Bretagne, deſſen Oberhaupt ſich mit England
verbunden hatte k). Der Herzog von Lancaſter
machte kurz darauf einen gleichen Verſuch mit
einer Armee von 25,000 Mann; und marſchirte
durch ganz Frankreich von Calais bis Bourdeaux;
wurde aber von den leichten Truppen, welche ihn
beſtändig verfolgten, ſo mitgenommen, daß er
nicht die Hälfte von ſeiner Armee nach dem beſtimmten Orte brachte. Die Noth zwang den
Eduard endlich, einen Waffenſtillſtand mit den
Fein-

k) Froiſſard. Liv. I. Chap. 291. Walſing. S. 185.

Feinde zu machen 1); nachdem ihm alle seine
alte Provinzen, ausgenommen Bourdeaux und
Bayonne, und alle seine eroberten Länder, bis
auf Calais, abgenommen waren.

Den letzten Jahren des Königes war vieles
Herzeleid vorbehalten; und sie entsprachen nicht
den glänzenden und prächtigen Scenen, welche
den Anfang und das Mittel seines Lebens ange-
füllet hatten. Außer dem, daß er den Verlust
seiner auswärtigen Provinzen erlebte; und jeder
Versuch, sie zu vertheidigen, fehl schlug; ver-
spürte er auch die Abnahme seines Ansehens in
seinen Ländern, und erfuhr, durch einige scharfe
Vorstellungen des Parlaments, die große Unbeständigkeit des Volks, und den Einfluß des gegenwärtigen Schicksals in dessen Urtheile m).
Dieser Prinz, welcher in der Blüthe seines Alters sich vornehmlich mit Krieg und Ruhm beschäfftiget hätte, fieng zur unrechten Zeit an, dem
Vergnügen nachzuhängen; und da er itzt Wittwer wär, so ergab er sich einer Dame von Verstand und Witz, mit Namen Alice Pierce, welche eine große Herrschaft über ihn erhielt, und
durch

1) Froissard. Liv. I. Chap. 321. Walsing. S. 187.
m) Walsing. S. 189. Ypod. Neust. S. 530.

durch ihren Einfluß dem Volke so viel Mißver=
gnügen erregte, daß er sie, um das Parlament
zu befriedigen, von seinem Hofe wegschaffen muß=
te n). Die Trägheit, welche natürlicher Weise
Alter und Schwachheiten begleitet, machte, daß
er die Regierung größten Theils seinem Sohne,
dem Herzog von Lancaster überließ, die, weil er
bey dem Volke gar nicht beliebt war, die Zu=
neigung, welche die Engländer für der Person
und die Regierung des Königes hatten, sehr
schwächete. Man trieb die Eifersucht gegen den
Herzog sehr weit; und da man mit unbeschreib=
licher Betrübniß den Tod des Prinzen von Wal=
lis täglich näher kommen sah; so befürchtete man,
daß die Nachfolge seines noch minderjährigen
Sohnes, Richard, durch die Ränke des Lanca=
sters und durch die schwache Nachsicht des alten
Königes möchte hintertrieben werden. Allein Edu=
ard erklärte, um dem Volke und dem Prinzen in
diesem Stücke eine Genüge zu leisten, in einem
Parlamente seinem Neffen zum Erben und Thron=
folger; und schnitt dadurch dem Herzoge von
Lancaster alle Hoffnung ab, wofern er jemals so
verwegen gewesen war, sich Hoffnung zu machen.

T 2

Der

n) Walsingham S. 189.

Der Prinz von Wallis starb, (i. J. 1376. ben 8ten Junii), nach einer langwierigen Krankheit, in dem sechs und vierzigsten Jahre seines Alters, und hinterließ einen Ruhm, der durch alle hervorstehende Tugenden verherrlichet, und von seinen ersten Jahren an bis auf den Augenblick, wo er starb, von allem Tadel unbefleckt war. Seine Tapferkeit und kriegerischen Talente machten den geringsten Theil seiner Verdienste aus. Seine Großmuth, Leutseligkeit, Gefälligkeit und Mäßigung erwarben ihm die Zuneigung der ganzen Welt; und er war dazu gemacht, einen Glanz, nicht nur über die rauhe Zeit. in welcher er lebte, und die ihn mit ihren Lastern nicht ansteckte, sondern auch über die glänzendsten Zeiten der alten und neuen Geschichte zu werfen. Der König überlebte diesen traurigen Zufall beynahe um ein Jahr: England verlohr in diesen beyden Prinzen auf einmal seine vornehmste Zierde und Stütze. Er starb (i. J. 1377. ben 21sten Junii), in dem fünf und sechzigsten Jahre seines Alters, und in dem ein und funfzigsten seiner Regierung; und das Volk empfand, aber zu spät, den unersetzlichen Verlust, welchen es erlitten hatte.

Die

Die Engländer sahen die Geschichte Eduards mit einer besondern Zärtlichkeit an, und schätzten seine Regierung, so wie sie eine der längsten war, auch für die herrlichste, welche in den Geschichtbüchern ihrer Nation vorkömmt. Die Oberhand, welche sie damals über die Franzosen, ihre Nebenbuhler, und ihren Nationalfeind gewannen, bewegte sie, ihre Augen auf diesen Zeitpunkt mit Vergnügen zu werfen, und rechtfertiget jede Maasregel, welche Eduard zu dem Ende ergriff. Allein, die häusliche Regierung dieses Prinzen ist in der That noch vortrefflicher, als seine auswärtigen Siege; und England genoß, durch die Klugheit und Lebhaftigkeit seiner Regierung einen längern Frieden und Ruhe im Lande, als in irgend einem vorhergehenden Zeitpunkte, und als es viele Jahre nachher erlebt hat. Er gewann die Zuneigung der Großen, und hielt dennoch ihre Ausgelassenheit im Zügel. Er ließ sie seine Macht fühlen, ohne daß sie es wagten, oder nur geneigt waren, darüber zu murren. Sein freundliches und verbindliches Betragen, seine Freygebigkeit und Großmuth machten, daß sie sich seiner Herrschaft mit Vergnügen unterwarfen; seine Tapferkeit und kluge Anführung machte sie glücklich in allen ih-

T 3   ren

ren Unternehmungen; und ihre unruhigen Gemüther hatten, da sie gegen einen öffentlichen Feind
gerichtet waren, keine Zeit, solche Unordnungen
zu brüten, zu welchen sie von Natur so sehr geneigt waren, und zu welchen die Staatsverfassung so viel Anlaß zu geben schien. Dies war
der größte Vortheil, welcher aus Eduards Siegen und Eroberungen entsprang. Seine auswärtigen Kriege waren sonst weder auf Gerechtigkeit gegründet, noch auf eine andre heilsame
Absicht abgezwecket. Sein Versuch wider den
König von Schottland, einen Minderjährigen,
und Schwager von ihm, und die Erneuerung
der Ansprüche seines Vaters auf die Herrschaft
über dieses Reich, waren unvernünftig und unedel; und er ließ sich zu früh durch den glänzenden Anblick der Eroberung Frankreichs verführen, von einer Sache abzulassen, welche möglich
war, und welche, wenn er sie erhalten hätte,
seinem Lande und seinen Nachfolgern zum dauerhaften Nutzen gereichet haben würde. Das Glück,
welches er in Frankreich hatte, war unerwartet,
ob er es gleich seinen großen Talenten zuschreiben
konnte; und doch fand man schon in seinen Lebzeiten, daß es ihm nach der Natur der Sachen,
und nicht durch einen unversehenen Zufall, seine

wichtige Vortheile verschaffet hatte. Allein, der
Ruhm eines Ueberwinders ist so blendend für den
gemeinen Mann, und die Feindseligkeit der Nationen ist so groß, daß die fruchtlose Verwüstung
eines so vortrefflichen Theils von Europa, als
Frankreich ist, von uns gar nicht geachtet, und
nie für einen Schandfleck in dem Charakter und
dem Betragen des Königes gehalten worden ist.
Und in der That trägt es sich, nach dem unglücklichen Zustande der menschlichen Natur gemeiniglich zu, daß ein Herr von so großem Genie, als Eduard, der gemeiniglich alles in seiner
häuslichen Regierung leicht findet, sich zu Kriegsunternehmungen wendet, wo er allein Widerstand findet, und wo er seinen Fleiß und seine
Fähigkeiten völlig ausüben kann.

Eduard hatte mit seiner Gemahlinn, Philippa von Hennegau, eine zahlreiche Familie.
Sein ältester Sohn war der heroische Eduard,
gemeiniglich der schwarze Prinz genannt, von der
Farbe seiner Rüstung. Dieser Prinz heyrathete
seine Cousine, Johanna, gemeiniglich das schöne Mägdchen von Kent genannt, eine Tochter und Erbinn seines Onkels, des Grafen von
Kent, der im Anfange dieser Regierung enthauptet wurde. Sie war erstlich an den Sir

T 4 Tho-

Thomas v.n Holland verheyrathet, von welchem
sie Kinder hatte. Sie hatte mit dem Prinzen
von Wallis einen Sohn, Richard, der allein sei=
nen Vater überlebte.

Der zweyte Sohn des Königes Eduard (denn
wir übergehen diejenigen, welche in ihrer Jugend
starben) war Lionel, Herzog von Clarence, der
erst mit der Elisabeth von Burgh, einer Tochter
und Erbinn des Grafen von Ulster verheyrathet
war, von welcher er nur eine Tochter hinterließ,
die an den Edmund Mortimer, Grafen von Mar=
che, verheyrathet wurde. Lionel nahm zur zwey=
ten Ehe die Violante, eine Tochter des Herzogs
von Mayland o), und starb in Italien, kurz
nach der Vollziehung der Heyrath, ohne mit die=
ser Prinzeßinn einen Nachkommen zu haben. Er
allein von der ganzen Familie kam den edlen
Eigenschaften seines Vaters und ältesten Bruders
am nächsten.

Eduards dritter Sohn war Johann von
Gaunt, von seinem Geburtsorte also genannt.
Er wurde Herzog von Lancaster, und von ihm
entsprung die Linie, welche nachher die Krone
besaß. Der vierte Sohn dieser königlichen Fa=
milie.

o) Rymer, B. 6. S. 564.

milie war Edmund, der von seinem Vater zum
Grafen von Cambridge, und von seinem Vetter
zum Herzoge von York ernannt wurde. Der
fünfte Sohn war Thomas, welcher von seinem
Vater den Titel des Grafen von Buckingham,
und von seinem Vetter den Titel des Herzogs
von Glocester erhielt. Um Verwirrung zu vermeiden, wollen wir diese beyden Prinzen beständig durch die Namen York und Glocester unterscheiden, schon ehe sie dieselben erhalten hatten.

Eduard hatte auch verschiedene Prinzeßinnen
mit der Philippa, nämlich die Isabella, Johanna, Maria und Margaretha, welche nach der
Ordnung ihrer Namen verheyrathet wurden, an
den Ingelram von Caucy, Grafen von Bedford,
den Alphonsus, König von Castilien, den Johann von Mountfort, Herzog von Bretagne, und
den Johann Hastings, Grafen von Pembroke.
Die Prinzeßinn Johanna starb zu Bourdeaux vor
der Vollziehung ihrer Vermählung.

Ein vortrefflicher Geschichtschreiber p) bemerket, daß die Eroberer, ob sie gleich gemeiniglich
die Geissel der Menschen sind, in diesen Feudal-

T 5 zei-

p) D. Robertsons Geschichte von Schottland, Erstes
Buch.

zeiten oft die nachgebendsten Könige wurden. Sie
bedurften der Unterstützung von ihrem Volke am
meisten; und da sie nicht im Stande waren, die
nöthigen Auflagen mit Gewalt zu erzwingen; so
mußten sie ihren Unterthanen durch billige Gesetze und Verwilligungen eine Entschädigung geben. Diese Anmerkung wird gewisser Maßen,
obgleich nicht vollkommen, durch das Betragen
Eduards des Dritten bewiesen. Er that keinen
Schritt von Wichtigkeit, ohne sein Parlament
um Rath zu fragen, und dessen Beyfall zu erhalten, welchen er nachher als einen Beweis anführte, daß es seine Maaßregeln unterstützen
müße q). Das Parlament war dadurch unter
seiner Regierung wichtiger geworden, und erlangte ein regelmäßigeres Ansehen, als es jemals
vorher gehabt hatte; und so gar das Haus der
Gemeinen, welches in den unruhigen und aufrührischen Zeiten von der größern Gewalt der
Krone und der Baronen gemeiniglich unterdrücket wurde, fieng an, in der Staatsverfassung
von einiger Wichtigkeit zu seyn. In den letzten
Jahren Eduards wurden Minister des Königes
vor dem Parlament angeklaget; besonders der
Lord

q) Cottons Abridg. S. 108. 120.

Lord Latimer, der ein Opfer der Macht desselben wurde r); und es nöthigte so gar den König, seine Maitresse zu verstoßen. Man war auch etwas aufmerksam auf die Erwählung der Glieder; und Rechtsgelehrte insbesondre, welche damals Leute von geringem Ansehen waren, wurden unter verschiedenen Parlamentern gänzlich von dem Hause ausgeschlossen s).

Eins der beliebtesten Gesetze, welches jemals von einem Prinzen gegeben worden, war die Verordnung, welche im fünf und zwanzigsten Jahre seiner Regierung gemacht wurde t), und welche die Fälle des Hochverraths, die vormals unbestimmt und ungewiß waren, auf drey Hauptpunkte einschränkte; nämlich wenn man sich wider das Leben des Königs verschwor, wenn man Krieg wider ihn führte, und seinen Feinden anhing; und es wurde den Richtern gebotten, wenn ein andrer Fall des Hochverraths vorkommen sollte, die Strafe so lange auszusetzen, bis sie sich deßhalben bey dem Parlament befraget hätten. Die Gränzen des Hochverraths waren durch diese Ver-

r) Cottons Abridg. S. 122.
s) Cottons Abridg. P. 13.
t) Chap. 2.

ordnung, welche noch itzt ohne einige Veränderung ihre Gültigkeit hat, so sehr eingeschränket, daß die Rechtsgelehrten gezwungen waren, sie zu erweitern, und die Verschwörung zu einem Kriege wider den König der Verschwörung wider sein Leben für gleich zu erklären; und bey dieser Erklärung, die dem Schein nach gezwungen ist, hat man es aus Noth stillschweigend bewenden lassen. Es wurde auch verordnet, daß Ein oder mehrmale im Jahre, wenn es nöthig wäre, ein Parlament gehalten werden sollte: Ein Gesetz, welches so, wie viele andre, niemals beobachtet wurde, und seine Gültigkeit dadurch verlohr, daß es außer Gewohnheit kam u).

Eduard gab zu mehr als zwanzig Parlamentsbestätigungen des großen Freyheitsbriefes seine Genehmigung; und diese Verwilligungen werden gemeiniglich als Proben von seiner großen Nachsicht gegen sein Volk, und von seiner gewissenhaften Achtung für dessen Freyheiten angeführet. Allein, die gegenseitige Vermuthung ist weit natürlicher. Wenn die Grundsätze der Regierung Eduards nicht überhaupt etwas willführlich gewesen, und der große Freyheitsbrief nicht

u) 4. Edu. III. Chap. 14.

nicht oft verletzet worden wäre; so würde das Parlament niemals so oft um diese Bestätigungen angehalten haben, welche einer regelmäßig beobachteten Verfügung nicht mehr Stärke geben, und zu nichts anders dienen konten, als zu verhindern, daß die Beyspiele, die ihnen entgegen waren, nicht zur Regel wurden, noch Gültigkeit bekamen. Es war in der That eine Wirkung der unordentlichen Regierung in dieser Zeit, daß man glaubte, eine Verordnung, welche schon einige Jahre im Gebrauch gewesen, verlöhre durch die Zeit ihre Gültigkeit, anstatt sie dadurch zu erhalten, und müßte durch neue Gesitze von demselben Innhalt und Sinne erneuert werden. Daher kömmt auch die allgemeine Clausel, die sich in den alten Parlamentsakten so häufig findet, daß die Verordnungen, welche die Vorfahren des Königes gegeben hätten, beobachtet werden sollten x); eine Vorsicht, die, wenn man nicht die Umstände betrachtet, ungereimt und lächerlich scheinet. Die häufigen Bestätigungen der Kirchenfreyheiten in allgemeinen Worten rührten eben daher.

In einer von den Verordnungen Eduards befindet sich diese Clausel: Es soll kein Mensch, von

---

x) 36. Eduard III. Kap. 1. 37. Eduard III. Kap. 1.

von welchem Stande er auch sey, von seinen Ländereyen oder Pachtungen vertrieben, oder gefangen genommen, oder ent-
erbet, oder getödtet werden, ohne vorher
nach einer gesetzmäßigen Anklage zur Verantwortung gezogen zu seyn y). Diese Freyheit war durch eine Clausel des großen Freyheitsbriefes hinlänglich gesichert, welcher in dem
ersten Kapitel derselben Verordnung eine allgemeine Bestätigung erhalten hatte. Warum ist
denn diese Clausel so ängstlich, und, wie wir
denken sollten, so überflüßig wiederholet? Offenbar deswegen, weil neulich einige Eingriffe dawider geschehen waren, welche den Gemeinen einen Argwohn gaben z).

Allein, in keinem Artikel sind die Gesetze
unter dieser Regierung fast mit denselben Worten öfter wiederholet, als in dem von der An-
schaffung der Lebensmittel für den König *);
wel-

y) 28. Eduard. III. Kap. 3.
z) In dem 15ten Jahr dieser Regierung sagen sie offenbar, daß es Beyspiele hievon gegeben habe Cottons Abrid. S. 31. Eben dieses wiederholten sie in
  dem 21sten Jahr. S. 59.
*) Im englischen Purveyance.

welche das Parlament beständig eine gewaltsame und unerträgliche Beschwerde, und eine
Quelle von einem unendlichen Schaden für das
Volk nannte a). Das Parlament versuchte, dieses Vorrecht gänzlich abzuschaffen, indem es allen und jeden verboth, Güter ohne Bewilligung
der Besitzer wegzunehmen b), und den verhaßten
Namen der Purveyors, wie es ihn nannte, in
den Namen Käufer verwandelte c). Allein, das
willkührliche Verfahren Eduards machte diese Beschwerden immer wieder neu: ob sie gleich dem
großen Freyheitsbriefe und verschiedenen Ordnungen gerade zuwider waren. Diese Unordnung
entstund größtentheils aus dem Zustande der öffentlichen Finanzen und des Königreiches; und
konnte daher desto weniger Gegenmittel zulassen.
Dem Prinzen fehlte öfters baares Geld; doch
mußte seine Familie versorgt werden; und er sah
sich genöthiget, zu dem Ende Gewalt zu gebrauchen, und den Eignern Kerbhölzer von beliebi-
gem Betrage zu geben. Das Königreich hatte
auch so wenige Waaren, daß die Eigenthümer,

Wenn

a) 36. Eduard III. &c.

b) 14. Eduard III. Kap. 19.

c) 36. Eduard III. Kap. 2.

wenn sie genau nach dem Gesetze beschützet waren, von dem Könige leicht jeden Preiß hätten
erzwingen können; insbesondre bey seinen häufigen Reisen, wenn er an entfernte und arme
Oerter kam, wo sich der Hof nicht gewöhnlich
aufhielt, und wo nicht leicht ein regelmäßiger
Plan, ihn zu unterhalten, festgesetzt werden
konnte.

Eduard der Dritte baute das vortreffliche
Castel zu Windsor, und seine Mittel, diesen
Bau zu vollenden, können eine Probe von dem
damaligen Zustande des Volks seyn. Anstatt
die Arbeitsleute durch Verdingung und Taglohn
anzulocken, legte er jeder Grafschaft in England
auf, ihm so viele Männer, Ziegeldecker und Zimmerleute zu schicken, als wenn er eine Armee
anwerben wollte d).

Wer diese Regierung nicht für sehr willkührlich hält, der muß die Beschaffenheit derselben
sehr verkennen. Alle große Vorrechte der Krone
waren in derselben völlig ausgeübt; doch war es
noch einiger Trost, der dem Volke einstens einige
Hülfe versprach, daß die Gemeinen sich immer
darüber beschwerten: wie zum Exempel, über
                                                    diß

d) Ashmoles hist. of the garter. S. 129.

dispensirende Gewalt e), die Erweiterung der
Wälder f), die Errichtung der Monopollen, der
ersten von dieser Art , wovon wir lesen g); die
Erpreßung der Darlehne h); die Hemmung der
Gerechtigkeit durch besondere Befehle i); die Erneurung gewisser Commissionen k); die Pressung
der Leute und Schiffe zum öffentlichen Dienste l).
die Auflage willkührlicher und unmäßiger Geld-
strafen m); die Ausdehnung der Gewalt des geheimen Raths, oder der Sternkammer zur Entscheidung der Privatsachen n); die Erweiterung
der Gewalt der Marschälle und andrer willkührlicher Gerichtshöfe o); die Gefangensetzung
der Mitglieder des Parlaments wegen freyer Reden

---

e) Cottons Abrid. S. 148.

f) Cotton. S. 71.

g) Cottons Abrigd. S. 56. 61. 122.

h) Rymer. B. 5. S. 491. 474. Cottons Abrigd. S.
56.

i) Cotton. S. 114.

k) Cotton. S. 67.

l) Cotton. S. 47. 79. 113.

m) Cotton. S. 32.

n) Cotton. S. 74.

o) Ebendaselbst.

den in der Parlamentsversammlung p); der Zwang,
wodurch man das Volk ohne alle Regel nöthigte, Rekruten an Soldaten, Bogenschützen und
leichten Truppen zu der Armee zu senden q).

Aber keine Ausübung, der willkührlichen
Gewalt ward unter dieser Regierung häufiger wie-
holet, als das Auflegen der Abgaben, ohne Bewilligung des Parlaments. Obgleich diese Versammlung dem Könige mehr Subsidien bewilligte, als einer von seinen Vorfahren jemals erhalten hatte; so nöthigten ihn doch seine großen
Unternehmungen, und die Noth seiner Umstände, noch mehr zu haben; und nachdem sein Glück
wider Frankreich seinem Ansehen Gewicht gegeben
hatte, wurden diese Auflagen fast jährlich und
beständig. In Cottons Auszügen aus den Urkunden findet man viele Beyspiele von dieser Art in
den ersten r), dreyzehnten s), vierzehnten t),
zwanzigsten u), ein und zwanzigsten, x), zwey
und

p) Walsingham. S. 189. 190.

q) Tyrrels hist. B. 3. S. 554 aus den Urkunden.

r) Rymer. B. 4. S. 363.

s) S. 17. 18.

t) S. 39.

u) S. 47.

x) S. 52. 53. 57. 58.

und zwanzigsten y), fünf und zwanzigsten z),
acht und dreyßigsten a), funfzigsten b), und ein
und sunfzigsten c) Jahre seiner Regierung.

Der König gestund und behauptete öffentlich, daß er Macht hätte, Auflagen nach Belie-
ben auszuschreiben. Einmal antwortete er auf
die Vorstellungen der Gemeinen, daß die Auflagen aus Noth gemacht wären, und daß die
Prälaten, Grafen, Baronen und einige von den
Gemeinen ihre Bewilligung dazu gegeben hätten d); ein andermal sagte er, er wollte es mit
seinem Rath überlegen e). Als das Parlament
verlangte, daß ein Gesetz zur Bestrafung derer,
die solche freywillige Auflage einhöben, gegeben
werden sollte, wollte er es nicht zugeben f). Im
folgenden Jahre verlangte das Parlament, daß

U 2

der

y) S. 69.

z) S. 76.

a) S. 101.

b) S. 138.

c) S. 152.

d) Cotton. S. 53. Dieselbe Antwort. S. 60. Mit einigen Gemeinen berathschlagte er sich gerne.

e) Cotton. S. 57.

f) Cotton. S. 138.

der König sein vorgebliches Vorrecht aufgeben
möchte: allein, er gab zur Antwort, daß er keine Auflagen ausschreiben würde, als dann, wenn
sie zu Vertheidigung des Reiches nöthig wären,
und wenn er dieses Vorrecht mit Grunde gebrauchen könnte g). Dieser Vorfall geschah wenige
Tage vor seinem Tode, und dieses waren gewisser Maßen seine letzten Worte ans Volk. Es
scheinet, daß der berühmte Freybrief Eduards
des Ersten *de Tallagio non conced.ndo*, ob er gleich
niemals wiederrufen war, dennoch durch das Alter seine ganze Gültigkeit verlohren hätte.

Diese Vorfälle können nur zeigen, wie man
es in dieser Zeit gemacht hat; denn was das
Recht anlanget, so scheinen die häufigen Vorstellungen der Gemeinen zu beweisen, daß es vielmehr auf ihrer Seite war: wenigstens dienten
diese Vorstellungen zu verhindern, daß das willkührliche Verfahren des Hofes kein ausgemach-
ter Theil der Staatsverfassung wurde. In einem desto beffern Zustande waren die Freyheiten
des Volks, selbst während der willkührlichen Regierung Eduards des Dritten, als unter der
Herrschaft einiger seiner Nachfolger; insbesondere

g) Cotton. S. 152.

die aus dem Hause Tudor, wo Tyranney und
Mißbräuche der Gewalt niemals einen Zügel,
oder eine Widersetzung, oder nur eine Gegenvor-
stellung des Parlaments fanden.

Man kann sich leicht vorstellen, daß ein
Prinz von so viel Verstand und Geist, als Eduard, kein Sklav des römischen Hofes gewesen
sey. Ob er gleich den alten Tribut in einigen
Jahren seiner Minderjährigkeit erlegen ließ h);
so hielt er ihn doch nachher zurück; und als
der Papst (im Jahre 1367) drohete, ihn wegen
verweigerter Zahlung nach dem römischen Hofe
zu fodern, trug er die Sache seinem Parlamente
vor. Diese Versammlung erklärte sich einmüthig,
der König Johann hätte sein Reich nicht ohne
Bewilligung der Nation einer fremden Macht unterwerfen können; und daher wäre sie entschlossen, ihrem Monarchen wider diese unmäßige Foderung beyzustehen i).

Unter dieser Regierung wurde die Verordnung wegen der Provisoren gegeben, welche alle
diejenigen strafbar machte, die von dem römischen
Hofe eine Vorstellung zu geistlichen Aemtern,

U. 3   such-

h) Rymer. B. 4. S. 434.
i) Cotton, Abridg. S. 110.

suchten, und welche die Rechte der Patronen und
Wählenden ficherte, in welche der Papst sehr vie-
le Eingriffe gethan hatte k). In einer folgenden
Verordnung wurden alle diejenigen von dem
Schuß der Gesetze ausgeschlossen, welche eine
Rechtssache oder Appellation an den römischen
Hof brachten l).

Die Layen schienen damals sehr wider die
päpstliche Gewalt, und so gar ein wenig gegen
ihre eigene Geistlichkeit, eingenommen zu seyn,
weil sie mit dem römischen Papst verbunden war.
Sie gaben vor, die Anmaßungen des römischen
Hofes wären die Ursache aller Plagen, Beleidigungen, Hungersnoth und Armuth des Reiches:
sie wären demselben schädlicher, als alle Kriege;
und die Ursache, warum es nicht den dritten Theil
derer Einwohner und Güter enthielte, welche
es vormals gehabt hätte: die Abgaben welche er
gehoben, wären fünf mal so groß, als diejenigen
die dem Könige erleget worden: alles wäre in der
sündlichen Stadt Rom feil, und so gar die Patronen in England hätten von ihr gelernet, ohne
Gewissen oder Bedenken Simonie auszuüben m).

Zu

k) 25. Edw. III. 27. Edw. III.
l) 27. Edw. III. 38. Edw. III.
m) Cotton. S. 74, 128, 129.

Zu einer andern Zeit bathen sie den König, keinen Geistlichen zu einer Staatsbedienung zu gebrauchen n); und sagten so gar ganz deutlich, daß sie das päpstliche Ansehen mit Gewalt vertreiben wollten, um sich dadurch ein Mittel wider die Unterdrückungen zu verschaffen, die sie nicht länger ausstehen könnten, noch wollten o). Leute die in diesem Ton redeten, waren nicht weit von der Kirchenverbesserung entfernet. Allein Eduard befand es nicht für gut, diesen ganzen Eifer zu unterstützen. Ob er gleich die Verordnung der Provisors paßirte; so sorgte er doch wenig für die Ausübung derselben: und das Parlament klagte beständig über seine Nachläßigkeit in diesem Stücke p). Er begnügte sich damit, diejenigen römischen Geistlichen, welche in England Einkünfte hatten, dahin gebracht zu haben, daß sie, vermöge dieses Gesetzes, völlig von ihm abhiengen.

Was die Polizey in dem Reiche zu dieser Zeit betrifft, so war sie gewiß besser, als zu den Zeiten der Unruhen, der bürgerlichen Krie-

U 4 ge,

n) Cotton. S. 112.

o) Cotton. S. 41.

p) Cotton. S. 119, 128. 130, 148.

ge, und der Unordnungen, welchen England so
oft ausgesetzt war: doch waren in der Staatsverfaſſung verſchiedene Fehler, deren üble Folgen
alle Gewalt und Wachſamkeit des Königes nicht
verhindern konnte. Die Baronen waren durch
die Verbindung mit ihres Gleichen, und durch
Unterſtützung und Vertheidigung ihrer Anhänger,
in jedem Unrecht q), die vornehmſten Anführer
der Räuber, Mörder und Schelme von aller Art;
und kein Geſetz konnte gegen dieſe Verbrecher ausgeübet werden. Der Adel wurde dahin gebracht,
im Parlament zu verſprechen, daß er keinen Dieb
oder Uebertretter der Geſetze verhehlen, zurückhalten,
oder unterſtützen wollte r); doch wurde dieſes
Verſprechen, bey dem man ſich wundern möchte, daß man es von Leuten von ihrem Stande
verlanget habe, niemals von ihnen beobachtet.
Die Gemeinen beklagten ſich beſtändig über die
Menge der Raubereyen, Mordthaten, Entfüh-
rungen des Frauenzimmers und andrer Unordnungen, welche, wie ſie ſagten, in allen Gegenden des Reiches unzählbar geworden wären, und
wel-

q) 11. Edw. III. Cap. 14. 4. Edw. III. Cap. 2. 15.
  Edw. III. Cap. 4.
r) Cotton. S. 16.

welche sie immer dem Schutze zuschrieben, den die
Verbrecher von den Vornehmen genossen s). Der
König von Cyprus, welcher unter dieser Regierung
nach England kam, wurde mit seinem ganzen
Gefolge auf der Landstraße geplündert und aus-
gezogen t). Eduard selbst trug mit zu dieser Auf-
hebung der Gesetze bey; indem er den Dieben,
auf die Fürbitten seiner Hofleute, so leicht Gna-
de erzeigte. Es wurden Gesetze gegeben, um dem
Könige dies Vorrecht zu benehmen u), und die
Gemeinen thaten Vorstellungen wider den Mis-
brauch desselben x): allein ohne Wirkung. Die
Gefälligkeit gegen Edelleute, welche Gewalt und
Ansehen hatten, blieb noch immer eine wichtigere
Sache, als die Beschützung des Volks. Der
König bewilligte auch viele Freyheiten, welche
den Lauf der Gerechtigkeit und die Ausübung der
Gesetze unterbrachen y).

Handel und Fleiß waren in diesem Zeitpunkte gewiß nur sehr geringe. Die schlechte

U 5 Poli-

s) Cotton. S. 51, 62, 64, 70, 160.
t) Walsing. S. 179.
u) 1c. Ed. III. Chap. 2. 27, Edw. III.
x) Cotton. S. 75.
y) Cotton. S. 54.

Polizey im Lande allein beweiset dieses hinlänglich. Waaren, welche ausgeführet wurden, waren Wolle, Felle, Häute, Leder, Butter, Zinn,
Bley und andre rohe Güter, worunter die Wolle
die wichtigste war. Knyghton hat behauptet,
daß jährlich 100,000 Säcke Wolle ausgeführet,
und der Sack mit zwanzig Pfund nach dem damaligen Gelde bezahlet worden ; aber er hat sich
sowohl in der Quantität, als in dem Preise sehr
geirret. Im Jahr 1349 stellte das Parlament
vor, daß der König, durch eine ungesetzliche
Auflage von vierzig Schilling auf jeden Sack aus-
geführter Wolle, 60,000 Pfund einhoben hätte z),
welches die jährliche Ausfuhr auf 30,000 Säcke
herabsetzet. Ein Sack hielt sechs und zwanzig
Stein, und der Stein vierzehn Pfund a).; und nach
einem Mittelpreiße kostete der Sack nicht über
fünf Pfund b), das ist, vierzehn bis funfzehen
Pfund, nach unserm Gelde. Knyghtons Rechnung erhöhet den Preiß auf sechzig Pfund, welches beynahe viermal so viel ist, als der gegenwärtige Preiß der Wolle in England. Nach
                                        die-

z) Cotton. S. 48. 69.
a) 34 Edw. III. Chap. 5.
b) Cotton. S. 29.

dieser verminderten Rechnung beläuft sich die Ausfuhr der Wolle, nach itzigem Gelde, auf 450,000
Pfund, nicht aber auf sechs Millionen, welches
eine übertriebene Summe ist.

Eduard bemühete sich, die Wollenmanufakturen einzuführen, und dadurch zu befördern,
daß er die Ausländischen Weber schätzte und ermunterte c); und daß er ein Gesetz gab, in welchem er verboth, kein andres Tuch, als aus englischen Fabriken zu tragen d). Das Parlament
untersagte die Ausfuhr der Wollenwaaren, welches aber nicht wohl überlegt war; insbesondere da die Ausfuhr der unverarbeiteten Wolle so
sehr erlaubt, und befördert wurde. Ein ähnli-
ches unüberlegtes Gesetz wurde wider die Ausfuhr des verarbeiteten Eisens gegeben e).

In dem ersten Jahre der Regierung Richards
des Zweyten klagte das Parlament sehr über die Abnahme der Schiffahrt unter der vorigen Regierung,
und versicherte, daß Ein Seehafen ehemals mehr
Schiffe gehabt hätte, als man itzt im ganzen Reiche
fände,

c) 11. Edw. III. Cap. 5. Rymer. B. 4. S. 723. My-
rimuth. S. 88.

d) 11. Fdw. III. Cap. 2.

e) 28. Edw. III. Cap. 5.

de. Dieſes Unglück ſchrieb es dem Eduard zu, welcher die Schiffe willkührlich wegnehmen ließ, zum Gebrauch ſeiner häufigen Feldzüge f).

Das Parlament verſuchte nach der Peſt den unmöglichen Entwurf, den Preiß der Arbeit, wie auch den Preiß des Federviehes herabzuſetzen g). Einem Schnitter wurde in der erſten Woche des Auguſtmonats nicht erlaubt, täglich mehr, als zwey Pfenninge zu nehmen, oder nach unſerm Gelde, beynahe ſechs Pfenninge; in der zweyten Woche aber einen Pfennig mehr. Ein Zimmermeiſter wurde durchs ganze Jahr auf drey Pfennige täglich herabgeſetzet, ein Zimmergeſelle aber auf zwey Pfennige, nach dem damaligen Gelde h). Es iſt merkwürdig, daß unter eben der Regierung der Sold eines gemeinen Soldaten, eines Bogenſchützen, täglich ſechs Pfennige betrug; welches nach der Veränderung ſo wohl des Namens, als Werthes, gegen vier bis fünf Schilling unſers itzigen Geldes ausmachet i). Die Soldaten wurden da-

f) Cotton. S. 155.

g) 37. Edw. III. Chp 3.

h) 25. Edw. III. Cap. I. 3.

i) Dugdales Baronage, B I. S. 784. Bradys hiſt. B. 2. Ap. 92. Der Sold eines ſchweren Cavalleriſten war

damals nur auf eine sehr kurze Zeit angekommen: die ganze übrige Zeit des Jahres, und gemeiniglich auch die ganze Zeit ihres Lebens, thaten sie keine Dienste. Ein Feldzug, der an Sold,
Beute und Ranzion für die Gefangenen einträg-
lich war, wurde für zureichend gehalten, einem
Mann ein kleines Vermögen zuverschaffen, welches eine große Lockung war, in Dienste zu
treten.

Es wurden für Wolle, Schafffelle, Leder und
Bley in verschiedenen Städten von England,
durch eine Parlamentsakte Niederlagen errichtet k).
Nachher wurden sie nach Calais verlegt: allein
Eduard, der gemeiniglich seine Vorrechte für
wichtiger hielt, als die Gesetze, achtete diese Verordnungen wenig; und wenn das Parlament bey
ihm wegen solcher gewaltthätigen Handlungen

Vor-

war vielmal so groß. Wir können hieraus abnehmen, daß die zahlreichen Armeen, deren die Geschichtschreiber dieser Zeit gedenken, hauptsächlich aus nichts-
würdigen Leuten bestanden, welche dem Lager folgten,
und vom Raube lebten. Eduards Armee vor Calais
bestand aus 31094 Mann; dennoch war ihr Sold nur
127201 Pfund. Brady. ebend.

k) 27. Edw. III.

Vorstellungen machte, so sagte er gerade heraus,
daß er in dieser Sache so verfahren wollte, wie
er es für gut hielt l).   Man kann nicht leicht
andre Vortheile absehen, welche aus dieser grossen Sorgfalt, eine veste Niederlage zu haben,
entstanden, als vielleicht, daß Fremde angelocket
werden sollten, zu dem Markte zu kommen, wenn
sie vorher wüßten, daß sie daselbst eine ausge-
suchte Menge verschiedener Arten von Waaren antreffen würden.   Diese Politik, die Ausländer
nach Calais zu ziehen, wurde so weit getrieben,
daß allen englischen Kaufleuten durch ein Gesetz
verbothen wurde, keine englischen Güter von dem
Waarenlager auszuführen, welches gewissermas-
sen alle andre Schiffahrt; ausser nach Calais m),
abschaffte: eine Erfindung, welche, dem Anscheine nach, sehr närrisch und ausserordentlich ist.

Ueber Ueppigkeit wurde so wohl in diesen
als andern gesitteten Zeiten geklaget; und das
Parlament suchte sie überhaupt und insbesondere
in der Kleidung zu hemmen, wo sie gewiß offenbar die unschuldigste und unschädlichste ist. Keinem Menschen, der jährlich hundert Pfund ein-

zu-

---

l) Cotton. S. 117.
m) 27. Edw. III. Cap. 7.

zukommen hatte, wurde erlaubt, Gold, Silber
oder Seide an seiner Kleidung zu tragen: den
Bedienten wurde auch verbothen, mehr als einmal des Tages Fleisch oder Fische zu essen n).
Man konnte leicht vorhersehen, daß solche lächerliche Gesetze unwirksam seyn müßten, und niemals ausgeübet werden könnten.

Der Gebrauch der französischen Sprache in
Processen und öffentlichen Contrakten wurde abgeschaffet o). Es möchte wohl etwas seltsam
scheinen, warum die Nation dieses Merkmal
der Eroberung so lange getragen habe: allein der
König und der Adel scheinet nicht eher ganz englisch geworden zu seyn, bis Eduards Kriege mit
Frankreich ihnen einen Haß gegen diese Nation
gaben. Doch dauerte es noch lange, ehe die
englische Sprache Mode wurde. Die erste englische Schrift, welche wir im Rymer antreffen,
ist vom Jahr 1386, unter der Regierung Richards des Zweyten p). Es finden sich spani-
sche Schriften in dieser Sammlung, die weit äl-

ter

n) 37. Edw. III. Cap. 9. 10.

o) 36. Edw. III. Cap. 15.

p) Rymer, B. 7. S. 526. Diese Schrift scheinet, wegen ihres Stils, von den Schotten abgefaßt und nur
von den Gränzbewahrern unterzeichnet zu seyn.

ter sind q) ; und der Gebrauch des Lateinischen und
Französischen dauerte noch fort.

Im Jahr 1364 bathen die Gemeinen, daß,
in Betracht der vorigen Pest, diejenigen, welche Ländereyen, insbesondere vom Könige besäs-
sen, und Güter, ohne Vollmacht auf Leibrenten
vermiethet hätten, dieselbe Gewalt ferner ausüben dürften, bis das Land volkreicher würde r). Die Gemeinen sahen wohl ein, daß diese
Sicherheit des Besitzes ein gutes Mittel wäre,
das Königreich glücklich und blühend zu machen;
aber sie unterstunden sich nicht, anzuhalten, daß
ihre Ketten auf einmal ganz aufgelöset würden.

Unter den Regierungen der alten englischen
Monarchen ist keine, welche verdienet, mehr studiret zu werden, als die Regierung Eduards des
Dritten; und in keiner entdecken die häuslichen
Angelegenheiten besser das wahre Genie dieser
Art von vermischter Regierung, welche damals
in England eingeführet war. Der öftere Kampf für
die Gültigkeit und das Ansehn des großen Freyheitsbriefes war itzt vorbey: der König hatte sich gewissen Einschränkungen unterworfen: Eduard selbst
war ein Prinz von großer Fähigkeit, der sich
vor

---

q) Rymer, B. 6. S. 554.
s) Cotton, S. 97.

von Lieblingen nicht beherrschen, und von keiner
unordentlichen Leidenschaft von dem rechten Wege
abführen ließ. Er wußte wohl, daß nichts ihm
zuträglicher seyn könnte, als wenn er mit seinem
Volke in gutem Vernehmen stünde. Doch siehet
man überhaupt, daß die Regierung höchstens
nur eine barbarische Monarchie war, die nach
keinen bestimmten Regeln eingerichtet, noch durch
gewisse unstreitige Rechte eingeschränkt war, welche in der Ausübung ordentlicher Weise beobachtet wurden. Der König verfuhr nach einer Art
von Grundsätzen, die Baronen nach einer andern,
die Gemeinen nach einer dritten, die Geistlichkeit
nach einer vierten. Alle diese Regierungssysteme
widersprachen sich, und konnten nicht mit einander bestehen. Ein jedes bekam die Oberhand,
je nachdem die Umstände ihm günstig waren.
Ein großer Prinz machte die monarchische Macht
zu der herrschenden: die Schwachheit eines Königes ließ der Aristocratie den Zügel schießen: Ein
abergläubisches Jahrhundert sah die Geistlichkeit
triumphiren: das Volk, für welches die Regierung allein angeordnet war, und welches allein
Betrachtung verdiente, war gemeiniglich das
schwächste unter allen. Aber die Gemeinen, die
eben keinem andern Stande verhaßt waren, wenn

sie gleich durch die Gewalt des Sturms unter-
sunken, erhoben doch stillschweigend ihr Haupt
in ruhigern Zeiten; und so lange der Sturm
brausete, wurden sie von allen Seiten geliebkoset; und so erhielten sie immer einigen Zuwachs
ihrer Freyheiten, oder wenigstens doch einige
Bestätigung derselben.

Das

Das siebenzehnte Kapitel.

Richard II.

Regierung während der Minderjährigkeit. Aufstand des gemeinen Volks. Mißvergnügen der Baronen. Bürgerliche Unruhen. Vertreibung und Hinrichtung der Minister des Königes. Cabalen des Herzogs von Glocester. Ermordung des Herzogs von Glocester. Verbannung des Herzogs von Hereford. Zurückkunft des Herzogs. Allgemeiner Aufstand. Absetzung des Königes. Seine Ermordung. Sein Charakter. Vermischte Verrichtungen dieser Regierung.

Das Parlament, welches bald nach der Thronbesteigung des Königes zusammen kam, wurde (i. J. 1377) in Ruhe erwählet und versammlet; und das Volk merkte nicht sogleich, wie

X 2   groß

groß der Tausch war, da es für einen Prinzen von
vollkommner Weisheit und Erfahrung einen Kna-
ben von eilf Jahren bekam. Die Gewohnheit,
Ordnung und Gehorsam zu beobachten, welche
die großen Baronen unter der langen Regierung
Eduards gelernet hatten, hatte noch einen großen
Einfluß auf sie; und das Ansehen der drey Onkel
des Königes, der Herzoge von Lancaster, York
und Glocester, war groß genug, auf eine kurze
Zeit den unruhigen Geist nieder zu halten, der
unter diesem Orden, in Zeiten einer schwachen
Regierung, so leicht ausbrach. Auch die gefährliche Ehrbegierde dieser Prinzen selbst wurde durch
das offenbare und unläugbare Recht Richards,
durch die Erklärung, die sein Großvater seinet-
wegen vor dem Parlament gethan, und durch die
zärtliche Hochachtung, welche das Volk für das
Andenken seines Vaters hegte, und welches sich
natürlicherweise auf den jungen regierenden Prinzen fortpflanzte, in Zaum gehalten. Die verschiedenen Charaktere dieser drey Herzoge machten
überdem, daß sie einer dem andern zum Gegengewicht dienten; und man konnte mit Grunde
vermuthen, daß ein Bruder sich dem gefährlichen
Vorhaben des andern widersetzen würde. Dem
Lancaster gab sein Alter, seine Erfahrung und sein

An-

Ansehen unter dem vorigen Könige einen Vorzug vor den andern; obgleich seine Redlichkeit nicht so groß zu seyn schien, daß sie große Versuchungen ausstehen würde; so hatte er doch weder einen unternehmenden Geist, noch eine beliebte und einnehmende Gemüthsart. York war träge, unthätig und von mittelmäßiger Fähigkeit. Glo=cester war unruhig, kühn und beliebt; weil er aber der jüngste war, so wurde er durch die Macht und das Ansehen seiner älteren Brüder zurückgehalten. Daher zeigte sich in der häuslichen Verfassung Englands kein Umstand, welcher den öffentlichen Frieden in Gefahr setzen, oder dem Patrioten Sorge machen konnte.

Aber obgleich Eduard die Thronfolge fest=gesetzt hatte; so hatte er doch keinen Regierungs=plan während der Minderjährigkeit seines Enkels bestimmet; das Parlament mußte diesen Mangel ersetzen; und das Haus der Gemeinen that sich dadurch hervor, daß es bey dieser Gelegenheit den Vorgang nahm. Dieses Haus, welches unter der ganzen vorigen Regierung ansehnlich geworden war, wurde es unter dieser Minderjährigkeit noch mehr; und da es itzt ein Schauplatz von Geschäf=ten geworden, so wählten die Gemeinen zuerst einen Sprecher, welcher in ihren Berathschlagun=

X 3   gen

gen Ordnung halten, und diejenigen Formalitäten
beobachten sollte, die in einer zahlreichen Versammlung nöthig sind. Peter de la Mare wurde
hiezu angenommen; eben derselbe, der von dem
vorigen Könige gefangen gesetzt und behalten war,
wegen seiner Freyheit in Reden, womit er die
Maitresse und die Minister des Königes angegriffen hatte. Allein obgleich diese Wahl den Geist
der Freyheit bey den Gemeinen entdeckte, und auf
dieselbe viele Angriffe wider Minister und die
Alice Pierce a) erfolgten; so kannten sie doch ihr
geringeres Ansehen noch gar zu wohl, als daß sie
einen unmittelbaren Antheil an der Regierung,
oder an der Sorge für die Person des Königes
nehmen sollten. Sie begnügten sich, sich mit
einer Bittschrift wegen dieser Sache an die Lords
zu wenden, und von diesen zu verlangen, daß sie
neun Männer bestellten, welche die öffentlichen
Geschäfte besorgen könnten, und tugendhafte und
artige Leute wähleten, welche über die Aufführung
und die Erziehung des jungen Prinzen Aufsicht
hätten. Die Lords ließen sich die erste Foderung
gefallen, und wählten die Bischöfe von London,
Carlisle und Salisbury, die Grafen von Marche
und

a) Walsing. S. 150.

und Stafford, den Sir Richard von Stafford,
Sir Heinrich le Scrope, Sir Johann Devereux,
und Sir Hugh Segrave, welchen sie die Verwaltung der ordentlichen Geschäfte auf ein Jahr auftrugen b). Was aber die Einrichtung des königlichen Hofstaats betraf, so lehnten sie es ab, sich
mit dieser Verrichtung zu befassen, die, wie sie
sagten, an sich so viel Neid erregte, und ihrer
Majestät sehr unangenehm seyn könnte.

Da die Gemeinen mehr Muth faßten; so
giengen sie in ihren Bemühungen noch einen Schritt
weiter. Sie gaben eine Bittschrift ein, worinn
sie den König bathen, der überhandnehmenden
Gewohnheit der Baronen Einhalt zu thun; daß sie
keine ungesetzliche Verbindungen machen, sich nicht
untereinander unterstützen, noch Leute von geringerm Stande, bey den Verletzungen der Gesetze
und der Gerechtigkeit schützen dürften. Sie erhielten auf diese Bittschrift eine allgemeine und
verbindliche Antwort von dem Könige: Allein ein
andrer Theil ihrer Bitte, daß alle große Bedienungen, während der Minderjährigkeit des Königes,
von dem Parlament besetzet werden möchten,
worinn sie sowohl den Beytritt der Gemeinen, als

X 4 des

b) Rymer, B. 7. S. 161.

des Oberhauses zu den Ernennungen zu fodern
schienen, wurde nicht genehmiget. Die Lords
allein behielten die Gewalt, die Bedienungen zu
vergeben: die Gemeinen willigten stillschweigend
in ihre Wahl, und glaubten, sie wären vors erste
schon weit genug gegangen, wenn sie nur ihre
Foderungen sich, in diese wichtigern Staatsgeschäfte
mischen zu dürfen, an den Tag legten, ob sie gleich
verworfen würden.

Auf diesem Fuß stund die Regierung damals.
Das Regiment wurde gänzlich im Namen des
Königes geführet: es wären keine Regierungs-
räthe ausdrücklich ernennet: der Rath und die
großen Bedienten, die von den Pairs ernennet
waren, thaten ihre Pflicht, ein jeder in seinem
Departement; und das ganze System wurde auf
einige Jahre durch die geheime Macht der Onkel
des Königes, insbesondere des Herzogs von Lancaster, der eigentlich Regent war, zusammen gehalten.

Das Parlament wurde auseinander gelassen,
nachdem die Gemeinen die Nothwendigkeit vorgestellet hatten, daß sie, wie es in den Gesetzen bestimmet wäre, jährlich einmal versammlet würden;
und nach dem sie zween Bürger zu ihren Schatzmei-
stern erwählet hatten, die den Funfzehnten und

Zehn-

Zehnten, den sie der Krone versprochen, einneh=
men und ausgeben sollten, In den andern Parla=
mentsversammlungen, die während der Minder=
jährigkeit zusammen berufen wurden, entdeckten
die Gemeinen noch immer einen starken Geist der
Freyheit, und ein Bewußtseyn ihres eignen An=
sehens, welches, ohne Unruhen zu verursachen,
ihre und des Volks Unabhänglichkeit zu sichern
diente c).

X 5   Eduard

---

c) In dem fünften Jahr des Königs klagten die Gemei=
nen über die Regierung der Person des Königs,
seinen Hof, die ungeheure Menge seiner Bedien=
ten, die Mißbräuche des Kanzlerygerichts, der
königlichen Bank, des Gerichts der gemeinen
Processe, des Rentkammergerichts, über die har=
ten Bedrückungen, welche die große Menge zänk=
süchtiger Personen (Leute die sich untereinander in
Bündnisse eingelassen hatten) auf dem Lande anrich=
teten, woselbst sie Könige vorstellen wollten, weil
daselbst wenige Gesetze oder Rechte waren; und
über andre Dinge, welche, wie sie sagten, die Ur=
sache der neulichen Empörung unter dem Wat
Tyler gewesen. Part. Hist. B. 1. S. 365. Diese un=
ordentliche Regierung, welche weder der König, noch
das Haus der Gemeinen zu verbessern fähig gewesen,
war die Quelle der Ausgelassenheit der Großen, der
Un=

Eduard hatte seinen Enkel in vielen gefährlichen Kriegen verwickelt gelaſſen. Die Anſprüche
des Herzogs von Lancaſter auf die Krone Caſtilien
machten, daß das Königreich ſeine Feindſeligkeiten
gegen England noch beſtändig fortſetzte. Schottland, deſſen Thron itzt mit dem Robert Stuart,
dem Vetter des David Bruce, und erſtem Prinzen
dieſer Familie, beſetzet war, hatte ſo genaue Verbindung mit Frankreich, daß ein Krieg mit der
Einen Krone nothwendig einen andern mit der
andern verurſachete. Der franzöſiſche Monarch,
der

Unruhe des Volks und der Tyranney der Prinzen:
Wenn die Unterthanen ihre Freyheit, und die Könige
ihre Sicherheit erhalten wollten, ſo mußten die Geſetze
ausgeübet werden.

In dem neunten Jahr dieſer Regierung entdeckten
die Gemeinen eine Wachſamkeit und einen Eifer für die
Freyheit, den wir in ſolchen rohen Zeiten wenig vermuthen ſollten. „Es wurde im Parlament beſchloſſen,
„ſagt Cotton S. 309, daß die Subſidie von Wolle,
„Schaaffellen und Häuten, welche dem Könige bis auf
„künftigen St. Johannistag verſprochen war, von der
„Zeit an bis auf St. Peter ad vincula dauren ſollte;
„damit der König dadurch verhindert würde, ſolche Ver:
„willigungen als eine Schuldigkeit zu fodern.“ Siehe
auch Cotton, S. 198.

der sich durch seine kluge Aufführung den Namen
des Weisen erworben hatte, schien, da er bereits
die Erfahrung und die Tapferkeit der beyden
Eduards unwirksam gemacht, für einen minderjährigen König ein gefährlicher Feind zu seyn:
allein sein Genie, welches zu Unternehmungen
nicht aufgelegt war, trieb ihn itzt nicht an, seine
Nachbaren sehr zu beunruhigen; und überdem
kämpfte er in seinem eignen Lande mit vielen
Schwierigkeiten, die er erstlich überwinden mußte,
ehe er daran denken konnte, feindliche Länder zu
erobern. England besaß Calais, Bourdeaux und
Bayonne; und neulich hatte der König von Navarra Cherbourg, und der Herzog von Bretagne
Brest an dieses Reich abgetreten d); und da es auf
diese Weise einen Zugang von allen Seiten in
Frankreich hatte; so konnte es auch bey den gegenwärtigen Umständen die Regierung desselben beunruhigen. Ehe Carl die Engländer aus diesen
wichtigen Posten vertreiben konnte, starb er in der
Blüthe seiner Jahre, und hinterließ sein Reich
einem unmündigen Sohn, mit Namen Carl der
Sechste.

Un-

d) Rymer, B. 7. S. 190.

Unterdeſſen wurde (i. J. 1378) der Krieg mit
Frankreich ein wenig nachläßig geführet, und
keine große und berühmte Unternehmung darinn
vorgenommen. Sir Hugh Calverley, der ehemals
einen Haufen Banditen in Frankreich angeführet
hatte, (denn er ſowohl, als Sir Robert Knolles,
und viele von Eduards berühmteſten Generalen,
hatten ehemals dieſes unanſtändige Gewerbe getrieben) war Commandant zu Calais; und da er
(i. J. 1380) mit einem Theil der Beſatzung einen
Einfall in die Picardie that, ſetzte er Boulogne in
Brand c). Der Herzog von Lancaſter führte eine
Armee nach Bretagne, mußte aber, ohne etwas
wichtiges ausrichten zu können, wieder zurückkehren. In dem folgenden Jahre marſchirte der
Herzog von Gloceſter aus Calais mit 2000 Mann
zu Pferde, und 8000 zu Fuße; und trug kein
Bedenken, mit dieſer kleinen Armee in das Herz
von Frankreich einzudringen, und ſeine Verheerungen durch die Picardie, Champagne, Brie,
Beauſſe, Gatinois und Orleanois fortzuſetzen,
bis er ſeine Allurten in der Provinz Bretagne erreichte. Er wurde den Herzog von Burgundien
an der Spitze einer ſtärkern Armee anſichtig; allein
die

c) Walſing. S. 209.

die Franzosen waren über das vorige Glück der
Engländer so erschrocken, daß keine Ueberlegenheit
an Volk sie bewegen konnte, mit den Truppen
dieser Nation ein Haupttreffen zu wagen f).
Da der Herzog von Bretagne, bald nach der Ankunft dieser Hülfsvölker, mit dem Hofe von
Frankreich einen Waffenstillstand schloß; so war
auch diese Unternehmung am Ende fruchtlos,
und machte keinen dauerhaften Eindruck auf den
Feind.

Die Kosten dieser Rüstung und der Mangel
an Oekonomie, der gemeiniglich mit einer Minderjährigkeit verbunden ist, erschöpfte sehr den
Schatz von England, und nöthigte das Parlament,
um den Mangel zu ersetzen, eine neue und ungewöhnliche Steuer, nämlich jeder Person männlichen und weiblichen Geschlechts, die über funfzehn
Jahre alt waren, drey Groats *) aufzulegen;
und es befahl, daß bey Einhebung dieser Steuer
die Reichen die Armen unterstützen sollten. Diese
Auflage erregte einen Aufruhr, der seinen Umständen nach besonders war. Die ganze Geschichte ist
voll von Beyspielen der Tyranney der Großen
ge-

_____

f) Froissard, Liv. II. Chap. 50, 51. Walsing. S. 239.
*) Groats, das ist vier englische Pfennige.

gegen die Kleinern: allein hier empörte sich der niedrigste Pöbel wider seine Obern, verübte die grausamsten Verwüstungen gegen sie, und rächete sich wegen aller vorhergehenden Unterdrückungen.

Das schwache Licht, welches (i. J. 1381) in den Künsten und in der guten Regierung zu der Zeit aufgieng, hatte bey dem Pöbel verschiedener Staaten von Europa den Wunsch nach einem bessern Zustande, und vieles Murren über diese Ketten erreget; welche die von dem stolzen, kleinen und großen Adel eingeführten Gesetze ihm so lange aufgelegt hatten. Die Bewegungen des Volks in Flandern, die Meuterey der Bauren in Frankreich, waren die natürlichen Folgen von der zunehmenden Liebe zur Unabhänglichkeit; und da die Nachricht von diesen Begebenheiten nach England kam, wo die persönliche Sklaverey gemeiner, als in jedem andern Lande von Europa war g); so bereitete sie die Gemüther des großen Haufens zu einem Aufstande. Auch gieng ein gewisse aufrührischer Prediger, mit Namen Johann Ball, der sich sehr um die Gunst des niedrigen Volks bemühete, auf dem Lande herum, und predigte seinen Zuhörern die Grundsätze des

er-

g) Froissard. Liv. II. Chap. 74.

erſten Urſprunges der Menſchen aus einem gemein-
ſchaftlichen Stamme; ihr gleiches Recht zur Freyheit, und zu allen Gütern der Natur; die Tyranney der künſtlichen Eintheilung der Stände, und
die Mißbräuche, die aus der Herabſetzung des be-
trächtlichern Theils des menſchlichen Geſchlechts,
und aus der Erhebung weniger unverſchämter Regenten entſtanden wären h). Dieſe Lehren, welche
dem Pöbel ſo angenehm waren, und den Begriffen
von der urſprünglichen Gleichheit, die allen
Menſchen ins Herz geſchrieben ſind, ſo ſehr ent-
ſprachen, wurden von der Menge begierig aufgenommen, und ſtreuten die Funken dieſes Aufruhrs aus, welche durch die gegenwärtige Steuer in
volle Flammen gebracht wurden.

Die Auflage von drey Groats auf jeden
Kopf war an Steuereinnehmer in den Grafſchaf-
ten verpachtet, die das Geld mit Strenge von
dem Volke eintrieben: und da die Clauſel, daß
die Reichen ihren armen Nachbarn einen Theil der
Laſt abnehmen ſollten, ſo ungewiß und unbeſtimmt
war; ſo hatte ſie ohne Zweifel viele Parteylich-
keiten verurſachet, und gemacht, daß das Volk
das ungleiche Loos, welches das Glück ihm bey
der

h) Froiſſard, Liv. II. Chap. 74. Walſing. S. 275.

der Austheilung seiner Güter bestimmt hatte,
destomehr empfand. Die erste Unordnung entstund von einem Grobschmidt auf einem Dorfe in
Essex. Die Steuereinnehmer kamen in die Werk-
stätte dieses Mannes, da er eben arbeitete, und
foderten die Zahlung für seine Tochter, welche
nach seiner Aussage noch unter dem von der
Verordnung bestimmten Alter war. Einer von
diesen Leuten wollte einen sehr unanständigen
Beweis von dem Gegentheil ablegen, und ergriff
zugleich das Mägdchen. Der Vater wurde böse,
und schlug dem Gewaltthäter mit seinem Hammer
den Kopf ein. Die Herumstehenden billigten die
Handlung, und riefen aus, es wäre hohe Zeit
für das Volk, sich an seinen Tyrannen zu rächen,
und seine angebohrne Freyheit zu retten. Sie
griffen sogleich zu den Waffen; die gänze Nachbarschaft vereinigte sich zu diesem Aufstande; die
Flamme verbreitete sich in einem Augenblick über
die ganze Grafschaft, und pflanzte sich bald bis
in die Grafschaften Kent, Hereford, Surrey,
Sussex, Suffolk, Norfolk, Cambridge und Lincoln fort. Ehe die Regierung die geringste
Nachricht von dieser Gefahr erhielt, war der
Unordnung schon nicht mehr vorzubeugen, und
so groß geworden, daß man sich ihr nicht mehr
wi-

widerſetzen konnte. Der Pöbel hatte alle Achtung
für ſeine vorige Herren abgelegt; und da er von
den kühneſten und gottloſeſten von ſeinen Mit-
helfern angeführet wurde, welche die erdichteten
Namen Wat, Tyler, Jack Straw, Hob Carter
und Tom Miller annahmen, womit ſie ihre geringe Herkunft andeuten wollten, ſo verübte er
allenthalben die ausſchweifendſten Grauſamkeiten
an denen vornehmen großen und kleinen Adel,
die das Unglück hatten, ihm in die Hände zu
fallen.

Die Aufrührer, deren gegen 100,000 Mann
waren, hatten ſich (den 12 Jun.) unter ihren Anführern Tyler und Straw, zu Blackheath verſammlet; und da die Prinzeſſinn von Wallis,
des Königes Mutter, von einer Wallfahrt nach
Canterbury zurückkam, und hier durchreiſete,
griffen ſie ihr Gefolge an; und einige der unver-
ſchämteſten unter ihnen, um ausdrücklich zu zeigen, daß ſie alle Leute gleich achten wollten,
erzwangen Küſſe von ihr, ließen ſie aber ihre
Reiſe fortſetzen, ohne ihr ſonſt Gewalt zu thun i).
Sie ſchickten Geſandte an den König, der in den
Tower geflüchtet war; und verlangten eine Unter-

i) Froiſſard, Liv. II, Chap. 74.

gebung mit ihm. Richard fuhr in seiner Schaluppe
den Fluß hinunter; da er aber dem Ufer nahe kam,
fand er solche Zeichen des Aufruhrs und Trotzes,
daß er umkehrte, und sich wieder nach dem Castel
begab k). Unterdessen waren die aufrührischen
Bauern, mit Hülfe des losen Gesindels aus der
Stadt, in London eingebrochen; hatten den Palast
des Herzogs von Lancaster abgebrannt; alle Leute
vom Stande, die ihnen in die Hände fielen, enthäuptet; eine besondre Feindseligkeit gegen die
Advokaten und Procuratoren bezeiget; und die
Waarenlager der reichen Kaufleute geplündert l).
Ein großer Theil derselben quartirte sich zu
Mileend ein; und da der König sich in dem Tower
wegen der sehr schwachen Besatzung, und dem
geringen Vorräthe an Proviant, nicht halten
könnte; so war er genöthigt, sich zu ihnen heraus
zubegeben, und nach ihrem Begehren zu fragen.
Sie verlangten eine allgemeine Vergebung, die
Abschaffung der Sklaverey, eine Freyheit des
Handels in den Marktflecken ohne Zoll und Abga-
ben; und statt der Frohndienste, die sie als
Bauern thun müßten, wollten sie den gewissen

k) Froissard, Liv. I. Chap. 75.
l) Froissard, Liv. II. Chap. 76. Walsing. S. 241, 249.

bestimmtes Geld von ihren Ländereyen geben. Diese an sich sehr billige Foderungen, welche anzunehmen, die Nation zwar noch nicht genug vorbereitet war, wurde jedoch zugestanden. Es wurden ihnen dazu Freybriefe gegeben, und dieser Haufe gieng sogleich aus einander, und zu Hause m).

Unterdessen war ein andrer Haufe Rebellen in den Tower eingedrungen: hatte den Simon Sudbury, den Primas und Kanzler, den Sir Robert Hales, den Schatzmeister, und einige andre ansehnliche Personen ermordet, und setzte seine Verheerungen in der Stadt fort n). Als der König mit einer kleinen Wache durch Schmitfield kam, traf er den Wat Tyler an der Spitze dieser Tumultuanten an, und ließ sich mit ihm in eine Unterredung ein. Tyler hatte seinen Anhängern befohlen, sich so lange zurück zu halten, bis er ihnen ein Zeichen gäbe, worauf sie das Gefolge des Königes ermorden, ihn selbst aber gefangen nehmen sollten; und fürchtete sich nicht, mitten unter das Gefolge des Königes zu gehen. Er führte sich hier so auf, daß Walwort, der

D 2 Ma-

m) Froissard. Liv. I. Chap. 77.
n) Walsingham. S. 250. 251.

Major von Londen, seine Grobheiten nicht länger ausstehen konnte; sondern sein Schwerd zog, und ihm einen solchen Hieb versetzte, daß er sogleich zur Erde fiel; worauf er von einigen andern Leuten des Königes vollends ermordet wurde.

Da die Aufrührer ihren Anführer fallen sahen, machten sie sich zur Rache fertig; und der König, mit seinem ganzen Gefolge, wäre ohne Zweifel auf der Stelle umgekommen, wenn er nicht eine besondre Gegenwart des Geistes gezeiget hätte. Er befahl den Seinigen, still zu stehen, und gieng allein zu dem erbitterten Haufen, den er mit Höflichkeit und Unerschrockenheit anredete; er fragte: „Was bedeutet diese Unordnung, meine guten Leute? Seyd ihr böse, daß ihr euren Anführer verlohren habt? Ich bin euer König, ich will euch anführen.„ Durch seine Gegenwart in Ehrfurcht gesetzt, folgte der Pöbel ihm ohne Einwendung. Er führte ihn hinaus auf das Feld, um aller Unordnung, die aus dem längern Aufenthalt desselben in der Stadt hätte entstehen können, vorzubeugen. Nachdem er hier von dem Sir Robert Knolles, und einem Trupp alter Soldaten, welche man heimlich versammlete, verstärket war, befahl er diesem sen Officier, sie nicht anzufallen, noch ohne Unterschied eine Niederlage unter ihnen anzurichten; und ließ sie mit denselben Freybriefen von sich, welche er ihren Gesellschaftern gegeben hatte o). Bald darauf hörte der kleine und große Adel von der Gefahr des Königes, worein sie alle mit verwickelt waren, und versammlete sich mit seinen Bedienten und Anhängern haufenweise in London; und Richard zog mit einer Armee von 40,000 Mann zu Felde p). Nun mußten alle andre Rebellen sich unterwerfen; die Freybriefe, worinn ihnen die Abgaben erlassen und Gnade versprochen war, wurden von dem Parlament widerrufen. Das geringe Volk wurde wieder in eben die Knechtschaft gebracht, worinn es gewesen war, und verschiedene von den Anführern wurden für die letzten Unordnungen hart gestraft. Man gab vor, die Aufrührer hätten die Absicht gehabt, sich der Person des Königes zu bemächtigen, ihn an ihrer Spitze durch England zu führen, allen großen und kleinen Adel, Rechtsgelehrte, ja so gar alle Bischöfe und Priester, aus

ge

o) Froissard. B 2, Chap. 77. Walsing. S. 252. Knygton. S. 2637.
p) Walsingham. S. 267.

genommen die Bettelmönche, zu ermorden; nachher den König selbst aus dem Wege zu schaffen,
und wenn sie solchergestalt alles Volk gleich gemacht hätten, das Königreich nach ihrem Gefallen
zu regieren q). Es ist nicht unmöglich, daß einige von ihnen, in der Raserey ihres ersten guten Fortganges solche Entwürfe gemacht haben
mögen: allein unter allen Uebeln, welche die
menschliche Gesellschaft treffen, sind Empörungen
des Pöbels, wenn sie nicht von höhern Personen
erreget und unterstützet werden, am wenigsten zu
fürchten. Das Verderben, welches die Abschaffung aller Stände und alles Unterschiedes begleitet, wird so groß, daß man es gleich empfindet,
und die Sachen bald wieder in ihre vorige Ordnung und Einrichtung zurück kehren.

Ein Jüngling von sechzehn Jahren, (denn
so alt war damals der König) der so viel Muth,
Gegenwart des Geistes und Klugheit gezeiget,
und die Gewalt dieses Aufruhrs auf eine so gute
Art hintertrieben hatte, machte der Nation große
Hoffnungen; und man konnte natürlicher Weise
erwarten, daß er in der Folge seines Lebens
allen denjenigen Ruhm, der seinem Vater und

Groß-

q) Walsingh. S. 265.

Großvater in allen ihren Unternehmungen so
durchgängig gefolget war, in eben dem Grade
erlangen würde: (i. J. 1385.) Allein, je mehr Richard an Jahren zunahm, je mehr wurde diese
Hoffnung zu Wasser; und sein Mangel an Fähigkeit, wenigstens an gründlicher Urtheilskraft,
leuchtete aus allen seinen Unternehmungen hervor. Die Schotten, welche ihren Mangel an
Reuterey wohl erkannten, hatten sich an die Re-
gierungsverweser Karls des Sechsten gewandt;
und Johann von Vienne, Admiral von Frankreich, war mit einem Heer von 1500 Mann
schwerer Cavallerie abgeschickt, um sie in ihren
Anfällen wider die Engländer zu unterstützen.
Die Onkel des Königes hielten diese Gefahr für
etwas ernsthaft; und es wurde eine große Armee
von 60,000 Mann geworben, und von dem Richard selbst wider die Schotten geführet. Die
Schotten unterstunden sich nicht, einer solchen
Macht zu widerstehen, sie ließen ihr Land ohne
Bedenken von dem Feinde verheeren und plündern; und als de Vienne seine Verwunderung
über diesen Operationsplan an den Tag legte,
sagten sie ihm, daß sie alle ihr Vieh in die Wälder und vesten Oerter getrieben hätten; daß ihre
Häuser und andern Güter nicht viel werth wären;

und

und daß sie durch einen Einfall in England den
Verlust, den sie etwa hiebey leiden möchten,
wohl zu ersetzen müßten. Als nun Richard bey
Berwic an der östlichen Seite in Schottland ein
rückte, marschirten die Schotten und Franzosen,
30,000 Mann an der Zahl, über die englischen
Gränzen, an der westlichen Seite, und verwüsteten Cumberland, Westmoreland und Lancashire, sammleten eine reiche Beute, und kehrten
ruhig wieder in ihr Land zurück. Unterdessen
rückte Richard gegen Edinburgh, und verheerte
auf seinem Marsch alle Städte und Dörfer zu
beyden Seiten; legte diese Städte in die Asche;
verfuhr mit Pertth, Dundee und andern Oertern
im platten Lande eben so; und als man ihm
rieth, nach der westlichen Küste zu marschiren,
um dort den Feind auf der Rückkehr zu erwarten, und sich wegen der begangenen Verwüstungen an ihm zu rächen; so war sein Verlangen,
in England zu seyn, und seine gewöhnlichen Vergnügungen und Ergötzungen zu genießen, über-
wiegender bey ihm, und er zog seine Armee zurück, ohne mit allen diesen großen Vorbereitungen das geringste auszurichten. Da die Schotten
bald darauf sahen, daß die schwere französische
Reuteren zu diesen leichten Arten des Krieges,

deren

deren sie sich allein bedienten, sehr wundb wäre;
so begegneten sie ihren Alliirten so schlecht, daß
diese mit dem größten Mißvergnügen über dieses
Land, und über die Sitten der Einwohner des=
selben, zu Hause giengen r). Obgleich die Eng=
länder die Trägheit und die schlechten Sitten ih=
res Königes bedauerten; so sahen sie sich doch
vor einem künftigen Angriffe von dieser Seite in
Sicherheit.

Allein der Vortheil, die Seestädte aus den
Händen des Feindes zu reißen, war für die
Krone von Frankreich so wichtig, daß sie sich
entschloß, (i. J. 1386.) es durch andre Mittel zu
versuchen, und keines war ihr bequemer, als ein
Angriff auf England. Sie versammlete zu Sluise
eine ungeheure Flotte und Armee; denn itzt stun=
den die Einwohner von Flandern mit ihr in Al=
lianz; der ganze französische Adel wurde zu die=
ser Unternehmung gebraucht; die Engländer ge=
riethen in Unruhe; man machte große Zurüstun=
gen, um den Feind zu empfangen; und obgleich
die französische Flotte vor der Einschiffung der
Truppen von einem Sturm zerstreuet, und ver=

Y 5　　　schie

_____

r) Froissard. Liv. II. Chap. 149.159. Liv. III. Ch.
52. Walsing. S. 316.

schiedene Schiffe derselben von den Engländern
genommen wurden; und ihr Königreich also von
der gegenwärtigen Gefahr befreyet war; so sahen
sie doch wohl ein, daß diese gefährlichen Umstände alle Augenblicke wieder kommen könnten s).

Zwey Ursachen vornehmlich trieben die Franzosen damals an, auf diese Unternehmungen zu
denken. Die eine war die Abwesenheit des Herzogs von Lancaster, der den ganzen Kern der
englischen Kriegsmacht mit nach Spanien genommen hatte, um seine eiteln Ansprüche auf Castilien durchzusetzen; eine Unternehmung, in welcher er nach einigen viel versprechenden Verrichtungen seinen Zweck doch am Ende verfehlte.
Die andre Ursache waren die großen Uneinigkeiten und Unordnungen, welche sich in die englische Regierung eingeschlichen hatten.

Die Unterwürfigkeit, worinn Richard von
seinen Onkeln gehalten wurde, besonders von
dem Herzoge von Glocester, einem Herrn von
unternehmendem Geiste, war zwar seinen Jahren
und seinen geringen Fähigkeiten gemäß, aber seiner heftigen Gemüthsart höchst unangenehm; und

er

s) Froissard. Liv. III. Chap. 41. 53. Walsing. S. 322.
323.

er fieng an, das ihm aufgelegte Joch abzuschütteln. Robert de Vere, Graf von Oxford, ein junger Herr von gutem Geschlecht, von einer angenehmen Leibesgestalt, aber von schlechten Sitten, hatte eine völlige Gewalt über ihn erhalten, und regierte ihn mit der uneingeschränktesten Macht. Der König wußte seine Leidenschaften so wenig einzuschränken, daß er seinen Liebling erst zum Marquis von Dublin; ein Titel, der vorher in England völlig unbekannt war, und darauf zum Herzoge von Irrland erhob; und ihm durch ein Patent, welches das Parlament bestätigte, auf Lebenslang die völlige Souverainität über diese Insel gab t). Er verheyrathete seine leibliche Cousine, eine Tochter Ingelrams von Couci, Grafens von Bedford, mit ihm; bald darauf aber erlaubte er ihm diese Dame, der er doch nichts vorzuwerfen hatte, zu verstoßen, und eine Fremde aus Böhmen, in die er sich verliebt hatte, zu beyrathen u). Diese öffentliche Gunstbezeugungen zogen das Gewicht des ganzen Hofes nach der Seite dieses Lieblings

hin z

t) Cotton. S. 310. 311. Coxs hist. of Ireland. S. 129. Walsing. S. 324.

u) Walsingham. S. 338.

hin; Alle Gnaden giengen durch seine Hand;
der Zutritt zu dem Könige konnte nur durch
seine Vermittelung erhalten werden; und Richard
schien kein Vergnügen an der königlichen Gewalt
zu finden, als nur in so weit sie ihm das Vermögen gab, diesen Gegenstand seiner Zuneigung
mit Gnaden, Titeln und Würden zu überhäufen.

Die Mißgunst wider die Gewalt des Lieblings veranlaßte sogleich Feindseligkeiten zwischen ihm und seinen Geschöpfen an der einen,
und den Prinzen von Geblüte, nebst dem vornehmen Adel an der andern Seite; und die
gewöhnlichen Klagen über die Unverschämtheit
der Lieblinge erschollen öffentlich; und wurden
in allen Theilen des Königreichs begierig aufgenommen. Der Marschall Mowbray, Graf von
Nottingham, Fitz-Alan, Graf von Arundel,
Piercy, Graf von Northumberland, Montacute,
Graf von Salisbury, Beauchamp, Graf von
Warwic, waren alle unter einander, und mit
den Prinzen durch Freundschaft oder Alliänzen,
noch mehr aber durch ihren Haß gegen diejenigen, welche ihnen die Gunst und das Zutrauen
des Königs entwendet hatten, verbunden. Von
dem persönlichen Charakter ihres Prinzen nicht
mehr in Furcht gehalten, hielten sie sich zu gut
ba-

dazu, seinen Ministern zu gehorchen; und die
Mittel, welcher sie sich bedienten, die Mißbräuche, worüber sie sich beklagt hatten, abzuschaffen,
entsprachen der Gewaltthätigkeit der Zeit, und
der äußersten Heftigkeit, wozu allemal jede Wi-
derseßung sogleich gebracht wurde.

Michael de la Pole, der gegenwärtige Kanzler, der neulich zum Grafen von Suffolk ernannt
worden, war der Sohn eines großen Kaufmanns;
war aber wegen seiner Fähigkeit und Tapferkeit
in den Kriegen Eduards des Dritten sehr gestiegen; hatte sich die Freundschaft dieses Monarchen erworben, und wurde für den versuchtesten
und geschicktesten Mann gehalten, unter denen
die sich auf die Seite des Herzogs von Irland,
und des geheimen Rathes des Königes geschlagen hatten. Der Herzog von Glocester, der sich
das Haus der Gemeinen verbindlich gemacht
hatte, trieb es an, diejenige Gewalt auszuüben,
welche es sich in den letzten Jahren des vorigen
Königes wider den Lord Latimer angemaßet hatte;
und es wurde von denselben eine Klage über
den Kanzler in das Oberhaus, welches dem Herzoge nicht weniger ergeben war, eingereichet. Der
König sah das Ungewitter voraus, welches ihm
und seinen Ministern zubereitet wurde. Nachdem

dem er sich umsonst bemühet hatte, die Einwohner von London zu seiner Vertheidigung auf-
zuwecken, verließ er das Parlament, und begab
sich mit seinem Hofe nach Eltham. Das Parlament schickte Abgeordnete an ihn, die ihn bathen, zurück zu kommen, und droheten, wenn
er nicht erscheinen würde, sogleich aus einander
zu gehen, und die Nation, so groß auch die
Gefahr wäre, die sie von einem Angriffe der
Franzosen zu befürchten hätte, ohne Schutz und
ohne Vorsorge für ihre Vertheidigung zu lassen.
Zu gleicher Zeit wurde ein Mitglied aufgemuntert, die Urkunde der parlamentarischen Absetzung
des Königes Eduard des Zweyten, aufzusuchen:
eine deutliche Anzeige desjenigen Schicksals, welches Richard, wenn er so halsstarrig bliebe, von
seinem Parlament zu erwarten hätte.

Da der König sah, daß er nicht widerstehen
konnte; so begnügte er sich damit, die Bedingung
zu machen, daß nach Endigung der Klage über
den Suffolk, keiner von seinen Ministern ferner
abgegriffen werden sollte; und auf diese Bedingung kam er wieder ins Parlament. x).

Nichts

x) Knyghton, S. 2715. u. Dieser sagt auch S. 2560.
der König habe den Deputirten geantwortet, er wolle

auf

Nichts beweiset die Unschuld des Suffolk mehr, als die Nichtswürdigkeit derer Punkte, welche seine Feinde bey ihrer itzigen vollkommnen Gewalt, ihm vorwarfen y). Man beschuldigte ihn, daß er als Kanzler, der vermöge seines

Ei-

ihm sein Verlangen nicht einen Küchenjungen abschlagen. Eben dieser Verfasser erzählet uns, der König habe zu den Abgeordneten, als sie ihn angeredet, gesagt, er sähe, daß seine Unterthanen rebellisch gesinnt wären, und es wäre wohl das beste Mittel, daß er den König von Frankreich zu seiner Hülfe riefe. Allein, es ist offenbar, daß diese Reden entweder vom Knyghton, um seine Geschichte auszuschmücken, angedichtet, oder auch falsch sind. Denn 1) als die fünf Lords die Minister des Königes vor dem nächsten Parlament verklagten, und ihnen jede übereilte Handlung des Königs anrechneten, sagten sie nichts von diesen Antworten, welche so verhaßt, so neu, und wie man vorgiebt, so sehr öffentlich bekannt waren. 2) Der König hatte damals so wenige Verbindungen mit Frankreich, daß dieses Reich ihm vielmehr mit einem gefährlichen Einfall drohete. Diese Erzählung scheinet von denen Vorwürfen genommen zu seyn, die nachher wider ihn ausgestreuet wurden, und vom Geschichtschreiber auf diese Zeit, worauf sie nicht passet, angewendet zu seyn.

y) Cotton. S. 215. Knyghton. S. 2683.

Eides verpflichtet wäre, auf das Beste des Königes zu sehen, Krongüter unter ihrem wahren
Werthe gekaufet; daß er ein jährliches Einkommen von 400 Mark, welches er von dem Vater
des Königes hätte, und welches ihm auf die Zölle
des Havens von Hull angewiesen war, mit dem
Könige gegen Länder von gleichem Einkommen
vertauschet; daß er das Priorat über St. Anto-
nii, welches vormals ein Franzose, ein Feind
und ein Ketzer gehabt, für seinen Sohn erhalten, und da zu gleicher Zeit ein neuer Prior von
dem Papst ernannt worden, diesen Mann nicht
eher hätte annehmen wollen, bis er sich mit seinem Sohne verglichen, und ihm jährlich hundert Pfund von den Einkünften abzugeben versprochen hätte; daß er von einem, Namens Ty-
demann von Limborch, ein altes verfallenes jährliches Einkommen von funfzig Pfund, welche die
Krone zu zahlen hatte, an sich gekauft, und den
König beredet hätte, diese schlechte Schuld auf
sein Einkommen anzunehmen; und daß ihm, als
er zum Grafen von Suffolk ernannt worden,
zugleich 500 Pfund, um die Würde dieses Titels
zu unterstützen, verwilligt wären z). So nichts-
                                    würdig

z) Es ist zu vermuthen, daß der Graf von Suffolk un-
                                                be-

würdig diese Punkte auch waren, wurde doch sogar
der Beweis derselben bey der Untersuchung sehr man-
gelhaft befunden. Es zeigte sich, daß Suffolk, so
lange er Kanzler gewesen war, keine der Krone
zugehörige Güter gekaufet, sondern daß er alles
von der Art gekauft hatte, ehe er zu dieser Würde
gelanget war a). Es ist fast unnöthig, hinzuzu-
fügen, daß er, ungeachtet seiner Vertheidigung,
verdammet, und seines Amtes entsetzet wurde.

Glocester und seine Anhänger hielten das,
was sie dem Könige versprochen hatten, und
griffen keinen von seinen Ministern weiter an: Aber
sie griffen sogleich ihn selbst in seiner königlichen
Würde an, und errichteten eine Commißion nach
dem Muster derer, die man fast unter allen Regie-
run-

der reich, noch fähig gewesen, diese Würde ohne die
Güter der Krone zu tragen: Denn sein Vater, Michael
de la Pole, war, ob er gleich ein großer Kauffmann gewesen, dadurch herabgekommen, daß er dem vorigen
Könige Geld geliehen. Siehe Cotton. S. 194. Wie
bemerken, daß die Herzoge von Glocester und York, ob
sie gleich schwer reich waren, um eben die Zeit jährlich
ein jeder tausend Pfund bekamen, um ihre Würde zu
unterstützen. Rymer. B. 7. S. 481. Cotton. S. 310.

a) Cotton. S. 315.

rungen, seit der Zeit Richard des Ersten, hatte er
richten wollen, wobey allemal die größte Unordnung vorgefallen war b). Durch diese Commißion
wurde ein Rath von vierzehn Personen bestellt,
die alle, bis auf den Nevil, den Erzbischof von
York, von Glocesters Partey waren: diesen Herren wurde die Souverainität auf zwölf Monate
übertragen: der König, der itzt sein vier und
zwanzigstes Jahr erreicht hatte, war in der That
vom Throne gestossen: die Aristocratie hatte die
Oberhand gewonnen; und obgleich die Dauer dieser Commißion auf zwölf Monate eingeschränkt
war; so konnte man doch leicht vorhersehen, daß
die Partey die Absicht hatte, sie beständig zu machen, und daß die Gewalt diesen um sich greifen-
den Händen schwerlich wieder würde können entrissen werden: nachdem sie ihnen einmal übertragen war. Unterdessen war Richard gezwungen,
sich zu unterwerfen. Er unterzeichnete die Commißion; legte einen Eid ab, sie nie zu kränken;
und ob er gleich am Ende der Sitzung öffentlich
protestirte, daß die Vorrechte der Krone, ungeachtet seiner letzten Verwilligung, immer für un-
ver-

b) Knyghton. S. 2686. Statutes at large. 10. Rich. II.
Cap. I.

verletzt und ungeschwächet gehalten werden sollten c); so fuhren die neuen Abgeordneten dennoch
ohne Unterschied in der Ausübung ihrer Vollmacht
fort.

Da der König also (i. J. 1387) aus dem
Besitz seiner königlichen Gewalt gesetzet war,
merkte er bald die Verachtung, die er sich zugezogen hatte. Seine Lieblinge und Minister, welchen
damals vergönnet war, um seine Person zu seyn,
unterließen nicht, das Unrecht zu vergrößern,
welches ihm, ohne das geringste Versehen von
seiner Seite, zugefüget wäre. Und seine heftige
Gemüthsart war für sich selbst schon sehr geneigt,
Mittel zu suchen, um seine Gewalt wieder zu erlangen, und sich an denenjenigen zu rächen, die sie
angegriffen hatten. Da das Haus der Gemeinen
itzt in der Staatsverfassung von größerem Gewicht
war, so versuchte er heimlich einige Mittel, eine
ihm günstige Wahl zuwege zu bringen. Er forschte
einige Sherifs aus, welche damals sowohl die
Berichte abstattende Beamte, und zugleich mächtige Magistratspersonen in den Grafschaften waren, und also natürlicherweise bey den Wahlen
einen großen Einfluß haben mußten: da aber die

Z 2 meh-

c) Cotton. S. 318.

mehreſten von ihnen von ſeinen Onkeln, entweder unter Zeit der minderjährigen Regierung, oder unter der gegenwärtigen Commißion eingeſetzet woren; ſo waren ſie insgeſamt ſeinen Unterneh⸗ mungen zuwider. Die Geſinnungen und die Nei⸗ gungen der Richter waren ihm günſtiger. Er ließ den Sir Robert Treſilian, den Oberrichter der königlichen Bank, den Sir Robert Balknappe, Oberrichter in dem Gericht der gemeinen Proceſſe, den Sir Johann Cary, oberſten Baron in dem Schatzkammergericht, die drey Unterrichter, den Holt, Fulthorpe, Bourg, und den Lofton, einen Obergerichtsadvokaten *), nach Nottingham kom⸗ men; legte ihnen einige Fragen vor, welche dieſe Rechtsgelehrten entweder durch Einfluß ſeines Anſehens, oder durch Gründe bewogen, ſo beant⸗ worteten, wie er es verlangte. Sie erklärten ſich, daß die letzte Commißion der königlichen Macht und den Vorrechten derſelben nachtheilig wäre, daß diejenigen, welche ſie veranlaſſet, oder dem Könige gerathen, ſie zu billigen, eine Todesſtrafe verdienet hätten; daß diejenigen, welche ihn dazu zwängen, der Verrätherey ſchuldig wären; daß diejenigen, die fortführen, die Commißion zu un⸗

tern

*) Sergeant at Law.

terſtützen, eben ſo ſtrafbar wären; daß der König
das Recht hätte, das Parlament auseinander zu
laſſen, wenn es ihme gefiele; daß das Parlament
während ſeiner Sitzung zuerſt die Geſchäfte des
Königes vornehmen müßte, und daß dieſe Verſammlung keinen von den Miniſtern und Richtern
des Königes ohne ſeine Bewilligung anklagen
könnte d). Alle dieſe Ausſprüche, bis auf die
beyden letzten, laſſen ſich ſogar nach den heutigen
genauen Regeln, betreffend das Geſetz und das
königliche Vorrecht, vollkommen rechtfertigen;
und da die großen Freyheiten der Gemeinen, beſonders die Freyheit der Anklage ſehr neu waren,
und von wenigen vorhergehenden Beyſpielen unterſtützet wurden; ſo fehlete es nicht an Gründen,
die Meynungen dieſer Richter zu vertheidigen.
Daher unterzeichneten ſie ihre Antwort auf die
Fragen des Königes vor dem Erzbiſchof von York
und Dublin, den Biſchöfen von Durham, Chiche-
ſter und Bangor, dem Herzoge von Irland, dem
Grafen von Suffolk, und den beyden andern nicht
ſo wichtigen Räthen.

Der Herzog von Glocester und ſeine Anhänger erhielten von dieſer heimlichen Berathſchlagung
bald

Z 3

d) Knyghton. S 2694. Ypod Neuſt. S. 541.

halb Nachricht, und wurden natürlicherweise sehr
dadurch beunruhiget. Sie sahen die Absicht des
Königes, nicht allein seine Macht wieder zurück
zu nehmen, sondern auch sie zu bestrafen, weil sie
dieselbe angegriffen hatten, und entschlossen sich,
der Ausführung seiner Absicht zuvorzukommen.
Sobald er nach London kam, welche Stadt ihrer
Parten sehr zugethan war, zogen sie ihre Truppen
heimlich zusammen, und erschienen in Haringay-
park, nahe bey Highgate in Waffen, mit einer
Macht, welcher Richard und seine Minister nicht
widerstehen konnten. Sie schickten den Erzbischof
von Canterbury, und die Lords Lovel, Cobham
und Devereur zu ihm, und foderten, daß diejenigen Personen, die ihn durch ihren verderblichen
Rath verführet hätten, und an ihm und dem
Reiche zu Verräthern geworden wären, ihnen auf-
geliefert würden. Einige Tage darnach erschienen
sie bewaffnet, und mit bewaffneten Begleitern
vor ihm, und verklagten namentlich den Erzbischof
von York, den Herzog von Irrland, den Grafen
von Suffolk, den Sir Robert Treslian und Sir
Nikolas Breinbre als öffentliche und gefährliche
Feinde des Staats. Sie warfen ihre Panzer-
handschuhe vor dem Könige nieder, und erboten
sich trotzig, die Wahrheit ihrer Beschuldigungen
durch

durch einen Zweykampf zu erhärten. Die ange-
klagten und alle andre verhaßte Minister hatten
sich auf die Seite gemacht, oder versteckt.

Der Herzog von Irrland flohe nach Cheshire,
und warb einige Truppen, mit welchen er anrückte; um den König aus der Gewalt der Adlichen zu
befreyen. Glocester griff ihn in Oxfordshire mit
einer überlegenen Macht an: schlug ihn, zerstreute seine Anhänger, und nöthigte ihn, nach den
Niederlanden zu flüchten, wo er einige Jahre darnach im Exil starb. Hierauf erschienen (i. J.
1388 den 3 Febr.) die Lords mit einer Armee von
40,000 Mann vor London; und nachdem sie den
König gezwungen hatten, ein Parlament zu versammlen, welches ihnen ergeben war; so hatten
sie völlig Gewalt, sich durch Beobachtung einiger
gesetzlichen Formalitäten an allen ihren Feinden zu
rächen. Fünf große Pairs, Männer, deren vereinigte Kräfte jederzeit den Thron erschüttern
konnten, Thomas, Herzog von Glocester, des
Königes Onkel, Heinrich, Graf von Derby, ein
Sohn des Herzogs von Lancaster, Richard, Graf
von Arundel, und Surrey, Thomas, Graf von
Warwic, und Thomas, Graf von Nottingham,
und Marschall von England, gaben bey dem Parlament eine Klage, oder wie sie es nannten, eine

Ap-

Appellation ein, wider die fünf Räthe, welche sie schon vor dem Könige verklaget hatten. Das Parlament, welches Richter seyn mußte, schämete sich nicht, von allen Mitgliedern einen Eid zu nehmen, vermittelst dessen sie sich verbindlich machten, mit den appellirenden Lords zu leben und zu sterben, und ihr Leben und ihre Güter wider alle Feinde zu beschützen e).

Ihr übriges Verfahren stimmte mit der Gewaltthätigkeit und Ungerechtigkeit der damaligen Zeit überein. Die Appellanten übergaben eine Klage von neun und dreyßig Artikeln; und da keiner von den beklagten Räthen, außer dem Sir Nicolaus Brembre, im Gefängniß war: so wurden die übrigen citiret, Rede und Antwort zu geben; und als sie nicht erschienen, erklärte das Haus der Pairs, nach einer kurzen Zwischenzeit, ohne Zeugen abzuhören, und ohne die Sache zu untersuchen, oder über einen einzigen Punkt zu rathschlagen, sie des Hochverraths schuldig. Sir Nicolaus Brembre, der vor das Gericht geführet wurde, schien, und weiter war es auch nichts, als ein Schein, verhöret zu seyn. Die Pairs, welche nach den Rechten nicht seine eigentliche Rich-

e) Cotton S. 342.

Richter waren, sprachen das Todesurtheil über
ihn auf eine sehr summarische Art; und er wurde
zugleich mit dem Sir Robert Treßilian, welcher in
der Zwischenzeit entdecket und gefangen war, hingerichtet.

Es würde zu langweilig seyn, alle Beschuldigungen wider die fünf Räthe, welche man in
verschiedenen Sammlungen antrifft f), zu erzählen. Es ist genug, überhaupt zu bemerken, wenn
wir nach derjenigen Voraussetzung, welche die
einzige wahre ist, urtheilen, daß nämlich das
königliche Vorrecht durch die Commißion, welche
dem Herzog von Glocester und seinen Anhängern
aufgetragen war, angegriffen, und die Person des
Königes nachher von Rebellen bewachet wurde,
daß alsdenn viele von den Punkten der Klage nicht
allein keine Verbrechen des Herzogs von Irrland,
und der Minister in sich enthalten, sondern daß
ihnen auch Handlungen zugerechnet werden, die
sehr löblich sind, und die sie nach ihrer Pflicht zu
thun verbunden waren. Die wenigen Artikel, betreffend das Betragen der Minister, ehe diese
Commißion anfieng, welche die Staatsverfassung

Z 5   ie-

f) Knyghton. S. 2715. Tyrrel. B. III. Th. 2. S. 919.
Parliamentary hist. B. I. S. 414.

zerstörete, und alle Gerechtigkeit und gesetzmäßige
Gewalt zernichtete, sind unbestimmt und allgemein; wie zum Exempel der Vorwurf, daß sie
die Gunst des Königes allein an sich gezogen, daß
sie die Großen in einer Entfernung von ihm gehalten, daß sie unbillige Bewilligungen für sich, und
ihre Creaturen erschlichen, und den öffentlichen
Schatz in unnützen Ausgaben verschwendet haben
sollten.   Es wurde ihnen keine Gewaltthätigkeit
vorgeworfen, kein besonderes ungesetzliches Verfahren g); kein Bruch einer Verordnung; und
ihre

g) Wir müssen den 1sten Artikel ausnehmen, welcher
dem Brembre Schuld giebt, er habe zwey und zwanzig
Personen, die wegen Mord oder Schulden gefangen
saßen, ohne königlichen Befehl und ohne einen gerichtlichen Proceß hingerichtet: Allein da man sich gar keinen Vortheil denken kann, den Brembre aus einem
solchen Verfahren mit den Gefangenen haben könnte;
so vermuthen wir, daß dieses factum entweder falsch
oder unrecht berichtet ist.   Diese Leute hatten Gewalt,
dem Beklagten alles, was sie immer wollten, aufzu-
bürden: Vertheidigungen und Apologien wurden nicht
gestattet: Ein gesetzloser Wille, und ein bloßes Gefallen galten alles.

Es wurde ihnen auch das Vorhaben, die Lords zu ermorden, angeschuldiget; allein diese Beschuldigungen
sind

ihre Verwaltung kann in soweit für unschuldig und
unschädlich angesehen werden. In der That scheinen alle Unordnungen nicht aus einiger Verletzung
der Gesetze, welche die Minister begangen hatten,
sondern bloß aus dem Wetteifer um die Gewalt
zwischen dem Herzoge von Glocester und dem
großen Adel entstanden zu seyn, welcher, nach
dem Genie der damaligen Zeiten, ohne Rücksicht
auf Vernunft, Gerechtigkeit oder Menschlichkeit
wider diejenigen, die sich ihm widersetzten, aufs
äußerste getrieben wurden.

Allein dieses waren nicht alle gewaltsame
Handlungen, welche während des Triumphs dieser
Parten begangen sind. Alle andre Richter, welche
ihre außergerichtliche Meynungen zu Nottingham
unterzeichnet hatten, wurden zum Tode verdammet, und unter dem Namen einer Begnadigung
nach Irrland verbannet; ob sie gleich die Furcht
für ihr Leben, und die Drohungen der Minister
des

sind entweder allgemein, oder heben einander auf. Nach
dem 15ten Artikel hatten sie die Absicht, sie durch den
Major und die Stadt London zu ermorden: Nach dem
18ten, durch Proceß und falsche Klagen: Nach dem
28ten, durch den König von Frankreich, der für seine
Mühe Calais erhalten sollte.

des Königes zur Entschuldigung anführten. Der
Lord Beauchamp von Holt, Sir Jakob Ber-
ners, und Sir Johann Salisbury wurden gleichfalls verhöret, und als des Hochverraths schul-
dige verdammet; bloß, weil sie es versucht hatten,
die neuliche Commißion zu zernichten; dem letzten
aber wurde das Leben geschenket. Sir Simon
Burleys Schicksal war weit härter; dieser Herr
war wegen seiner persönlichen Verdienste sehr beliebt, hatte sich durch viele rühmliche Thaten hervorgethan h), war zum Ritter des Hosenbandes
ernannt, und von dem vorigen Könige und dem
sogenannten schwarzen Prinzen zum Hofmeister
über den Richard bestellet; und hatte seinen Herrn
von der frühesten Jugend an begleitet, und war
ihm allezeit sehr ergeben gewesen. Doch konnten
alle diese Betrachtungen ihn nicht schützen, daß er
nicht

---

h) Wenigstens giebt Froissard, der ihn persönlich kannte,
diesen Charakter von ihm an, Liv. II. Walsingham
giebt aber S. 334. einen weit andern; allein er ist ein
etwas hitziger und partepischer Geschichtschreiber; und
der Umstand, daß Eduard der Dritte, und der schwarze
Prinz diesen Herrn zum Hofmeister des Richard erwäh-
leten, macht den Charakter, den Froissard von ihm
entworfen hat, weit wahrscheinlicher.

nicht als ein Opfer der Rache Glocesters fiel.
Diese Hinrichtung machte einen tiefern Eindruck
auf Richards Gemüthe, als alle andre. Auch seine
Gemahlinn, (denn damals war er schon mit des
Kaisers Wenceslaus, Königs zu Böhmen, Schwester verheyrathet) legte sich zum Besten des Burley
ins Mittel; drey Stunden lang lag sie vor dem
Herzoge von Glocester auf den Knien, und bath
um das Leben dieses Herrn: allein ob sie sich gleich
durch ihre liebenswürdigen Eigenschaften, welche
ihr den Zunamen, die gute Königinn Anna, zu
wege gebracht, sehr beliebt gemacht hatte; so wurde ihre Bitte doch von diesem unerbittlichen Tyrannen mit Zorn verworfen.

Das Parlament beschloß diese grausame
Scene mit der Erklärung, daß keine von den Artikeln, welche bey dieser Untersuchung für Verrätherey erkläret wären, jemals von den Richtern als
beweisende Beyspiele angesehen werden sollten,
sondern daß sie die in dem fünf und zwanzigsten
Jahre Eduards gegebene Verordnung zur Regel
ihres Verfahrens annehmen sollten. Das Haus
der Lords scheint damals den Grundsatz nicht gehabt zu haben, daß es selbst verbunden wäre, so
oft es als Richter handelte, denen Regeln zu folgen, die es selbst während seiner gesetzgebenden

Gewalt vestgesetzet hatte i). Es wurde auch ausgemacht, daß ein jeder schwören sollte, die Confiscation, die Achtserklärungen, und alle andre in
diesem Parlament ausgemachten Gesetze zu unterstützen und zu erhalten. Der Erzbischof von Canterbury fügte noch ferner die Drohung des Bannes,
als eine neue Sicherheit für diese gewaltsamen
Handlungen, hinzu.

Man hätte vermuthen sollen, daß der König,
da er (i. J. 1389) durch die Verbindung der Prinzen

---

1) Ueberhaupt achtete das Parlament Eduards Verordnung
wegen des Hochverraths damals wenig, ob sie gleich das
allervortheilhafteste Gesetz war, das jemals gegeben ist.
In dem siebenzehnten Jahr des Königs klagten die Herzoge von Lancaster und Glocester bey dem Richard,
daß Sir Thomas Talbot, nebst andern von seinen
Anhängern, in verschiedenen Gegenden von Cheshire den Tod der besagten Herzoge beschlossen hätten, welches bekannt und ruchtbar wäre; und baten, das Parlament möchte über dieses Verbrechen
urtheilen. Worauf der König und die Lords im
Parlament urtheilten, die That sey ein offenbarer
Hochverrath: und hierauf ertheilten sie den Sheriffs von York und von Derby schriftliche Befehle,
den Sir Thomas, der in dem folgenden Ostermonat
wieder in der königlichen Bank erscheinen würde,

zen von Geblüte, und der vornehmsten von Adel
so sehr zum Sklaven gemacht, und so unfähig gewesen war, zu widerstehen, ihnen lange unterwürfig bleiben, und die königliche Gewalt ohne
den heftigsten Kampf und Erschütterung nicht wieder erhalten würde: allein der Ausgang zeigete
das Gegentheil. In weniger, als zwölf Monaten
erklärte sich Richard; der itzt in seinem drey und
zwanzigsten Jahre war, vor dem Rathe: da er itzt
das völlige Alter erlanget hätte, in welchem er seinem

gefangen zu nehmen. Und in Westminsterhall wurde öffentlich bekannt gemacht, daß, nach der Zurückkunft des Sherifs, und bey der nächsten Erscheinung des genannten Sir Thomas, dieser des Hochverraths überführt werden, und die gehörige
Strafe dafür leiden sollte. Cotton, S. 354. Man
bemerke, daß dieses außerordentliche Urtheil in ruhigen
Zeiten gesprochen wurde. Obgleich die Verordnung
Eduards III. dem Parlament die Gewalt vorbehält,
neue Arten des Hochverraths zu bestimmen; so ist es
doch nicht zu vermuthen, daß diese Gewalt dem Hause
der Lords allein vorbehalten ist, oder daß man jemand
nach einem Gesetze ex post facto verurtheilen könnte.
Wenigstens kann man, wenn dieses der Sinn der
Clausel ist, behaupten, daß man damals die ersten
Grundsätze des Rechts und der Gesetze nicht gewußt
habe.

nem Reiche und seinem Hofstaat selbst vorstehen könnte; so wäre er entschlossen, sein Souverainitätsrecht auszuüben: und da sich itzt niemand einem so billigen Vorhaben zu widersetzen wagte, so nahm er dem Erzbischof von Canterbury, Fitz-Alan, sogleich seine Kanzlerwürde, und gab diese große Bedienung dem Wilhelm von Wickham, Bischof von Winchester; der Bischof von Hereford wurde von dem Amt des Schatzmeisters abgesetzt; der Graf von Arundel verlohr die Admiralitätswürde, sogar wurden der Herzog von Glocester und der Graf von Warwic auf einige Zeit aus dem Rath gewiesen; und niemand widersetzte sich diesen großen Veränderungen. Die Geschichte dieser Regierung ist sehr unvollkommen, und man kann sich darauf wenig verlassen; ausgenommen da, wo sie von den öffentlichen Urkunden unterstützet wird; und es ist nicht leicht für uns, die Ursache dieser unerwarteten Begebenheit zu finden. Vielleicht waren einige heimliche Feindseligkeiten, die man in dieser Situation leicht vermuthen kann, zwischen den großen Männern eingeschlichen, und setzten den König in den Stand, sein Ansehen wieder zu erhalten. Vielleicht hatte sich durch ihre vorige gewaltsame Handlungen die Zuneigung des Volks verlohren, welches die äußerste Noth, wozu es

durch

durch seine Anführer gebracht war, bald bereue-
te. Dem sey, wie ihm wolte, Richard übte die
Macht, welche er wieder angenommen hätte,
mit Mäßigung aus. Er schien mit seinen Onkeln k) und den übrigen Großen, über welche
er so viel Ursache zu klagen hatte, völlig ausgesöhnet zu seyn. Er versuchte es niemals, den
Herzog von Irrland, welchen er ihnen so sehr
verhaßt fand, zurück zu rufen: er ließ eine Bestätigung der allgemeinen Pardon aller vorigen
Beleidigungen, welche das Parlament gegeben
hatte, bekannt machen; und bewarb sich um die
Gunst des Volks, indem er demselben einige Subsidien, welche ihm versprochen waren, freywillig erließ: ein merkwürdiges, und fast das einzige Beyspiel von einer solchen Frengebigkeit!

Nachdem diese häusliche Zwistigkeiten beygelegt, und die Regierung wieder in ihren vorigen Stand gesetzt war, vergieng eine Zeit von
acht Jahren, ohne merkwürdige Begebenheiten.
Der Herzog von Lancaster kam aus Spanien
zurück, nachdem er seinem Nebenbuhler alle seine
Ansprüche auf die Krone von Castilien gegen eine
große

---

k) Dugdale. B. II. S. 170.

große Summe Geldes abgetreten l) , und seine
Tochter Philippa an den König von Portugal vermählet hatte. Das Ansehen dieses Prinzen hielt
dem Herzog von Glocester das Gleichgewicht,
und setzte Richards Gewalt in Sicherheit, welcher seinen ältesten Onkel, von dem er niemals
beleidiget war, und dessen Gemüthsart er für
mäßiger hielt, als seines jüngsten Onkels, sehr
verehrte. Er überließ ihm auf Lebenszeit das
Herzogthum Guienne m), welches die Zuneigung
und die veränderliche Gemüthsart der Gascogner der englischen Regierung wieder übergeben
hatte; da sie sich aber über diese Verschenkung
sehr beklagten, so wurde sie endlich, mit Bewilligung des Herzogs, von dem Richard wiederrufen n). Es trug sich etwas zu, welches zwischen dem Lancaster und seinen beyden Brüdern
Uneinigkeit stiftete. Nach dem Tode der spanischen Prinzeßinn heyrathete er Catharina Swi-
neford, eine Tochter eines Ritters von Hennegau. Durch diese Verbindung achteten York und
Glocester die Würde ihres Geschlechts für beleidigt :

---

l) Knyghton , S. 2677. Walsingham , S. 343.

m) Rymer, B. VII. S. 659.

n) Rymer, B. VII, S. 687.

digt: allein der König lebte seinem Onkel zu
willen, indem er die Kinder, welche sie ihm vor der
Heyrath gebohren hatte, von dem Parlament
für ächt erklären ließ, und den ältesten Sohn
zum Grafen von Sommerset ernannte. o).

Unterdessen dauerten die Kriege, welche Richard mit seiner Krone geerbt hatte, noch immer fort: ob sie gleich, nach der Gewohnheit
der damaligen Zeit, durch häufige Waffenstill-
stände unterbrochen, und wegen der Schwachheiten der Parteyen mit wenig Lebhaftigkeit geführet wurden. Man hörte wenig von dem französischen Kriege: nur wurde die Ruhe auf den
nordischen Küsten durch einen einzigen Einfall
der Schotten gestöret, welcher mehr aus dem
Neide der beyden kriegerischen Familien, des Piercy und Douglas, als aus einem Nationalstreit
entstund. Zu Otterborne fiel (i. J. 1394.) ein
hartnäckiges Treffen oder Scharmützel vor p),
worinn der junge Piercy, mit dem Zunamen
Hotspur, wegen seiner hitzigen Tapferkeit gefangen, und Douglas erschlagen wurde; und der

Aa 2   Sieg

o) Cotton, S. 365. Walsing. S. 352.
p) Den 15ten August, 1788.

Sieg blieb unentschieden q). Einige Empörungen
der Irrländer nöthigten den König, eine Unternehmung wider dieses Land vorzunehmen, welches er bezwang; und durch diese Unternehmung
gewann er den Ruhm der Tapferkeit wieder,
welcher durch seine Unwirksamkeit ein wenig gelitten hatte. Endlich (i. J. 1396.) fiengen die
französischen und englischen Höfe an, mit Ernst
an einen dauerhaften Frieden zu denken: fanden
es aber so schwer, ihre sich zu widersprechende
Foderungen gegen einander zu vergleichen, daß
sie sich begnügten, einen Waffenstillstand auf fünf
und zwanzig Jahre zu schließen r). Brest und
Cherbourg wurden wieder zurückgegeben, das erste dem Herzoge von Bretagne, das letzte dem
Könige von Navarra: beyde Parteyen behielten
alle diejenigen andern Oerter, welche sie bisher
besessen hatten; und um die Freundschaft zwischen
den beyden Kronen dauerhafter zu machen, versprach sich Richard, der itzt Wittwer war, mit
der Isabella, der Tochter Carls s). Diese Prin-
zes-

q) Froissard. Liv. III. Chap. 124, 125, 126. Walsing-
    ham, S. 355.

r) Rymer, B. VII. S. 820.

s) Rymer, B. VII. S. 727.

zeßinn war nur sieben Jahre alt: allein der König
gieng eine so ungleiche Partey ein, vornemlich um sich durch diese Verbindung wider die
Unternehmungen seiner Onkel, und die Unbeständigkeit seiner Baronen, und ihre unheilbare Liebe
zum Aufruhr zu sichern.

Obgleich die Regierung des Königes in dieser Zeit von keinen dem Volke nachtheiligen Verfügungen beflecket war, wenn man die Einziehung
des Freybriefes der Bürger von London aus-
nachher wie
sie doch sein
Ansehen nicht sehr befestiget; und sein persönlicher Charakter brachte ihn in Verachtung, selbst

viel auszusetzen fand. Er war nachläßig, ver-
schwenderisch, niedrigen Vergnügungen ergeben;
er verschwendete alle seine Zeit mit Festen und
Lustbarkeiten; er verschleuderte bloß zur Pracht,

jenigen Einkünfte, von welchem das Volk vermu-

Nation Ehre und Vortheil brächten, anwenden
würde. Er vergaß seinen Stand, indem er sich

Rymer. B. VII. S. 727.

mit jeden gemein machte: er merkte nicht, daß
ihre Bekanntschaft mit den Eigenschaften seines
Gemüths ihnen diejenige Ehrerbietung für seine
Geburt, und seinen Rang, die er selbst aus der
Acht ließ, nicht einprägen konnte. Die Grafen
von Kent und Huntington, seine Halbbrüder,
waren seine vornehmste Vertraute und Lieblinge;
und ob er gleich niemals eine so große Zuneigung für sie hegte, als für den Herzog von Irrland; so konnte das Volk doch leicht sehen, daß
jede Gnade durch ihre Hände gieng, und daß
der König sich zu einer Null in der Regierung
gemacht hatte. Die wenige Hochachtung, welche
das Publikum für seine Person hegte, machte,
daß es über seine Regierung murrete; und die
Klagen, welche die Misvergnügten oder stolzen
Vornehmen ihm vorsagten, willig anhörte.

Glocester merkte bald alle Vortheile, welche diese unordentliche Aufführung (i. J. 1397.)
ihm gab; und da er sah, daß der Groll und die
Eifersucht seines Vetters noch immer verhinderte, einige Herrschaft über den Prinzen zu gewinnen; so entschloß er sich, seine Freundschaft mit
dem Volke zu unterhalten, und sich an denen zu
rächen, welche seine Gunst und sein Ansehen ver-
dunkelten. Er erschien selten bey Hofe und im

Ra-

Rathe; er sagte niemals seine Meynung, als
nur, um die Maaßregeln des Königes und seiner
Lieblinge zu misbilligen; und bewarb sich um die
Freundschaft eines jeden, der Verfehlung seines
Zwecks, und Privatfeindschaft zu einem Feinde
der Regierung gemacht hatt:n. Der lange Waffenstillstand mit Frankreich war den Engländern
höchst unangenehm, welche an nichts, als an Krieg
gegen diese feindselige Nation dachten; und Glocester bemühete sich, alle diese üblen Gedanken,
welche man hievon hatte, zu vermehren. Er vergaß das Unglück, welches die englischen Waffen
während der letzten Jahre der Regierung Eduards
begleitet hatte, und stellte übrigens eine nachthei-
lige Vergleichung zwischen dem Ruhm jener Regierung, und der Unwirksamkeit der gegenwärtigen an, und bedauerte, daß Richard von den
heroischen Tugenden, wodurch sein Vatter und
Großvater sich hervorgethan hatten, so sehr aus-
geartet wäre. Die Kriegsleute wurden von Begierde zum Kriege entflammet, wenn sie von den
ehemals erlangten vortrefflichen Siegen und von
der Beute reden hörten, welche die überlegene
Tapferkeit der Engländer den Franzosen so leicht
abnehmen könnte. Der Pöbel nahm bald dieselbigen Gesinnungen an; und ein jeder rief, daß

die-

dieſer Prinz, deſſen Rath ſo ſehr verachtet wûr-
de, die wahre Stütze der engliſchen Ehre, und
allein geſchickt wäre, die Nation wieder zu ihrer
vorigen Macht und Ehre zu erheben. Seine
großen Fähigkeiten, ſeine beliebten Sitten, ſeine
fürſtliche Geburt, ſein großer Reichthum, ſeine
hohe Bedienung, als Großconſtable u); alle dieſe
Vortheile, welche von ſeinem Mangel an Liebe
bey Hofe nicht wenig unterſtützet wurde, gaben
ihm ein großes Anſehen im Reiche, und machten
ihn dem Richard und ſeinen Miniſtern ſehr furchtbar.

Froiſſard x), ein damals lebender, und
ſehr unparteyiſcher Geſchichtſchreiber, deſſen Credit aber durch den Mangel an der Genauigkeit
in wichtigen Dingen etwas geſchwächet wird,
ſchreibet dem Herzoge von Gloceſter noch verweg-
nere, und ſolche Abſichten zu, die mit der Regierung und der innerlichen Ruhe der Nation
völlig unverträglich ſind. Nach dem Berichte
dieſes Geſchichtſchreibers that er ſeinem Vetter,
dem Roger Mortimer, Gafen von Marche, welchen Richard zum Thronfolger ernannt hatte,

den

u) Rymer, B. VII. S. 152.)
x) Liv. IV. Chap. 86.

den Vorschlag, ihm sogleich Besitz von dem Throne zu geben, indem er einen Prinzen, der der
Regierung und der Macht so unwürdig wäre,
absetzen wollte; und als Mortimer diesen Vorschlag verwarf, entschloß er sich, das Reich unter sich, seinen beyden Brüdern, und dem Grafen von Arundel zu theilen, und den Richard
gänzlich abzusetzen. Der König, der, wie man
sagt, von diesem Anschlage benachrichtiget wurde, sah, daß entweder sein eigner, oder Glocesters Untergang unvermeidlich war, und entschloß
sich, die Ausführung eines so gefährlichen Vorhabens durch einen eiligen Streich zu verhüten. Es ist
nach Glocesters eignem Bekenntniß gewiß, daß er
oft von der Person und der Regierung des Königes
verächtlich gesprochen; daß er sich mit andern über
die Rechtmäßigkeit, ihm alle Pflichten aufzukün-
digen, beredet; ja daß er ein Mitglied einer geheimen Conferenz gewesen war, worinn man die
Absetzung vorschlug, überlegte, und beschloß y):

A a 5 aber

y) Cotton. S. 372. Tyrrel. B. III. Th. 2. S. 972.
aus den Urkunden. Galiamentary History B. I.
S. 173. Daß dieses Geständniß freywillig und uner-
zwungen gewesen, darauf kann man sich gänzlich ver-
laß

aber vermuthlich waren seine Vorschläge noch nicht
so weit, daß man sogleich an die Ausführung
derselben denken konnte. Die Gefahr war vermuthlich noch zu weit entfernt, als daß sie ein
gefährliches Mittel für die Sicherheit der Regierung unumgänglich nothwendig machte.

Wir mögen aber von Glocesters Verschwörung denken, was wir wollen, seine Abneigung
gegen den Waffenstillstand und die Allianz mit
Frankreich war überall bekannt und ausgemacht;
und dieser Hof, welcher itzt großen Einfluß auf
den König hatte, trieb ihn an, für seine Sicherheit zu sorgen, indem er die gefährlichen Absichten seines Onkels bestrafte. Der Groll wegen
seiner vorigen Gewaltthätigkeiten lebte wieder auf:
die Empfindung seines aufrührischen und nicht
gefälligen Betragens war noch ganz neu; und
man hielt einen Mann, der sich einmal aus
Stolz

lassen. Michill, welcher es von Calais überbrachte,
wurde deswegen zur Verantwortung gezogen, und
von dem ersten Parlamente Heinrichs des Vierten,
da die Glocestersche Partey die Oberhand hatte, frey-
gesprochen. Es ist, wenn man diese Zeiten betrachtet, ungeachtet seiner Unschuld, zu bewundern, daß
er losgesprochen wurde. Cotton, S. 393.

Stolz die königliche Gewalt angemaßt, und alle
getreue Bediente des Königes ermordet hatte,
für fähig, bey einer bequemen Gelegenheit dieselbigen verrätherischen Unternehmungen wieder zu
erneuern. Die hästige Gemüthsart des Königs
ließ keine Ueberlegung zu: er ließ den Glocester
unvermutet festsetzen; auf ein Schiff setzen, welches auf dem Flüße lag, und nach Calais über-
bringen, wo allein er ihn vor seinen zahlreichen
Anhängern sicher genug bewachen zu können glaubte z). Die Grafen von Arundel und Warwic
wurden zu gleicher Zeit eingezogen; die Mißvergnügten, die ihrer Anführer so plötzlich beraubt
waren, wurden erschrocken und in Furcht gesetzt; und der Beytritt der Herzoge von Lancaster und York zu diesem Verfahren, nebst dem
Grafen von Derby und Rutland, den Söhnen
dieses Prinzen a), beraubte sie alles möglichen
Widerstandes.

Es wurde sogleich (den 17ten September)
ein Parlament zu Westminster versammlet; und der
König zweifelte nicht, die Pairs, und noch mehr
das Haus der Gemeinen seinem Willen sehr folg-
sam

z) Froissard. Liv. IV. Chap. 90. Walsingham. S. 354.
a) Rymer, B. VII. S 7.

sam zu finden. Dies Haus hatte ihm bey der
vorigen Parlamentsversamlung deutliche Proben
seines Gehorsams gegeben b); und die gegenwärtige Unterdrückung der Partey des Gloceſter
verſicherte ihn noch mehr einer günſtigen Wahl.
Man

b) In dem vorigen Parlament hatten die Gemeinen
eine Neigung gezeigt, dem Könige ſehr gefällig zu
ſeyn: dennoch ereignete ſich ein Vorfall in ihrem Betragen, welcher ſehr ſeltſam iſt, und uns den Zuſtand
des Hauſes in dieſer Zeit zeiget. Die Parlaments-
glieder waren entweder Landjunker oder Kaufleute,
welche nur auf einige Tage verſammlet waren, und
von Staatsgeſchäfften gar nichts wußten: ſo, daß es
alſo leicht war, ſie von dem rechten Wege abzufüh-
ren, und zu Stimmen und Entſchlüßen zu bewegen,
welche ſie von ihrem beſtimmten Vorſatz ableiteten.
Ein Mitglied hatte einige Bittſchriften über den Zuſtand der Nation in Vorſchlag gebracht; in welchen
das Haus unter andern dem Könige die Sparſam-
keit empfahl, und zu dem Ende verlangte, daß die Bi-
ſchöffe und Damen nicht ſo häufig, als vormals am
Hofe erſcheinen möchten. Dem Könige mißfiel dieſe
Freymüthigkeit: Die Gemeinen baten ſehr demüthig
um Verzeihung: Er wollte ſich nicht zufrieden geben,
wenn ſie nicht den Urheber dieſer Bittſchrift angäben

Man sagt, er habe sich auch eines andern Mit-
tels zu diesem Ende, nämlich des Einflusses der
Sherifs bedienet; ein Handgriff, der wegen seiner Neuheit zwar viel Aufsehen erregte, den aber
das festgesetzte Ansehen dieser Versammlung nachmals der Nation gewöhnlicher machte. Daher
genehmigte das Parlament alle Acten, welche der
König ihm vorlegte c). Es erklärte die Commißion, welche sich das königliche Ansehen angemaßet, für wichtig, und den Versuch, in den
künftigen Zeiten eine ähnliche Commißion zu er-
richt-

Es traf einen, mit Namen Harey, den das Parlament, um den König zu versöhnen, verdammte, den
Tod eines Verräthers zu sterben. Allein der König
begnadigte ihn auf Fürbitte des Erzbischofs von Canterbury und der Prälaten. Wenn ein Parlament in
diesen Zeiten, nicht von Factionen angetrieben, sondern bloß aus Freyheit, sich einer solchen ungeheuren
Ausschweifung schuldig machen konnte, so kann man
sich leicht vorstellen, was man von denselben in Zeiten einer größern Versuchung erwarten konnte. Siehe
Cottons Abridg. S 361. 362.

c) Die Adlichen brachten zahlreiche Gefolge zu ihrer
Sicherheit mit, wie Walsingham S. 354. erzählet.
Der König hatte nur eine schwache Wache aus Cheshire
bey sich.

richten, für Verrätherey d). Es schaffte alle Acten ab, worinn die Minister des Königes angeklaget waren, und deren unverbrüchliche Beobachtung von demjenigen Parlament, das sie pas-
siret hatte, und von der ganzen Nation beschworen war; und erklärte die allgemeine damals gegebene Verzeihung, weil sie erzwungen, und von
dem Könige niemals freywillig bestätigt war,
für ungültig. Obgleich Richard, nachdem er die
Regierung wieder angenommen hatte, und nicht
mehr unter dem Zwang lebte, eine Bestätigung
dieser allgemeinen Verzeihung freywillig hatte bekannt machen lassen; so schien dieser Umstand doch
in ihren Augen nicht die geringste Achtung zu
verdienen. Das Parlament erklärte so gar eine
besondre Verzeihung, welche dem Grafen von
Arundel sechs Jahre hernach angediehen war,
für ungültig: unter dem Vorwande, daß sie aus
Uebereilung gegeben, und daß dem Könige damals der Grad der Schuld, dessen dieser Herr
sich theilhaftig gemacht, nicht bekannt gewesen
wäre.

Hierauf klagten die Gemeinen den Fitz Alan,
Erzbischof von Canterbury, und Bruder des
Arun-

---

d) Statutes at large. 21. Rich. II.

Arundel an; und beschuldigten ihn, daß er an
der ungesetzlichen Commißion und der Anklage
der Minister des Königes Theil genommen hätte.
Der Primas wurde schuldig befunden; da ihm
aber die Geistlichen Freyheiten schützten; so ließ
sich der König mit einem Urtheil, welches ihn
aus dem Reiche verbannte, und seine weltlichen
Güter confiscirte, begnügen e). Es wurde eine
Klage wider den Herzog von Glocester, und die
Grafen von Arundel und Warwic, von den Grafen von Rutland, Kent, Huntington, Somerset,
Salisbury und Nottingham, nebst den Lords
Spencer und Scrope, eingegeben, worinn sie
nicht nur eben derer Verbrechen, welche dem Erzbischof angeschuldiget waren, sondern auch der
feindlichen Erscheinung vor dem Könige zu Ha-
ringay-park beschuldiget worden. Der Graf von
Arundel, welcher vors Gericht gezogen wurde,
schränkte sehr klüglich seine ganze Vertheidigung
darauf ein, daß er sich auf die allgemeine und
besondre Verzeihung des Königes berief; wurde
aber überstimmet, verdammet und hingerichtet f).

Dem

e) Cotton. S. 320.
f) Cotton. S. 377, Froissard. Liv. IV. Chap. 9c. Walsing. S. 354.

Dem Grafen von Warwic, welcher auch des
Hochverraths schuldig befunden worden, wurde,
wegen seines demüthigen Betragens, das Leben
geschenket, doch mußte er auf ewig auf der Insel
Man verbannet leben. Keiner von diesen Herren wurde neuer verrätherischer Handlungen beschuldiget. Die einzigen Verbrechen, worüber sie
verdammet wurden, waren die alten Versuche
wider die Krone, welche wegen der langen Zeit
und der wiederholten Begnadigungen vergessen zu
seyn schienen g). Die Ursachen dieser Art zu
verfahren sind schwer zu errathen. Die neuen
Verschwörungen des Glocesters schienen wegen
seines eigenen Geständnisses ausgemacht zu seyn:
allein, vielleicht hatten der König und seine Minister damals keine hinlängliche Beweise von der
Wirklichkeit derselben in Händen; vielleicht war
es schwer, den Arundel und Warwic von dem
Antheil, den sie daran genommen, zu überfüh-
ren; vielleicht würden bey der Untersuchung dieser Verschwörung einige Vornehme schuldig befunden seyn, welche itzt mit der Krone in Verbindung stunden, und welche man nothwendig
vor allen Beschuldigungen schützen mußte; oder
viel-

g) Tyrrel. B. III. Th. 2. S. 968. aus den Urkunden.

vielleicht war es auch dem Könige, nach der
Weise der damaligen Zeit, gleichgültig, ob er den
Schein des Rechts und der Billigkeit erhalten
könnte oder nicht, und er war nur befliſſen, den
glücklichen Fortgang dieſer gerichtlichen Verfolgungen auf alle Weiſe zu ſichern. Dieſe Punkte
müſſen wir, wie viele andre in der alten Geſchichte, unentſchieden laſſen.

Es wurde ein Befehl an den Grafen Marſchall, Commandanten von Calais, geſchickt, den
Herzog von Glocefter zu der Unterſuchung ſeiner
Sache herüber zu bringen: allein, der Commandant gab zur Antwort, der Herzog wäre in dieſer Veſtung plötzlich an einem Schlagfluſſe geſtorben. Nichts war verdächtiger, als die Zeit,
da dieſer Prinz ſtarb: ein jeder glaubte, er wäre
auf Befehl ſeines Vetters ermordet: unter der
folgenden Regierung wurden dem Parlament un-
umſtößliche Beweiſe vorgeleget, daß er von ſeinen Wächtern mit Kiſſen erſticket war h); und
es zeigte ſich, daß der König, aus Beſorgniß,
daß die öffentliche Unterſuchung und Hinrichtung
eines ſo beliebten Prinzen, und eines ſo nahen

Ver-

h) Cotton. S. 399. 400. Dugdale. B. II. S. 171.

Verwandten gefährlich ausschlagen möchte, dieß
niedrige Mittel gewählet hatte, seiner Rache
eine Genüge zu leisten, und wie er sich einbildete, sie zu verhehlen. Beyde Parteyen schienen
in ihren auf einander folgenden Triumphen keine
andre Absicht gehabt zu haben, als ihren Feinden zu vergelten; und keine von beyden wurde
gewahr, daß sie die ungesetzlichen Handlungen
ihrer Gegenpartey, so viel sie nur könnte, unmittelbar dadurch rechtfertigte, indem sie ihrem Beyspiele folgte.

Diese Sitzung wurde mit der Ernennung
oder Erhöhung verschiedener Pairs geendiget; der
Graf von Derby wurde zum Herzoge von Here-
ford, der Graf von Rutland zum Herzoge von
Albemarle, der Graf von Kent zum Herzoge von
Surrey, der Graf von Huntington zum Herzoge
von Exeter, der Graf von Nottingham zum
Herzoge von Norfolk, der Graf von Sommer-
set zum Marquis von Dorset, der Lord Spen-
ser zum Grafen von Glocester, Ralph Nevil zum
Grafen von Westmorland, Thomas Piercy zum
Grafen von Worcester, Wilhelm Scrope zum
Grafen Wiltshire ernannt i). Hierauf wurde
das

i) Cotton. S. 370. 371.

das Parlament, nach einer Sitzung von zwölf
Tagen, zu Shrewsbury ausgesetzet. Der König
ließ die Mitglieder vor ihrer Abreise einen Eid ablegen; daß sie ihre Akten beständig unterstützen
und bey ihrer Gültigkeit erhalten wollten; einen
Eid, den der Herzog von Glocester und seine Partey schon ehemals von ihnen genommen hatten,
und der schon einmal so vergeblich und fruchtlos
geworden war.

So wohl der König als das Parlament
kamen (i. J. 1398.) mit eben dieser Gesinnung zu
Shrewsbury (den 28sten Jän.) wieder zusammen:
Richard war für die Sicherheit dieser Akten so
bekümmert, daß er die Pairs und Gemeinen zwang,
sie von neuen auf das Kreuz zu Canterbury zu
beschwören k); und kurz darnach erhielt er von dem
Papst eine Bulle, durch welche sie, wie er glaubte, beständig gesichert und vestgesetzet würden l).
Das Parlament bewilligte dem Könige eine Abgabe von Wolle, Schaaffellen und Leder auf Lebenszeit, und überdem noch eine Subsidie von einem
ganzen und einem halben Zehnten, und fünfzehnten.
Es stieß auch die Verurtheilungen des Treslian und

B b 2   der

k) Cotton. S. 371.
l) Walsingh. S. 355.

der andern Richter um; und erklärte, mit Bewilligung der itzigen Richter die Antworten,
weßwegen diese Richter angeklaget waren, für
gerecht und gesetzlich m), und gieng so weit
in die vorige Zeit zurück, daß es auf Bitte des
Lords Spensers, des Grafen von Glocester, die
Verbannung der beyden Spencers unter der Regierung Eduards des Zweyten widerrief n). Die
alte englische Geschichte ist nichts anders, als
ein Verzeichniß von Widerrufungen: alles ist in
Ungewißheit und Bewegung. Eine Partey vernichtet immer, was die andre eingeführet hat;
und die vielen Eide, welche jede Partey zur Sicherheit ihrer gegenwärtigen Akten foderte, verrathen, daß sie sich der Unbeständigkeit derselben
immer bewußt waren.

Das Parlament erwählte, ehe es auseinander gieng, eine Commißion von zwölf Lords
und sechs Gemeinen o), welchen sie die ganze
Ge-

m) Statutes at large. 21. Rich. II.

n) Cotton. S. 372.

o) Die Namen der Abgeordneten waren die Herzöge
von Lancaster, York, Albemarle, Surrey und Exeter,
der Marquis von Dorset, die Grafen von March,
Salisbury, Northumberland, Glocester, Winchester
und

Gewalt aller Lords und Gemeinen auftrugen, und die Vollmacht gaben, alle Geschäffte, welche den beyden Häusern vorgelegt wären, und welche sie zu vollenden nicht Zeit genug gehabt hätten, zu endigen p). Dies war eine sehr ungewöhnliche Erlaubniß; und obgleich ihre Gegenstände eingeschränkt waren; so hätte sie doch entweder unmittelbar, oder auch als ein vorhergehendes Beyspiel, der Nation gefährlich werden können; aber die Ursache dieses außerordentlichen Vornehmens war ein sehr sonderbarer und unerwarteter Zufall, welcher die Aufmerksamkeit des Parlaments auf sich zog.

Nachdem der Herzog von Gloceſter und die Häupter dieser Partey geſtürzet waren, brach ein Mißverſtändniß unter denen Herren aus, welche an dem Proceſſe derſelben gemeinſchaftlich gearbeitet hatten; und es fehlte dem Könige, entweder

B b 3 der

und Wiltshire, John Bussey, Heinrich Green, John Russel, Robert Teyr, Heinrich Chelmeswile, und John Golefre. Es iſt zu merken, daß der Herzog von Lancaſter in allem Verfahren den andern beyſtimmte, ſogar in der Verbannung ſeines Sohnes, worüber nachher ſo ſehr geklaget wurde.

p) Cotton. S. 372.

der an hinlänglicher Macht, sie zu besänftigen,
oder an Vorsicht, den Streit zu verhüten. Der
Herzog von Hereford erschien im Parlament,
und verklagte den Herzog von Norfolk, daß er
gegen ihn ins geheim sehr verläumberisch von den
König geredet, und Ihrer Majestät die Absicht,
viele von dem vornehmen Adel hinzurichten und
und auszurotten, angeschuldiget hätte. q). Nor=
folk läugnete die Klage, strafte den Hereford Lü=
gen, und bot sich an, seine Unschuld durch ei=
nen Zweykampf zu beweisen. Die Ausfoderung
wurde angenommen: die Zeit und der Ort des
Zweykampfs wurden bestimmt: und weil der Aus=
gang dieser wichtigen Entscheidung durch den De=
gen eine obrigkeitliche Vermittelung erforderte,
so hielt das Parlament es für schicklicher, seine
Gewalt einer Commißion zu übertragen, als die
Sitzung über die gewöhnliche Zeit, welche Ge=
wohnheit und allgemeine Bequemlichkeit den Glie=
dern vorschrieben, zu verlängen r).

Der

---

q) Cotton. S. 372. Parliamentary history. B. I. S.
490.

r) In dem ersten Jahre der Regierung Heinrichs des
Sechsten, da das Anlehn des Parlaments groß war,

und

Der Herzog von Hereford war gewiß gar
nicht zärtlich in dem, was die Ehre betrifft, daß
er ein Privatgespräch zum Untergange derjenigen
Person, die sich ihm vertrauet, entdeckete; und
daher wollten wir lieber die Verneinung des Herzogs von Norfolk, als die Bekräftigung des andern glauben. Allein, der Herzog von Norfolk
zeigte bey dieser Begebenheit eine gleiche Vernachläßigung seiner Ehre, welche ihn seinem Gegner
völlig gleich machet. Ob er es gleich öffentlich
mit dem Herzoge von Glocester, und seiner Partey, in allen gegen den König verübten Gewaltthätigkeiten, gehalten hatte, und sein Name mit
unter den Appellanten stund, welche den Herzog
von Irland und die andern Minister angeklagt
hatten: so schämte er sich doch nicht, seine vorigen Anhänger wegen eben derselben Verbrechen,
die er gesellschaftlich mit ihnen ausgeübet hatte,
anzuklagen; und sein Name vermehrte das Verzeichniß derer Appellanten, welche diese verklag-

Bb 4   ten,

und da man gar nicht einmal vermuthete, daß
diese Versammlung unterliegen könnte, wurde dem
Rath eine gleiche Verwilligung aus eben dem Bewe-
gungsgrunde der Bequemlichkeit gegeben. Siehe. Cotton. S. 564.

ten. So waren die Grundsätze und Handlungen der alten Ritter und Baronen, so lange die Feudalregierung und die Ritterschaft herrschten.

Der Kampfplatz zu dieser Entscheidung der Wahrheit und des Rechts war zu Coventry bestimmet, der König sollte zugegen seyn: der ganze englische Adel rottete sich in Parteyen, und hielt es entweder mit dem einen oder dem andern Herzoge. Die ganze Nation stund wegen des Ausgangs in Erwartung: als aber die beyden Helden, zum Zweykampf gerüstet, auf dem Platz erschienen, legte der König sich ins mittel, um sowohl die Vergießung eines so edlen Bluts, als die künftigen Folgen des Streits zu verhüten. Er verhinderte, durch den Rath und die Autorität der Abgeordneten des Parlaments, den Zweykampf; und, um seine Unparteylichkeit zu zeigen, befahl er, durch eben derselben Autorität beyden Parteyen, das Königreich zu verlassen. s) und bestimmte ein Land zu Norfolks Aufenthalt, der auf ewig verwiesen, und ein andres Land für den Hereford, dessen Verweißung auf zehn Jahre eingeschränkt wurde.

Here-

s) Cotton. S. 320. Walsingham. S. 356.

Hereford war ein überaus kluger Herr, der seine Leidenschaften sehr in seiner Gewalt hatte; er bezeigte bey diesen kritischen Umständen so viel Unterwerfung, daß der König noch vor seiner Abreise die Zeit seiner Verweisung auf vier Jahre herab zu setzen versprach, und ihm durch einen offenen Brief die Freyheit gab, im Fall ihm eine Erbschaft während dieser Zeit zufallen sollte, sogleich Besitz davon zu nehmen, und den zu leistenden Huldigungseid bis auf seine Zurückkunft zu verschieben.

Die Schwachheit und Unbeständigkeit der Rathschläge Richards erschienen nirgends deutlicher, als in der Ausführung dieser Sache. Heinrich hatte das Reich nicht so bald verlassen, als die Eifersucht des Königs über die große Macht und den Reichthum dieser Familie erwachte; und er sah ein, daß er durch Glocesters Tod nur ein Gegengewicht der Lancasterischen Partey aus dem Wege geräumet hatte; welche ihr der Krone und dem Reiche schrecklich worden war. Nachdem er erfahren, daß Hereford sich zu verheyrathen gedachte, mit der Tochter des Herzogs von Berry, eines Onkels des Königs in Frankreich; so entschloß er sich, die Vollziehung einer Verbindung zu verhindern,

Bb 5

wel-

welche die Partey dieses Herrn in fremde Länder
so sehr ausbreiten würde; und schickte den Grafen von Salisbury mit einem Auftrage zu dem
Ende nach Paris. (i. J. 1399. den 3ten Febr.)
Der Tod des Herzogs von Lancaster, der bald
darauf erfolgte, nöthigte ihn, in Absicht auf
disse reiche Erbschaft neue Entschließungen zu
fassen. Der gegenwärtige Herzog verlangte, zu
Folge des königlichen Patentes, in den Besitz der
Güter und der Gerechtsame seines Vaters ein
gesetzet zu werden: allein Richard der sich fürchtete, die Macht eines Mannes zu vermehren,
welchen er empfindlich beleidiget hatte, wendete
sich an die Abgeordneten des Parlaments, und
überredete sie, daß diese Sache nur ein Anhang
von denjenigen Geschäfften wäre, welche das
Parlament ihnen aufgetragen hätte. Durch die
Autorität dieser Männer widerrief er sein Patent, und behielt die Güter des Herzogs von
Lancaster im Besitz; und vermöge der Autorität
eben dieser ließ er den Anwald des Herzogs,
der diese Patente in Händen hatte, und sich
darauf berief, einziehen; und weil er die ihm
anvertraute Sache seines Principalen so getreu-
lich ausgeführet hatte, als einen Verräther ver-
dam-

dammen t). Die ausschweifendste Gewaltthätigkeit! obgleich der König aus Güte gegen diesen Anwald die Todesstrafe in eine Verbannung
verwandelte.

Heinrich, der neue Herzog von Lancaster,
hatte sich durch seine Aufführung und Geschicklichkeit die Hochachtung des Volks schon längst
erworben; und nachdem er sich in dem Kriege
wider die Ungläubigen in Lithauen hervorgethan,
hatte er sich den Ruhm der Frömmigkeit und
der Tapferkeit zugleich erworben; Tugenden, welche allemal einen großen Einfluß auf die Gemüther der Menschen haben, und in diesen Zeiten
die einzigsten Eigenschaften waren, welche man
schätzte u). Er war durch Verwandschaft, Allianz und Freundschaft mit den vornehmsten
Adlichen verbunden; und da das Unrecht, welches ihm von dem Könige wiederfahren war,
in seinen Folgen sie alle treffen konnte, so brachte er sie durch die Empfindung des gemeinschaftlichen Bestens leicht dahin, daß sie seinen Unwillen mit ihm theilten. Das Volk, welches einen Gegenstand seiner Liebe haben mußte, und

in

t) Tyrrel. B. III. Th. 2. S. 291. aus den Urkunden.
u) Walsingham. S. 343.

in der Person des Königes nichts fand, was

tung gelaſſen hatte, gar bald auf den Heinrich.

aller Menſchen waren auf ihn gerichtet, als auf
die einzige Perſon, welche die verlohrne Ehre
der Nation retten, oder die vermeynten Mißbräuche in der Regierung abſchaffen könnte.

Da die Geſinnung des Volks ſo beſchaffen
war, hatte Richard die Unvorſichtigkeit, ſich
nach

x) Er legte denenjenigen Geldbußen auf, welche zehen
Jahr vorher es mit dem Herzoge von Glocester und
ſeiner Partey gehalten hatten: Sie mußten ihm Geld
erlegen, ehe ſie der Wohlthat der Indemnität theilhaftig werden konnten; und in der Klage wider ihn
wird behauptet, daß es nicht bey der Zahlung einer
Geldbuße geblieben ſey. Es iſt in der That wahr-
ſcheinlich, daß ſeine Miniſter die ihnen anvertraute
Gewalt mißbrauchten; und dieſe Beſchwerde ſich alſo
über ſehr viele erſtrecket habe. Alle Geſchichtſchreiber
ſtellen dieſes einmüthig als eine große Bedrückung vor.
Siehe Otterburn. S. 199.

nach Irrland zu begeben, um den Tod seines
Vetters Roger, des Grafen von Marche, des
vorgegebenen Erben der Krone, der in einem
Scharmützel der Irrländer erschlagen war, zu
rächen, und ließ dadurch das Königreich England den Anschlägen seines aufgebrachten und
stolzen Feindes offen. Heinrich gieng bey Nanz
zu Schiffe *), in Begleitung von sechzig Personen, worunter der Erzbischof von Canterbury
und der junge Graf von Arundel, ein Vetter
dieses Prälaten, sich befanden; landete zu Ravenspur in Yorkshire, und vereinigte sich sogleich
mit dem Grafen von Northumberland und Westmoreland, zweyen der mächtigsten Baronen in
England. Hier that er einen feyerlichen Eid,
daß sein Angriff keinen andern Endzweck hätte,
als das Herzogthum Lancaster, welches ihm un-
gerechter Weise vorenthalten würde, wieder in
Besitz zu nehmen; und ladete alle seine Freunde
in England, die ihr Vaterland liebten, ein,
ihm in diesen billigen und mässigen Foderungen
beyzustehen. Ein jeder Ort war in Bewegung:
die Mißvergnügten griffen allenthalben zu den
Waffen: London entdeckte die stärkste Neigung

zur

*) Den 4ten Julii.

zur Meuterey und Rebellion; und Heinrichs Ar=
mee, die bey jedem Tagmarsche zunahm, war
bald über 60,000 Männ stark.

dem Herzöge von Lancaster, bey so gefährlichen
Zeitläuften ganz unfähig machten. Der vornehm=
ste Adel, welcher der Krone zugethan war, und
die guten Absichten des Regenten entweder hätte
unterstützen, oder seine Untreue in Furcht hal=
ten können, hatte den König nach Irrland be=
gleitet; und die Bemühungen der Freunde Ri=
chards waren allenthalben weit schwächer, als
seiner Feinde. Unterdessen bestimmte der Herzog
von York zu St. Alban den Sammelplatz seiner
Truppen, und brachte bald eine Armee von 40,000
Mann auf die Beine; fand sie aber ohne allen
Eifer für die Sache des Königes, und weit ge=
neigter, die Partey der Rebellen zu ergreifen.
Er gab daher einer Bothschaft von dem Hein=
rich gar zu bald Gehör, welcher ihn ersuchte,
sich einem getreuen und bemüthig Bittenden bey
der Eroberung seiner väterlichen Erbgüter nicht
zu widersetzen; und der Regent erklärte sich so=
                              gar

gar öffentlich, daß er seinem Vetter in einer so
billigen Foderung beystehen wollte. Seine Armee nahm eben diese Partey mit Freudengeschrey-
en; und der Herzog von Lancaster war itzt, durch
diese Anzahl verstärkt, Herr des ganzen Reiches.
Er eilte nach Bristol, wo einige Minister des
Königes sich hineingeworfen hatten; und nachdem
er diesen Ort bald zur Uebergabe gezwungen hatte, gab er dem Geschrey des Volks nach, und
ließ den Grafen von Wiltshire, den Sir Johann
Büsch, und Sir Heinrich Green, welche er hier
gefangen nahm, ohne Untersuchung hinrichten.

Der König, welcher Nachricht von diesem
Angriff und dieser Empörung erhielt, kam eilig
von Irland herüber, und landete zu Milford
mit einer Armee von 20,000 Mann: allein selbst
diese Armee, welche der feindlichen so wenig gleich
war, wurde entweder durch die allgemeine Verbindung des Reiches furchtsam gemacht, oder
auch von demselben Geiste des Aufruhrs eingenommen, und verließ ihn nach und nach, bis
er endlich sah, daß er nicht mehr als 6000 Mann
hatte, welche seiner Fahne folgten. Daher schien
es nöthig, sich von diesem kleinen Haufen zu
entfernen, welcher ihn nur in Gefahr setzte; und
er floh nach Anglesea, wo er entweder nach Irland

land oder Frankreich zu Schiffe gehen wollte,
um daselbst die bequeme Gelegenheit zu erwarten,
welche die Wiederkehr seiner Unterthanen zu ihrer Pflicht, oder ihr künftiges Mißvergnügen über
den Herzog von Lancaster ihm vermuthlich verschaffen würden. Heinrich merkte diese Gefahr,
und schickte den Grafen von Northumberland mit
den theuersten Versicherungen der Treue und der
Unterwürfigkeit an ihn; und dieser Herr bemächtigte sich durch Verrätherey und falsche Eide der
Person des Königes, und führte ihn zu seinem
Feind auf das Castel Flint *). Richard wurde von
dem Herzoge von Lancaster nach London geführt,
wo dieser mit Zurufungen des aufrührischen Pöbels empfangen wurde. Man sagt, daß ihm
ein Gerichtsbedienter auf dem Wege entgegen gekommen, und ihn im Namen der Stadt der öffentlichen Sicherheit wegen gebeten habe, den
Richard mit allen seinen Anhängern, die itzt gefangen wären y), ums Leben zu bringen; allein
der Herzog beschloß mit gutem Vorbedacht, viele
andre an dieser Schuld mit Theil nehmen zu
lassen, ehe er so weit gehen wollte. Zu diesem
Ende

*) Den 1sten Septemb.
y) Walsingham.

Ende ließ er Wahlschreiben im Namen des Königes ausgehen, und bestimmte sogleich eine Par-
lamentssitzung zu Westminster.

Diejenigen Pairs, welche dem Könige noch am
getreuesten waren, hatten sich entweder durch die
Flucht gerettet, oder saßen gefangen; und keiner,
der sich widersetzte, so gar nicht von den Baronen, durfte wider den Heinrich auf dieser Bühne
der Wuth und Gewaltthätigkeit auftreten, welche
gemeiniglich, und insbesondre in England, während solcher aufrührischen Zeiten, mit Empörungen verbunden war. Man kann sich auch leicht
vorstellen, daß ein Haus der Gemeinen, welches
unter diesem allgemeinen Aufruhr und diesem Triumph der Lancasterschen Partey erwählet war,
der Sache derselben äußerst zugethan, und bereit seyn würde, jeder Eingebung seines Aufruhrs
zu folgen. Dieser Stand, welcher damals noch
zu wenig Ansehen hatte, um den Strom zu hemmen, wurde immer mit hingerissen, und diente
nur dazu, die Gewaltthätigkeit zu vermehren,
welcher er, nach Maasgebung des öffentlichen
Besten, hätte widerstehen sollen. Da der Herzog
von Lancaster also sah, daß er völlig den Herrn
spielen würde; so fieng er an, seine Absichten
auf die Krone selbst zu richten; und überlegte mit

seinen Anhängern die bequemsten Mittel zu diesen
gewaltsamen Vorhaben *). Erstlich zwang er den
Richard z), die Regierung niederzulegen: da er
aber wußte, daß diese Handlung für eine Wirkung der Gewalt und der Furcht würde angesehen
werden; so nahm er sich gleichfalls vor, so gefährlich auch dieses Beyspiel für ihn selbst und
seine Nachkommen war, ihn von dem Parlament
wegen seiner vorgeblichen Tyranney und üblen
Aufführung förmlich absetzen zu lassen. Zu dem
Ende wurde eine Klage von drey- und dreyßig
Artikeln verfertiget, und dieser Versammlung übergeben a).

Wenn wir diese Artikel untersuchen, welche
mit der größten Bitterkeit gegen den Richard abgefaßt sind; so finden wir, daß, bis auf einige
übereilte Reden, deren er beschuldiget wurde b),
und an deren Gewißheit wir mit Grunde zweifeln können, weil sie in einem Privatgespräche
sollten vorgefallen seyn, die Hauptsache der Klage auf seine gewaltsame Aufführung in den letzten

*) Den 28sten Septemb.
z) Knyghton. S. 2744. Otterbourne. S. 212.
a) Tyrrel. B. III. Th. 2. S. 1008. Knyghton
S. 2746. Otterbourne. S. 214.
b) Art. 16. 26.

ten Jahren feiner Regierung hinaus läuft, und
fich von felbft in zwey Hauptpunkte, theilet.
Der erfte und wichtigfte ift die Rache, welche er
gegen die Prinzen und großen Baronen ausgeübet, die fich vormals heraus genommen hatten,
und immer fortfuhren, feine Macht einzufchrän-
ken und zu bedrohen.   Der zweyte ift die Krän-
kung der Gefetze und der allgemeinen Freyheiten
des Volks.   Allein der erfte, fo unregelmäßig er
in vielen Umftänden auch war, war von der Autorität des Parlaments völlig unterftützet, und
nur eine Copey von derjenigen Gewaltthätigkeit,
welche die Prinzen und Baronen felbft bey ihrem
vorigen Triumphe gegen ihn und feine Partey
ausgeübet hatten.   Die Vorenthaltung der Güter
Lancafters war, eigentlich zu reden, nur eine
Widerrufung derjenigen Gnade, die wenigftens
dem Scheine nach, das Anfehen des Parlaments
unterftützet hatte.   Der Mord des Glocefter, (denn
die heimliche, obgleich wohlverdiente Hinrichtung
diefes Prinzen verdienet diefen Namen gewiß)
war eine Privathandlung, machte kein Beyfpiel,
und bewies keine angemaßte oder willkührliche
Gewalt der Krone, welche dem Volke einen Verdacht geben konnte.   Er war in der That mehr
eine Wirkung der Schwachheit des Königes, als

seines Stolzes, und beweiset, daß er, anstatt
der Staatsverfassung schädlich zu seyn, nicht
einmal das nöthige Ansehen zur Ausübung der
Gesetze besaß.

Da der zweyte Haupttheil der Klage mehrentheils aus allgemeinen Dingen bestund, und
von Richards alten Feinden abgefaßt war, und
da weder ihm noch seinen Freunden jemals erlaubt wurde, denselben zu beantworten; so ist
es schwerer, darüber zu urtheilen.

Der größte Theil der Beschwerden, welche
dem Richard vorgeworfen wurden, schien die
Ausübung willkührlicher Vorrechte zu seyn: wie
zum Exempel die Gewalt, frey zu sprechen c);
die Einhebung der Lebensmittel für seinen Hofstaat d), der Gebrauch des Marschallgerichts e),
die Erpressung der Darlehne f), die Bewilligung
des Schutzes vor Processen g); Vorrechte, die
von seinen Vorfahren und Nachfolgern oft ausgeübet waren, obgleich oft darüber geklaget worden. Aber ob seine unregelmäßigen Handlungen

von

c) Art. 13. 17. 18.
d) Art. 22.
e) Art. 27.
f) Art. 14.
g) Art. 16.

von diefer Art häufiger, unüberlegter und ge-
·waltfamer, als gewöhnlich gewefen; ober ob die·
jenige Faktion, welche die Schwachheiten feiner
Regierung erzeuget hatten, fie nur anführte und
vergrößerte, das können wir in einer fo entfern·
ten Zeit unmöglich beftimmen.   Unterdeffen ift
feine Regierung in Einem Umftande von der Re·
gierung feines Großvaters offenbar unterfchieden.
Er wurde nicht befchuldiget, daß er in feiner
ganzen Regierung eine einzige willkührliche Auf·
lage, ohne Bewilligung des Parlaments, aus·
gefchrieben hatte h).   Unter der Regierung Edu·
ards vergieng kaum ein Jahr hin ohne Klagen

C c 3

über·

---

h) Wir lefen beym Cotton. S. 362. Daß der König
den Gemeinen durch feinen Kanzler fagen laffen, fie
müßten ihm aus vielen Urfachen, und insbefon·
dre deswegen verpflichtet feyn, daß er fie nicht
mit Zehenden und Fünfzehnten befchwere, als
womit er fie von feinetwegen nicht mehr zu
beläftigen dächte. Diefe Worte, nicht mehr, bezie·
hen fich auf das Verfahren feiner Vorwefer: Er hat·
te ihnen keine willkührliche Auflagen abgenommen:
Obgleich das Parlament in den Artikeln feiner Abfe·
tzung über fchwere Taxen klagte; fo fagte es doch nicht,
daß fie widergefetzlich oder willkührlich gefodert wá·
ren.

über diese beschwerliche und gefährliche Ausübung der königlichen Gewalt: allein, vielleicht
konnte Eduard, vermittelst der Herrschaft, welche er über sein Volk erlanget hatte, und durch
seine große Klugheit, sich dieser und andrer
willkührliche Vorrechte zum Nutzen seiner Unterthanen bedienen, und sie wurden also in seinen
Händen eine geringere Beschwerde, als eine weniger unumschränkte Gewalt in den Händen seines Enkels. Es würde eine Vermessenheit seyn,
wenn wir diesen Punkt auf einer Seite entscheiden wollten: so viel ist aber gewiß, daß eine Beschuldigung, welche von dem Herzoge von Lancaster aufgesetzt, und von einem Parlament gebilliget war, daß sich in diesen Umständen befand, keine Vermuthung giebt, daß sich der König in diesem Stücke einer ungewöhnlichen Unregelmäßigkeit oder Gewaltthätigkeit in seiner Aufführung schuldig gemacht habe i).

Als

i) Um zu zeigen, wie wenig man dieser Klage wider den
Richard glauben kann, müssen wir bemerken, daß in
dem 13ten Jahr Eduards des Dritten ein Gesetz gegeben wurde, daß kein Sherif länger, als ein Jahr,
sein Amt verwalten sollte: Allein, nachdem man die
Unbequemlichkeit der Abwechselung aus der Erfahrung
gelernt hatte, gaben die Gemeinen in dem zwanzig-

sten

Als die Klage gegen den Richard dem Parlament überliefert war, wurde sie, wiewohl sich

ge-

sten Jahre dieses Königes eine Bittschrift ein, daß sie
es länger führen möchten; obgleich diese Bittschrift
wegen andrer unangenehmen Umstände, welche mit
derselben verknüpft waren, nicht in eine Verordnung
verwandelt wurde. Siehe Cotton S. 361. Es war
gewiß eine sehr mäßige Ausübung der dispensirenden
Gewalt des Königes, daß er die Sheriffs ihr Amt
länger verwalten ließ. Da er sah, daß es seinen
Unterthanen angenehm seyn würde, und da ein
Parlamentshaus darum angehalten hatte: Dennoch wurde es zu einem Artikel in der Klage wider ihn von dem gegenwärtigen Parlament gemacht.
Siehe den 18ten Art. Walsingham sagt, indem er
von einer Periode frühe unter der Minderjährigkeit
des Richard redet: Aber was bedeutet denn eine
Parlamentsakte, wenn sie, nachdem sie gemacht
ist, keine Wirkung hat; indem der König sich,
auf Anrathen des geheimen Raths, anmaßet, diejenigen Dinge zu verändern, oder gänzlich abzustellen, welche durch eine allgemeine Bewilligung
im Parlament verordnet sind? Wenn Richard also
die dispensirende Gewalt ausgeübet hat, so wurde er
durch die Beyspiele seiner Onkel, seines Großvaters,
und in der That aller seiner Vorfahren, vom Heinrich
dem Dritten an, entschuldiget.

gegen jeden Artikel noch viel hätte erinnern laſ,
ſen, nicht geprüft noch unterſuchet, noch auch
in einem von beyden Häuſern beſtritten; ſondern
ſchien mit einmüthiger Billigung aufgenommen zu
werden.   Nur einer, nämlich der Biſchof von
Carliſle, hatte den Muth, mitten unter dieſer
allgemeinen Untreue und Gewaltſamkeit, als ein
Vertheidiger ſeines unglücklichen Herrn aufzutre-
ten, und ſeine Sache wider die Gewalt einer
überlegenen Partey zu verfechten.   Ob gleich einige von den Gründen, welche dieſer tugendhafte Prälat vorbrachte, die Lehre eines leidenden Gehorſams zu ſehr zu begünſtigen, und von
den Rechten der Menſchen ein gar zu freyes Opfer zu machen ſcheinen möchten; ſo wurde er
doch natürlicher Weiſe zu dieſem entgegengeſetzten
Verſehen durch ſeinen Abſcheu vor den gegenwärtigen ausgelaſſenen Faktionen getrieben, und ſolche Unerſchrockenheit, ſolch ein uneigennütziges
Betragen beweiſet, daß, ſeine theoretiſchen Grundſätze möchten ſeyn wie ſie wollten, ſein Herz
weit über die Niederträchtigkeit und kriechende Demuth eines Sklaven erhaben war.   Er ſtellte dem
Parlament vor, daß alle Mißbräuche der Regierung, welche dem Richard mit Recht aufgebür-
det werden könnten, gar nicht auf Tyranney hin-

                                              aus

aus liefen, sondern bloß aus Irrthum, Jugend
oder üblen Rath entstanden wären, und durch
leichtere und heilsamere Mittel, als eine gänzliche Umkehrung der Regierung, gehoben werden
könnten; daß sie sogar, wären sie auch gewaltsa-
mer und gefährlicher, als sie wirklich wären,
vornehmlich aus vormaligen Beyspielen der Widersetzung entstanden, welche den Prinzen seine
ungewisse Macht empfinden lassen, und ihn genöthiget hätten, seinen Thron durch unordentliche
und willkührliche Mittel zu befestigen: daß rebel-
lische Gesinnungen in den Unterthanen die vornehmste Ursache der Tyranney der Könige wären:
Gesetze, welche den Souverain nicht sichern könnten, könnten noch weniger die Unterthanen sichern;
und wenn der Grundsatz einer unverbrüchlichen
Treue gegen den König, welcher die Stütze der
englischen Regierung ausmachte, einmal verworfen würde; so verlöhren auch die Privilegien eines jeden Standes im Staate, anstatt durch
diese Ausgelassenheit befestiget zu werden, den
sichersten Grund ihrer Kraft und Beständigkeit:
Die Absetzung Eduards des Zweyten von dem
Parlament könnte gar nicht zum Beyspiel dienen, diese Regel einzuschränke, und wäre nur
das Beyspiel einer glücklichen Gewaltthätigkeit;

Ec 5   un-

und es wäre schon genug zu bedauren, daß so oft Verbrechen in der Welt begangen würden, ohne daß man nöthig hätte, noch dazu Grundsätze einzuführen, welche dieselben rechtfertigen und authorisiren könnten. Selbst dieses Beyspiel, so falsch und gefährlich es auch wäre, könnte die gegenwärtigen Ausschweifungen nicht rechtfertigen, welche um so viel größer wären, und welche Zerstörung, Zerrüttung und Elend bis auf die spätesten Nachkommen der Nation bringen würden: die Erbfolge auf den Thron wäre damals wenigstens unverändert geblieben: der nächste Erbe in gerader Linie wäre auf den Thron gesetzt worden, und das Volk hätte Gelegenheit gehabt, durch seinen gesetzmäßigen Gehorsam gegen ihn alle Gewaltthätigkeiten, die es gegen seine Vorfahren bewiesen, auszusöhnen. Es wäre noch ein Nachkomme vom Lionel, dem Herzoge von Clarence, der älteste Bruder des Herzogs von Lancaster im Parlament zum Thronfolger ernannt; er hätte Erben hinterlassen; und ihr Recht könnte, wenn es auch von der Gewalt der gegenwärtigen Faction überwältiget würde, in den Gemüthern des Volks doch niemals ausgelöschet werden: Wenn schon allein die aufrührische Gesinnung der Nation den wohlgegründe-

ten

ten Thron eines so guten Prinzen, als Richard
wäre, umgestürzet hätte; welche blutige Bewegungen müßten dann erfolgen, wenn dieselbige Ursache zu dem Beweggrunde hinzu käme, dem gesetzmäßigen und ungezweifelten Erben seine Macht
wieder zu geben? Die neue Regieruug, die sie
einführen wollten, würde auf keinen Grundsätzen
ruhen; und kaum einen Vorwand haben, unter
welchem sie den Gehorsam von Leuten von Vernunft und Tugend fodern könnte: die Ansprüche
eines Nachkommen der geraden Linie wären so
klar, daß man kaum den Unwissendsten des Pöbels würde betrügen können. Ein Rebell könnte
sich wider seinen Souverain niemals auf Eroberungen berufen: die Einwilligung des Volks gelte
nichts in einer Monarchie, die sich nicht auf
Einwilligung, sondern auf Erbrecht gründe; und
wenn die Nation jemals wegen der Absetzung des
verführten Richards gerechtfertiget werden könnte; so hätte sie doch nicht das geringste Recht,
seinen rechtmäßigen Erben und Nachfolger, der
ganz unschuldig wäre, vorbey zu gehen; und der
Herzog von Lancaster würde ihnen nur ein schlechtes Beyspiel von derjenigen gesetzmäßigen Mäßigung geben, welche man von seiner künftigen Regierung erwarten könnte; wenn er zu seinem ersten

Ver-

Verbrechen, zu der Rebellion, noch das zweyte,
die Ausschließung derjenigen Familie hinzufügen
wollte, die nach dem Erbrechte und nach der Erklärung des Parlaments, im Fall Richard sterben oder die Regierung freywillig niederlegen sollte, für die ungezweifelten Erben der Monarchie
angenommen k) worden wäre.

Alle Umstände dieser Begebenheit mit denen
verglichen, welche die letzte Empörung von 1688
begleiteten, zeigen den Unterschied zwischen einer
großen und gesitteten Nation, die ihre festgesetzte
Freyheiten mit Ueberlegung rechtfertiget, und einer aufrührischen und barbarischen Aristocratie,
die sich von der äussersten Hitze einer Partey
blindlings in die Hitze der andern stürzet. Diese
edle Freymüthigkeit des Bischofs von Carlisle
wurde, anstatt gebilliget zu werden, nicht einmal geduldet: er wurde auf Befehl des Herzogs
von Lancaster gleich in Verhaft genommen, und
als ein Gefangner nach der Abtey St. Albans
geschickt. Es wurden keine fernere Untersuchun-
gen vorgenommen: Eine Klage von drey und
dreyßig langen Artikeln wurde in Einer Sitzung
wider

k) Sir John Heywarde. S. 101.

wider den Richard für gültig erkannt, und zwar
von denselben Pairs und Prälaten für gültig
erkannt, welche kurz vorher eben diese gewaltthä-
tige Handlungen, worüber sie sich itzt beklagten,
freywillig und einstimmig authorisirt hatten. Dieser Prinz wurde durch die Stimmen beyder Häuser abgesetzt; und da der Thron itzt offen stünd,
so trat der Herzog von Lancaster hervor; und
nachdem er vor seiner Stirn und seiner Brust
ein Kreuz geschlagen, und Christi Namen ange-
rufen hatte 1), sagte er diese Worte, welche wir,
ihrer Sonderbarkeit wegen, in der Originalsprache
mittheilen wollen.

In the name of Fadher, Son and Holy
Ghoft, I Henry of Lancafter, challenge this
rewme of Yngland, and the croun, with all the
membres, and the appurtenances; als I that
am defcendit, by right line of the blode, co-
ming fro the gude King Henry therde, and
throge that right, that God of his grace hath
fent me, with help of Kyn, and of my fren-
des to recover it; the which rewme was in

poynt

1) Cotton. S. 389.

poynt to be ondone by defaut of governance, and ondoying of thé gude lawes *) m).

Um diese Worte zu verstehen, müssen wir bemerken, daß unter dem niedrigen Pöbel eine einfältige Erzählung gieng, daß Edmund Graf von Lancaster, Heinrichs des Dritten Sohn, in der That Eduards des ersten ältester Bruder gewesen, wegen seiner häßlichen Bildung aber bey der Thronfolge zurückgesetzt, und sein jüngerer Bruder der Nation an seiner Stelle aufgedrungen sey. Da der gegenwärtige Herzog von Lancaster von dem Edmond im Namen seiner Mutter erbte, so machte dieses Geschlechtsregister ihn zum wahren Erben der Krone, und es wird daher

*) Im Namen des Vaters, des Sohnes und des heiligen Geistes, fodere ich Heinrich von Lancaster, dies Königreich England und die Krone, mit allen Gliedern und Pertinentien, als der ich in gerader Linie ein Abkömmling von dem Geblüte des guten Königes Heinrich des Dritten bin, und vermöge desjenigen Rechtes, welches die Gnade Gottes mir gegeben; weil ich durch die Hülfe meiner Verwandten und Freunde das Reich wieder erobert habe, welches aus Mangel an Regierung und Verletzung der guten Gesetze, beynahe untergangen wäre.

m) Knyghton. S. 2757.

her in Heinrichs Rede zu verstehen gegeben. Allein die Ungereimtheit war zu grob, als daß sie entweder von ihm oder dem Parlament konnte öffentlich erkannt werden. Mit dem Rechte seiner Eroberung ist es eben so: Er war ein Unterthan, welcher wider seinen Souverain rebellirte. Er kam mit einem Gefolge von nicht mehr, als sechzig Personen ins Reich: Er konnte daher nicht der Eroberer von England seyn; und dies Recht gab er also auch nur zu verstehen, aber nannte es nicht ausdrücklich. Noch war ein dritter Grund des Anspruchs da, welcher auf sein Verdienst beruhete, das Volk von der Tyranney und Unterdrückung befreyet zu haben; und auch diesen Grund gab er zu verstehen. Weil er aber seiner Natur nach mehr ein Bewegungsgrund zu seyn schien, daß man ihn durch eine freye Wahl zum Könige wählen möchte, welches er nicht wollte an sich kommen lassen, als daß er ihm ein unmittelbares Recht zum Besitz gab; so durfte er auch davon nicht öffentlich reden; und um den Gedanken von der Wahl zu verhüten, foderte er die Krone, als ein Eigenthum, welches ihm entweder durch Eroberung oder Erbschaft zukäme. Ueberhaupt bestund die ganze Rede aus einem solchen Geschwätze und Nonsense, daß sie ihres

Glei-

Gleichen nicht hat. Unterdessen wurde in dem
Parlament keine Einwendung dawider gemacht:
die einmüthige Stimme der Lords und Gemeinen
setzte den Heinrich auf den Thron: Er wurde König, ohne daß jemand sagen konnte, wie oder
warum? Das Recht des Hauses von Marche,
welches ehemals vom Parlament erkannt war,
wurde weder für ungültig erklärt, noch widerrufen, sondern mit gänzlichem Stillschweigen über-
gangen; und da die Liebe des Volks zur Freyheit zu dieser Empörung nichts beygetragen zu
haben scheint; so wurden dessen Recht, die Regierung zu vergeben, wie alle übrigen Freyheiten
desselben auf dem alten Fuß gelassen. Allein weil
Heinrich in seinen Ansprüchen auf die Krone einen dunklen Wink von seiner Eroberung gegeben
hatte, welche, wie man glaubte, diese Freyheiten in Gefahr setzen könnte; so erklärte er sich
bald darnach öffentlich, daß seine Absicht nicht
wäre, dadurch jemanden seine Vorrechte und
Freyheiten zu nehmen n). Dies war der einzigste
Umstand bey allen diesen Unterhandlungen, worinn noch gesunde Vernunft, oder worinn eine
Bedeutung zu finden ist.

Die

n) Knyghton. S. 2759. Otterbourn. S. 220.

Die folgenden Begebenheiten entdecken daſſelbe übereilte und gewaltſame Verfahren, und die-
ſelben rohen Begriffe von einer bürgerlichen Regierung. Richards Abſetzung machte, daß das Parlament (den 6 October) auseinander gieng : Es war
nöthig, ein neues zu verſammlen; und Heinrich
rief ſechs Tage nachher dieſelbigen Glieder, ohne
eine neue Wahl, wieder zuſammen; und dieſe
Verſammlung nannte er ein neues Parlament. Es
wurde zu der gewöhnlichen Beſchäftigung gebraucht, alle Verfügungen der Gegenpartey um-
zuſtoſſen. Alle Akten des letzten Parlaments
Richards, welche mit Eiden und einer päpſtlichen
Bulle beſtätiget waren, wurden abgeſchaft: Alle
Parlamentsakten von der Zeit, worinn Glocester
die Oberhand hatte, und welche vom Richard ab-
geſchaffet waren, wurden wieder hergeſtellet o):
die Beantwortungen des Treſilian und der übrigen
Richter, welche ein Parlament für nichtig erkläret,
ein neues aber, und neue Richter gebilliget hatten,
wurden hier zum zweytenmal verdammet. Die
Pairs, welche den Glocester, Arundel und Warwic angeklaget, und für dieſen Dienſt höhere Titel
erhalten hatten, wurden alle ihrer neuen Würden

be-

o) Cotton. S. 390.

beraubt. Sogar wurde die Gewohnheit, an das Parlament zu appelliren, abgeschaffet, und die Rechtssachen wieder nach dem Lauf des allgemeinen Gesetzes geführet p). Die natürliche Wirkung dieser Aufführung war, das Volk durch solche plötzliche und beständige Veränderungen schwindlicht zu machen, und alle Begriffe von Recht und Unrecht in den Maaßregeln der Regierung bey demselben auszulöschen.

Der Graf von Northumberland machte eine Bewegung in dem Oberhause (den 23 October) zum Besten des unglücklichen Prinzen, den sie abgesetzt hatten. Er fragte dasselbe, welche Nachricht es dem Könige geben wollte, wie man ihm künftig begegnen würde, da Heinrich entschlossen wäre, ihm das Leben zu lassen? Alle Glieder antworteten einmüthig, er sollte unter einer sichern Verwahrung gefangen gesetzt, und aller Gemeinschaft mit seinen Freunden oder Anhängern beraubet werden. Man konnte es leicht vorhersehen, daß er in den Händen solcher barbarischen und blutdürstigen Feinde nicht lange leben würde. Die Geschichtschreiber stimmen in der Art, wie er ermordet worden, nicht überein. Man hat lange Zeit geglaubt, daß

p) Henry IV. Chap. 14.

daß Sir Piers Exton, und andre von seinen
Wächtern, in dem Castel Pomfret, wo er eingeschlossen war, über ihn hergefallen wären, und
ihn mit ihren Helleparden hingerichtet hätten.
Es ist aber wahrscheinlicher, daß er im Gefängniß
Hungers gestorben sey; und nachdem ihm aller
Unterhalt versaget war, soll sein unglückliches
Leben, wie man sagt, noch vierzehn Tage gedauret
haben, ehe er das Ende seines Elendes erreichet.
Diese Nachricht stimmet mehr mit der Erzählung
überein, daß sein Leichnam öffentlich ausgesetzet
sey, und daß man an demselben keine Merkmaale
der Gewaltthätigkeit gesehen habe. Er starb im
vier und dreyßigsten Jahre seines Alters, und im
drey und zwanzigsten seiner Regierung. Er hinterließ weder eheliche noch natürliche Kinder.

Alle Schriftsteller, welche uns die Geschichte
Richards überliefert haben, verfertigten ihre Werke
unter der Regierung der Lancasterischen Könige;
und die Aufrichtigkeit erfodert, daß wir nicht allen
Vorwürfen, womit sie sein Andenken beflecket haben, Glauben beymessen: sondern, wenn wir alles
gehörig abrechnen, scheinet er zwar immer ein
schwacher und zur Regierung ungeschickter Prinz
gewesen zu seyn: aber nicht so sehr aus Mangel an
natürlichen Gaben und Fähigkeiten, als aus

Man-

Mangel an gründlicher Einsicht und guter Erziehung. Er war von einer heftigen Gemüthsart, und
verschwendrisch in seinen Ausgaben: verliebt in
eitlen Pomp und Pracht; seinen Lieblingen und
dem Vergnügen zu sehr ergeben: Leidenschaften,
welche alle mit einer klugen Haushaltungskunst
nicht bestehen können, und folglich in einem eingeschränkten und vermischten Staate gefährlich sind.
Hätte er die Gabe gehabt, seine großen Baronen zu
gewinnen, oder in Furcht zu erhalten, so würde er
alles Unglück seiner Regierung vermieden haben,
und würde seine Unterdrückungen, wenn er sich
anders wirklich einiger schuldig gemacht hätte, noch
weiter haben treiben können, ohne daß das Volk
zu rebelliren, oder wider ihn zu murren gewagt
hätte. Da aber die Großen des Reichs durch seinen Mangel an Klugheit und Lebhaftigkeit in Versuchung geführet wurden, sich seiner Macht zu
widersetzen, und die gewaltsamsten Unternehmungen wider ihn auszuführen, so ließ er sich natürlicherweise verleiten, eine bequeme Gelegenheit zur
Vergeltung zu suchen.   Die Gerechtigkeit wurde
aus den Augen gesetzet, das Leben der vornehmsten von Adel aufgeopfert; und alle diese Uebel
scheinen nicht so sehr aus einer festbeschlossenen Absicht, eine willkührliche Gewalt einzuführen, als
                                        aus

aus dem Trotze des Siegers und der Noth der
Situation des Königes hergefloſſen zu ſeyn. Zwar
waren die Sitten der Zeit die vornehmſte Quelle
ſolcher Gewaltthaten. Geſetze, welche zu Friedenszeiten wenig beobachtet wurden, verlohren alle ihr
Anſehen zur Zeit der öffentlichen Unruhen: Beyde
Parteyen hatten gleich viel Schuld: oder wenn
man einigen Unterſchied bemerket, ſo werden wir
ſehen, daß die Macht der Krone, weil ſie geſetzmäßiger iſt, wenn ſie die Oberhand behielt, gemeiniglich nicht ſo ſehr zu verzweifelten Mitteln
getrieben wurde, als die Ariſtocratie.

Wenn wir die Verwaltung und die Begebenheiten dieſer Regierung mit den vorhergehenden
vergleichen; ſo finden wir eben ſo viel Urſache, den
Eduard zu bewundern, als den Richard zu ta-
deln: allein der Hauptpunkt, worinn ſie ſich entgegen ſind, liegt gewiß nicht in des erſten genauer
Beobachtung der Nationalfreyheiten, und in des
letztern Vernachläßigung derſelben; vielmehr ſcheinet der ſchwache Prinz, weil er ſeinen Mangel an
Gewalt empfand, ſich in dieſem Stücke immer
mehr gemäßiget zu haben, als der andre. Jedes
Parlament, welches unter der Regierung Eduards
zuſammenberufen war, machte Erinnerungen wider die Ausübung dieſes oder jenes willführlichen

Vor-

Vorrechtes: während der ganzen Regierung Richards hören wir keine Klagen von dieser Art, bis auf die Versammlung des letzten Parlaments, welches von seinen alten Feinden zusammengerufen wurde, welches ihn absetzte, welches seine Klagen unter den heftigsten Zerrüttungen abfaßte, und dessen Zeugniß also bey jedem billigen Richter weit weniger Gültigkeit hat q). Diese Prinzen erfuhren beyde die Versuche der Großen, ihre Macht zu beschneiden. Eduard war in seiner Noth gezwungen, mit seinem Parlament einen ausdrücklichen Handel zu schließen, und einige von seinen Vorrechten für Zuschüsse zu verkaufen; da es aber sein Genie und seine Fähigkeit kannte, so wagte es sich nicht, unmäßige, oder solche Verwilligungen zu fodern, welche mit der königlichen und unumschränkten Gewalt unverträglich waren: Richards Schwachheit führte das Parlament in Versuchung, eine Commißion von ihm zu erzwingen, welche ihn gewissermaßen absetzte, und den Zepter in die Hände der Adlichen gab. Die Folgen stimmten gleichfalls mit dem Charakter eines jeden überein.

Eduard

q) Man vergleiche, zu dem Ende, die Auszüge aus den Urkunden dieser beyden Regierungen, bey dem Sir Robert Cotton.

Eduard hatte nicht sobald die Unterstützung erhalten, als er das Versprechen nicht mehr hielt, wodurch er das Parlament bewogen hatte, sie ihm
zu geben. Er sagte seinem Volk öffentlich, daß er
sich nur verstellet hätte, als er ihm diese Verwilligung zu geben geschienen, und nahm alle seine
Vorrechte wieder zurück, und behielt sie. Allein
Richard jagte seine Baronen gleich wider sich in
die Waffen: sie entdeckten, daß er sich mit den
Richtern über die Rechtmäßigkeit der Wiederher-
stellung der Regierungsart berathschlagte; er wurde seiner Freyheit beraubt; sah seine Lieblinge, seine Minister, seinen Vormund vor seinen Augen
schlachten oder verbannen, und in die Acht erklären, und wurde gezwungen, allen Gewaltthätigkeiten freyen Lauf zu lassen. Keine Schicksale
zweyer Prinzen können sich merklicher entgegengesetzt seyn, als diese: es wäre für die Gesellschaft
sehr gut, wenn diese Entgegensetzung immer blos
in der Gerechtigkeit oder Ungerechtigkeit der Maaßregeln, welche die Menschen ergreifen, und nicht
vielmehr in den verschiedenen Graden der Klugheit
und Lebhaftigkeit bestünden, womit diese Maaßregeln unterstützet werden.

Das Ansehen der Geistlichkeit nahm in diesem
Zeitpunkt ziemlich ab. Das Mißvergnügen, wel-

ches

ches die Layen an den vielen Anmaßungen des römischen Hofes, und ihrer eignen Geschicklichkeit
empfanden, hatte das Reich sehr vom Aberglauben entwöhnet; und es erschienen von Zeit zu Zeit
starke Merkmale eines allgemeinen Verlangens, die
Bande der römischen Kirche abzuschütteln.   In
der Commißion der achtzehn Männer, welcher
Richards letztes Parlament seine ganze Gewalt
übertragen hatte, ist kein einziger Name eines
Geistlichen zu finden; eine Verachtung, die nicht
ihres gleichen hat, so lange die katholische Religion in England im Schwange gewesen ist r).

Die

r) Folgende Stelle in Cottons Auszügen, S. 196. zeiget
einen starken Widerwillen wider die Kirche und die
Geistlichen: Nachdem die Gemeinen ins Parlamentshaus gekommen waren und protestirt hatten, zeigten sie, daß der gemeine Mann aus Mangel einer
guten Aufsicht über des Königs Hofstaat und seine
Gerichtshöfe in Ansehung der Schaffner und Hof-
fourier täglich mehr ausgesogen, nicht aber wider
den Feind geschützet würde, und daß dieses dem
Könige nachtheilig seyn, und dem Staat in kurzem
den Untergang zuziehen müßte. Daher foderten
sie in der Besorgung dieser Stücke eine gänzliche
Verbesserung. Worauf der König verschiedenen
Bischöfen, Lords und Edelleuten Befehl ertheilte,

über

Die Abneigung wider die herrschende Kirche
fand bald Gründe, Lehrsätze und Raisonnements,
wodurch sie sich rechtfertigen und unterstützen
konnte. Johann Wickliffe, ein ordenfreyer Priester, der zu Oxford studiret hatte, fieng zu Ende
der Regierung Eduards des Dritten an, die Lehren
der Reformation in seinen Reden, Predigten und
Schriften auszubretten. Er machte sich unter allen
Ständen viele Anhänger. Er scheinet ein Mann

Dd 5   von

über diese Sachen geheimen Rath zu halten. Weil
nun diese Herren bey den Vornehmsten anfangen,
und nach der Vorstellung der Gemeinen verfahren
mußten; so befahlen sie in Gegenwart des Königs,
dem Beichtvater desselben nicht anders als an den
vier hohen Festtagen am Hofe zu erscheinen.
Wir hätten kaum vermuthen sollen, daß ein papistischer
geheimer Rath dem Beichtvater des Königs befehlen
würde, vom Hofe wegzubleiben, um die guten Sitten
des Königs zu erhalten. Dieses trug sich unter der
Minderjährigkeit des Königs Richard zu. Da die Päpste
seit geraumer Zeit zu Avignon gelebt hatten, und der
größte Theil der heiligen Versammlung aus Franzosen
bestund; so vermehrte dieser Umstand natürlicherweise
den Widerwillen der Nation gegen die päpstliche Gewalt: Allein den Widerwillen gegen die englische Geistlichkeit kann man aus diesem Grunde nicht erklären.

von natürlichen Gaben und Gelehrsamkeit gewesen
zu seyn, und hatte die Ehre, der Erste in Europa
zu seyn, der diese Lehren in Zweifel zog, welche
seit so vielen Jahrhunderten von einem jeden für
gewiß und unstreitig gehalten waren. Wikliffe
selbst sowohl, als seine Jünger; welche den Namen Wikliffiten oder Lollards bekamen, unterschieden sich durch eine sehr strenge Lebensart und Sitten; ein Umstand, welcher fast bey allen denen
zutrifft, die neue Lehren vortragen; sowohl weil
Leute, welche die Aufmerksamkeit des Publici auf
sich ziehen, und sich dem Haß einer großen Menge
aussetzen, in ihrer Aufführung sehr auf ihrer Hut
seyn müssen; als auch deswegen, weil wenige,
die eine große Neigung zu Vergnügungen und
Geschäften haben, sich einer solchen schwierigen
und mühsamen Unternehmung unterziehen. Wikliffs Lehren, welche aus seinem Nachforschen in der
Schrift und in den Alterthümern der Kirche ge-
flossen waren, kommen fast mit denen überein,
welche im sechszehnten Jahrhundert von den Re-
formatoren fortgepflanzet wurden. Er leugnete
die Lehre von der wirklichen Gegenwart, die
Oberherrschaft der römischen Kirche, das Verdienst des Mönchlebens; er behauptete, die heilige
Schrift sey die einzige Regel des Glaubens; die
Kir-

Nicht hänge von dem Staat ab, und müsse von
demselben reformiret werden.; die Geistlichkeit
müsse keine Güter besitzen; die Bettelmönche wären
ein allgemeiner Schaden, und müßten nicht geduldet werden s), die vielen Ceremonien in der
Kirche wären der wahren Gottesfurcht schädlich:
er behauptete, daß Eide ungesetzlich; daß die Herrschaft in der Gnade gegründet, daß alles dem
Schicksal und der Bestimmung unterworfen, und
ein jeder entweder zum ewigen Leben oder zur Verdammniß vorher bestimmet wäre t). Wenn man
seine Lehren im Ganzen betrachtet, so scheinet
Wikliffe einen starken Ansatz zur Enthusiasterey gehabt zu haben, und dadurch desto besser geschickt
gewesen zu seyn, sich einer Kirche zu widersetzen,
deren unterscheidender Charakter der Aberglaube
war.

Die Fortpflanzung dieser Grundsätze machte
unter der Geistlichkeit ein großes Aufsehen; es
wurde eine Bulle vom Papst Gregorius dem
Eilften ausgefertigt, Wikliffe sollte gefangen ge-
nom-

s) Walfingh. S. 191, 208, 283, 284. Spellm. concil.
B. II. S. 630. Knyght. S. 2657.

t) Harpsfield. S. 668. Waldens. Tom. I.

nommen und über seine Meynungen befraget werden u): Der Bischof von London, Courteney, rief
ihn vor seinen Gerichtsstuhl; allein der Reformator hatte itzt sehr mächtige Schutzherren erhalten,
welche ihn wider die geistliche Gerichtsbarkeit
schützeten. Der Herzog von Lancaster, welcher
damals das Königreich beherrschte, unterstützte
Wikliffs Grundsätze, und trug selbst, so wie der
Großmarschall Lord Piercy, kein Bedenken,
öffentlich mit ihm vor Gerichte zu erscheinen, um
ihm bey seinem Verhör Muth einzusprechen. Er
drang sogar darauf, daß Wikliffe sich in Gegenwart des Bischofs niedersetzen sollte, so lange seine Grundsätze untersuchet würden: Courteney
schrie wider diese Beleidigung. Der Pöbel von
London glaubte, daß sein Bischof beleidiget wäre,
und griff den Herzog und Marschall an, welche
seinen Händen mit Mühe entkamen x). Und bald
darauf brach der Pöbel in die Häuser dieser beyden
Herren ein, drohete ihnen selbst, und plünderte
ihre Güter. Der Bischof von London hatte das
Verdienst, diese Raserey und Bosheit zu stillen.

Un-

---

u) Spellm. concil. B. II. S. 621. Walsingh. S. 201,
    202, 203.

x) Harpsfield. in Hist. Wiclif. S. 683.

Unterdeſſen fuhr der Herzog von Lancaſter fort, den Wikliffe, während der Minderjährigkeit Richards zu ſchützen; und die Grundſätze dieſes Reformators hatten ſich ſo weit fortgepflanzet, daß, als der Papſt eine neue Bulle wider dieſe Lehren nach Oxford ſchickte, die Univerſität eine Zeitlang überlegte, ob ſie dieſe Bulle annehmen ſollte, und niemals mit Ernſt nach den päpſtlichen Befehlen verfuhr y). Sogar der Pöbel in London wurde endlich ſo weit gebracht, daß es günſtige Gedanken von dieſem Reformator bekam. Als er vor eine Kirchenverſammlung zu Lambeth gefodert wurde, brach der Pöbel in die Verſammlung, und hielt die Prälaten, welche das Volk und den Hof zugleich wider ſich ſahen, in Furcht, daß ſie ihn ohne weitere Ahndung von ſich ließen.

Wir können nicht denken, daß es der Geiſtlichkeit mehr an Gewalt, als Neigung gefehlet habe, dieſe neue Ketzerey zu beſtrafen, welche ihr Anſehen, ihre Güter und Authorität zugleich angriff. Allein es war in England bisher noch kein Geſetz geweſen, wodurch die weltlichen Waffen berechtiget waren, die Orthodoxie zu unterſtützen;

· und

y) Woods Ant. Oxon. Lib. I. p. 191. Walſingham. E. 201.

und die Geiftlichen bemüheten fich, diefen Mangel
durch einen fehr außerordentlichen und unverant-
wortlichen Kunftgriff zu erfetzen. Im Jahr 1381
war ein Gefetz gegeben, wodurch den Sherifs befohlen wurde, die Prediger einer Ketzerey, und
die Befchützer derfelben feftzufetzen; allein die
Geiftlichkeit hatte diefe Verordnung nur erfchlichen,
und fie war ohne Bewilligung der Gemeinen in
das Regifter eingetragen. Bey der folgenden
Sitzung beklagte fich das Unterhaus über den Betrug; verficherte, daß es nicht Willens wäre, fich
mehr an die Prälaten zu binden, als ihre Vorfahren gethan hätten, und verlangte, daß die Verordnung widerrufen werden follte, welches auch
gefchah z). Allein es ift merkwürdig, daß die
Geiftlichkeit, ungeachtet der Wachfamkeit der Gemeinen, fo viel Kunft zu gebrauchen wußte, und fo
großen Einfluß hatte, daß die Widerrufung unterdrücket wurde, und die Acte, welche niemals
eine rechtmäßige Gültigkeit gehabt hatte, ftehet
noch bis auf diefen Tag in dem Gefetzbuche a):
obgleich die Geiftlichkeit es für gut fand, fie auf

einen

z) Cottons Abridg. S. 285.

a) 5 Rich. II. Chap. 5.

einen Nothfall aufzuheben, und nicht gleich zu der Ausübung derselben zu schreiten.

Allein außerdem, daß es der Kirche an Gewalt fehlte, welches den Wikliffe rettete, schien auch dieser Reformator, ungeachtet seines Enthusiasmus, nicht von dem Geist der Märtyrer beseelet zu seyn; und in allen folgenden Verhören vor den Prälaten erklärte er durch erzwungne Ausdeutungen seine Lehren so sehr wenig, daß sie ganz unschuldig und unschädlich wurden b). Seine meisten Nachfolger ahmten seiner Vorsichtigkeit nach, und retteten sich entweder durch Widerrufen oder Erklärungen. Er starb im Jahr 1385 am Schlage in seiner Pfarre zu Lutterworth, in der Grafschaft Leicester; und die Geistlichkeit, welche bedauerte, daß er ihrer Rache entgangen war, versicherte das Volk seiner ewigen Verdammniß, und stellte seinen letzten Zufall, als eine sichtbare Strafe des Himmels für seine vielen Ketzereyen und Gottlosigkeit vor c).

Unterdessen nahmen die Anhänger der Meynungen Wikliffs immer zu d): Einige Mönche erzählen, daß das halbe Königreich davon ange-
stes

b) Walsingh. S. 206. Knyght. S. 2655. 2656.
c) Walsingh. S. 312. Ypod Neust. S. 537.
d) Knyght. S. 2663.

stecket gewesen sey. Sie wurden nach Böhmen
von einigen jungen Leuten dieser Nation, die zu
Oxford studirten, hinüber gebracht: allein obgleich
dieses Jahrhundert sehr geschickt schien, sie auf-
zunehmen; so waren die Umstände doch zu dieser
großen Veränderung noch nicht völlig reif; und der
entscheidende Streich, welcher der Macht der
Geistlichkeit ein Ende machte, war für einen Zeitpunkt von größerer Wißbegierde, Gelehrsamkeit und
Neigung zu Neuerungen aufgehoben.

Unterdessen fuhr das englische Parlament
fort, die Geistlichkeit und den römischen Hof durch
sanftere und gesetzmäßigere Mittel zu zügeln. Es
bestätigte die Verordnung der Provisóren, und
setzte eine höhere Strafe auf die Uebertretung derselben, welche in gewissen Fällen gar eine Lebens-
strafe war e). Der römische Hof hatte eine neue
List erfunden, welche sein Ansehen über die Prälaten vermehrte: der Papst, welcher sah, daß die
willkührliche Absetzung sehr gewaltsam war, und
leicht Widersetzung finden könnte, erlangte eben
diesen Endzweck, wenn er die Schuldigen in är-
mere und wohl gar nur in Titularsitzen in partibus
infidelium versetzte. Dies widerfuhr dem Erz-
bi-

e) 13 Rich. II. Cap. 3. 16 Rich. II. Cap. 4.

bischof von York, dem Bischof von Durham und
Chichester, Ministern des Königes, nachdem Glocesters Partey die Oberhand hatte: der gute Bischof von Carlisle hatte eben dieses Schicksal,
nachdem Heinrich der Vierte den Thron bestiegen:
denn der Papst hielt es allemal mit der herrschenden Partey; wenn sie sich seinen Foderungen nicht
widersetzte. Das Parlament gab unter der Regierung Richards ein Gesetz wider diesen Mißbrauch,
und der König that bey dem römischen Hofe eine
allgemeine Vorstellung wider diese Aufbürdungen,
welche er erschreckliche Ausschweifungen dieses
Hofes nannte f).

Die Kirche hatte damals die Gewohnheit, damit sie der Akte von der Unveräußerlichkeit der Güter ausbeugen möchte, Leuten, die ihr ergeben
waren, Ländereyen zur Verwahrung zu hinterlassen, unter deren Namen die Kirche den Vortheil
des Vermächtnisses genoß: das Parlament that
dem Fortgange auch dieses Mißbrauches Einhalt g). In dem siebenzehnten Jahre des Königes
baten die Gemeinen, daß man ein Mittel aus-
fündig machen möchte, denenjenigen geistli-

chen

f) Rymer, B. VII. S. 672.
g) Knyght. S. 27. 28. Cotton. S. 355.

chen Personen Einhalt zu thun, welche ihre
Sklaven an freye Frauenspersonen verheu-
ratheten, die Erbschaften zu hoffen hatten,
damit die Güter in die Hände dieser Geistlichen, vermöge beträchtlicher und geheimer Verabredung unter ihnen, kämen, h).
Dieses war eine neue List der Geistlichkeit.

Das Papstthum wurde damals ein wenig geschwächet durch eine Spaltung, welche vierzig Jahre lang dauerte, und den Anhängern des heiligen
Stuhls ein großes Aergerniß gab. Nachdem sich
die Päpste viele Jahre zu Avignon aufgehalten hatten ließ Gregorius der Eilfte sich bereden, wieder
nach Rom zurück zu kehren, und nach seinem
Tode, welcher im Jahre 1380 erfolgte, entschlossen sich die Römer, den päpstlichen Stuhl in
Italien vestzusetzen, belagerten die Cardinäle im
Conclave, und zwangen sie, ob sie gleich mehrentheils Franzosen waren, den Urban den Sechsten, einen Italiäner, zu dieser hohen Würde zu
erwählen. So bald die französischen Cardinäle
ihre Freyheit wieder erlanget hatten, flohen sie
aus Rom, protestirten wider die gezwungene Wahl,
und wählten den Robert, einen Sohn des Grafen

h) Cotton. S. 355.

fen von Geneve, welcher den Namen Clemens
der Siebente annahm, und sich zu Avignon aufhielt. Alle christliche Königreiche waren, nach
ihrem verschiedenen Interesse und Neigungen, unter diese beyden Päpste getheilet. Der französische
Hof, welchem seine Alliirten, der König von Castilien
und der König von Schottland folgten, hielt es
mit dem Clemens. England war folglich auf der
andern Partey, und erklärte sich für den Urban.
Also theilte der Name der Clementiner und Urba-
nisten Europa auf verschiedene Jahre; und jede
Partey verdammte die andre, als Schismatiker
und Rebellen, wider den wahren Statthalter
Christi. Allein dieser Umstand, der freylich das
päpstliche Ansehen schwächete, hatte doch keine so
große Wirkungen, als man vermuthete. Obgleich
ein jeder König anfangs leicht machen konnte,
daß sein Reich sich für diesen oder jenen Papst
erklärte, oder daß es einige Zeit lang unentschlossen blieb; so konnte er doch seinen Gehorsam
ihm nicht so leicht nach Gefallen übertragen: das
Volk hieng seiner eignen Partey, als einer Glau-
bensmeynung an, und bezeigte gegen die Gegenpartey den äußersten Abscheu, und sah sie für
nicht viel besser an, als für Saracenen, oder
Ungläubige. Es wurden auch bey diesem Streit

Ee 2   so

so gar Kreuzzüge unternommen; und der eifrige Bischof von Norwich insbesondre führte im Jahr 1382 gegen 60,000 Abergläubige nach Flandern wider die Clementiner; nachdem er aber einen großen Theil seiner Anhänger verlohren hatte, kehrte er mit Schimpf wieder nach England zurück i). Ein jeder Papst merkte aus dem herrschenden Eifer des Volks wohl, daß ein Königreich, welches einmal seine Sache angenommen, allezeit dabey bleiben würde; und behauptete dreist die Rechtmäßigkeit seines Sitzes, und fürchtete sich itzt vor den Souverains nicht viel mehr, als zu andrer Zeit, wenn sein Ansehen durch keinen Nebenbuhler in Gefahr stund.

Wir finden folgenden Eingang vor einem Gesetze, welches zu Anfang dieser Regierung gemacht ist: „Weil verschiedene Personen, welche „nur wenig Land, und andre Eigenthümer be„sitzen, viel Volk, so wohl Waffenträger, als „andre, in verschiedenen Theilen des Reichs zu „ihrem Gefolge halten, ihnen alle Jahre Hüte „und andre Livrey geben, und sich den ganzen, „zuweilen auch wohl den doppelten Betrag der
Liv-

i) Froiſſard. Liv. II. Chap. 133. 134. Walſingham. S. 298. 299. 300. Knyghton. S. 2671.

„ Livrey durch solche Verbindungen und Versiche-
„ rungen bezahlt machen, daß ein jeder den an-
„ dern in allen Händeln, sie mögen billig oder
„ unbillig seyn, zum Schaden und zur Unter-
„ drückung des Volks, unterstützen soll, u. s.
w. k). Dieser Eingang enthält eine wahre Abbil-
dung des Zustandes des Reichs. Die Gesetze
wurden so schlecht ausgeübet, sogar unter der
langen, wirksamen und wachsamen Regierung Eduards des Dritten, daß kein Unterthan sich auf
den Schutz derselben verlassen konnte. Die Leute
verbanden sich öffentlich unter einander, unter dem
Schutze eines Großen, zur wechselseitigen Vertheidigung. Sie hatten öffentliche Zeichen, wodurch sie ihre Verbindungen unterschieden. Sie
stunden sich einander in allen Händeln, Ungerechtigkeiten, Erpressungen, Mordthaten, Raubereyen und andern Verbrechen bey. Ihr Anführer war mehr ihr' Souverain, als der König
selbst; und ihre eigne Bande war diesem näher
verbunden, als ihr Vaterland. Daher kamen
die beständigen Unruhen, Unordnungen, Faktionen und bürgerlichen Kriege dieser Zeiten. Daher hatte man so wenige Achtung für den Cha-

Ee 3 rak

k) 1. Rich. II. Cap. 7.

rakter und die Meynung des Publici; daher rührten die vielen willkührlichen Vorrechte der Krone,
und die Gefahr, welche aus der gar zu großen
Einschränkung derselben hätte erfolgen können.
Hätte der König keine willkührliche Gewalt gehabt, zu einer Zeit, da alle Adlichen sich dieselbe
anmaßten und ausübten; so müßte gewiß eine
vollkommene Anarchie in dem Staat erfolgt seyn.

Ein sehr großes Unheil, welches aus diesen Verbindungen erfolgte, war, daß sie von
dem Könige Verzeihung der abscheulichsten Verbrechen erzwangen. Das Parlament bemühete
sich oft, unter der vorigen Regierung, dem Könige dieses Vorrecht zu nehmen: unter der gegenwärtigen aber begnügte es sich, es zu verkleinern.
Es gab ein Gesetz, daß keine Verzeihung für einen Raub, oder eine vorsetzliche Mordthat gelten
sollte, wenn das Verbrechen nicht besonders darinn bezeichnet wäre l). Auch wurden noch andre Umstände bey einer Begnadigung von dieser
Art erforderlich gemacht: ein vortrefliches Gesetz; welches aber schlecht beobachtet wurde, so
wie die meisten Gesetze, die den Sitten des Volks
und den herrschenden Gewohnheiten der Zeit zuwider sind.

Aus

l) 13. Rich. II. Cap. I.

Aus diesen willkührlichen Verbindungen des Volks kann man leicht abnehmen, daß die ganze Kraft des Feudalsystems gewissermaßen aufgehoben war, und daß die Engländer in diesem Stücke derjenigen Situation sehr nahe kamen, worinn sie sich vor der Eroberung der Normänner befanden. Es war in der That unmöglich, daß dies System lange dauern konnte bey den beständigen Veränderungen, welchen das Eigenthum an Ländereyen allenthalben unterworfen ist. Als die große Feudalbaronien zuerst aufgerichtet wurden, lebte der Herr im Ueberfluß unter seinen Vasallen: er war im Stande, sie zu beschützen, zu hegen und zu vertheidigen: die Würde eines Schutzherrn vereinigte sich natürlicher Weise mit der Würde eines Oberherrn; und diese zween Gründe, worauf sein Ansehen beruhete, unterstützten sich unter einander. Wenn es sich aber zutrug, daß der Oberherr eines Menschen durch mannigfaltige Theilungen und Vermischungen des Eigenthums, in einiger Entfernung von ihm wohnen mußte, und ihn also nicht länger schützen konnte; so wurde das Band unter ihnen nach und nach mehr ein eingebildetes, als wirkliches? Die Nachbarschaft oder andre Umstände, machten neue Verbindungen: man suchte Schutz durch freywillige

lige Dienste und Zuneigung; der Schein der Tapferkeit, des Muthes, der Geschicklichkeit bey einem Großen breitete sein Interesse weit aus;
und wenn es dem Souverain an diesen Eigenschaften fehlete; so war es den Anmaßungen der
Aristokratie eben so sehr, wo nicht noch mehr, ausgesetzet, als selbst zu denen Zeiten, wo das Feu-
dalsystem blühete.

Die größte Neuerung, welche unter dieser
Regierung gemacht wurde, war die Ernennung
der Pairs durch ein Patent. Der Lord Beauchamp
von Holt war der erste Pair, welcher auf diese
Art in das Haus der Lords kam; der Gewohnheit, freywillige Gaben einzuheben, wird unter
dieser Regierung auch zuerst gedacht.

David Hume, Esq.

Geschichte

von

Großbritannien,

VI. Band.

Von Heinrich dem Vierten an,

bis auf

Richard den Dritten.

Aus dem Englischen übersetzt.

Frankenthal,

gedruckt bei Ludwig Bernhard Friderich Gegel,
kurpfälz. privil. Buchdruckern. 1786.

Inhalt
des sechsten Bandes.

Das achtzehnte Kapitel.

Heinrich der Vierte.

Seite

Recht des Königes. Eine Empörung. Eine Empörung in Wallis. Der Graf von Northumberland rebellirt. Schlacht bey Shrewsbury. Schottlands Zustand. Verrichtungen des Parlaments. Tod und Charakter des Königs.

X 3　　　　　Das

Inhalt des sechsten Bandes.

Das neunzehnte Kapitel.

Heinrich der Fünfte.

Seite

Die vorhergehende unordentliche Lebensart
des Königs. Seine Besserung. Die
Lollards Bestrafung des Lord Cobham.
Frankreichs Zustand. Einfall in dies
Reich Schlacht bey Azincour. Frankreichs Zustand. Neuer Einfall in Frankreich. Meuchelmörderische Ermordung
des Herzogs von Burgundien. Traktat
zu Troye Heyrath des Königs. Sein
Tod und Charakter. Vermischte Verrichtungen dieser Regierung. 44

Das zwanzigste Kapitel.

Heinrich der Sechste.

Regierung während der Minderjährigkeit.
Frankreichs Zustand. Kriegsoperationen
Schlacht bey Verneuil. Belagerung
von Orleans. Das Mägdchen von Orleans.

Seite

leans. Die Belagerung von Orleans wird aufgehoben. Der König von Frankreich wird zu Rheims gekrönet. Klugheit des Herzogs von Bedford. Hinrichtung des Mägdchens von Orleans. Abfall des Herzogs von Burgundien. Tod des Herzogs von Bedford. Verfall der Engländer in Frankreich. Waffenstillstand mit Frankreich. Vermählung des Königs mit Margaretha von Anjou. Ermordung des Herzogs von Glocester. Frankreichs Zustand. Erneurung des Krieges mit Frankreich. Die Engländer werden aus Frankreich vertrieben. 114

Das ein und zwanzigste Kapitel.

Heinrich der Sechste.

Des Herzogs von York Ansprüche auf die Krone. Der Graf von Warwic. Anklage des Herzogs von Suffolk. Seine Verbannung und Tod. Aufstand des

Pö-

Seite

Pöbels. Die Parteyen des York und Lancaster. Erste Rüstung des Herzogs von York. Erste Schlacht bey St. Albans. Schlacht bey Blore-Heath. Bey Northampton. Ein Parlament. Schlacht bey Wakefield. Tod des Herzogs von York. Schlacht bey Mortimers-Croß. Zweyte Schlacht bey St. Albans. Eduard der Vierte nimmt die Krone an. Vermischte Verrichtungen dieser Regierung. 215

Das zwey und zwanzigste Kapitel.

Eduard der Vierte.

Schlacht bey Touton. Heinrich flüchtet nach Schottland. Ein Parlament. Schlacht bey Hexham. Heinrich wird gefangen, und auf den Tower gesetzt. Des Königs Vermählung mit der Lady Elisabeth Gray. Wärwics Mißvergnügen.

Seite

gen. Allianz mit Burgundien. Aufstand
in Yorkshire. Schlacht bey Banbury.
Verbannung des Warwic und Clarence. Rückkehr des Warwic und Clarence.
Eduard der Vierte wird vom Throne gestoßen. Heinrich der Sechste wird wieder
auf den Thron gesetzt. Eduard der Vierte wird wieder zurückgerufen. Schlacht
bey Barnet und Warwics Tod.
Schlacht bey Teukesbury und Ermordung des Prinzen Eduards. Tod Heinrichs des Sechsten. Einfall in Frankreich. Friede zu Pecquigni. Proceß und
Hinrichtung des Herzogs von Clarence.
Tod und Charakter Eduards des
Vierten.   283

Das drey und zwanzigste Kapitel

Eduard V. und Richard III.

Eduard der Fünfte. Zustand des Hofes.
Der Graf von Rivers wird eingezogen.
Der

Inhalt des sechsten Bandes.

Seite

Der Herzog von Glocester wird Protector. Hinrichtung des Lord Hastings. Der Protector trachtet nach der Krone. Nimmt die Krone an. Ermordung Eduards des Fünften, und des Herzogs von York. Richard der Dritte. Mißvergnügen des Herzogs von Buckingham. Der Graf von Richmond. Buckingham Hinrichtung. Einfall des Grafen von Richmond. Schlacht bey Bosworth. Tod und Charakter Richards des Dritten. 380

Fortsetzung der
Englischen Geschichte

Das achtzehnte Kapitel.

Heinrich IV.

Recht des Königes. Eine Empörung. Eine
Empörung in Wallis. Der Graf von Northumberland rebellirt. Schlacht bey Shrewsbury. Schottlands Zustand. Verrichtungen des Parlaments. Tod und
Charakter des Königs.

Die Engländer waren der erblichen Thronfolge in ihrer Monarchie so sehr gewohnt,
die Beyspiele, wenn man davon abgewichen war,
hatten so viele Zeichen der Ungerechtigkeit und
Gewaltthätigkeit, und so wenig Merkmaale

einer Nationalwahl gehabt, und die Rückkehr
zu der rechten Linie war allezeit in ihrer Geschichte für eine so glückliche Begebenheit gehalten worden, daß Heinrich befürchtete, er möchte, wenn er sein Recht auf die Bewilligung des
Volks gründete, auf einen Grund bauen, wozu
das Volk selbst nicht gewöhnet wäre, und dessen
Gültigkeit es schwerlich erkennen würde. Ueberdem schien der Begriff einer Wahl immer einen
Begriff von Bedingungen, und von der Freyheit,
die Wahl nach jeder vermeynten Beleidigung zu
wiederrufen, in sich zu halten; ein Begriff,
welcher einem Souverän natürlicher Weise nicht
angenehm ist, und für das Volk selbst gefährlich seyn konnte, welches so sehr unter der Gewalt der aufrührischen Baronen stund, und selbst
seinen Erbkönigen allezeit nur einen sehr unvoll-
kommnen Gehorsam geleistet hatte. Aus diesen
Ursachen war Heinrich entschlossen, niemals seine
Zuflucht zu diesem Rechte zu nehmen, dem einzigen, worauf seine Macht mit Schicklichkeit bestehen konnte; vielmehr wollte er sein Recht, so
gut als möglich, mit andern Ansprüchen un-
stützen; und endlich behielt er in den Augen ein-
sichtsvoller Männer kein andres Recht übrig,
als das Recht, daß er gegenwärtig im Besitz

war; ein sehr ungewisses Recht, welches schon
seiner Natur nach von jeder Faktion der Großen,
und jedem Vorurtheil des Volks über den Haufen geworfen werden könnte. Er hätte in der
That ist einen Vortheil vor seinem Nebenbuhler
voraus. Der Erbe aus dem Hause Mortimers,
welcher im Parlament für den wahren Erben der
Krone erkläret war, war ein Knabe von sieben
Jahren a). Seine Freunde verschafften ihm Sicherheit, indem sie seine Rechte verschwiegen.
Heinrich hielt ihn und seinen jüngern Brüder in
einer anständigen Gefangenschaft auf dem Castel
zu Windsor. Allein er hatte Ursache, zu befürchten, daß dieser Herr, so wie er sich dem männlichen Alter näherte, die Zuneigung des Volks
an sich ziehen, und es bewegen möchte, über
den Betrug, die Gewaltthätigkeit und Ungerechtigkeit, durch welche er von dem Thron ausgeschlossen war, nachzudenken. Es würden alsdenn viele günstige Gründe für ihn seyn. Er war
im Lande geboren, hatte wegen der Größe und
der Münzen seines Geschlechts ein großes Ansehen; so schuldig der abgesetzte Monarch auch
seyn mochte, war doch dieser Jüngling ganz un-
                                    A 2   schul-

a) Dugdale B. I. S. 151.

schuldig; er hatte dieselbige Religion, war in
den Sitten des Volks erzogen, und konnte von
keinen Nebenabsichten beherrschet werden. Diese
Aussichten konnten sich alle vereinigen, seine Ansprüche zu begünstigen; und obgleich die Geschicklichkeiten des gegenwärtigen Königes alle gefährliche Empörungen verhüten konnten; so hatte man
doch mit Recht zu besorgen, daß sein Ansehen
schwerlich dem Ansehen seiner Vorfahren würde
gleich gemacht werden können.

Heinrich hatte bey seinem allerersten Parlament Gelegenheit, die Gefahr, welche mit derjenigen Würde, die er angenommen hatte, verbunden war, und die Hindernisse einzusehen,
welche er bey der Regierung über einer unruhigen
Aristokratie antreffen würde, die immer durch
Faktionen getheilet, und noch mehr durch denjenigen Groll entflammet war, der auf diese
neulichen Zerrüttungen erfolgen mußte. Es kam
in der Versammlung der Pairs zu Feindseligkeiten; vierzig Handschuhe, als Pfänder zu rasenden Zweykämpfen, wurden von Edelleuten, die
sich herausfoderten, in dem Oberhause auf den
Boden geworfen, und die Schimpfwörter, Lüg-
ner und Verräther, erschallete von allen Seiten. Der König hatte bey diesen beherzten Hel-

den

den so viel Ansehen, daß er alle die gedroheten
Duelle verhinderte; er war aber nicht vermögend, sie zu einem Vergleich, oder zu freundschaftlichen Gesinnungen gegen einander zu bewegen.

Es währete nicht lange, als diese Leidenschaften in Thätigkeiten ausbrachen. (i. J. 1400)
Die Grafen von Rutland, Kent, Huntington
und Lord Spencer, denen itzt ihre vom Richard
erhaltene Titel Albemarle, Surrey, Exeter und
Glocester wieder genommen waren, verschworen
sich mit dem Grafen von Salisbury und dem
Lord Lumley, eine Empörung zu erregen, und
sich des Königs zu Windsor zu bemächtigen: allein Rutlands Verrätherey warnete ihn vor der
Gefahr. Er begab sich eiligst nach London; und
die Verschwornen, welche mit 500 Reutern nach
Windsor kamen b), sahen, daß ihr Streich, wovon der Fortgang ihrer ganzen Unternehmung
abhieng, verfehlt war. Heinrich erschien den
folgenden Tag zu Kingston an der Thems an der
Spitze von 20,000 Mann, die mehrentheils aus
der Stadt gezogen waren; und seine Feinde,
welche ihm nicht widerstehen konnten, zerstreue-

A 3   ten

b) Walsingham. S. 762. Otterbourne S. 214.

ten sich; in der Absicht, ihre Anhänger in den
verschiedenen Grafschaften, wo sie in Ansehen
stunden, aufzubiethen. Allein, die Anhänger
des Königes setzten ihnen gar zu eifrig nach,
und widersetzten sich ihren Unternehmungen aller
Orten. Die Grafen von Kent und Salisbury wurden von den Bürgern zu Cirencester gefangen genommen, und den folgenden Tag, ohne weitere
Ceremonie, nach der Gewohnheit der Zeit, enthauptet c). Die Bürger zu Bristol begegneten
dem Spencer und Lumbley eben so. Der Graf
Huntington, Sir Thomas Blount, Sir Bene-
dikt Saly, welche auch gefangen waren, wurden nebst vielen andern Verschwornen, auf Heinrichs Befehl, hingerichtet. Und als die Vier-
theile dieser unglücklichen Männer nach London
gebracht wurden, kamen ihnen nicht weniger,
als achtzehn Bischöfe, und vier und dreyßig
Aebte, mit dem versammelten Pöbel entgegen,
und bewillkommeten sie mit den unanständigsten
Zeichen der Freude und des Vergnügens.

Allein, das entsetzlichste Schauspiel für einen jeden, der nur noch einige Empfindung von
Ehre und Menschlichkeit hatte, war noch zurück.

Der

c) Walsing. S. 363. Ypod. Neust. S. 556.

Der Graf von Rutland erschien, und trug den
Kopf des Lord Spencers, seines Schwagers,
auf einer Stange, und überreichte ihn dem
Heinrich, als ein Zeichen seiner Treue. Dieser
schändliche Mann, welcher bald darauf durch
den Tod seines Vaters Herzog von York, und
erster Prinz vom Geblüte wurde, war ein Werkzeug zu dem Morde seines Onkels, des Herzogs
von Glocester gewesen d). Hatte hierauf den
Richard, der sich ihm anvertrauet, verlassen;
hatte sich wider das Leben Heinrichs verschworen, dem er den Eid der Treue geleistet hatte;
hatte seine Mitverschwornen, welche von ihm
verführet waren, verrathen; und legte itzt diese
Zeichen seiner vielfachen Schande der Welt vor
Augen.

Heinrich sah wohl ein, daß, obgleich die
Hinrichtung dieser Verschwornen dem Throne
Sicherheit zu geben schiene, dennoch die Feindseligkeiten, welche nach solchen blutigen Schau-
spielen zurück bleiben, (i. J. 1401.) dem königlichen Ansehen allemal sehr gefährlich sind; und
beschloß daher, die zahlreichen Feinde, womit
er schon umgeben war, durch ein tägliches Un-

A 4   ter-

d) Dugdale. B. II. S. 171.

ternehmen, nicht zu vermehren. So lange er noch
ein Unterthan war, glaubte man, er habe die
Grundsätze seines Vaters, des Herzogs von Lancaster, völlig eingesogen, und den Widerwillen,
den die Lollards gegen die Mißbräuche der herrschenden Kirche hegten, angenommen; allein, da
er sich durch ein so ungewisses Recht im Besitz
des Throns sah, so hielt er den Aberglauben
für ein nothwendiges Mittel, seine öffentliche Gewalt zu ergänzen; und entschloß sich, der Geistlichkeit auf alle Art und Weise Achtung zu erweisen. Bisher gab es keine Strafgesetze wider
die Ketzerey, eine Gelindigkeit, die keines Weges
aus dem Duldungsgeiste der römischen Kirche,
sondern aus der Unwissenheit und Einfalt des
Volks herrührte, wodurch es völlig ungeschickt
wurde, eine neue Lehre auf die Bahn zu bringen, oder anzunehmen; und die also nicht erst
durch strenge Strafen im Zaum gehalten werden
durfte. Als aber Wikliffs Gelehrsamkeit und Genie einmal die Ketten der Vorurtheile abgeworfen hatten, verlangten die Geistlichen eifrig, daß
man seine Anhänger bestrafen soll'e; und der
König, der sich wenig Gewissenszweifel machte,
ließ sich leicht bewegen, seine Grundsätze seinem
Interesse aufzuopfern, und die Gunst der Kirche

durch

durch dieses wirksame Mittel zu erlangen, daß er ihre Rache gegen alle diejenigen befriedigte, die sich ihr widersetzten. Er zwang das Parlament, ein Gesetz zu diesem Ende zu geben; und es wurde befohlen, daß ein Ketzer, wenn er in seine Meynung zurück fiele, und sich weigerte, denselben abzuschwören, von dem Bischof oder seinen Abgeordneten, der weltlichen Obrigkeit überliefert, und vor dem ganzen Volk verbrannt werden sollte e). Dieses Gewehr blieb in den Händen der Geistlichen nicht lange ungenützt: Wilhelm Sautre, Rektor zu St. Asithes in Lyndon, wurde von der Kirchenversammlung zu Canterbury verdammet: sein Urtheil wurde von den Pairs genehmiget, und von dem Könige unterschrieben f); und dieser unglückliche Mann mußte für seine irrigen Meynungen mit der Strafe des Feuers büßen. Dieses ist das erste Beyspiel von dieser Art in England; und so wurden die erschrecklichen Schauspiele, welche damals schon gar zu gemein waren, noch mit einer Abscheulichkeit vermehret.

A 5 Al-

e) 2. Hen. IV. Cap. 7.
f) Rymer. B. VIII. S. 171.

Allein, die größte Vorsicht und Klugheit
konnte den Heinrich nicht vor den vielen Unruhen sichern, welche ihn von allen Seiten umga-
ben. Richards Verbindung mit dem königlichen
Geschlecht in Frankreich machte, daß dieser Hof
alle Mittel anwendete, seine Macht wieder zu
erlangen, oder seinen Tod zu rächen g); allein,
obgleich die englischen Unordnungen Frankreich
in Versuch führten, etwas zu unternehmen, wodurch es seinen alten Feind in Gefahr setzen
könnte; so wurde es doch durch die noch größ-
sern Unordnungen in seinem eignen Lande bald
genöthiget, die Sachen beyzulegen; und Karl,
zufrieden, daß er seine Tochter von dem Heinrich wieder erhielt, setzte seine Zurüstungen bey
Seite, und erneuerte den Waffenstillstand zwischen
den beyden Reichen h). Der Angriff auf Guienne war auch ein lockendes Unternehmen, welches
er, wegen der damals unter den Franzosen herrschenden Faktionen mußte liegen lassen. Die Gascogner, bey denen Richard, der unter ihnen geboren war, im besten Andenken stund, wollten
einem Prinzen nicht huldigen, der sich seinen

Thron

g) Rymer. B. VIII. S. 123.
h) Rymer. B. VIII. S. 142, 152, 213.

Thron angemaßt, und ihn selbst ermordet hatte,
und die Erscheinung einer französischen Armee
an ihren Gränzen würde sie vermuthlich in Versuchung geführt haben, ihren Herrn zu verändern i). Allein, der Graf von Worcester, welcher mit einigen englischen Truppen ankam, unterstützte die Englischgesinnten, und hielt ihre
Gegner in Furcht. Die Religion wurde hier
auch ein Mittel der Vereinigung mit diesem Königreiche. Die Gascogner waren durch Richards
Ansehen gezwungen worden, den römischen Papst
zu erkennen; und sie sahen wohl ein, wenn sie
sich den Franzosen unterwürfen, so würden sie
auch dem Papst zu Avignon gehorchen müssen,
den sie als einen Schismatiker zu verfluchen gewöhnet waren. Ihre Grundsätze in dieser Sache
waren gar zu sehr eingewurzelt, als daß sie sich
geschwind, oder auf eine gewalsame Art ändern
ließen.

Die Empörung in England gab zu einer Rebellion in Wallis Gelegenheit. Owen Glendour,
oder Glendourdwy, der von den alten Prinzen
dieses Landes abstammte, war wegen seiner Zuneigung für den Richard verhaßt geworden, und

Regi-

i) Rymer. B. VIII. S. 110, 111.

Reginald, Lord Gray von Ruthyn, der mit
dem neuen Könige genau verbunden war, und
in den Gränzen von Wallis große Güter besaß,
glaubte, eine bequeme Gelegenheit zu haben,
seinen Nachbaren zu unterdrücken, und von deß
s. n Gütern Besitz zu nehmen k): Glendour, erzürnt über die Ungerechtigkeit, und noch mehr
über die Unanständigkeit, eroberte seine Güter
wieder mit dem Schwerd l). Heinrich unterstützte den Gray m): die Wallisen nahmen Glendours Parten: es entstund ein beschwerlicher und
verdrießlicher Krieg, den Glendour durch seine
Tapferkeit und Thätigkeit lange unterhielt, da
er von der natürlichen Vestigkeit dieses Landes,
und dem unbezähmten Geist der Einwohner unterstützet wurde.

Da Glendour gegen alle Engländer ohne
Unterschied Verwüstungen ausübte, so beunruhigte er auch die Länder des Grafen von Marche; und Sir Edmund Mortimer, ein Onkel dieses Grafen, führte die Anhänger dieser
Familie gegen den wallischen Anführer und lieferte

k) Vita Ric. sec. S. 171. 172.
l) Walsing. S. 364.
m) Vita Ric. sec. S. 172. 173.

sante ihm ein Treffen. Seine Mannschaft wurde
geschlagen, und er selbst gefangen n). Zu gleicher Zeit fiel der Graf selbst, dem sein Onkel
erlaubt hatte, sich nach seinem Castel Wigmore
zu begeben, und der, ob er gleich nur ein Knabe, mit den Seinigen ins Feld gezogen war,
ihm auch in die Hände, und wurde nach Wallis geführt o). Da Heinrich die ganze Marchi-
sche Familie tödtlich haßte; so erlaubte er, daß
er den Grafen im Gefängniß behielt; und obgleich dieser junge Herr mit den Piercies sehr
nahe verwandt war, deren Beystande er der Krone selbst zu danken hatte, so wollte er es doch
dem Grafen von Northumberland nicht erlauben, wegen seiner Ranzion mit dem Glendour
zu handeln.

Die Ungewißheit, worinn Heinrichs Sachen
mit Frankreich eine Zeitlang stunden, und die
Verwirrung, die bey allen großen Veränderungen in der Regierung vorfallen, verleiteten die
Schottländer, in England einzufallen; und Heinrich, der sich gern deswegen an ihnen rächen
wollte, aber besorgte, seine neue Regierung un-
ange-

n) Dugdale. B. I. S. 150.
o) Dugdale. B. I. S. 151.

angenehm zu machen, wenn er viele Subsidien
von seinen Unterthanen foderte, versammlete die
Pairs, ohne die Gemeinen zu Westminster, und
stellte ihnen den Zustand seiner Angelegenheiten
vor p). Der kriegrische Theil des Feudalsystems
war itzt gänzlich eingegangen: es blieb von dieser Verfassung nur dasjenige übrig, was die bürgerlichen Rechte und das Eigenthum des Volks
angieng; und die Pairs entschlossen sich freywillig, den König in einer Unternehmung wider die Schotten zu begleiten, ein jeder an der
Spitze einer gewissen Anzahl von seinen Unterthanen q). Heinrich führte diese Armee nach
Edimburg, dessen er sich leicht bemächtigte, und
berief Robert den Dritten dahin, ihm für seine
Krone den Huldigungseid zu leisten r): da er
aber sah, daß die Schotten sich nicht unterwerfen, auch ihm kein Treffen liefern wollten; so
kehrte er in drey Wochen zurück, nachdem er
diesen unnützen Troß ausgeübet hatte, und ließ
seine Armee auseinander gehen.

Jn

p) Rymer. B. VIII. S. 125. 126.

q) Rymer. B. VIII. S. 135.

r) Rymer. B. VIII. S. 155. 156.

In dem folgenden Frühjahr (i. J. 1402.)
that Archibald, Graf von Douglas, an der
Spitze von 12,000 Mann, und in Begleitung
vieler Vornehmen von Abel, einen Einfall in
England, und plünderte die nördlichen Probin-
zen. Bey seinem Zurückzuge wurde er von den
Piercies bey Homeldon an den englischen Gränzen eingeholet und nach einem sehr hartnäckigen
Treffen wurden die Schotten gänzlich geschlagen.
Douglas selbst wurde gefangen, wie auch Mor-
doc, Graf von Fife, ein Sohn des Herzogs von
Albanien und des schottischen Königes Vetter,
nebst den Grafen Angus, Murray und Orkney,
und vielen andern vornehmen und geringen Schottischen von Abel s). Als Heinrich die Nachricht
von diesem Siege erhielt, befahl er dem Grafen
von Northumberland, die Gefangnen, die dieser
Herr nach den damals gebräuchlichen Kriegsrech-
ten für sein Eigenthum ansah, nicht anzuwech-
seln. Der König hatte die Absicht, sie zurück
zu behalten, um durch sie einen desto vortheilhaftern Frieden mit Schottland zu schließen; allein
er gab der Familie der Piercy durch diese List eine
neue Gelegenheit zum Mißvergnügen.

(i J

---

s) Walsingham, S. 366. Vita Ric. sec. S. 180.
Chron. Otterbourn. S. 237.

(i. J. 1403.) Die Verbindlichkeiten, welche
Heinrich dem Grafen von Northumberland schuldig war, waren von der Art, daß sie wahrscheinlicher Weise an der, einen Seite Undankbarkeit,
an der andern aber Mißvergnügen verursachen
mußten. Der König wurde natürlicher Weise
eifersüchtig auf diejenige Macht, welche ihn auf
den Thron gebracht hatte, und der Unterthan
war nicht so leicht mit denen Vergeltungen zufrieden, welche er glaubte, durch einen so grossen Dienst verdienet zu haben. Obgleich Heinrich bey seiner Thronbesteigung den Grafen von
Northumberland auf Zeit Lebens zum Großcon-
stable ernannt t), und dieser Familie noch meh-
rere Geschenke gemacht hatte; so wurden diese
Gnaden doch für eine verdiente Vergeltung angesehen, und die Abschlagung einer jeden Bitte
wurde für ein Unrecht gehalten. Der ungeduldige Geist des Harry Piercy, und die aufrührische Gesinnung des Grafen von Worcester, des
jüngsten Bruders des Northumberland, erregten
das Mißvergnügen dieses Herrn; und Heinrichs
ungewisses Recht setzte ihn in Versuchung, sich
durch die Umstürzung desjenigen Throns p) den

er

---

t) Rymer, B, VIII. S. 89.

er erst befestiget hatte, zu rächen. Er ließ sich in
ein Verständniß mit dem Glandour ein: er setzte
den Grafen von Douglas in Freyheit, und machte
eine Verbindung mit diesem kriegerischen Anführer:
er brachte alle seine Anhänger in die Waffen; und
die großen Familien hatten damals ein solches
uneingeschränktes Ansehen, daß eben dieselbigen
Leute, welche er wenige Jahre vorher gegen den
Richard angeführet hatte, itzt seiner Fahne wider
den Heinrich folgten. Als der Krieg eben ausbrechen wollte, wurde Northumberland von einer
Krankheit zu Berwic befallen; und der junge Piercy
übernahm das Commando, und marschirte nach
Shrewsbury, um sich mit dem Glandour zu vereinigen. Der König hatte zum Glück eine kleine
Armee auf den Beinen, welche er wider die Schotten gebrauchen wollte: und da er den Nutzen der
Geschwindigkeit in allen bürgerlichen Kriegen kannte; so eilte er dahin, um den Rebellen ein Treffen zu
liefern. Er traf den Piercy zu Shrewsbury an, ehe
sich dieser Herr mit dem Glandour vereinigen
konnte, und die Klugheit des einen Anführers,
und die Ungeduld des andern brachten es bald zu
einem Haupttreffen.

Den Abend vor der Schlacht schickte Piercy
ein Manifest an den Heinrich, worinn er ihm die

Treue

Treue auffagte, diefen Prinzen heräusfoberte, und ihm in feines Vaters, feines Onkels und feinem eignen Namen alle die Befchwerden vorhielt, worüber das Volk zu klagen hätte. Er hielt dem Heinrich den Meineid vor, deffen er fich hatte fchuldig gemacht, indem er zu Ravenfpur, in Gegenwart des Grafen von Northumberland, auf das Evangelium gefchworen, daß er keine andre Abficht hätte, als den Befitz des Herzogthums Lancafter wieder zu erhalten, und daß er allezeit Richards getreuer Unterthan bleiben wollte. Er machte feine Schuld recht groß, daß er den König erftlich vom Throne geftoffen, darauf ermordet, und fich des Rechts des Haufes Mortimer angemaßt hätte, welchem nach Richards Tode, fowohl nach der Stammfolge der geraden Linie, als nach der Erklärung des Parlaments, der erledigte Thron mit Recht zukäme. Er beklagte fich über die Graufamkeit feiner Politik, indem er erlaubte, daß der junge Graf von Marche, den er als feinen Souverain anfehen müßte, in den Händen feiner Feinde gefangen wäre, und er fogar keinem von feinen Freunden erlauben wollte, wegen feiner Auslöfung zu handeln. Er befchuldigte ihn eines zweyten Meineides, weil er die Nation mit fchweren Auflagen befchweret hätte, da er doch gefchworen,

nie

niemals anders, als in der äußersten Noth, Abgaben zu verlangen; und warf ihm die Kunstgriffe vor, die er angewandt, um in dem Parlament eine günstige Wahl zu erhalten; Kunstgriffe, die er den Richard ehemals selbst vorgeworfen, und die er zu der vornehmsten Ursache der Verdammung und Absetzung dieses Prinzen gebraucht hätte u). Dieses Manifest war recht dazu angelegt, den Streit zwischen den beyden Parteyen zu entflammen: die Tapferkeit der beyden Anführer versprach ein hartnäckiges Treffen, und von der Gleichheit der Armeen, deren jede gegen 12,000 Mann stark war, eine Anzahl, welche von den Anführern bequemer beweget werden konnte, konnte man viel Blutvergießen auf beyden Seiten, und einen sehr zweifelhaften Ausgang des Treffens erwarten.

Wir finden in diesen Zeiten kaum ein einziges Treffen, in welchen der Angriff heftiger, schrecklicher und anhaltender gewesen ist. Heinrich wagte sich (den 21 Julii) an die gefährlichsten Oerter. Sein tapferer Sohn, dessen Heldenthaten nachmals so berühmt wurden, und der hier als ein Lehrling in den Waffen eine Probe ablegte, that

B 2   sich

u) Hall S. 21. 22.

sich auf den Fußtapfen seines Vaters hervor; und eine Wunde im Gesicht, die er von einem Pfeile bekam, konnte ihn nicht bewegen, das Feld zu verlassen x). Piercy unterstützte denjenigen Ruhm, den er in so vielen blutigen Treffen erhalten hatte. Und Douglas, sein alter Feind, itzt aber sein Freund, war beständig sein Nebenbuhler unter den Schrecken und der Verwirrung dieser Schlacht. Dieser Herr verrichtete Heldenthaten, die fast unglaublich sind: er schien sich entschlossen zu haben, daß der König von England an diesem Tage durch seine Waffen fallen sollte: er suchte ihn auf dem ganzen Schlachtfelde: und da Heinrich, um entweder dem Angriff der Feinde auf seine Person zu entwischen, oder seine Leute dadurch aufzumuntern, wenn sie glaubten, er sey allenthalben, verschiedene Officier mit der königlichen Kleidung angethan hatte; so machte das Schwerd des Douglas, daß diese Ehre vielen das Leben kostete y). Indem aber die beyden Armeen so heftig miteinander fochten, entschied der Tod des Piercy von unbekannter Hand den Sieg, und die Königlichen behielten das Feld.   Man sagt, daß

an

x) Tit. Livii, S. 3.
y) Walsingh. S. 366. 367. Hall. S. 23.

an dem Tage auf beyden Seiten gegen zwey tausend
drey hundert Vornehme umgekommen sind; die
Vornehmsten aber von Seiten des Königes waren
der Graf von Stafford, Sir Hugh Shirley, Sir
Niclas Gausel, Sir Hugh Mortimer, Sir Johann Maßey, Sir Johann Calverley. Es waren
über sechs tausend Privatleute geblieben, wovon
zwey Drittheil von Piercys Armee waren z). Die
Grafen Worcester und Duglas wurden gefangen
genommen: der erste wurde zu Shrewsbury enthauptet; dem andern aber mit derjenigen Höflichkeit begegnet, welche man seinem Stände und
Verdiensten schuldig war.

Der Graf von Northumberland, der wieder
gesund worden, hatte eine Armee geworben, und
war auf dem Märsche, sich mit seinem Sohn zu
vereinigen; da aber der Graf von Westmoreland
sich ihm entgegen setzte, und er den Ausgang der
Schlacht bey Shrewesbury erfuhr, ließ er seine
Truppen auseinander gehen, und kam mit einem
kleinen Gefolge zu dem Könige nach York a). Er
gab vor, die einzige Absicht seiner Zurüstung wäre
die Vermittelung der beyden Parteyen gewesen.

B 3　　　　Hein-

---

z) Chron. Otterbourn. S. 224. Ypod. Neuft S. 562.
a) Otterbourn. S. 225.

Heinrich fand es für gut, diese Entschuldigung anzunehmen, und gab ihm sogar wegen seiner vorigen Beleidigungen Verzeihung: allen übrigen Rebellen wurde mit gleicher Gelindigkeit begegnet; und außer dem Grafen von Worcester und dem Sir Richard Vernon, welche für die vornehmsten Urheber der Rebellion angesehen wurden, scheint keine in diesem gefährlichen Anschlage verwickelte Person durch die Hand des Scharfrichters umgekommen zu seyn b).

Allein obgleich Northumberland (i. J. 1405) Verzeihung erhalten hatte, so wußte er doch, daß man ihm niemals trauen würde, und daß er zu mächtig war, eine aufrichtige Verzeihung von einem Prinzen zu erhalten, dem seine Situation hinlänglichen Grund zur Eifersucht gab. Es war eine Wirkung entweder von der Wachsamkeit Heinrichs, oder von seinem Glücke, oder von dem eingeschränkten Geiste seiner Feinde, daß niemals ein eigentlicher Plan unter ihnen verabredet wurde. Sie rebellirten einer nach dem andern; und gaben ihm dadurch Gelegenheit, diejenigen Empörungen einzeln zu unterdrücken, die, wenn sie vereinigt gewesen wären, für seinen Thron hätten verderb-

lich

b) Rymer, B. VIII. S. 353.

lich werden können. Der Graf von Nottingham,
ein Sohn des Herzogs von Norfolk und der Erzbischof von York, ein Bruder des Grafen von
Wiltshire, welchen Heinrich, damaliger Herzog
von Lancaster, zu Bristol enthauptet hatte, hegten
in ihrer Brust, ob sie sich gleich, so lange Piercy
im Felde war, ruhig gehalten hatten, einen heftigen Haß gegen den Feind ihrer Familie; und
beschlossen, sich in Verbindung mit dem Grafen
von Northumberland an ihm zu rächen. Sie
griffen zu den Waffen, eher dieser mächtige Herr
sich mit ihnen vereinigen konnte, und gaben ein
Manifest heraus, worinn sie dem Heinrich die Anmaßung der Krone und die Ermordung des Königes vorwarfen; und foderten, daß der Erbe von
gerader Linie wieder auf den Thron gesetzet, und
den Beschwerden der Nation abgeholfen werden
sollte. Der Graf von Westmoreland, dessen
Macht in der Nähe lag, näherte sich ihnen mit
einer schwächern Macht zu Shipton, nahe bey
York; und da er sich fürchtete, ein Treffen zu
wagen, versuchte er, sie durch eine List zu bezwingen; welche nicht anders, als von der größesten
Thorheit und Einfalt an ihrer Seite einen guten
Erfolg hätte erhalten können. Er verlangte eine
Unterredung mit dem Erzbischof und dem Grafen

zwi-

zwischen den beyden Armeen: Er hörte ihre Beschwerden mit großer Geduld; er bath sie, ihm die Gegenmittel vorzuschlagen; er billigte alles, was sie sagten: er versprach ihnen alle ihre Foderungen: er versicherte sie auch, daß Heinrich ihnen vollkommne Genugthuung geben sollte; und als er sah, daß sie mit seiner Bereitwilligkeit zufrieden waren, so sagte er, weil die Freundschaft zwischen ihnen itzt völlig wieder hergestellet wäre, so sey es besser von beyden Seiten, ihre Armeen, die dem Lande eine unausstehliche Last seyn würden, auseinander zu lassen. Der Erzbischof und der Graf von Nottingham gaben sogleich Befehle dazu: ihre Truppen wurden auf der Stelle abgedanket: allein Westmoreland, der seinen Truppen gegenseitige Befehle gegeben hatte, nahm die beyden Rebellen ohne Widerstand gefangen, und führte sie zum Könige, der mit forcirten Märschen herbey kam, die Rebellion zu unterdrücken c). Die gerichtliche Verhörung und Bestrafung eines Erzbischofes würde eine sehr verdrüßliche und gefährliche Unternehmung gewesen seyn, wenn Heinrich ordentlich verfahren wäre; und ihm Zeit gegeben hätte, gegen dieses ungewöhnliche Verfahren einen Widerstand

zu

c) Walsingh. S. 373. Otterbourn, S. 255.

zu machen. Die Geschwindigkeit der Hinrichtung
allein konnte jenes hier sicher, klüglich und vorsichtig machen. Da er sah, daß der Oberrichter,
Sir Wilhelm Gascoigne, sich ein Gewissen machte,
bey dieser Gelegenheit etwas vorzunehmen; so bestellte er den Sir Wilhelm Fulthorpe zum Richter
in dieser Sache; welcher ohne Anklage, Verhör
oder Vertheidigung über den Prälaten das Todesurtheil sprach und sogleich vollziehen ließ. Dieses
war das erste Beyspiel, daß ein Bischof mit der
Todesstrafe beleget worden, daraus die Geistlichkeit dieses Standes lernen mochte, daß ihre Ver-bre-
chen so wenig ungestraft blieben, als die Verbrechen
der Layen. Der Graf von Nottingham wurde auf
eine eben so summarische Art verdammet und hingerichtet: allein obgleich mehr Personen vom Stande,
wie der Lord Falconberge, Sir Ralph Hastings, Sir
Johann Colville, in derselben Rebellion verwickelt
waren; so scheint es doch, daß sonst keiner der
Strenge Heinrichs aufgeopfert worden.

Sobald der Graf von Northumberland hievon Nachricht bekam, flohe er mit dem Lord Bardolf nach Schottland d); und der König nahm
alle Castele und Vestungen dieser Herren ohne Wi-

B 5 der-

d) Walsingh. S. 374.

herstand in Besitz. Hierauf wendete er seine
Waffen gegen den Glendour, über welchen sein
Sohn, der Prinz von Wallis, einige Vortheile
erhalten hatte: allein dieser Feind, der mehr
beschwerlich als gefährlich war, fand immer
Mittel, sich in seinen vesten Oertern zu vertheidigen, und der ganzen englischen Macht, ob er sich
ihr gleich nicht widersetzte, zu entkommen. Im
folgenden Jahre giengen die Grafen Northum-
ber and und Lord Bardolf, ihrer Verweisung
überdrüßig, ins Nördliche, in der Hoffnung das
Volk in Waffen zu bringen, fanden aber das Land
in einem solchen Zustande, daß alle ihre Versuche
vergeblich waren. Sir Thomas Rokesbey, Sherif
von Yorkshire, warb einige Truppen, griff die
Feinde bey Bramham an, und erhielt einen Sieg,
worinn Northumberland und Bardolf beyde erschlagen wurden e). Diese glückliche Begebenheit
nebst dem Tode Glendours, der bald darauf
erfolgte, befreyete den Heinrich von allen seinen
innerlichen Feinden; und dieser Prinz, der den
Thron durch Wege bestiegen hatte, die sich so
wenig rechtfertigen ließen, und ihn nach einem
Rechte besaß, dawider sich so viel einwenden ließ,

hat-

e) Walsingh. S. 377. Chron. Otterbourn. S. 261.

hatte dennoch durch seine Tapferkeit, Klugheit und Geschicklichkeit sein Volk zu dem Joche gewöhnet, und eine größere Herrschaft über seine stolzen Baronen erhalten, als die Gesetze allein, von diesen wirksamen Eigenschaften nicht unterstützet, ihm hätten geben können.

Um diese Zeit gab das Glück (i. J. 1407) dem Heinrich auch einen Vortheil über denjenigen Nachbarn, der wegen seiner Lage ihm am meisten hätte beunruhigen können. Robert der Dritte, König von Schottland, ein Prinz, der zwar wenig Geschicklichkeit hatte, war jedoch sehr unbeleidigend und friedfertig in seinem Betragen: allein Schottland war damals weit weniger geschickt als England, einen Souverain von diesem Charakter zu lieben oder nur zu dulden. Der Herzog von Albanien, Roberts Bruder, ein Prinz von mehr Geschicklichkeit, wenigstens von einem ungestümern, und heftigern Gemüthscharakter, hatte die Regierung des Staats übernommen; und nicht zufrieden mit der Gewalt, die er schon besaß, hatte er auch den strafbaren Vorsatz, die Kinder seines Bruders auszurotten, und die Krone an seine Familie zu bringen. Er warf den David, seinen ältesten Vetter, ins Gefängniß, worinn er vor Hunger starb: Jakob, Davids jüngerer Bruder,

stand

stand nur allein noch zwischen diesem Tyrannen
und dem Thron; und der König Robert, der seines Sohns Gefahr einsah, setzte ihn auf ein
Schiff, in der Absicht, ihn nach Frankreich zu
schicken, und ihn dem Schutz dieser freundschaftlichen Macht anzuvertrauen.   Unglücklicherweise
wurde das Schiff von den Engländern aufgebracht; der Prinz Jakob, ein Knabe von neun
Jahren, wurde nach London gebracht; und obgleich damals ein Waffenstillstand zwischen den
beyden Königreichen war; so weigerte Heinrich sich
doch beständig, den Prinzen wieder in Freyheit zu
setzen.   Robert, der von Sorgen und Schwachheiten abgezehret war, konnte den Stoß dieses
letzten Unglücks nicht ertragen; und überließ, da
er bald darauf starb, die Regierung dem Herzog
von Albanien f).   Heinrich sah die Wichtigkeit der
Eroberung, welche er gemacht hatte, itzt mehr, als
jemals ein.   So lange er ein solches Pfand in
seinen Händen hatte, konnte er versichert seyn,
daß der Herzog von Albanien ihm unterthänig seyn
würde; oder wenn er ihn beleidigte, konnte er
sich leicht an ihm rächen, indem er den wahren
Erben auf den Thron setzte.   Allein obgleich der
                                    Kö-

f) Buchanan. L. 10.

König seinen Mangel an Edelmüthigkeit dadurch
gezeiget hatte, daß er den Jakob an seinem Hofe
behielt; so erſetzte er dieſes doch reichlich dadurch,
daß er dieſem Prinzen eine vortreffliche Erziehung
gab, welche ihn nachher, da er den Thron beſtieg,
geſchickt machte, die groben und barbariſchen
Sitten ſeines Vaterlandes einigermaßen zu ver-
beſſern.

Die feindlichen Geſinnungen, welche beſtändig zwiſchen Frankreich und England obwalteten,
wurden während des größten Theils dieſer Regierung von dem Ausbruche zurückgehalten. Die
Eiferſucht und die bürgerlichen Unruhen, womit
beyde Nationen beunruhiget wurden, verhinderte
eine jede aus dem unglücklichen Zuſtande ſeines
Nachbars Nutzen zu ziehen. Da aber Heinrichs
Geſchicklichkeiten und Glück machten, daß er die
engliſchen Factionen eher beylegte; ſo fieng er in
der letzten Zeit ſeiner Regierung an, ſich auswärts
umher zu ſehen, und die Feindſeligkeiten zwiſchen
den Häuſern Burgund und Orleans, wodurch
Frankreich zu der Zeit ſo ſehr zertheilet war, zu
unterhalten. Er wußte, daß die Unwirkſamkeit
der Regierung ein großer Theil des allgemeinen
Mißvergnügens über ſeinen Vorweſer geweſen
war; und hoffte, wenn er den raſtloſen und
un-

unruhigen Geistern seines Volks eine neue Richtung
gäbe, zu verhindern, daß sie nicht in häusliche
Kriege und Unordnungen ausbrächen. Um Politik
mit Macht zu verbinden, ließ er sich mit dem
Herzoge von Burgundien (i. J. 1411) in eine Unterhandlung ein, und schickte diesem Prinzen ein kleines Corps Truppen, die ihn wider seine Feinde
unterstützen sollten g). Bald darauf gab er vortheilhaftern Vorschlägen Gehör, die ihm von dem
Herzog von Orleans gemacht wurden; und
schickte mehr Truppen ab, diese Partey zu unterstützen h). Allein da die Anführer (i. J. 1412) der
Gegenpartey ihre Streitigkeiten auf eine Zeitlang
beygelegt hatten, so wurde das englische Interesse
aufgeopfert; und diese Bemühung des Königs
Heinrichs schlug am Ende ganz fruchtlos und vergeblich aus. Die Abnahme seiner Gesundheitsumstände, und die Kürze seiner Regierung verhinderten ihn, diesen Versuch zu erneuern, den sein
glücklicher Sohn gegen die französische Monarchie
so weit trieb.

Das waren die Kriege und auswärtigen Verrichtungen dieser Regierung: die bürgerlichen und

Par-

g) Walsingh. S. 308
h) Rymer, B. VIII. S. 715. 738.

Parlamentarischen waren etwas merkwürdiger,
und verdienen mehr unsre Aufmerksamkeit. Unter
den beyden letztern Regierungen war die Wahl der
Gemeinen für einen nicht zu verachtenden Umstand
der Regierung gehalten; und Richard wurde sogar
beschuldiget, unverantwortliche Mittel gebraucht zu
haben, um seinen Anhängern einen Sitz in diesem
Hause zu verschaffen. Dieser Kunstgriff machte
einen beträchtlichen Artikel in der Klage wider ihn bey seiner Absetzung aus; dennoch
trug Heinrich kein Bedenken, in seine Fußtapfen zu treten, und dieselbigen Mißbräuche bey
den Wahlen zu befördern. Es wurden Gesetze gegeben wider diesen unziemlichen Einfluß, und sogar wurde ein Sherif wegen eines ungerechten
Berichts, die er gegeben hatte, bestraft i): allein
Gesetze wurden damals nur sehr schlecht beobachtet,
und die Freyheiten des Volks standen so, wie sie
waren, auf einem sicherern Grunde, als auf Gesetzen und Palamentswahlen. Obgleich das Haus
der Gemeinen wenig geschickt war, sich dem heftigen
Sturm, der beständig bald für die Monarchie, bald
für die Aristocratie floß, zu widersetzen, und dieses
Haus leicht dahin hätte können gebracht werden, der

ei-

_____

i) Cotton. S. 429.

einen oder der andern die unverantwortlichſten Ver=
willigungen einzuräumen; ſo blieb die allgemeine
Staatseinrichtung doch unveränderlich; das In=
tereſſe der verſchiedenen Mitglieder blieb auf demſel=
bigen Fuß, das Schwerd war in den Händen der
Unterthanen, und die Regierung ſetzte ſich bald wie=
der in ihre alte Faſſung, wenn ſie gleich eine Zeit
lang in Unordnung gerathen war.

Der König mußte ſich den ganzen Theil ſei=
ner Regierung hindurch um die Gunſt des Volks
bewerben; und das Haus der Gemeinen, welches
ſeine eigne Wichti keit erkannt, fieng an, ſich
eine Gewalt anzumaßen, die von ſeinen Vorfahren
nicht gewöhnlich ausgeübt war. Bey der erſten
Sitzung unter dieſer Regierung verſchafften ſie ſich
ein Geſetz, daß kein Richter, wenn er unbilligen
Maaßregeln folgte, damit entſchuldiget ſeyn ſollte,
daß er ſich auf die Befehle des Königes beriefe:
auch ſogar dann nicht, wenn der König ihm
gedrohet hätte, ihm das Leben zu nehmen k). In
dem zweyten Jahre Heinrichs drangen ſie darauf,
daß es bey der Gewohnheit bleiben ſollte, nicht
eher Subſidien zu verſprechen, bis ſie auf ihre
Bittſchriften Antwort erhalten hätten; welches
eine

k) Cotton. S. 264.

eine stillschweigende Art war, mit dem König zu handeln l). In dem fünften Jahre verlangten sie von dem Könige, daß er vier Bediente von seiner Hofstaat abschaffen sollte, welche ihnen nicht gefielen, worunter sich sogar sein Beichtvater befand; und Heinrich erfüllte, um ihnen einen Gefallen zu erzeigen, ihre Bitte; ob er ihnen gleich sagte, daß er von keinen Beleidigungen wüßte, welche diese Personen begangen hätten m). Im sechsten Jahre bewilligten sie dem König zwar Subsidien, bestellten aber doch Schatzmeister aus ihren Mitteln, welche dafür sorgen sollten, daß das Geld zu den benannten Absichten ausgegeben würde; und verlangten von diesen, daß sie dem Hause Rechnung ablegen sollten n). In dem achten Jahre brachten sie dreyßig sehr wichtige Artikel zur Einrichtung der Regierung und des Hofstaats in Vorschlag, welche ihnen alle zugestanden wurden; und zwangen sogar alle Mitglieder des Raths, alle Richter, und alle Bediente des Hofstaats, die Beobachtung derselben zu beschwören o). Der

Ver-

l) Cotton. S 406.
m) Cotton. S. 426.
n) Cotton S. 438.
o) Cotton S. 456. 457.

Hume Gesch. VI B.   C

Verfasser der Auszüge aus den Urkunden bemerket
die ungewöhnlichen Freyheiten, welche der
Sprecher und das Haus sich zu dieser Zeit
nahmen p). Allein das große Ansehen der Gemeinen war nur ein kurzer Vortheil, der aus den
gegenwärtigen Umständen entstand. Als der
Sprecher in einem folgenden Parlament sich nach
Gewohnheit an den Thron wendete, und um
Freyheit zu reden bath, sagte der König, der itzt
alle häusliche Unruhen überwunden hatte, ihm
gerade heraus, daß er keine Neuerungen eingeführt
haben und seine Vorrechte gebrauchen wollte.
Allein überhaupt scheinet Heinrich die Einschränkungen der Regierung mehr empfunden und sorg-
fältiger erhalten zu haben, als einer von seinen
Vorfahren.

Da das Haus der Gemeinen unter dieser Regierung eine Zeitlang gezwungen war, der Krone
sehr unbedachtsame Verwilligungen einzuräumen;
so zeigte es auch seine Freyheit, indem es sie bald
widerrief. Obgleich Heinrich eine beständige und
wohlgegründete Eifersucht gegen die Familie des
Mortimer hatte, so erlaubte er doch nicht, daß
ihr Name im Parlament genennet wurde; und da

Rei-

─────────

p) Cotton, S. 462.

keiner von den Rebellen den Grafen von Marche zum
König ernannt hatte; so versuchte er es auch niemals, eine ausdrückliche Erklärung wider die
Ansprüche dieses Herrn, die man ihm gewiß nicht
abgeschlagen haben würde, zu erhalten; denn er
wußte, daß eine solche Erklärung bey den gegenwärtigen Umständen keine Gültigkeit haben, und
nur dazu dienen würde, das Andenken von dem
Rechte Mortimers in den Gemüthern des Volks zu
erneuern. Er gieng in seiner Absicht künstlicher
und verdeckter zu Werke. Er machte, daß ihm
und seinen männlichen Erben der Besitz des Throns
versprochen wurde q), wodurch er die weiblichen
stillschweigend ausschloß, und das Salische Gesetz
auf die englische Regierung anwendete. Er
glaubte, obgleich das Haus Plantagenet sein
Recht von der weiblichen Linie herleitete, daß
dieser so entfernte Vorfall dem größten Theil des
Volks doch unbekannt wäre; und wenn er die
Nation einmal gewöhnet hätte, das weibliche Geschlecht auszuschließen; so würde das Recht des
Grafen von Marche nach und nach vergessen, und
aus der Acht gelassen werden. Allein er war sehr
unglücklich in seinem Versuche. Während des

C 2   lan-

q) Cotton. S. 454.

langen Streits mit Frankreich hatte sich das Volk
über die Ungerechtigkeit des salischen Gesetzes so
sehr beschweret, daß ein gegenseitiger Grundsatz
sich in die Gemüther dieses Volks so tief eingewurzelt hatte, daß es itzt unmöglich war, ihn
auszurotten. Eben dieses Haus der Gemeinen
sah, bey einer zweyten Sitzung, daß es die
Grundveste der englischen Regierung umgestossen
und mehrern bürgerlichen Kriegen die Thüre geöffnet hatte, als aus der unregelmäßigen Erhöhung des Hauses Lancaster entstehen konnten; und
hielt mit so vielem Ernst um eine neue Festsetzung
der Thronfolge an, daß Heinrich seinen Bitten
Gehör geben, und in die Nachfolge der Prinzeßinnen seines Hauses willigen mußte r). Ein gewisser
Beweis, daß kein Mensch mit dem Rechte des Königes zur Krone in seinem Herzen zufrieden war,
oder wußte, auf welchem Grund es beruhete.

Allein obgleich die Gemeinen unter dieser Regierung einen sehr lobenswerthen Eifer für die
Freyheit in ihren Verrichtungen mit der Krone
bezeigten; so waren doch ihre Bemühungen wider
die Kirche noch weit außerordentlicher, und sie
scheinen schon damals sehr vieles von demjenigen
Gei-

r) Rymer, B. VIII. S. 462.

Geiste angenommen zu haben, der ein wenig länger, als ein Jahrhundert nachher, so allgemein wurde. Ich weiß, daß der Credit dieser Vorfälle gänzlich auf Einem einzigen alten Geschichtschreiber beruhe s): allein dieser Geschichtschreiber lebte zu dieser Zeit, war ein Geistlicher, und es war dem Interesse seines Ordens zuwider, das Andenken solcher Begebenheiten zu erhalten, viel mehr noch solche erweisende Beyspiele zu erdichten, welche die Nachkommenschaft einst aufmuntern konnten, sie nachzuahmen. Dies ist eine so augenscheinliche Wahrheit, daß man das Stillschweigen der Urkunden von dieser Sache auf die wahrscheinlichste Art entschuldigen kann, wenn man annimmt, daß einige Geistliche Ansehen genug hatten, diese Umstände, welche die Unvorsichtigkeit eines Mannes von ihrem Orden zum Glück uns aufbehalten hat, ausmerzen zu lassen.

Da Heinrich in seinem sechsten Jahre gar zu große Subsidien von den Gemeinen foderte, schlugen sie dem Könige mit klaren Worten vor, alle weltliche Güter der Kirche einzuziehen, und sie zu einem beständigen Fond für die nöthigen Bedürfnisse des Staats zu gebrauchen. Sie stellten vor,

C 3

daß

s) Walfingh.

daß die Geistlichkeit Einen Drittheil der Länder des Königreichs besäße; daß sie nichts beytrüge, die Lasten des Staats zu tragen; und daß ihre unmäßigen Reichthümer nur dazu dienten, sie ungeschickt zu machen, ihre geistlichen Verrichtungen mit gewöhnlichem Eifer und Aufmerksamkeit zu besorgen. Als diese Addreße überreichet wurde, machte der Erzbischof von Canterbury, welcher damals bey dem Könige war, die Einwendung, daß die Geistlichkeit zwar nicht in Person mit in den Krieg gienge, aber doch ihre Vasallen und die Besitzer ihrer Güter bey allen nöthigen Fällen schickte; indem sie selbst zu Hause zu gleicher Zeit Nacht und Tag beschäftigt wäre, für die Glückseligkeit und das Wohlergehen des Staats zu Gott zu beten. Der Sprecher lächelte und antwortete ohne Zurückhaltung, er hielte die Gebethe der Kirche nur für eine schlechte Subsidie. Unterdessen behielt der Erzbischof in diesem Streit doch die Oberhand: der König wies das Anhalten der Gemeinen ab: und die Lords verwarfen die Bill, welche das Unterhaus entworfen hatte, um die Kirche ihrer Einkünfte zu berauben t).

Die

t) Walfingh. S. 371. Ypod. Neuft S. 563.

Die Gemeinen verlohren durch diese Abweisung den Muth nicht: in dem eilften Jahre des Königes brachten sie dieselbe Klage mit mehr Eifer wieder vor. Sie berechneten alle geistlichen Einkünfte, die nach ihrer Rechnung jährlich auf 485,000 Mark ausmachten, und 18,400 Pflüge Landes enthielten. Sie schlugen vor, diese Reichthümer unter funfzehn neuen Grafen, 15,000 Rittern, 600 Esquires, und hundert Hospitälern zu vertheilen; die noch übrigen 20,000 Pfund könnte der König zu seinem Gebrauche nehmen; und sie bestunden darauf, daß die geistlichen Bedienungen von 15,000 Pfarrern, die jährlich sieben Mark zum Gehalt bekämen, besser, als itzt verrichtet werden könnten u). Diese Bittschrift wurde von einer Abdreße begleitet, die Verordnung wider die Lollards zu mildern, welches zeiget, aus welcher Quelle die Abdreße kam. Der König gab den Gemeinen eine harte Antwort; und um der Kirche genug zu thun, und zu zeigen, daß es ihm ein Ernst sey, befahl er, daß ein Lollard, noch ehe das Parlament auseinander gelassen würde, verbrannt werden sollte x).

C 4 Wir-

u) Walfingh, S. 379. Tit Livius.
x) Rymer, B. VIII. S. 687. Otterbourn S. 267.

Wir haben nun fast alle die merkwürdigsten Begebenheiten dieser Regierung erzählt, welche sehr geschäftig und wirksam war: aber wenig Begebenheiten hervorgebracht, die werth sind auf die Nachwelt zu kommen. Der König war (i. J. 1413) so sehr beschäftigt, seine Krone zu vertheidigen, die er durch solche unverantwortliche Mittel erhalten hatte, und nach einem so schlechten Rechte besaß, daß er wenig Zeit hatte, sich auswärts umzusehen, oder Handlungen zu verrichten, die der Nation zur Ehre und zum Vortheil gereichten. Seine Gesundheit nahm einige Monate vor seinem Tode sichtbar ab: er hatte Zufälle, welche ihn seines Verstandes beraubten; und ob er gleich in der Blüthe seiner Jahre war, so nahete sein Ende sich doch sichtbarlich heran. Er starb zu Westminster (den 20 März) in dem sechs und vierzigsten Jahre seines Alters, und im dreyzehnten seiner Regierung.

Die große Liebe des Volks, welche Heinrich hatte, ehe er zur Krone gelangte, und die ihm so sehr geholfen diese zu erhalten, verlohr er einige Jahre vor seinem Ende gänzlich, und regierte seine Unterthanen mehr durch Furcht, als Liebe, mehr durch seine Politik, als durch ihre Empfindung der Pflicht oder Schuldigkeit. Als man erst mit kaltem Blute die Verbrechen betrachtete, die ihn zu dem

Thro-

Throne geführet hatten: die Rebellion wider seinen
Prinzen, die Absetzung des rechtmäßigen Königes,
der sich vielleicht zuweilen einer Unterdrückung, noch
mehr aber der Unwissenheit, schuldig gemacht hatte;
die Ausschließung des rechten Erben; die Ermordung seines Souverains und nahen Anverwandten,
das waren solche Abscheulichkeiten, die ihm den
Haß seiner Unterthanen zuzogen, alle Rebellion wider ihn rechtfertigten und verursachten, daß alle
nicht strenge Hinrichtungen, welche er zur Erhaltung
seiner Gewalt nöthig fand, dem Volk grausam und
unbillig schienen. Allein ohne diese Verbrechen
entschuldigen zu wollen, die allezeit verabscheuet
werden müssen, können wir bemerken, daß er unvermerkt durch eine Folge von Vorfällen, denen zu widerstehen wenig Leute Tugend genug besitzen, zu
diesem tadelnswürdigen Verfahren verleitet wurde.
Die Ungerechtigkeit, womit sein Vorweser ihm begegnet hatte, indem er ihn erstlich verbannet, und
darauf seiner Erbgüter beraubte, bewegte ihn natürlicherweise, auf Rache zu denken, und sein verlohrnes Recht wieder zu erlangen, der übereilte Eifer
des Volks setzte ihn auf den Thron; sowohl die
Sorge für seine Sicherheit, als sein Stolz machten
ihn zum Usurpateur; und ein abgesetzter Prinz hat
immer so wenig Schritte von seiner Gefangenschaft

an

an bis zu seinem Grabe, daß wir uns nicht wundern dürfen, wenn Richards Schickfal keine Ausnahme von der allgemeinen Regel war. Alle diese
Betrachtungen machen Heinrichs Situation, wenn
er noch einige Empfindung der Tugend hatte, sehr
beklagenswerth; und die Uhruhe, womit er seine
bezeidete Größe besaß, und die Gewissensbisse, wovon er, wie man sagt, beständig beunruhiget wurde,
machen ihn zu einem Gegenstande unsers Mitleidens, selbst da er auf dem Throne saß. Allein man
muß gestehen, daß seine Klugheit, Wachsamkeit und
Vorsicht, in der Unterstützung seiner Gewalt, be-
wundernswürdig; seine Herrschaft über seine Leidenschaften merkwürdig; sein Muth im Kriege und
ihr Cabinet untadelhaft war; und daß er viele Eigenschaften besaß, wodurch er zu seiner großen
Würde geschickt, und wodurch seine Usurpation, so
lange seine eigne Regierung dauerte, für die englische Nation heilsamer, obgleich nachher schädlicher,
wurde.

Heinrich war zweymal vermählet: mit seiner
ersten Gemahlinn, Maria von Bohun, einer Tochter und Erbinn des Grafen von Hereford, hatte er
vier Söhne, den Heinrich, seinen Thronfolger,
den Thomas, Herzog von Clarence, den Johann, Herzog von Bedford, und den Humphrey,

phrey, Herzog von Glocester; und zwo Töchter, Blancha und Philippa; die erstere wurde
an den Herzog von Bayern, die letztere an den
König von Dännemark verheyrathet. Mit seiner zweyten Gemahlinn, Johanna, die er heyrathete, nachdem er König geworden, und die eine
Tochter des Königs von Navarra, und Wittwe
des Herzogs von Bretagne war, hatte er keine
Kinder.

Das Neunzehnde Kapitel.
Heinrich V.

Die vorhergehende unordentliche Lebensart des
Königes. Seine Besserung. Die Lollards.
Bestrafung des Lords Cobham. Frankreichs
Zustand. Einfall in dies Reich. Schlacht
bey Azincour. Frankreichs Zustand. Neuer
Einfall in Frankreich. Meuchelmörderische
Ermordung des Herzogs von Burgundien.
Traktat zu Troye. Heyrath des Königs.
Sein Tod. Und Charakter. Vermischte
Verrichtungen dieser Regierung.

Der mannichfaltige Argwohn, dem Heinrich
durch seine Situation ausgesetzet war,
hatte seine Gemüthsart so sehr angesteckt, daß
er sich hatte bereden lassen, die Treue seines ältesten Sohnes unbillig in Verdacht zu ziehen;

und

und in den letzten Jahren seines Lebens hatte er diesen Prinzen von allem Antheil an den öffentlichen Geschäften ausgeschlossen, und sah ihn so gar ungern an der Spitze der Armee, wo seine kriegrischen Talente, ob sie gleich zur Unterstützung der Regierung dienten, ihm einen Ruhm erwarben, den der König seiner Macht für schädlich hielt. Der wirksame Geist des jungen Heinrichs, der von seiner ihm angemessenen Uebung abgehalten war, brach in alle Arten von Ausschweifungen aus; die Schwärmerey in den Wollüsten, die Ausgelassenheit in der Schwelgerey, die Unmäßigkeit des Trunkes fülleten das Leere eines Gemüths aus, welches besser geschickt war, den Gegenständen des Ehrgeizes nachzujagen, und sich den Sorgen der Regierung zu unterziehen. Diese Lebensart brachte ihn unter Gesellschafter, deren Unordnungen er, wenn sie mit Witz und Laune verbunden waren, beförderte und mitmachte; und man entdeckte ihn bey vielen Streichen, die in strengeren Augen seinem Range und Stande ganz unanständig zu seyn schienen. Man hat so gar noch eine Ueberliefe-rung, daß er, wenn er von Wein und Freude erhitzt war, kein Bedenken trug, mit ihnen die Reisenden auf den Wegen und Landstraßen an-

zugrei-

zugreifen, und zu plündern; und er fand ein
Vergnügen an dem Schrecken und dem Kummer
dieser wehrlosen Leute bey solchen Gelegenheiten.
Diese äußerste Ausgelassenheit war seinem Vater
eben so unangenehm, als der ernstliche Fleiß,
womit er sich auf die Staatsgeschäfte legte, der
ihm vormals zur Eifersucht Anlaß gegeben hatte.
Und er bemerkte in der Aufführung seines Sohns
dieselbige Zuneigung zu schlechten Gesellschaften,
welche Richards persönlichen Charakter zerstört,
und mehr als alle Versehen in der Regierung
beygetragen hatten, seinen Thron umzustoßen.
Allein, die Nation überhaupt betrachtete den jungen Prinzen mit mehrerer Nachsicht; und bemerkte so viele Stralen der Edelmüthigkeit, des Verstandes und der Großmuth, die beständig durch
diejenige Wolke hervorbrachen, welche eine wilde
Aufführung über seinen Charakter warf, daß sie
nicht aufhörte, seine Besserung zu hoffen, und
alles Unkraut, welches aus diesem fruchtbaren
Boden hervorschoß, dem Mangel an Erziehung,
und Aufmerksamkeit von dem Könige und seinen
Ministern zuschrieb. Es trug sich eine Begebenheit zu, welche diese angenehme Hoffnung unterstützte, und allen Leuten von Verstande und Aufrichtigkeit Gelegenheit zu vortheilhaften Betrach-
tun-

tungen gab. Einer von den lüderlichen Gesellschaftern des Prinzen war wegen einiger Unordnungen vor den Gascoigne, dem Oberrichter,
citirt; und Heinrich schämte sich nicht mit dem
Beschuldigten vor dem Richterstuhle, zu erscheinen, um ihm Muth zu machen, und ihn zu
beschützen. Da er sah, daß seine Gegenwart den
Oberrichter nicht furchtsam machte, beleidigte er
diesen Mann auf seinem Richterstuhle: allein
Gascoigne, welcher sich der Würde, die er bekleidete, und der Majestät des Souverains und
der Gesetze erinnerte, die er beschützte, befahl,
den Prinzen wegen seines unhöflichen Betragens
ins Gefängniß zu setzen a). Die Zuschauer wurden auf eine angenehme Art in ihrer Erwartung
betrogen, als sie sahen, daß der Erbe der Krone
sich dem Urtheile willig unterwarf, sein Versehen durch ein Bekenntniß vergütete, und seiner
heftigen Gemüthsart in ihrer größten Hitze Einhalt that.

Das Andenken dieser Begebenheit, und vieler andern von gleicher Art, machte die Aussicht
der künftigen Regierung dem Volke auf keine Weise unangenehm, und vermehrte die Freude, wel-

che

a) Hall. S. 33.

che der Tod eines so unbeliebten Prinzen, als
sein Vater war, natürlicher Weise verursachen
mußte. Die ersten Schritte, welche der junge
König that, bestätigten alle diese günstigen Vorurtheile, die man für ihn hegte b). Er rief seine vorigen Gesellschafter zusammen, sagte ihnen,
daß er seine Lebensart ändern wollte, munterte
sie auf, seinem Beyspiele zu folgen, verbot ihnen aber, nicht eher vor ihm zu erscheinen, bis
sie Proben von ihrer aufrichtigen Besserung abgelegt hätten; und ließ sie so mit grossen Ge-
schenken von sich c). Die weisen Minister seines Vaters, welche seinen Schwärmereyen Einhalt gethan hatten, fanden, daß sie ihm, ohne
es zu wissen, die größte Gefälligkeit erwiesen
hatten; und wurden mit allen Zeichen des Zu-
trauens und der Gunst aufgenommen. Selbst
der Oberrichter, welcher mit Zittern sich seinem
Könige nahete, erhielt statt Vorwürfe, Lob für
sein voriges Betragen; und wurde ermuntert,
in gleich strenger und unparteyischer Ausübung
der Gesetze fortzufahren. Das Erstaunen derer,

die

b) Walsing. S. 382.

c) Hall. S. 33. Holingshed. S. 543. Godwins Leben
   Heinrichs V. S. 1.

die ein ganz andres Betragen erwarteten, vermehrte ihr Vergnügen; und der Charakter des jungen Königes leuchtete heller, als wenn er niemals von einigen Fehlern wäre beschattet gewesen.

Allein Heinrich bemühete sich, nicht nur sein eignes schlechtes Betragen zu bessern, sondern auch diejenigen Ungerechtigkeiten zu vergüten, wozu die Staatsklugheit oder die dringende Noth seinen Vater verleitet hätte. Er bezeugte den tiefsten Schmerz über das Schicksal des unglücklichen Richard, ließ dem Andenken dieses Prinzen Gerechtigkeit widerfahren, begieng so gar seine Leichenbestattung von neuen mit Pracht und Feyerlichkeit, und liebte alle diejenigen, welche sich durch ihre Treue und Zuneigung gegen ihn hervorgethan hatten d). Anstatt den Zwang fortzusetzen, welchen die Eifersucht seines Vaters dem Grafen von Marche aufgelegt hatte, nahm er diesen jungen Herrn mit besonderer Höflichkeit und Gnade auf, und gewann durch diese Großmuth diesen sanftmüthigen und unehrgeizigen Nebenbuhler so sehr, daß er ihm nachher beständig aufrichtig ergeben blieb, und in seiner folgenden Regierung keine Unruhen machte. Dem Geschlechte

d) Hist. Groyland. cont. Hall. S. 34. Holingshed. S. 544.

te der Piercy wurden seine Güter und Ehrenstellen wieder gegeben e). Der König schien sich eine Ehre daraus zu machen, allen Unterschied der Parteyen in Vergessenheit zu begraben. Die Geschöpfe der vorigen Regierung, welche mehr wegen ihres blinden Eifers für die lancastrische Partey, als wegen ihrer Verdienste gestiegen waren, machten allenthalben Männern von rühmlicherm Charakter Platz. Die Tugend schien itzt einen freyen Lauf zu haben, in welchem sie sich hervorthun konnte: sowohl die Ermahnungen als das Beyspiel des Königes ermunterten sie: alle waren einmüthig dem Heinrich zugethan; und der Mangel seines Rechts wurde unter der persönlichen Hochachtung, welche ein jeder für ihn hatte, vergessen.

Es blieb unter dem Volke nur noch Ein Unterschied der Parteyen nach, welcher aus Religionsstreitigkeiten herrührte, und welcher, da er, wie gewöhnlich, von einer sehr besondern und hartnäckigen Art war, die Liebe, welche Heinrich bey dem Volke hatte, nicht überwinden konnte. Die Lollards vermehrten sich täglich in dem Königreiche, und waren eine förmliche Partey

ge-

e) Holingshed, S. 545.

geworden, die der Kirche, und selbst der bür=
gerlichen Regierung höchst gefährlich schien f).
Der Enthusiasmus, wovon diese Sektirer ins=
gemein getrieben wurden, die großen Verände=
rungen, die sie einführen wollten, der Haß, den
sie gegen die eingeführte Hierarchie bezeugten,
beunruhigte den Heinrich, der entweder aus ei=
ner wahrhaften Zuneigung zu der alten Re=
ligion, oder aus Furcht vor den unbekannten
Folgen, die mit allen wichtigen Veränderungen
verbunden sind, sich entschloß, wider diese küh=
nen Neuerer die Gesetze auszuüben. Das Haupt
dieser Sekte war Sir Johann Oldkastle, Lord
Cobham, ein Herr, der sich durch seine Tapfer=
keit und Talente zum Kriege unterschieden, und
die Hochachtung des vorigen und des gegenwär=
tigen Königes bey vielen Gelegenheiten erworben
hatte g). Sein hoher Charakter, und sein Ei=
fer für die neue Sekte machte, daß Arundel,
der Erzbischof von Canterbury, ihn zu einem
Opfer der geistlichen Strenge aussersah; weil sei=
ne Bestrafung der ganzen Partey ein Schrecken
einjagen, und sie lehren sollte, unter der gegen=
wärtigen Regierung keine Gnade zu erwarten.

D 2 Er

f) Walsing. S. 382.
g) Walsingh. S. 382.

Er bath den Heinrich um Erlaubniß, den Lord
Cobham anzuklagen h): allein, das edle Herz
dieses Prinzen hatte einen Abscheu vor dieser
blutigen Bekehrungsart. Er stellte dem Primas
vor, daß Vernunft und Ueberzeugung die besten
Mittel wären, die Wahrheit zu unterstützen; daß
man zuerst alle sanfte Mittel anwenden müsse,
um Leute von ihrem Irrthum zurück zu rufen;
und daß er sich selbst bemühen wollte, den Cobham durch eine Unterredung mit dem katholi-
schen Glauben wieder zu vereinigen. Allein, dieser Herr blieb bey seiner Meynung, und entschloß sich, Wahrheiten von so großer Wichtigkeit nicht der Gefälligkeit gegen seinen Souverain aufzuopfern i). Heinrichs Grundsätze von
der Duldung, oder vielmehr seine Liebe für die
Ausübung derselben, konnte ihn nicht weiter führen; und hierauf ließ er der geistlichen Strenge
gegen diesen unbiegsamen Ketzer den Zügel völlig
schießen. Der Primas klagte den Cobham an;
und mit Hülfe seiner drey Unterbischöfe, des Bischofs von London, Winchester und St. Davids,
verdammte er ihn wegen seiner irrigen Meynun-

gen

h) Foxs Acts and Monuments. S. 513.
i) Rymer. B. IX. S. 61.

gen zum Feuer. Cobham, der auf dem Tower gefangen saß, entkam vor dem Tage, wo er hingerichtet werden sollte. Die Kühnheit dieses Mannes, welche durch Verfolgung aufgebracht, und vom Eifer angespornet wurde, war genöthiget, die schändlichsten Verbrechen zu unternehmen; und sein uneingeschränktes Ansehen über seine Anhänger bewies, daß er die Aufmerksamkeit der bürgerlichen Obrigkeit wohl verdiente. Er schmiedete in seinem verborgenen Aufenthalt die gefährlichsten Anschläge gegen seine Feinde; und indem er in alle Gegenden seine Kundschafter ausschickte, ließ er eine allgemeine Versammlung der Partey ansagen, um den König zu Eltham aufzuheben und ihre Verfolger umzubringen k). Heinrich, der von ihrem Vorhaben unterrichtet wurde, begab sich nach Westminster. (i. J. 1414. den 6ten Januar.) Cobham verlohr durch die Verfehlung seines Endzwecks den Muth nicht, sondern bestimmte den Sammelplatz seiner Partey auf dem Felde bey St. Giles. Der König, welcher die Thore der Stadt geschlossen hatte, um eine Verbindung von dieser Seite zu verhüten, kam zur Nachtzeit auf das Feld, hob alle Verschworne,

D 3 die

---

k) Walsingham. S. 385.

die ihm vorkamen, auf, und ergriff nachher die
übrigen Haufen, welche sich eiligst nach dem be
stimmten Orte begaben. Es zeigte sich, daß ei
nigen das Geheimniß der Verschwörung bekannt
war; die übrigen folgten ihren Anführern blind
lings; bey dem Verhör der Gefangenen erfuhr
man die verrätherischen Absichten der Sekte, so
wohl aus Zeugnissen als aus dem Geständniß
der Schuldigen selbst l). Einige wurden hinge
richtet, die mehresten aber begnadiget m). Cob
ham selbst, welcher durch die Flucht entkam,
wurde nicht eher hingerichtet, als nach vier Jah
ren, da er als ein Verräther gehangen, und
zufolge des Urtheils über ihm, als ein Ketzer an
dem Galgen verbrannt wurde n). Diese ver
brecherische Absicht, welche von der Geistlichkeit
ohne Zweifel etwas vergrößert wurde, setzte die
Partey in Mißcredit, und hielt den Fortgang
derjenigen Sekte auf, welche Wikliffs spekulati
nische Lehren angenommen hatte, und zugleich
nach einer Verbesserung der kirchlichen Mißbräu
che strebte.

Die

l) Cotton. S. 554. Hall. S. 35. Holingshed. S. 544.
m) Rymer. B. IX S. 119.
n) Walsingham. S. 406. Otterbourn. S. 280. Holingshed. S. 561.

. . . Diese beyden Punkte waren die größten Gegenstände der Lollards: aber der größte Theil der
Nation war von diesen beyden nicht in gleichem
Grade eingenommen. Die gesunde Vernunft und
Ueberlegung hatten dem Volke die Vortheile einer Verbesserung der Kirchenzucht entdeckt: allein
das damalige Zeitalter war noch nicht so weit
gekommen, daß es von dem Geist des Streitens
eingenommen war, oder sich in solche abstrakte
Lehren einlassen konnte, als die Lollards in dem
ganzen Reiche auszubreiten suchten. Der bloße
Begriff der Ketzerey setzte den größten Theil des
Volks in Unruhe: Neuerungen in Grundlehren
war verdächtig: Wißbegierde hielt damals noch
nicht der Autorität das Gegengewicht; und so
gar viele, welche die größten Freunde von der
Verbesserung der Mißbräuche waren, wagten es
nicht, ihren Widerwillen wider die spekulativi-
schen Lehrsätze der Wikliffiten zu bezeugen; weil
sie befürchteten, es möchte ihre so gute Sache
verhaßt machen. Diese Denkungsart leuchtete
offenbar aus dem Verfahren des Parlaments
hervor, welches gleich nach der Entdeckung der
Cobhamischen Verschwörung zusammen berufen
wurde. Diese Versammlung gab strenge Gesetze
wider die neuen Ketzer: sie geboth, wenn jemand

der

der Lollardie vor dem ordentlichen Richter überführet würde, so sollten, außer dem, daß er
nach den vorhergehenden Gesetzen das Leben ver-
wirkt hätte, auch seine Länder und Güter dem
Könige anheim fallen; und der Großkanzler, der
Großschatzmeister, die Richter der beyden königlichen
Bänke, die Sherifs, die Friedensrichter und alle
vornehme Obrigkeiten in jeder Stadt und jedem
Flecken sollten einen Eid ablegen, daß sie ihr
Aeußerstes zu der Ausrottung dieser Ketzerey bey-
tragen wollten o). Doch erneuerte dasselbige Parlament, als der König Subsidien foderte, den
Vorschlag, den es seinem Vater schon gethan
hatte, und bath ihn, alle geistlichen Einkünfte
einzuziehen, und zum Besten der Krone zu gebrauchen p). Die Geistlichkeit gerieth in Unruhe.
Sie konnte dem Könige keine gleichgeltende Summe anbieten: nur versprach sie, ihm alle Prio-
rate, welche von größeren Abteyen der Normandie abhiengen, und ihnen vermacht waren, als
diese Provinz noch mit England vereinigt war,
zu geben; und Chicheley, damaliger Erzbischof
von Canterbury, wollte den Streich dadurch ab-
wen-

o) 2. Henr. V. Cap. 7.
p) Hall. S. 35.

wenden, daß er dem Könige Beschäfftigungen
gab, und ihn überredete, einen Krieg wider
Frankreich zu unternehmen, um sein verlobtnes
Recht auf dies Königreich wieder zu erlangen q).

Der vorige König schärfte seinem Sohn auf
seinem Sterbebete ein, er möchte die Engländer
nicht lange Frieden haben lassen, welcher gern
innerliche Unruhen brütete; sondern sie in auswärtigen Unternehmungen gebrauchen, wodurch
der Prinz sich Ehre erwerben, der Adel, indem
er an seiner Gefahr Theil nähme, sich mehr mit
seiner Person verbinden, und alle unruhigen Köpfe
für ihre Unruhe Beschäfftigung finden könnten.
Heinrichs natürliche Gemüthsart war geneigt
diesem Rath zu folgen, und die bürgerlichen Unruhen in Frankreich, welche länger als die englischen gedauert hatten, öffneten seinem Stolz
eine große Laufbahn.

Der Tod Karls des Fünften, (i. J. 1415.)
welcher bald auf den Tod Eduards des Dritten
erfolgte, und die Jugend seines Sohns, Karls
des Sechsten, setzte die beyden Königreiche eine
Zeitlang in eine ähnliche Situation; und es war
nicht zu besorgen, daß eines von beyden, wäh-

D 5 rend

q) Hall. S. 35. 36.

rend der Minderjährigkeit, im Stande seyn würde, sich die Schwachheit des andern zu Nutze
zu machen. Auch hatte die Eifersucht zwischen
Karls dreyen Onkeln, den Herzogen von Anjou,
Berri und Burgundien die französischen Umstände in größere Unordnung gebracht, als die Eifersucht der Herzoge von Lancaster, York und
Glocester, der Onkel Richards, die englischen,
und die Aufmerksamkeit der französischen Nation
von jedem lebhaften Unternehmen wider. Auswärtige abgezogen. Allein, so wie Karl an
Jahren zunahm, wurden diese Faktionen beygelegt: seine beyden Onkel, die Herzoge von Anjou
und Burgundien, starben; und der König selbst
ließ, als er die Regierung übernahm, Merkmaale des Genies und des Geistes blicken, welche die niedergeschlagene Hoffnung seines Landes
von neuem belebte. Dieser vielversprechende Zustand der Sachen dauerte nicht lange: der unglückliche Prinz wurde plötzlich wahnwitzig, welches ihn unfähig machte, seine Macht auszuüben; und ob er gleich seine Gesundheit wieder
erhielt; so war er doch den Rückfällen so sehr
unterworfen, daß sein Verstand nach und nach,
wiewohl merklich, abnahm, und er also keinen
beständigen Regierungsplan ausführen konnte.

Ludo-

Ludwig, Herzog von Orleans, und sein leiblicher Vetter, Johann, Herzog von Burgundien, stritten sich, wer von ihnen die Regierungsgeschäffte verrichten sollte; die Nähe zur Krone gab dem ersteren ein Recht: der letzte, welcher seiner Mutter wegen die Grafschaft Flandern geerbet hatte, die er zu den großen Ländern seines Vaters schlug, erhielt einen Glanz von seiner größern Gewalt: das Volk war zwischen diesen streitenden Prinzen getheilet; und der König, der bald seine Gewalt annahm, bald wieder fahren ließ, ließ den Sieg unentschieden, und verhinderte, daß der Staat durch die gänzliche Oberhand einer oder der andern Partey eine regelmäßige Einrichtung bekam.

Endlich entschlossen sich die Herzoge von Orleans und Burgundien, wie es schien, durch die Bitten der Nation, und die Vermittelungen gemeinschaftlicher Freunde bewogen, alle vorige Streitigkeiten in Vergessenheit zu begraben, und eine genaue Freundschaft mit einander zu schließen. Sie beschworen vor dem Altar die Aufrichtigkeit ihrer Freundschaft; der Priester reichte beyden das Sacrament; sie gaben einer dem andern solche Versicherungen, welche unter Menschen für heilig gehalten werden konnten. Allein, alle diese

Feyer-

Feyerlichkeiten waren nur eine Decke der niederträchtigsten Verrätherey, welche der Herzog von Burgundien ausgesonnen hatte. Er ließ seinen Nebenbuhler in Paris auf der Straße ermorden: er bemühete sich, eine Zeitlang den Antheil, welchen er an der That hatte, zu verbergen: da er aber entdeckt wurde, faßte er keinen noch schändlichern und für die Gesellschaft gefährlichern Entschluß, indem er sie öffentlich bekannte und rechtfertigte r). Das Parlament zu Paris selbst, dieses Tribunal der Gerechtigkeit, hörte den Vortrag des Advokaten des Herzogs zur Vertheidigung des Mordes, welchen er einen Tyrannenmord nannte; und diese Versammlung, welche theils durch Parteylichkeit eingenommen, theils von einer überlegenen Macht in Furcht gehalten wurde, verdammte diese verfluchte Lehre nicht s). Dieselbige Frage wurde hernachmals vor der Kirchenversammlung zu Costnitz vorgetragen, und kaum erhielt man von diesen Vätern der Kirche, den Dienern des Friedens und der Religion, eine schwache Entscheidung für die gegenseitige Meynung. Wenn aber die schädlichen Folgen dieser Leh-

r) Le Laboureur. Liv. 27. Chap. 23. 24.
s) Le Laboureur. L. 27. C. 27.

Lehre auch vormals etwas zweifelhaft gewesen
wären; so leuchteten sie doch auf der gegenwärtigen Begebenheit deutlich genug hervor. Die Ausübung dieses Verbrechens, welches alle Treue und
Sicherheit aufhob, machte den Krieg zwischen den
französischen Parteyen unversöhnlich, und verhinderte alle Mittel zum Frieden und zum Vergleiche.
Die Prinzen von Geblüte, welche sich zu dem
jungen Herzoge von Orleans und seinen Brüdern
schlugen, griffen den Herzog von Burgundien
an; und der unglückliche König, welcher bald
von der einen bald von der andern Partey ergriffen war, gab wechselsweise, bald der einen bald
der andern den Schein einer rechtmäßigen Regierung. Die Provinzen wurden von den Plünde-
rungen beyder Parteyen verwüstet; Meuchelmord
wurde allenthalben von den verschiedenen Anführern ausgeübt: oder welches eben so erschrecklich
war, vorgebliche Gerichtshöfe gaben Befehle zu
Hinrichtungen, ohne vorhergehende gesetzmäßige
oder freye Untersuchung. Das ganze Reich war
zwischen den Burgundiern und den Armagnacs
getheilet; so nannte man die Anhänger des jungen Herzogs von Orleans, von dem Grafen von
Armagnac, dem Schwiegervater dieses Prinzen.
Paris war unter ihnen getheilet; aber weil es

den

den Burgundiern mehr zugethan war, wurde es
eine beständige Bühne des Blutvergießens und
der Gewaltthätigkeit.   Der König und die königliche Familie waren oft in den Händen des
Pöbels gefangen; ihre getreuesten Bedienten wurden vor ihren Augen niedergehauen, oder gefangen gesetzt; und es war für einen jeden gefährlich, unter diesen aufgebrachten Faktionen als
ein standhafter Freund der Frömmigkeit und der
Ehre bekannt zu seyn.

Während dieses Auftrittes der allgemeinen
Gewaltthätigkeit kam eine gewisse Gesellschaft von
Männern in Ansehen, welche sonst gewöhnlicher
Weise bey öffentlichen Geschäfften in Friedenszeiten nicht in Betracht kömmt; und diese war die
Universität zu Paris, deren Meynungen oft bey
den vielfältigen Streitigkeiten unter diesen Parteyen gefodert, und noch öfter von ihr selbst
angeboten wurden.   Die Spaltung, wodurch die
Kirche damals getrennet war, und welche auf
der Universität häufige Streitigkeiten verursachte,
hatte den Lehrern eine ungewöhnliche Wichtigkeit
gegeben; und diese Verbindung der Gelehrsamkeit und des Aberglaubens hatte der erstern ein
Ansehen verschafft, wozu Vernunft und Erkenntniß an sich auf keine Weise berechtigt sind.   Allein,

lein, es befand sich zu Paris noch eine andre
Gesellschaft, deren Meynungen noch entscheiden=
der waren, nämlich die Brüderschaft der Schläch=
ter, welche sich unter der Aufsicht ihrer Rädels=
führer für den Herzog von Burgundien erkläret
hatten, und die grausamsten Gewaltthaten gegen
ihre Gegenpartey ausübten. Um dieser Macht
das Gleichgewicht zu halten, machten die Arma=
gnacs ein Verständniß mit der Brüderschaft der
Zimmerleute. Der Pöbel schlug sich entweder
auf die eine oder die andre Seite, und das Schick=
sal der Hauptstadt kam darauf an, welche Par=
tey die Oberhand behielt.

Man merkte in England bald die Vortheile,
welche aus dieser Verwirrung zu ziehen waren;
und denen Maximen zufolge, welche gemeiniglich
unter Nationen herrschen, entschloß man sich,
sich der vortheilhaften Gelegenheit zu bedienen.
Der vorige König, welcher von beyden französi=
schen Parteyen geliebkoset wurde, unterhielt den
Streit, indem er bald der einen bald der andern
Hülfsvölker sendete; aber der gegenwärtige Kö=
nig, von der Lebhaftigkeit der Jugend und der
Hitze des Ehrgeizes getrieben, entschloß sich,
seine Vortheile weiter zu treiben, und das zer=
theilte Königreich zu bekriegen. Allein, indem

er

er Zurüstungen zu dem Ende machte, versuchte
er, sein Vorhaben durch Unterhandlungen aus-
zuwirken. Er schickte Gesandten nach Paris, und
bot einen beständigen Frieden und Freundschaft
an; verlangte aber die Katharina, des Königs
von Frankreich Tochter, zur Gemahlinn, zwey
Millionen Kronen zum Brautschatz, die Zahlung
von Einer Million und sechsmal hunderttausend,
als den Rückstand von der Ranzion des Königes
Johann, und den unmittelbaren Besitz und die
völlige Souverainität von der Normandie und
allen andern Ländern, welche durch die Waffen
des Philipp August den Engländern genommen
waren; nebst der Oberherrschaft über Bretagne
und Flandern t). Diese unmäßigen Foderungen
zeigten, daß er die gegenwärtigen betrübten Umstände, von Frankreich eingesehen hatte; und die
Bedingungen, wozu sich der französische Hof erboth, bewiesen, ob sie gleich weit unter jenen
waren, daß er sich eben dieser traurigen Wahrheit bewußt war. Er war bereit, ihm die Prinzeßinn zur Gemahlinn zu geben, ihm acht hundert tausend Kronen zu zahlen, auf die Oberherrschaft von Guienne Verzicht zu thun, und
die-

t) Rymer. B. IX. S. 208.

dieser Provinz die Länder Perigord, Rovergue, Xaintonge, Angoumois und andre Länder beyzu-fügen u) Da Heinrich diese Bedingungen nicht annehmen wollte, und kaum vermuthete, daß man seine Foderungen eingehen würde, unter-brach er seine Kriegsrüstungen nicht einen Au-genblick; und nachdem er den ganzen großen Adel und alle Kriegsleute des Reichs eingeladen hat-te, ihn auf Hoffnung des Ruhms und der Ero-berung zu begleiten, begab er sich an die Küste, in der Absicht, zu seinem Feldzuge unter Segel zu gehen.

Indem aber Heinrich mit den Gedanken um-gieng, seine Nachbarn zu bezwingen, sah er sich unver-

u) Rymer, B. IX. S. 211. Einige Geschichtschreiber erzählen (siehe Hist. Croyl. cont. S. 500.) daß der Dauphin dem Heinrich eine Schachtel voll Bälle ge-geschickt habe, um seine Ansprüche und seinen lüder-lichen Charakter zu verspotten, zugleich aber auch hiedurch anzuzeigen, daß das Ballspiel sich besser für ihn schicke, als kriegrische Waffen. Allein, diese Ge-schichte ist ganz unglaublich; die großen Verwilligun-gen, welche der französische Hof machte, zeigen, daß er sich bereits einen rechten Begriff von Heinrichs Charakter und seiner eignen Situation gemacht hatte.

unvermuthet wegen einer Verschwörung in seinem
Lande in Gefahr, welche zum Glück in ihrer
Kindheit entdecket wurde. Der Graf von Cambridge, ein zweyter Sohn des vorigen Herzogs
von York, hatte sich mit der Schwester des Grafen von Marche verheyrathet, und sich des Interesses dieser Familie mit dem größten Eifer angenommen; er hatte mit dem Lord Scrope von
Masham, und Sir Thomas Gray von Heton,
über die Mittel, berathschlaget, diesem Herrn das
ihm zukommende Recht zur Krone zu verschaffen.
So bald die Verschwornen entdecket waren, bekannten sie dem Könige ihre Schuld x); und
Heinrich schritt ohne Verzug zu ihrem Verhör
und ihrer Verdammung. Alles, was man von
dem besten Könige zu der Zeit vermuthen konnte,
war, daß er das Wesentliche der Gerechtigkeit
nur in so weit beobachtete, daß er nicht eine
unschuldige Person zu einem Opfer seiner Strenge machte. Was aber die Formalitäten des Gesetzes betraf, welche oft eben so wichtig, als das
Wesentliche selbst sind, so wurden sie ohne Bedenken dem geringsten Vortheile, oder der Bequemlichkeit aufgeopfert. Es wurden aus dem
ge-

x) Rymer. B. IX. S. 300.

gemeinen Volke zwölf Geschworne erwählet: die
drey Verschwornen wurden vor dieselben gefodert: der Constable des Castels Southampton
schwur, daß ein jeder insbesondre seine Schuld
gestanden habe: Sir Thomas Gray wurde ohne
einen weitern Beweis verdammet und hingerichtet: da aber der Graf von Cambridge und Lord
Scrope sich auf ihre Freyheiten, als Pairs, beriefen, so fand Heinrich es für gut, einen Gerichtshof von achtzehn Baronen zu versammlen,
in welchem der Herzog von Clarence den Vorsitz
hatte. Die Aussage, welche vor den Geschwornen abgeleget war, wurde ihnen vorgelesen: die
Gefangnen, obgleich einer von denselben ein Prinz
vom Geblüte war, wurden nicht verhöret, nicht
vors Gericht geführet, noch auch in ihrer eignen
Vertheidigung angehört; sondern das Todesurtheil wurde auf diesen Beweis, der gewiß unrichtig und ungesetzlich war, über sie ausgespro-
chen, und bald darauf vollzogen. Der Graf von
Marche wurde beschuldiget, daß er diese Verschwörung gebilliget habe, und erhielt eine allgemeine
Vergebung von dem Könige y). Er war vermuthlich entweder des ihm zugeschriebenen Ver-

E 2 bre-

y) Rymer, B. IX. S. 300

brechens nicht schuldig, oder hatte es durch eine
frühe Bereuung und Entdeckung wieder gut gemacht z).

Die Vortheile, welche die englischen Waffen
zu verschiednen Zeiten über die französischen erhalten haben, hat man sehr der vortheilhaften
Lage des erstern Reiches zuschreiben müssen. Die
Engländer, welche zum Glück auf einer Insel
wohnten, konnten aus einem jeden Unglück, welches ihren Nachbarn begegnete, Vortheile ziehen,
und waren wenig in Gefahr, daß es ihnen wieder so gemacht würde. Sie giengen niemals aus
ihrem Lande, als wenn sie von einem Könige
von ausserordentlichen Genie angeführet wurden,
oder wenn sie ihren Feind durch innerliche Factionen zertheilet sahen, oder von einem mächtigen Alliirten auf dem vesten Lande unterstützet
wurden: und da alle diese Umstände diesesmal
zum Besten ihrer Unternehmungen zusammen kamen; so hatten sie Ursache, von derselben einen
verhältnißmäßigen Vortheil zu erwarten. Der
Herzog von Burgundien, der durch eine Verbindung der Prinzen aus Frankreich vertrieben war,
hatte heimlich um Englands Beystand angebal
ten

z) St. Remy, C. 55. Goodwin. S. 65.

ten a).; und Heinrich wußte, daß dieser Prinz,
ob er gleich anfangs Bedenken trug, sich mit
dem alten Feinde seines Vaterlandes zu verbinden, willig seyn würde, wenn er nur einige Vermuthung eines guten Erfolgs hätte, ihm mit
seinen Unterthanen in Flandern beyzustehen, und
alle seine zahlreichen Anhänger in Frankreich zu
eben dieser Parten zu ziehen. Er verließ sich
demnach auf diesen Umstand, nahm aber mit dem
Herzoge vorher keine Abrede, gieng zur See, und
landete bey Harfleur *), an der Spitze einer Armee von 6000 Mann schwerer Cavallerie, und
24,000 Mann zu Fuß, meistens Bogenschützen.
Er fieng sogleich mit der Belagerung dieses Ortes an, welcher von den Lords d'Estouteville,
de Guitri, de Gaucourt und andern französischen von Adel tapfer vertheidiget wurde: allein
da die Besatzung nur schwach, und die Festungs-
werke im schlechten Stande waren, wurden sie
endlich gezwungen, zu capituliren; und versprachen, sich zu ergeben, wenn sie vor dem achtzehnten September keinen Entsatz erhielten. Der Tag
kam, und es ließen sich keine französische Trup-

E 3   pen,

a) Rymer, B. IX. S. 137, 138.
*) Den 14ten August.

pen, sie zu entsetzen, sehen: bennoch verschoben
sie es unter verschiedenen Vorwänden, ihre Thore zu eröffnen; bis Heinrich, über den Bruch
ihres gegebenen Worts aufgebracht, zu einem
allgemeinen Stu:m Befehl gab, die Stadt eroberte, und die ganze Garnison niedermachte, bis
auf einige, denen die siegende Armee, in der Hoffnung, ein Lösegeld für sie zu bekommen, das
Leben ließ b);

Die Strapazen dieser Belagerung und die
ungewöhnliche Hitze der Jahreszeit hatten die
englische Armee so sehr mitgenommen, daß Heinrich nichts mehr unternehmen konnte, und auf
seine Zurückreise nach England denken mußte.
Er hatte seine Transportschiffe wieder zurück geschickt, welche auf der offnen Rhede einer feindlichen
Küste nicht sicher ankern konnten; und er war gezwungen, zu Lande nach Calais zu marschiren, ehe er
einen sichern Ort erreichen konnte. In der Normandie war damals eine französische Armee von 14,000
Mann zu Pferde, und 40,000 zu Fuß, unter dem
Constable d'Albert, versammlet;] eine Macht, die
wenn sie klug wäre angeführet worden, die Engländer auf dem Felde hätte niedertreten, oder ihre klei-

ne

b) Le Laboureur. L. 35. C. 4. 5.

ne Armee abmatten und vernichten können, ehe sie
einen so langen und schwierigen Marsch endigen
konnte. Heinrich erboth sich demnach mit gros-
ser Vorsichtigkeit, seine Eroberung von Harfleur
für einen sichern Marsch nach Calais aufzuopfern; da aber sein Erbiethen von dem französischen Hofe verworfen wurde, entschloß er sich,
sich durch List und Tapferkeit durch alle Hindernisse
und Feinde einen Weg zu eröffnen c). Damit
er seiner Armee durch den Schein der Flucht nicht
den Muth nehmen, oder sie denjenigen Gefahren aussetzen möchte, welche natürlicher Weise
mit übereilten Märschen verknüpft sind; so machte
er sehr langsame und vorsichtige Tagreisen d),
bis er die Somme erreichte, wo er bey der Fürth
von Blanquetage übersetzen wollte, an demselbi-
gen Orte, wo Eduard in einer gleichen Situation ehemals dem Philipp von Valois entgangen
war. Aber er fand diese Furth durch die Vorsicht
des französischen Generals undurchgänglich gemacht, und das gegenseitige Ufer von einem starken Corps besetzet e). Daher war er genöthiget,

E 4　　　　　längst

c) Tit. Liv. S. 12.
d) Le Laboureur. L. 35 C. 6.
e) St. Remy. Cap. 58.

längst den Fluß höher hinauf zu marschiren, um
einen sichern Uebergang zu suchen. Er wurde
auf seinem Marsche beständig von fliegenden Parteyen beunruhiget; sah Commandos an der andern Seite bereit, sich jedem Versuche zu widersetzen; seine Lebensmittel waren ihm abgeschnit-
ten; seine Soldaten waren durch Krankheit und
Strapazen abgemattet; und seine Sachen schienen in verzweifelten Umständen zu seyn: als er
so geschickt oder so glücklich war, sich durch Ueberrumpelung eines Uebergangs bey St. Quintin
zu bemächtigen, welcher nicht genug bewachet
war, und seine Armee sicher hinüber führte †).

Heinrich wandte seinen Marsch nordwärts
nach Calais: war aber allezeit einer grossen und
drohenden Gefahr von dem Feinde ausgesetzet,
welcher gleichfalls über die Somme gegangen war,
und sich ihm in den Weg setzte, in der Absicht,
ihm den Rückzug abzuschneiden *). Nachdem er
über den kleinen Fluß Ternois bey Blangi gegangen war, erstaunte er, als er von den Anhöhen die ganze französische Armee in den Fel-
dern bey Azincour aufmarschirt und so gestellt
                                                sah,

†) T. Liv. p. 18.
*) Den 25ten October.

faß, daß er ohne ein Handgemenge seinen Marsch nicht fortsetzen konnte. Nichts konnte dem Anscheine nach ungleicher seyn, als diese Schlacht, von welcher seine ganze Sicherheit und sein ganzes Glück abhieng. Die englische Armee machte itzt nicht vielmehr, als die Hälfte von derjenigen Zahl aus, die zu Harfleur ausgeschiffet war, und hatte Mangel und alles wider sich, was muthlos machen kann. Der Feind war viermal so stark; wurde von dem Dauphin und allen Prinzen von Geblüt angeführet, und war mit Provision von aller Art hinlänglich versehen. Heinrichs Situation war der Situation des Eduard bey Creßy und des schwarzen Prinzen bey Poitiers vollkommen ähnlich; und das Andenken dieser großen Begebenheiten machte den Engländern Muth und Hoffnung, zu einer gleichen Befreyung aus ihren gegenwärtigen Schwierigkeiten. Der König beobachtete gleichfalls dasselbe kluge Verfahren, welches diese großen Anführer bewiesen hatten. Er zog seine Armee auf einem engen Felde auf, zwischen zweyen Wäldern, welche seine Flanken deckten; und in dieser Stellung erwartete er ruhig den Angriff der Feinde g).

E 5

Wä-

g) St. Remy. C. 62.

Wäre der französische Constable im Stande gewesen, entweder über den gegenwärtigen Zustand beyder Armeen richtig zu urtheilen, oder von einer vorigen Erfahrung zu lernen; so hätte er ein Treffen vermieden und so lange gewartet, bis die Noth die Engländer getrieben, fortzumarschiren, und die Vortheile ihrer Stellung zu verlassen. Allein die ungestüme Tapferkeit des französischen Adels, und ein eitles Zutrauen auf eine überlegene Macht, verleiteten sie zu dieser schädlichen Action, welche die Quelle von unendlichen vielem Unglück für ihr Vaterland wurde. Die französischen Bogenschützen zu Pferde, und ihre schwere Cavallerie rückten mit geschlossenen Gliedern gegen die englischen Bogenschützen an, welche ihre Fronte mit Pallisaden bepflanzet hatten, um den Angriff der Feinde zu brechen, und welche, hinter diesem Schutze sicher, ihnen einen Regen von Pfeilen entgegen schickten, dem nichts widerstehen konnte h). Der leimichte Boden, der durch einen neulich gefallenen Regen angefeuchtet war, wurde für die französische Cavallerie ein neues Hinderniß: die verwundeten Leute und Pferde brachten ihre Glie-

Der

---

h) Walsingh. S. 392. T. Liv. S. 19. Le Laboureur. Liv. 35. Chap. 7, Monstrelet, Chap. 147.

der in Unordnung; der enge Raum, worinn sie
eingeschlossen waren, machte es ihnen unmöglich,
sich wieder in Ordnung zu stellen: die ganze Armee
war eine Scene der Verwirrung, des Schreckens
und der Verzweiflung; und Heinrich, der seinen
Vortheil merkte, befahl den englischen Bogenschützen, welche leicht und unbeschwert waren, in
den Feind zu dringen und den Augenblick des Sieges zu ergreifen.   Sie fielen mit ihren Streitaxten
über die Franzosen her, welche in ihrer gegenwärtigen Stellung weder fliehen, noch sich vertheidigen konnten: Sie hieben sie ohne Gegenwehr nieder i); und nachdem sie von der schweren Cavallerie unterstützet waren, welche auf den Feind
stieß, bedeckten sie das Feld mit Erschlagenen,
Verwundeten, vom Pferde Geworfenen und Nie-
dergerittenen. Nachdem die Engländer keinen
Schein von Widersetzung mehr fanden, hatten sie
Zeit, Gefangne zu machen; und nachdem sie mit
ununterbrochenem Glück in das freye Feld vorgerücket waren, sahen sie daselbst die Ueberbleibsel
der französischen Arrierguarde, welche noch den
Schein einer Schlachtordnung beobachtete.   Zugleich hörten sie hinter sich einen Lärm; einige

L.n.

i) Walfingh S. 393 Ypod. Neuft. S. 584.

Leute aus der Picardie hatten über 600 Bauern
versammlet, die englische Bagage angegriffen, und
hieben die unbewaffneten Hüter des Lagers nieder,
welche vor ihnen flohen. Heinrich, der den Feind
auf allen Seiten erblickte, fieng an, sich vor seinen
Gefangenen zu fürchten, und hielt es für nöthig,
einen allgemeinen Befehl zu ertheilen, sie umzubrin=
gen k): allein sobald er die wahre Beschaffenheit
entdeckte, ließ er damit einhalten, und rettete noch
einer großen Menge das Leben.

Keine Schlacht war jemals für die Franzosen
trauriger, wegen der Anzahl der Fürsten und des
Adels, welche umkamen oder gefangen wurden.
Unter den ersten befand sich der Conſtable ſelbſt,
der Graf von Nevers, und der Herzog von Bra=
bant, die Brüder des Herzogs von Burgundien,
der Graf von Vaudemont, ein Bruder des
Herzogs von Lothringen, der Herzog von Alencon,
der Herzog von Barre, der Graf de Marie. Die
vornehmſten Gefangnen waren die Herzoge von
Orleans und Bourbon, die Grafen von Eu,
Vendome und Richemont, und der Marſchall de
Bou=

---

k) T. Livii. S. 20. Le Laboureur, Liv. 35. Chap. 7.
St. Remi. Chap. 62. Monſtrelet. Chap. 147. Hall.
S. 50.

Boucicaut. Ein Erzbischof von Sens kam auch in diesem Treffen um. Die Erschlagenen rechnet man überhaupt auf 10,000 Mann, und da die Niederlage vornehmlich die Cavallerie traf; so sagt man, daß 8000 derselben Adliche gewesen l). Heinrich machte 14,000 Mann Gefangene. Die merkwürdigste Person von den Engländern, welche umkam, war der Herzog von York, der an der Seite des Königes fechtend fiel, und rühmlicher starb, als er gelebt hatte. Sein Vetter, ein Sohn des zu Anfange des Jahrs hingerichteten Grafen von Cambridge, folgte ihm in seinen Ehrenstellen und Gütern. Es blieben nicht über vierzig Engländer m); obgleich einige Schriftsteller die Zahl größer machen n).

Die drey großen Treffen bey Creßy, Poiktiers und Azincour haben in ihren wichtigsten Umständen eine besondre Aehnlichkeit miteinander. In allen dreyen entdeckt man dieselbe Verwegenheit der

---

l) St. Remi. Chap. 64. Dieser Geschichtschreiber sagt, er sey bey dem Treffen zugegen gewesen. Monstrelet. Chap. 148. setzet die Anzahl auf 8400.

m) Walsingh. S. 393. Otterbourne, S. 277. Monstrel. Chap. 147.

n) St. Remi. Chap. 64.

der englischen Prinzen, welche ohne eine wichtige
Absicht, bloß um zu plündern, soweit in die
feindlichen Länder eingedrungen waren, daß ihnen
keine Hülfe mehr übrig blieb: und wenn sie nicht
durch die größte Unvorsichtigkeit der französischen
Befehlshaber erhalten wären, schon von ihrer
Situation selbst einem unvermeidlichen Untergange ausgesetzet waren. Allein, wenn man diese
Verwegenheit übersiehet, welche nach den unregelmäßigen Kriegsplänen, denen man in diesen Zeiten
folgte, gewissermaßen unvermeidlich gewesen zu
seyn scheinet; so bemerket man an dem Tage des
Treffens an den Engländern dieselbe Gegenwart
des Geistes, Geschicklichkeit, Herzhaftigkeit, Standhaftigkeit und Vorsicht: an den Franzosen dieselbe
Uebereilung, Verwirrung und eitle Zuversicht: und
der Ausgang war in allen dreyen Treffen so, wie er
von solchen entgegengesetzten Betragen erwartet
werden könnte. Auch die unmittelbaren Folgen
dieser drey großen Siege waren ähnlich: anstatt
die Franzosen herzhaft zu verfolgen, und sich ihrer
Verwirrung zu Nuße zu machen, scheinen die
englischen Prinzen nach ihrem Siege vielmehr in
ihrem Bemühen nachgelassen, und dem Feinde
Muße gegeben zu haben, sich von seinem Verluste zu
erholen. Heinrich unterbrach seinen Marsch nach

der

der Schlacht bey Azincour nicht einen Augenblick;
er führte seine Gefangnen nach Calais, und von
da nach England; er schloß sogar einen Waffenstillstand mit dem Feinde; und nicht eher, als nach
einem Zwischenraume von zwey Jahren erschien ein
Corps englischer Truppen wieder in Frankreich.

Die Armuth aller europäischen Prinzen, und
die wenige Unterstützung aus ihren Reichen, waren
die Ursache dieser beständigen Unterbrechungen der
Feindseligkeiten: und obgleich die Kriegsmaximen
überhaupt sehr verwüstend waren; so waren ihre
kriegerischen Unternehmungen doch bloße Streifereyen, welche sie ohne einen festgesetzten Plan
widereinander verübten. Unterdessen verschafte
der Glanz, welcher den Sieg bey Azincour begleitete, dem Könige einigen Zuschuß von dem Parlament: ob er gleich zu den Kosten eines Feldzuges
nicht zureichte. Er versprach dem Heinrich einen
ganzen Funfzehnten von allen beweglichen Gütern;
und bewilligte ihm Tonnen- und Pfundgeld, und
den Zuschuß von der Ausfuhr der Wolle und des
Leders, auf Lebenszeit. Diese Verwilligung ist
ansehnlicher, als diejenige, welche Richard der
Zweyte von seinem letzten Parlament erhielt, und
welche nachher bey seiner Absetzung einen so wichtigen Punkt der Klage wider ihn ausmachte.

Allein

Allein während der Zeit, da die Feindseligkeiten von England aufhörten, war Frankreich der ganzen Wuth des bürgerlichen Krieges ausgesetzt; und die Parteyen wurden täglich gegeneinander noch mehr erbittert. Der Herzog von Burgundien rückte, in der Hoffnung, daß die französischen Minister und Generale wegen des Unglücks bey Azincour in Mißcredit gerathen wären, mit einer großen Armee vor Paris, und versuchte sich wieder in den Besitz der Regierung sowohl, als der königlichen Person zu setzen. Aber seine Anhänger in dieser Stadt wurden von dem Hofe in Furcht und in Unterwürfigkeit gehalten. Der Herzog verzweifelte an einem glücklichen Erfolg, und zog sich mit seiner Macht zurück, die er sogleich in die Niederlande zerstreute o). Er wurde das nächste Jahr (1416) durch einige heftige Streitigkeiten, welche in der königlichen Familie ausbrachen, angereizt, einen neuen Versuch zu machen. Die Königinn Isabella, eine Tochter des Herzogs von Bayern, welche bisher eine alte Feindinn der burgundischen Faction gewesen, war von der andern Partey sehr beleidiget worden; und dieses konnte der unversöhnliche Geist dieser Prinzeßinn nie verzeihen.

Die

o) Le Laboureur, Liv. 35. Chap. 10.

Die öffentliche Noth zwang den Grafen d'Armagnac, der an d'Alberts Stelle Constable von
Frankreich geworden war, die großen Schätze zu
nehmen, welche Isabella zusammen gehäufet hatte;
und als sie ihr Mißvergnügen über diese Beleidigung bezeigte, flößte er dem schwachen Geist des
Königes einigen Verdacht gegen ihre Aufführung
ein, und trieb ihn an, den Bois-Bourbon, ihren
Liebling, welchen er eines verliebten Umgangs mit
dieser Prinzeßinn beschuldigte, einzuziehen, auf die
Folter zu spannen, und nachmals in die Seine zu
werfen. Die Königinn selbst wurde nach Tours
geschickt, und daselbst bewachet p); und nach diesen
vielfältigen Beschimpfungen trug sie nicht länger
Bedenken, sich in ein Verständniß mit dem Herzoge
von Burgundien einzulassen. Da sich ihr Sohn,
der Dauphin Carl, ein junger Herr von sechszehn
Jahren, von der Faction des Armagnac gänzlich
regieren ließ; so erstreckte sich ihre Feindseligkeit
auch auf ihn, und sie suchte seinen Untergang mit
dem unerbittlichsten Hasse. Sie hatte bald eine
Gelegenheit, ihren unnatürlichen Vorsatz auszuführen. Der Herzog von Burgundien rückte, auf
Verabredung mit ihr, an der Spitze einer großen
Armee

p) St. Remi, Chap. 74. Monstrelet, Chap. 167.

Armee in Frankreich: er bemeisterte sich der Städte Amiens, Abbeville, Dourlens, Montreuil und andrer in der Picardie, Senlis, Rheims, Chalons, Troye und Auxerre erklärten sich für seine Partey q). Er nahm Besitz von Beaumont, Pontoise, Vernon, Meulant, Montiheri, in der Nachbarschaft von Paris; und nachdem er weiter gegen Westen gerücket, nahm er Etampes, Chartres und andre Vestungen ein; und war endlich im Stande, die Königinn zu befreyen, welche nach Troye flüchtete, und sich öffentlich wider diejenigen Minister erklärte, welche, wie sie sagte, ihren Gemahl gefangen hielten r).

Unterdessen erregten die Anhänger von Burgundien einen Aufruhr zu Paris, welche Stadt dieser Faction immer geneigt war. Lile-Adam, einer von des Herzogs Hauptleuten, wurde zur Nachtzeit in die Stadt eingelassen, und gab dem Aufstande des Volks einen Anführer, welcher in einem Augenblick so heftig wurde, daß sich nichts demselben widersetzen könnte. Die Person des Königs fiel in ihre Hände: der Dauphin entkam mit genauer Noth: viele von der Partey des Ar-

ma-

q) St. Remi, Chap. 79.

r) St Remi, Chap. 81; Monstrelet, Chap. 178, 179.

magnac wurden sogleich niedergemacht: der Graf
selbst und viele andre vom Stande, wurden ins
Gefängniß geworfen: täglich geschahen Mordthaten aus Privathaß, unter dem Vorwande der
Faction: und der Pöbel, der an Wuth noch nicht
gesättiget war, und dem der Lauf der öffentlichen
Gerechtigkeit zu langsam schien, erbrach die Gefängnisse, und tödtete den Grafen von d'Arma;nac,
und alle übrigen Adlichen s), die daselbst gefangen
saßen.

Indem die Flamme in Frankreich (i. J. 1417)
so wüthend brannte, und das Land so übel vorbereitet war, einem auswärtigen Feinde zu widerstehen, landete Heinrich, der einige Schätze gesam-
melt, und eine Armee geworben hatte, in der Normandie (den 1ten August), an der Spitze von
25,000 Mann, und fand von keiner Seite großen
Widerstand. Er bemeisterte sich (i. J. 1418) der
Städte Faloise und Cherbourg; Evreux und Caen
unterwarfen sich ihm; Pont de l'Arche öffnete ihm
seine Thore; und nachdem Heinrich die ganze
Nieder-Normandie bezwungen, und eine Verstärkung von 15,000 Mann aus England erhalten

F 2　　　　　hat-

---

s) St. Remi, Chap. 85, 86. Monstrelet, Chap. 118.

hatte t), belagerte er Rouen, welches von einer
Besatzung von 4000 Mann vertheidiget wurde, der
die Einwohner, 15000 an der Zahl, beytraten u).
Der Cardinal des Ursins versuchte es hier, ihn zum
Frieden zu bereden, und seine Foderungen zu mässigen: allein der König antwortete ihm in solchen
Ausdrücken, die es bezeugten, daß er sich aller
seiner gegenwärtigen Vortheile bewußt war.
„Sehet ihr nicht, sagte er, „daß Gott mich gleich-
„sam bey der Hand hieher geführet hat? Frank-
„reich hat kein Oberhaupt. Ich habe gerechte
„Ansprüche auf dies Königreich: alles ist hier in
„der äußersten Verwirrung: keinem fällt es ein,
„sich mir zu widersetzen. Kann ich einen deutli-
„chern Beweis verlangen, daß das höchste Wesen,
„welches Königreiche vergeben kann, beschlossen
„habe, die französische Krone auf mein Haupt zu
„setzen x)?“

Aber obgleich die Seele Heinrichs diesem Ent-
wurfe des Ehrgeizes Raum gegeben hatte; so fuhr
er doch beständig fort, mit seinen Feinden Unterhandlungen zu pflegen, und bemühete sich, sichere,

ob-

---

t) Walsingham, S. 400.

u) St. Remi, Chap. 91.

x) Juvenal des ursins.

obgleich nicht so wichtige Vortheile zu erhalten. Er
both zu gleicher Zeit beyden Parteyen Frieden
an y); der Königinn und dem Herzoge von Burgundien auf der Einen Seite, welche, weil sie die
Person des Königes in ihren Händen hatten, die
gesetzmäßige Gewalt zu besitzen schien; und dem
Dauphin an der andern Seite, welchem, als dem
ungezweifelten Erben der Monarchie, alle diejenigen anhiengen, denen das wahre Beste ihres Vaterlandes angelegen war z). Auch diese beyde
Parteyen pflogen beständige Unterhandlungen miteinander. Die Bedingungen, welche von allen
Seiten vorgeschlagen wurden, veränderten sich beständig: der Ausgang des Krieges und die Intriguen des Cabinets vermischten sich miteinander,
und Frankreichs Schicksal blieb lange in dieser Ungewißheit. Nach vielen Unterhandlungen both
Heinrich der Königinn und dem Herzoge von Burgundien an, Frieden mit ihnen zu machen, die
Prinzeßinn Catharina zu heyrathen, alle Provinzen
anzunehmen, welche dem Eduard dem Dritten in
dem Frieden zu Bretigni abgetreten waren; doch
sollte die Normandie hinzukommen, welche er mit

F 3 Ueber-

y) Rymer, B. IX. S. 717, 749.
z) Rymer, B. IX. S. 626.

Uebertragung der völligen und vollkommnen Souverainität verlangte a). Diese Bedingungen wurden (i J. 1419) angenommen: es mußten nur noch
einige Umstände berichtiget werden, um den Traktat
zu Stande zu bringen: aber in dieser Zwischenzeit
schloß der Herzog von Burgundien heimlich seinen
Traktat mit dem Dauphin; und diese beyden Prinzen verabredeten sich, die königliche Gewalt, während der Lebzeiten Carls, zu theilen, und ihre
Waffen zur Vertreibung der auswärtigen Feinde zu
vereinigen b).

Dieses Bündniß, welches dem Heinrich alle
Hoffnung eines künftigen guten Erfolgs abzuschneiden schien, wurde am Ende die vortheilhafteste
Begebenheit, welche sich für seine Ansprüche hätte
zutragen können. Ob der Dauphin und der Herzog
von Burgundien jemals in ihren wechselseitigen
Versprechungen aufrichtig gewesen, ist ungewiß;
aber es entsprangen sehr schädliche Wirkungen aus
dieser kurzen Scheinvereinigung. Die beyden
Prinzen beschlossen eine Unterredung, um sich über
die Mittel zu bereden, wie sie die Engländer gemeinschaftlich am nachdrücklichsten angreifen könnten:

a) Rymer, B. IX. S 762.
b) Rymer, B. IX. S 776. St. Remi, Chap. 95.

ten: aber es schien ein wenig schwer zu veranstalten, wie beyde, oder einer von ihnen es wagen könnte, zu dieser Unterredung zu kommen. Der von dem Herzoge von Burgundien begangne Meuchelmord, und noch mehr sein öffentliches Geständniß der That und die Vertheidigung der Lehre, dienten dazu, alle Bande der bürgerlichen Gesellschaft aufzulösen; und sogar ehrliebende Leute, welche das Beyspiel verabscheuten, hätten es für recht halten können, bey einer günstigen Gelegenheit eben so mit ihm zu verfahren. Der Herzog, welcher weder selbst trauen noch verlangen konnte, daß man ihm traue, verstund sich demnach zu allem dem, was die Minister des Dauphins zu beyderseitiger Sicherheit vorschlugen. Die beyden Prinzen kamen nach Monterequ: der Herzog wohnte in dem Schlosse, der Dauphin in der Stadt, welche durch den Fluß Yonne von dem Schloß getrennet wurde. Die Brücke zwischen ihnen wurde zu dem Orte der Unterredung gewählt: zwey hohe Stakette wurden quer über der Brücke aufgerichtet: die Thore an beyden Seiten wurden bewachet, an der einen von Officiern des Dauphins, an der andern von den Officiern des Herzogs. Die Prinzen sollten in dem Zwischenraum durch die entgegengesetzten Thore, unter Begleitung von zehn Personen

ge-

gehen, und mit allen diesen Merkmaalen des Miß-
trauens eine wechselseitige Freundschaft aufrichten.
Aber es zeigte sich, daß, da keine Vorsicht zureicht,
wo keine Gesetze statt finden, und wo alle Grundsätze der Ehre gänzlich aus den Augen gesetzt sind.
Taunegui de Chatel und andre von des Dauphins
Gefolge, waren eifrige Anhänger des Hauses
Orleans, und entschlossen sich, diese Gelegenheit zu
gebrauchen, an dem Meuchelmörder den Mord
dieses Prinzen zu rächen. Kaum traten sie in das
Stakett, so zogen sie ihre Schwerter und fielen den
Herzog von Burgundien an: seine Freunde waren
bestürzt, und dachten an keine Vertheidigung; und
alle diese hatten entweder ein gleiches Schicksal,
oder wurden von dem Gefolge des Dauphins gefangen genommen c).

Die große Jugend dieses Prinzen macht es
zweifelhaft, ob er um das Geheimniß der Verschwörung gewußt habe: aber da die That vor seinen Augen von seinen vertrautesten Freunden begangen wurde, welche ihre Verbindung beständig
mit ihm behielten; so fällt die Schande dieser
That, welche gewiß mehr Unvorsichtigkeit als
Verbrechen war, ganz auf ihn. Der ganze Zustand

c) St. Remi, Chap. 97. Monstrelet, Chap. 211.

ſtaub der Sachen wurde allenthalben durch dieſen
unerwarteten Vorfall verändert. Die Stadt
Paris, welche dem Hauſe Burgundien ſehr ge-
wogen war, brach in die größte Wuth gegen den
Dauphin aus. Der Hof des Königes Carl trat
aus Intereße auf dieſelbe Seite; und weil alle
Miniſter, die um dieſen Monarchen waren, ihre
Beförderung dem verſtorbenen Herzoge zu danken
hatten, und ihren Fall vorausſahen, wenn der
Dauphin ſeinen Vater wieder in ſeine Gewalt
bekäme; ſo erfoderte es ihr Intereße, durch alle
Mittel den Fortgang ſeiner Unternehmungen zu
verhindern. Die Königinn, welche in ihrer unnatürlichen Feindſeligkeit gegen ihren Sohn fortfuhr, vermehrte die allgemeine Flamme, und flößte
dem Könige, in ſoweit er einiger Empfindungen
fähig war, eben denſelben Haß ein, von welchem
ſie ſchon lange getrieben war. Aber vor allen
Dingen glaubte ſich Philipp, Graf von Chárolois,
der nun Herzog von Burgundien war, nach allen
Banden der Pflicht und der Ehre verbunden, den
Mord ſeines Vaters zu rächen, und den Meuchelmörder aufs äußerſte zu verfolgen. Und in dieſer
allgemeinen Raſerey war jede Betrachtung des
National- und des Familienbeſten von allen Parteyen in Vergeſſenheit begraben. Die Unterwer-

F 5   fung

fung unter einem auswärtigen Feind, die Vertreibung des gesetzmäßigen Erben, die Sklaverey des
Reiches, schienen nur kleine Uebel, wenn sie Mittel
würden, die gegenwärtige Leidenschaft zu vergnügen.

Der König von England hatte vor dem Tode
des Herzogs von Burgundien von Frankreichs
Zerrüttungen sehr große Vortheile gehabt, und
machte täglich einen großen Fortgang in der Normandie. Er hatte Rouen nach einer hartnäckigen
Belagerung eingenommen d); er war Meister von
Pontoise und Gisors geworden. Er drohete sogar
Paris, und hatte den Hof aus Furcht vor seiner
Gewalt gezwungen, sich nach Troye zu begeben;
und mitten in seinem Glücke wurde er angenehm
überraschet, als er seine Feinde, anstatt sich zur
gemeinschaftlichen Vertheidigung gegen ihn zu
verbinden, geneigt fand, zu den Waffen zu greifen,
und ihn zu einem Werkzeuge der Rache gegen
einander zu gebrauchen. Es wurde sogleich ein
Bündniß zwischen ihm und dem Herzoge von
Burgundien zu Arras geschlossen. Dieser Prinz
war bereit, ohne etwas anders für sich auszube-
dingen, als die Verfolgung der Mörder seines

Va-

d) T. Livii, S. 69, Monstrelet, Chap. 201.

Vaters, und die Verheyrathung des Herzogs von Bedford mit seiner Schwester, dieses Königreich dem Stolze Heinrichs aufzuopfern; und willigte in jede Foderung, welche dieser Monarch machte. Um diesen erstaunlichen Traktat zu schließen, welchen die Krone von Frankreich auf einen Fremden übertragen sollte, kam Heinrich, in Begleitung seines Bruders, des Herzogs von Clarence und Glocester, (i. J. 1420) nach Troye, wo ihm der Herzog von Burgundien entgegen kam. Die Schwachheit, in welche Carl gefallen war, machte ihn unfähig, auf eine andre Art zu sehen, als durch die Augen derer, die um ihn waren; so wie diese hinwiederum alles durch ihre Leidenschaft sahen. Der Traktat, welcher schon unter den Parteyen verabredet war, wurde sogleich abgefasset, unterzeichnet und genehmigt. Heinrichs Wille schien in dieser ganzen Unterhandlung ein Gesetz zu seyn: man sah auf nichts als seine Vortheile.

Die vornehmsten Artikel des Traktats waren: Heinrich sollte die Prinzeßinn Katharina heyrathen: der König Karl sollte Zeitlebens den Titel und die Würde eines Königs von Frankreich führen: Heinrich sollte für den Erben der Monarchie erkläret und erkannt, und sogleich mit der Verwaltung der Regierung bekleidet werden: dieses

Kö-

Königreich sollte auf seine Erben, ohne Ausnahme, kommen: Frankreich und England sollten auf immer unter Einem Könige vereinigt seyn; aber ihre unterschiedene Gebräuche, Gewohnheiten und Vorrechte beständig behalten: alle Prinzen, Pairs, Vasallen und Gemeinden von Frankreich sollten schwören, der künftigen Thronfolge Heinrichs anzuhängen, und ihm sogleich, als dem regierenden Herrn, Gehorsam zu leisten: dieser Prinz sollte mit den Waffen des Königs Carl und des Herzogs von Burgundien die seinigen verbinden, um die Anhänger Carls, des vorgegebenen Dauphins, zu bezwingen; und diese drey Prinzen sollten keinen Frieden und keinen Waffenstillstand mit ihm machen, ohne gemeinschaftliche Bewilligung und Genehmigung e).

Das war der Innhalt dieses berühmten Traktats; eines Traktats, den nichts als die Gewalt des Schwerds zur Ausführung bringen, so wie ihn nichts als die allerheftigste Feindseligkeit eingeben konnte. Es ist schwer zu sagen, ob seine Folgen, wenn er zur Wirklichkeit gekommen wäre, für England oder für Frankreich schädlich gewesen seyn

e) Rymer, B. IX. S. 895. St. Remi, Chap. 101. Monstrelet, Chap. 223.

seyn würden. Er müßte das erste Reich in den
Zustand einer Provinz herabgesetzt haben: er würde
die Thronfolge des letztern gänzlich entgliedert, und
einem jeden Nachkommen der königlichen Familie
den Untergang zugezogen haben: weil die Häuser
Orleans, Anjou, Alençon, Bretagne, Bourbon und
Burgundien selbst, deren Recht dem Rechte der
englischen Prinzen vorzuziehen war, deswegen einer beständigen Eifersucht und Verfolgung von dem
Souverain ausgesetzt gewesen seyn würden. Es
befand sich sogar ein handgreiflicher Mangel in
den Ansprüchen Heinrichs, welchen keine Kunst
bemänteln konnte. Denn außer den unbeantwort-
lichen Einwürfen, denen Eduards des Dritten
Ansprüche unterworfen waren, war er auch sein
Erbe dieses Monarchen: wenn man die weibliche
Erbfolge gelten ließ; so wäre das Erbrecht auf
das Haus Mortimer gefallen: gesetzt, Richard der
Zweyte wäre ein Tyrann, und Heinrichs des
Vierten Verdienste um die Engländer bey seiner
Absetzung wären so groß gewesen, daß sie die
Handlung der Nation rechtfertigen könnten, wo-
durch sie ihn auf den Thron setzte; so hatte doch
Richard Frankreich gar nicht beleidiget, und sein
Nebenbuhler hatte sich gar nicht um dieses Reich
verdient gemacht: es konnte unmöglich vorgegeben
wer-

werden, daß die Krone von Frankreich ein Anhang
der Krone England geworden wäre; und daß ein
Prinz, der dieß letzte durch irgend einige Mittel
gewann, ohne weitere Zweifel auch zu der ersten
berechtiget wäre. Man muß also überhaupt zugeben, daß Heinrichs Recht auf Frankreich, wo
möglich, noch weniger zu begreifen war, als dasjenige Recht, wodurch sein Vater den Thron von
England bestiegen hatte.

Allein, ob man gleich in der Hitze der Leidenschaften, wovon die Höfe Frankreich und Burgundien getrieben wurden, alle diese Betrachtungen übersah; so mußte man sich doch nothwendig
in müßigeren und ruhigern Zeiten derselben wieder
erinnern; und es war nöthig, daß Heinrich seine
gegenwärtige Vortheile verfolgte, und dem Volke
keine Zeit zu vernünftigen Ueberlegungen ließ.
Einige Tage nachher beyrathete er die Prinzeßinn
Katharina: er führte seinen Schwiegervater nach
Paris, und setzte ihn selbst in den Besitz dieser
Hauptstadt: er erhielt von dem Parlament und
den dreyen Ständen eine Bestätigung des Traktats
von Troye: er unterstützte den Herzog von Burgundien, indem er ihm eine Verurtheilung der
Mörder seines Vaters verschafte; und sogleich
wendete er seine Waffen mit Fortgang gegen die

An-

Anhänger des Dauphins, der, sobald er von dem
Traktat zu Troye hörte, den Styl und das Ansehen eines Regenten annahm, und sich auf Gott
und sein Schwerd, zur Unterstützung seines Rechtes, berief.

Der erste Ort, welchen Heinrich bezwang,
war Sens, welches seine Thore nach einer geringen Gegenwehr eröffnete. Eben so leicht bemeisterte er sich der Stadt Montereau. Die Vertheidigung von Melun war hartnäckiger; Barbasan,
der Commandant, hielt vier Monate wider die
Belagerer aus; und es war blos der Hunger,
welcher ihn zu kapituliren zwang. Heinrich versprach, der ganzen Besatzung das Leben zu schenken,
diejenigen ausgenommen, welche an dem Mord
des Herzogs von Burgundien Schuld waren; und
da man vermuthete, daß Barbasan selbst zu dieser
Anzahl gehöre; so bat Philipp um seine Bestrafung: allein, der König hatte die Großmuth, für
ihn zu bitten, und seine Hinrichtung zu verhindern f).

Die Nothwendigkeit, sich mit Volk und Geld
zu versehen, zwang den Heinrich (i. J. 1421) hinüber nach England zu geben, und er hinterließ den

Hen-

---

f) Holingshed. S. 577.

Herzog von Exeter, seinen Onkel, als Commandanten von Paris, während seiner Abwesenheit. Das Ansehen, welches gemeiniglich das Glück begleitet, verschaffte ihm von dem englischen Parlamente den Zuschuß von einem Funfzehnten; allein, wenn wir nach der kleinen Summe dieses Zuschusses urtheilen, dürfen, so war die Nation über die Siege ihres Königes nicht sehr vergnügt; und so, wie die Hoffnung ihrer Vereinigung mit Frankreich sich näherte, ofieng sie an, ihre Augen zu eröffnen, und die gefährlichen Folgen einzusehen, welche dieselbe nothwendig nach sich ziehen mußte. Es war ein Glück für den Heinrich, daß er andre Hülfsquellen hatte, als Zuschuß an Gelde von seinen Erbunterthanen. Die Provinzen, welche er erobert hatte, unterhielten seine Truppen; und die Hoffnung fernerer Vortheile lockte alle Leute von ehrsüchtigem Geiste in England, die sich durch Waffen hervorthun wollten, zu seiner Fahne. Er brachte eine neue Armee von 24,000 Bogenschützen und 4000 Reutern zusammen g), und marschirte mit denselben nach Dover, wo sie eingeschifft werden sollten. Alles war zu Paris unter dem Herzoge von Exeter in Ruhe geblieben: allein, es hatte sich

g) Monstrelet Chap. 248.

sich in einer andern Gegend des Königreichs ein
Unglück zugetragen, welches seine Abreise beschleu-
nigte.

Die Zurückbehaltung des Königs der Schottländer in England war bisher sehr vortheilhaft
für den Heinrich gewesen; und indem er den
Regenten in Furcht hielt, hatte er, so lange der
französische Krieg dauerte, sich in den nordlichen
Gränzen Ruhe verschaft: Aber da die Nachricht
von Heinrichs gutem Fortgange und seinen nahen
Aussichten ein Erbe der Krone Frankreich zu werden, nach Schottland kam, wurde die Nation
beunruhiget, und sah ihren eignen unvermeidlichen Untergang voraus, wenn sie, nach der Unterwerfung ihrer Alliirten, allein mit einem Feinde
zu kämpfen hätte, der ihr an Macht und Reichthümern schon so sehr überlegen war. Der Regent sah die Sache aus eben diesem Gesichts-
punkte an; und ob er sich gleich in keinen öffentlichen Krieg mit England einlassen wollte;
so ließ er doch ein Corps von 7000 Schotten,
unter der Anführung des Grafen von Buchan,
seines zweyten Sohnes, nach Frankreich zum
Dienste des Dauphins übergehen. Um diese Hülfe
unwirksam zu machen, hatte Heinrich den jungen König der Schotten hinübergebracht, und

nöthigte ihn, seinen Landsleuten zu befehlen, den
französischen Dienst zu verlassen: aber die Schotten antworteten überhaupt, daß sie keinen Befehlen gehorchten, die von einem gefangenen Könige kämen; und daß ein Prinz auf keine Weise
etwas zu sagen hätte, so lange er in den Händen seines Feindes wäre.   Diese Truppen fuhren demnach fort, unter dem Grafen von Buchan zu agiren; und wurden von dem Dauphin
gebraucht, sich dem Fortgange des Herzogs von
Clärence in Anjou zu widersetzen. die beyden
Armeen griffen sich einander bey Bauge an.   Die
Engländer wurden geschlagen: der Herzog selbst
wurde von dem Sir Allan Swinton, einem
schottischen Ritter, erschlagen, welcher eine Com-
pagnie schwerer Cavallerie commandirte; und
die Grafen von Sommerset h), Dorset und Huntington wurden gefangen genommen i).   Dies
war die erste Aktion, welche den Strom des
Glücks wider die Engländer kehrte; und der
Dauphin beehrte den Grafen von Buchan mit
dem Amte eines Constables, theils, um die
Schot-

h) Sein Name war John, und er wurde nachher zum
    Herzoge von Sommerset ernannt.   Er war ein Enkel
    des John von Gaunt, Herzogs von Lancaster.   Der
    Graf von Dorset war Sommersets Bruder, und
    führte nach ihm diesen Titel.
i) Remi. Chap. 10. Monstrel. Chap. 239. Hall. S. 76.

Schotten mehr zu seinem Dienste zu verbinden,
und theils, um die Tapferkeit und die kluge
Aufführung dieses Herrn zu belohnen.

Aber die Ankunft des Königes von England
mit einer so ansehnlichen Armee war wohl als
zureichend, diesen Verlust zu ersetzen. Heinrich
wurde zu Paris mit vielen Freudensbezeugungen
aufgenommen; so hartnäckig waren die Vortheile des Volks, und er führte seine Armee sogleich nach Chartres, welches lange von dem
Dauphin belagert gewesen war. Dieser Prinz
brach auf bey der Ankunft der Engländer, und
in der Entschließung, ein Treffen zu vermeiden,
zog er seine Armee zurück k). Heinrich bemeisterte sich der Stadt Dreux ohne einen Schwerdstreich: belagerte Meaux, auf Anhalten der Pariser, welche von der Besatzung dieses Orts sehr
beschweret wurden. Diese Unternehmung beschäfftigte die englischen Waffen acht Monate lang:
der Commandant von Meaux, ein natürlicher
Sohn des Vaurus, that sich durch eine hartnäckige Gegenwehr hervor, wurde aber endlich gezwungen, sich auf Gnade zu ergeben. Dieser
Herr war eben so grausam als tapfer. Er hatte
die

G 2

k) St. Remi Chap. 3.

die Gewohnheit, alle Engländer und Burgundier, welche ihm in die Hände fielen, ohne Unterschied zu hängen; und Heinrich ließ ihn, um
sich wegen seiner Grausamkeit zu rächen, sogleich
an demselben Baum aufhängen, welchen er zum
Werkzeuge seiner Unmenschlichkeit gebraucht hatte 1).

Auf diese glückliche Begebenheit erfolgte die
Uebergabe vieler andern Oerter in der Nachbarschaft von Paris, welche es mit dem Dauphin
hielten. Dieser Prinz wurde über die Loire gejaget, und verließ fast alle nordliche Provinzen:
er wurde so gar bis in die südlichen von den
vereinigten Waffen der Engländer und Burgundier verfolgt, und mit einem gänzlichen Untergange
bedrohet. Ungeachtet der Tapferkeit und der Treue
seiner Hauptleute, sah er, daß er seinen Feinden
im freyen Felde nicht gewachsen war, und fand
es für nöthig, langsam zu verfahren, und alle
wagliche Treffen mit einem Feinde zu vermeiden,
der so viele Vortheile über ihn gewonnen hatte.
Und um Heinrichs Glückseligkeit zu vollenden,
wurde seine Gemahlinn von einem Sohn entbunden,

1) Rymer. B. X. S. 212. T. Livii. S. 92. 93. St.
Remi Chap. 116. Monstrelet. Chap. 260.

ben, der nach seinem Vater genannt, und dessen
Geburt zu Paris und London mit eben so prächtigen als aufrichtigen Freudensbezeugungen gefeyert wurde. Der neugeborne Prinz schien von
allen als der künftige Erbe beyder Monarchien
angesehen zu werden.

Heinrichs Ruhm hatte beynahe den Gipfel
erreichet, als er durch die Hand der Natur gehemmet wurde; und alle seine weitläuftigen Anschläge wurden zu Wasser. (i. J. 1422.) Er wurde von einer Fistel befallen, die zu curiren die
Wundärzte damals noch nicht Geschicklichkeit genug hatten; er merkte es endlich, daß sein Schaden tödlich war, und sein Ende sich näherte.
Er ließ seinen Bruder, den Herzog von Bedford,
kommen, den Grafen von Warwic, und noch
einige von Adel, die er mit seinem Vertrauen
beehrt hatte, und sagte ihnen mit vieler Ruhe
seinen letzten Willen in Absicht auf die Regierung
seines Reiches und seiner Familie. Er ersuchte
sie, gegen seinen unmündigen Sohn dieselbige
Treue und Zuneigung fortzusetzen, welche sie ihm
bey seiner Lebzeit jederzeit bewiesen hätten, und
welche durch so viele wechselseitige Dienste bevestiget wären. Er bezeigte seine Gleichgültigkeit
bey Annäherung des Todes; und ob er gleich

bedauerte, daß er ein so glücklich angefangenes
Werk unvollendet lassen müßte; so erklärte er
doch, daß er sich darauf verließe, die gänzliche
Eroberung Frankreichs würde eine Wirkung ihrer
Klugheit und Tapferkeit seyn. Er überließ die
Regierung dieses Reichs seinem ältesten Bruder,
dem Herzoge von Bedford; die Regierung von
England seinem jüngern Bruder, dem Herzoge
von Glocester; und die Sorge für die Person
seines Sohnes dem Grafen von Warwic. Er
empfahl ihnen allen sorgfältig, auf die Unterhaltung der Freundschaft des Herzogs von Burgundien zu sehen, und rieth ihnen, die bey Azincour gefangen genommenen französischen Prinzen
nicht eher in Freyheit zu setzen, bis sein Sohn
zu den Jahren käme, wo er selbst die Regierung
übernehmen könnte. Er beschwur sie, wenn das
Glück ihrer Waffen sie nicht in den Stand setzen
sollte, den jungen Heinrich auf den französischen
Thron zu setzen, daß sie doch wenigstens mit
diesem Reiche keinen Frieden machen möchten;
wenn nicht der Feind durch die Abtretung der
Normandie, und die Verbindung derselben mit
der englischen Krone, sie für alle Gefahren und Kosten seiner Unternehmung m) entschädigen wollte.

Hier-

m) Monstrelet. Chap. 265. Hall. S. 80.

Hiernächst hielt er seine Andacht, und ließ
seinen Beichtvater die sieben Bußpsalmen lesen.
Als dieser an die folgende Stelle des ein und
funfzigsten Psalmes kam: Baue die Mauren
zu Jerusalem; fiel er ihm ins Wort, und versicherte, daß es sein ernstlicher Vorsatz gewesen
sey, wenn er Frankreich gänzlich bezwungen hätte, einen Kreuzzug wider die Ungläubigen zu
thun, und das heilige Land wieder zu erobern n).
So erfindsam sind die Menschen, sich selbst zu
hintergehen, daß Heinrich in diesem Augenblicke
alles durch seinen Stolz vergossene Blut vergaß,
und sich mit dieser letzten und schwachen Entschließung tröstete, welche er gewiß niemals ausgeführet haben würde, da diese Unternehmungen
schon aus der Mode gekommen wären! Er starb
(i. J. 1422.) den 31sten August, in dem vier und
dreyßigsten Jahre seines Alters, und in dem
zehnten seiner Regierung.

Dieser Prinz besaß viele hervorstechende Tugenden; und wenn wir dem Stolz eines Monarchen nachsehen, oder ihn auch, wie der große
Haufe zu thun geneigt ist, unter die Tugenden
seines Standes setzen, so ist sein Charakter von

G 4   groß

n) S. Remi. Chap. 118. Monstrelet. Chap. 265.

großen Fehlern unbefleckt. Seine Fähigkeiten
zeigten sich eben so sehr im Cabinet, als im
Felde; seine Kühnheit in Unternehmungen war
nicht weniger merkwürdig, als seine persönliche
Tapferkeit bey der Ausführung derselben. Er
hatte die Gabe, seine Freunde durch Gesprä-
chigkeit an sich zu halten, und seine Feinde durch
seine Geschicklichkeit und seine Gnade zu gewinnen. Die Engländer ließen sich noch mehr durch
den Glanz seines Charakters, als durch den
Glanz seiner Siege geblendet, bewegen, die
Schwachheit seines Rechts zu übersehen: die
Franzosen vergaßen fast ganz, daß er ein Feind
war; und seine Sorgfalt in seiner bürgerlichen
Regierung Gerechtigkeit, und in seinen Armeen
Mannszucht zu erhalten, gab beyden Nationen
einige Entschädigung für das Elend, welches
sich von solchen Kriegen nicht trennen läßt, womit seine so kurze Regierung fast ganz beschäfftiget war. Daß er dem Grafen von Marche
vergab, welcher ein besseres Recht zum Throne
hatte, als er selbst, ist ein gewisser Beweis seiner Großmuth; und daß der Graf sich auf seine
Freundschaft so gänzlich verließ, ist nicht weniger ein Beweis von seiner Aufrichtigkeit und
Redlichkeit. Es giebt in der Geschichte wenige

Bey-

Beyspiele von einem solchen wechselseitigen Zutrauen; und noch weniger, wo keine von beyden Parteyen Ursache hatte, es zu bereuen.

Die äußerliche Gestalt so wohl, als das
Betragen dieses großen Prinzen war einnehmend. Seine Statur war von etwas mehr als
mittler Größe; seine Gesichtsbildung schön; seine
Glieder fein und geschlang, aber voll Stärke;
und er that sich in allen kriegerischen und männlichen Uebungen hervor o). Er hatte mit seiner
Gemahlinn, Katharina von Frankreich, nur Einen
Sohn, der noch nicht völlig neun Monate alt
war; dessen Unglücksfälle in seinem Leben größer
waren, als aller Ruhm und alles Glück seines
Vaters.

In weniger als zwey Monaten nach Heinrichs Tode endigte Karl der Sechste von Frankreich, sein Schwiegervater, sein unglückliches
Leben. Er hatte seit einigen Jahren nur den
Schein einer königlichen Macht besessen. Dennoch war dieser Umstand für die Engländer
wichtig, und theilte den Gehorsam und die Liebe
der Franzosen zwischen ihm und dem Dauphin.
Dieser Prinz wurde zu Poiktiers, unter dem Na-

G 5   men

o) T. Livii. S. 4.

men, Karl der Siebente, zum Könige von Frankreich ausgerufen, und gekrönet. Rheims, der Ort, wo diese Ceremonie gemeiniglich zu geschehen pflegte, war zu der Zeit in den Händen seiner Feinde.

Katharina von Frankreich, Heinrichs Wittwe, heyrathete bald nach seinem Tode, einen Wallisen von Adel, den Sir Owen Tudor, der, wie man sagt, von den alten Prinzen dieses Landes abgestammet war: sie gebahr ihm zwey Söhne, den Edmund und Jasper, von welchen der älteste zum Grafen von Pembroke erhoben wurde. Die Familie Tudor, welche durch diese Verbindung zuerst groß wurde, bestieg nachher den englischen Thron.

Die lange Spaltung, welche die abendländische Kirche beynahe vierzig Jahre lang getrennet hatte, wurde unter dieser Regierung durch die Kirchenversammlung zu Costnitz völlig geendiget. Diese setzte den Papst Johannes, den Drey und zwanzigsten, wegen seiner Verbrechen ab, und wählete Martin den Fünften an seiner Stelle, welchen fast alle Königreiche in Europa erkannten. Diese große und ungewöhnliche Handlung der Autorität der Kirchenversammlung gab den römischen Päpsten nachher beständig eine tödt-

liche

liche Feindschaft wider diese Versammlungen.
Eben diejenige Eifersucht, welche in den meisten
europäischen Ländern zwischen der bürgerlichen
Aristokratie und der Monarchie so lange geherr-
schet hatte, fand sich itzt auch zwischen diesen
Mächten und der Geistlichkeit ein. All in, die
große Entfernung der Bischöfe in den verschiedenen Staaten, und die Schwierigkeit, sie zu versammlen, gab dem Papste einen großen Vortheil,
und machte es ihm leichter, die ganze Gewalt
der Hierarchie in seiner eigenen Person zu vereinigen. Die Grausamkeit und Treulosigkeit bey
der Bestrafung des Johann Huß, und Hierony-
mus von Prag, dieser unglücklichen Schüler des
Wikliffs, welche von dieser Kirchenversammlung
wegen ihrer Irrthümer lebendig verbrannt wurden, bewiesen diese betrübte Wahrheit, daß die
Toleranz keine von den Tugenden der Priester in
irgend einer geistlichen Regierung ist. Da aber
der englische Prinz an diesen großen Begebenheiten nur einen geringen, oder gar keinen Antheil hatte; so sind wir hier in der Erzählung
derselben desto kürzer.

Die erste Commission wegen Einrichtung des
Kriegswesens, welche wir finden, wurde unter
die-

dieser Regierung bestellet p). Der militairische Theil des Feudalsystems, dieser wesentlichste Theil desselben, war gänzlich eingegangen, und konnte nicht länger zur Vertheidigung des Königreiches dienen. Heinrich bevollmächtigte daher, als er im Jahre 1415 nach Frankreich kam, gewisse Personen, die alle Freyleute, welche Waffen zu tragen fähig waren, in jeder Grafschaft mustern, in Compagnien theilen, und in Bereitschaft halten sollten, dem Feinde zu widerstehen. Dies war der Zeitpunkt, wo die Feudalmiliz einer andern Platz machte, die vielleicht noch weniger ordentlich und regelmäßig war.

Wir haben eine glaubwürdige und genaue Nachricht von den ordentlichen Einkünften der Krone unter dieser Regierung; und diese belaufen sich jährlich nur auf 55,714 Pfund, 10 Schilling und 10 Pfennige q): das ist beynahe eben so viel, als Heinrich der Dritte einzukommen hatte; und die Könige von England sind also in so vielen Jahren weder reicher noch ärmer geworden. Die ordentlichen Ausgaben der Regierung beliefen sich auf 52,507 Pfund, 10 Schilling

p) Rymer B. IX. S. 254. 255.
q) Rymer. B. X. S. 113.

ling 10 Pfennige; so, daß der König nur 3206
Pfund 14 Schilling zur Unterhaltung seines Hofstaats, zu seiner Kleidung, zu den Kosten der
Gesandschaften und zu andern Dingen übrig hatte.
Diese Summe war auf keine Weise hinlänglich;
er war daher genöthiget, oftmals seine Zuflucht
zu einem Zuschuß vom Parlament zu nehmen;
und so war er, so gar in Friedenszeiten, nicht
ganz unabhängig von seinem Volke. Aber Kriege
erfoderten erschreckliche Kosten, welche weder die
ordentlichen Einkünfte des Königes, noch der
außerordentliche Zuschuß zu tragen vermögend
waren; und er wurde allezeit zu vielen elenden
Hülfsmitteln getrieben, um nur eine mittelmäs-
sige Figur in demselben zu machen. Er nahm
gemeiniglich allenthalben Gelder auf; er versetzte
seine Juwelen, und zuweilen die Krone selbst r);
er kam in Rückstand bey seiner Armee, und er
war oftmals genöthiget, ungeachtet aller dieser
Mittel, mitten in dem Lauf seines Sieges ein-
zuhalten, und mit dem Feinde einen Waffenstillstand zu machen. Der große Sold, der den
Soldaten gegeben wurde, war diesen geringen
Einkünften gar nicht gemäß. Aller außerordentliche

r) Rymer. B. X S. 190.

liche Zuschuß, welcher von dem Parlament dem
Heinrich, während seiner ganzen Regierung, zugestanden war, betrug nur sieben Zehende und
Funfzehende, ungefähr 203,000 Pfund s). Es
ist leicht zu berechnen, wie bald dieses Geld erschöpfet wurde von 24,000 Mann Bogenschützen,
und 6000 Mann Reutern, wenn jeder Bogen-
schütze täglich sechs Pfennige t), und jeder Reuter zwey Schilling bekam. Der allerglücklichste
Fortgang lief gemeiniglich fruchtlos ab, wenn
er von so armen Einkünften unterstützet wurde;
und die Schulden, und die Schwierigkeiten, in
welche der König dadurch gerieth, machten, daß
er seine Siege theuer bezahlen mußte. Auch die
bürgerliche Regierung konnte, selbst zur Zeit des
Friedens, nicht sehr regelmäßig seyn; da die Regierung überhaupt so wenig im Stande war, sich
selbst zu unterstützen. Heinrich hatte ein Jahr
vor seinem Tode noch Schulden, die damals gemacht

s) Parliamentary History. B. II. S. 163.

t) Es erhellet aus vielen Stellen beym Rymer, insbesondre B. IX. S. 258. Daß der König jährlich
zwanzig Mark für einen Bogenschützen gab, welches
weit mehr ist, als sechs Pfennige täglich. Der Preis
war gestiegen, wie es natürlicher Weise geschiehet,
wenn der Werth des Geldes steigt.

macht waren, als er noch Prinz von Wallis
war u). Es war vergeblich, daß das Parlament
ihn von willkührlichen Verfahren zurück halten
wollte, da er in solche Bedürfnisse gesetzt war.
Obgleich, zum Beyspiel, dem Rechte Nothwen-
digkeiten für den königlichen Hofstaat einzuheben,
von dem großen Freybriefe selbst ausdrücklich vor-
gebeuget war, und die Gemeinen öfters darüber
geklaget hatten; so war es doch nicht möglich,
es abzuschaffen; und endlich begnügte sich das
Parlament damit, daß es dasselbe durch Gesetze
einschränkte, sich übrigens aber demselben, als
einem königlichen Vorrechte unterwarf. Des Herzogs von Glocester Einkünfte, unter der Regierung Richards des Zweyten, beliefen sich auf
60,000 Kronen, (ungefähr 30,000 Pfund jährlich,
nach unserm Gelde) wie wir vom Froissard lernen x): und folglich war er reicher, als der
König selbst, wenn man alle Umstände genau überlegt.

Es ist merkwürdig, daß die Stadt Calais
der Krone jährlich 29,119 Pfund kostete y), das
ist,

u) Rymer. B. X. S. 114.
x) Liv. IV. Chap. 86.
y) Rymer, B. X. S. 113.

ist, mehr als ein Drittheil von den gewöhnlichen
Ausgaben der Krone in Friedenszeiten. Diese
Westung diente gar nicht zur Vertheidigung Englands, und gab diesem Reiche nur einen Eingang,
um Frankreich zu schaden. Irrland kostete jährlich
zwey tausend Pfund über seine eigene Einkünfte,
welche gewiß sehr gering waren. Alles trägt etwas bey, uns einen schlechten Begriff von dem
Zustande Europens in diesen Zeiten zu geben.

Von den ältesten Zeiten bis auf die Regierung Eduards des Dritten war der Werth des
Geldes niemals verändert worden. Ein Pfund
Sterling war jederzeit ein Pfund Troy-Gewicht;
das ist, ungefähr drey Pfund nach itzigem Gelde.
Dieser Sieger war zuerst genöthiget, in diesem
wichtigen Punkte Neuerungen zu machen. In
dem zwanzigsten Jahre seiner Regierung münzte
er zwey und zwanzig Schilling aus einem Pfund
Troy-Gewicht; und in seinem sieben und zwanzigsten, fünf und zwanzig Schilling. Allein,
Heinrich der Fünfte, der auch ein Ueberwinder
war, steigerte den Werth noch mehr, und münzte
dreyßig Schilling aus einem Pfund Troy-Gewicht z). Seine Einkünfte beliefen sich daher
über

z) Fleetwoods Chronicon Preciosum. S. 52.

über 110,1000 Pfund itzigen Geldes; und bey dem wohlfeilen Preise der Lebensmittel reichten sie eben so weit, als 330,000 Pfund.

Keiner von den Prinzen des Hauses Lancaster foderte Abgaben ohne Bewilligung des Parlaments: ihr zweifelhaftes oder ungegründetes Recht wurde in so weit ein Vortheil für die Staatsverfassung. Diese Regel wurde damals vestgesetzet und konnte nachher, ohne Schaden, selbst von den willkührlichsten Prinzen, nicht gebrochen werden.

Das zwanzigste Kapitel.
Heinrich VI.

Regierung während der Minderjährigkeit.
Frankreichs Zustand. Kriegsoperationen.
Schlacht bey Verneuil. Belagerung von Orleans. Das Mägdchen von Orleans. Die Belagerung von Orleans wird aufgehoben. Der
König von Frankreich wird zu Rheims gekrönet.
Klugheit des Herzogs von Bedford. Hinrichtung
des Mägdchens von Orleans. Abfall des Herzogs von Burgundien. Tod des Herzogs von
Bedford. Verfall der Engländer in Frankreich.
Waffenstillstand mit Frankreich, Vermählung
des Königs mit Margaretha von Anjou. Ermordung des Herzogs von Glocester. Frankreichs Zustand. Erneurung des Krieges mit
Frankreich. Die Engländer werden aus Frankreich vertrieben.

Unter der Regierung des Lancastrischen Hauses
(i. J. 1422) scheinen das Ansehen des Parlaments mehr bestätiget und die Freyheiten des Volks
mehr

mehr geachtet worden zu seyn, als sonst jemals;
und die beyden vorhergehenden Könige, ob sie
gleich Männer von großem Geiste und größen
Geschicklichkeiten waren, enthielten sich doch solcher Ausübungen ihres Vorrechts, von welchen
sich auch wohl schwache Prinzen, die ein unstreiti-
ges Recht zur Krone hatten, hätten können verführen lassen, zu glauben, daß sie sich dieselben
ungestraft erlauben könnten. Die lange Minderjährigkeit, welche man itzt vor sie sah, ermunterte
die Lords und Gemeinen noch mehr, ihr Ansehen
zu erweitern, und ohne die wörtliche Bestimmung
Heinrichs des Fünften zu beobachten, nahmen sie
sich die Freyheit, die ganze Regierung anders
einzurichten. Sie lehnten den Namen, Regent,
in Absicht auf England, völlig von sich ab: sie
bestellten den Herzog von Bedford zum Protektor,
oder Beschützer dieses Königreichs, ein Titel, der,
wie sie glaubten, weniger Macht in sich enthielt:
sie versahen den Herzog von Glocester mit derselben Würde in der Abwesenheit seines ältesten Bruders a); und um die Gewalt dieser beyden Prinzen einzuschränken, ernannten sie einen Rath, ohne
dessen Mitwissen und Bewilligung keine wichtige

H 2   Maaß

a) Rymer, B. X. S. 261. Cotton. S. 364.

Maaßregel beschlossen werden konnte b).   Die
Person und die Erziehung des unmündigen Prinzen wurde dem Heinrich Beaufort, Bischof von
Winchester, seinem Großonkel, und dem legitimirten
Sohn des Johann von Gaunt, Herzog von Lancaster, anvertraut; welcher, da sein Geschlecht
niemals einigen Anspruch auf die Krone machen
konnte, wie sie glaubten, ohne Sorge mit diesem
wichtigen Amte bekleidet werden könnte c).   Die
beyden Prinzen, die Herzoge von Bedford und
Glocester, welche sich durch diesen Regierungsplan
für beleidigt halten konnten, willigten jedoch, als
aufrichtige und ehrliebende Männer, in jedwede
Anordnung, die dem Volke Sicherheit zu verschaffen schien; und da die Kriege in Frankreich
der wichtigste Gegenstand zu seyn schien; so vermieden sie alle Streitigkeiten, welche diesen
Eroberungen ein Hinderniß in den Weg legen
konnten.

Wenn man den Zustand der Sachen zwischen
dem englischen und französischen Könige obenhin
ansah; so schienen alle Vortheile auf der Seite
des erstern zu seyn; und die gänzliche Vertreibung
Carls

---

b) Cotton. S 564.

c) Hall. S. 33. Monstrelet, B. II. S. 27.

Carls schien eine Begebenheit zu seyn, die man von
der überlegenen Macht seines Nebenbuhlers natürlicherweise erwarten konnte. Obgleich Heinrich
noch unmündig war, so führte doch der Herzog
von Bedford, der vollkommenste Prinz seiner Zeit,
die Regierung, welchen seine Erfahrung, Klugheit,
Tapferkeit und Edelmüthigkeit zu diesem hohen
Amte vollkommen geschickt machte, und in den
Stand setzte, eine Verbindung zwischen seinen
Freunden zu erhalten, und das Zutrauen seiner
Feinde zu gewinnen. Die ganze englische Macht
stund unter seinem Commando: er war an der
Spitze der Armeen zum Siege gewöhnet: er wurde
von den berühmtesten Generälen seiner Zeit unterstützet, von den Grafen von Sommerset, Warwic,
Salisbury, Suffolk und Arundel, dem Sir Jo-
hann Talbot und Sir Johann Fastolfe; und außer
Guienne, dem alten Erblande Englands, besaß
er auch die Hauptstadt, und alle nordlichen Provinzen, welche am geschicktesten waren, ihn mit
Mannschaft und Gelde zu versehen, seiner englischen Macht beyzustehen, und dieselbe zu unterstützen.

Allein Carl besaß, ungeachtet der gegenwärtigen Schwachheit seiner Kriegsmacht, noch einige Vortheile, die theils aus seiner Situation,

H 3 theils

theils aus seinem persönlichen Charakter flossen,
die ihm einen guten Fortgang versprachen, und
die überlegene Macht und den Reichthum seiner
Feinde erst einzuschränken, und dann zu überwiegen dienten. Er war der wahre und ungezweifelte
Erbe der Monarchie: jeder Franzos, der das
Beste seines Vaterlandes kannte, und die Unabhänglichkeit desselben wünschte, richtete seine Augen
auf ihn, als die einzigste Zuflucht. Seine Ausschließung, welche aus der Schwachheit seines
Vaters, und der erzwungenen und übereilten Einwilligung der Stände hergeflossen war, hatte
offenbar keine Gültigkeit. Dieser Parteygeist,
welcher das Volk verblendet hatte, konnte es
doch nicht lange in einer so groben Verblendung
erhalten: sein alter Nationalhaß wider die Engländer, der Urheber alles seines Elendes, mußte bald
wieder erwachen, und in ihm einen Widerwillen
erwecken, seinen Hals unter das Joch dieses feindlichen Volks zu beugen. Es war nicht zu vermuthen, daß Große von Adel, und Prinzen, die
gewohnt waren, eine Unabhänglichkeit von ihren
einheimischen Souverains zu behaupten, sich niemals Fremden unterwerfen würden: und obgleich
die meisten Prinzen von Geblüte seit der unglücklichen Schlacht bey Azincour in England gefangen

wa-

waren; so bezeigten doch die Einwohner ihrer
Güter, ihre Freunde, ihre Vasallen, alle eine eifrige
Zuneigung für den König, und bestrebten sich, der
Gewalt auswärtiger Feinde zu widerstehen.

Carl selbst, der nur erst in seinem zwanzigsten
Jahre war, hatte einen Charakter, welcher der
Gegenstand dieser guten Gesinnungen zu werden
geschickt war; und nach der Gunst, welche gemeiniglich die Jugend begleitet, hatte er vielleicht
wegen seines zarten Alters mehr Wahrscheinlichkeit, das Wohlwollen seiner Erbunterthanen zu
e langer. Er war ein Herr, der die freundlich-
sten und gütigsten Eigenschaften besaß, von natürlichen und gesellschaftlichen Sitten, und von einem
richtigen und gesunden, obgleich nicht sehr starken
Verstande. Aufrichtig, edelmüthig, gesprächig,
machte er, daß seine Anhänger ihm aus Liebe
dienten, selbst da sein schlechtes Schicksal es für
sie vortheilhaft machte, ihn zu verlassen; und
die Gelindigkeit seines Charakters konnte ihnen sogar die Ausdrücke des Mißvergnügens verzeihen,
welchem Fürsten in seiner Situation so häufig ausgesetzet sind. Die Liebe zum Vergnügen verleitete
ihn oft zum Müßiggang: allein mitten unter seinen Unordnungen blickte doch sein gutes Herz
hervor; und indem er zuweilen seinen Muth und

H 4 sei-

seine Thätigkeit zeigte, bewies er, daß seine Nachläßigkeit überhaupt nicht aus einem Mangel, entweder an wahrer Ehrliebe, oder persönlicher Tapferkeit herrührte.

Obgleich die Tugenden dieses liebenswürdigen Prinzen eine Zeitlang verborgen blieben; so
wußte doch der Herzog von Bedford, daß sein
Recht ihn allein fürchterlich machte, und daß jeder
auswärtige Beystand erforderlich seyn würde, ehe
ein Regent von England hoffen könnte, die Eroberung von Frankreich zu vollenden: eine Unternehmung, die, ob sie gleich ziemlich weit gekommen
zu seyn schien, doch noch immer vielen und großen
Schwierigkeiten unterworfen war. Der Haupt-
umstand, welcher den Engländern alle ihre itzigen
Vortheile verschaft hatte, war der Haß des Herzogs von Burgundien gegen den Carl; und da
es schien, als ob dieser Prinz mehr seiner Leidenschaft genug thun, als auf seinen Vortheil sehen
wollte; so war es dem Regenten desto leichter, ihn
durch Bezeigungen der Hochachtung und des Zu-
trauens in der Allianz mit England zu erhalten.
Er richtete daher alle seine Bemühungen auf diese
Absicht: er gab dem Herzog alle Beweise der
Freundschaft und der Hochachtung: er both ihm
sogar die Regierung Frankreichs an, welche Philipp

von

von sich ablehnte; und damit er Nationalverbin-
dungen durch Privatbande knüpfen möchte, voll-
zog er seine eigne Vermählung mit der Prinzeßinn
von Burgundien, welche in dem Traktat zu Arras
beschlossen war.

Da er (i. J. 1423) einsah, daß, nächst der
Allianz mit Burgundien, die Freundschaft des
Herzogs von Bretagne für die englischen Eroberungen von der größten Wichtigkeit war, und daß
er, da die schon eroberten Provinzen von Frankreich zwischen den Ländern dieser beyden Prinzen
lagen, niemals Sicherheit hoffen könnte, ohne
seine Verbindungen mit ihnen zu erhalten; so bemühete er sich, sich auch von dieser Seite Sicherheit zu verschaffen. Der Herzog von Bretagne,
dem die Minister Carls viele Ursachen zum Mißvergnügen gegeben hatten, war dem Traktat von
Troye schon beygetreten, und hatte, nebst andern
Vasallen der Krone, Heinrich dem Fünften, als
Erben des Reichs, den Huldigungseid geleistet;
allein, da der Regent wußte, daß der Herzog sich
sehr von seinem Bruder, dem Grafen von Richt-
mont, regieren ließ; so bemühete er sich, sich der
Freundschaft dieses Herrn zu versichern, indem er
diesem hochmüthigen und stolzen Prinzen Höflichkeit
und Dienste erwies.

H 5

Er

Arthur, Graf von Richemont, war in der Schlacht bey Azincour in die Gefangenschaft gerathen, hatte von dem letzten Könige viel Güte genossen, und sogar auf sein Ehrenwort Erlaubniß erhalten, eine Reise nach Bretagne zu thun, wo der Zustand der Sachen seine Gegenwart erfoderte. Der Tod dieses siegreichen Monarchen erfolgte vor Richemonts Wiederkunft; und dieser Prinz gab vor, da er persönlich Heinrich dem Fünften (den 17 April) sein Wort gegeben, so wäre er nicht verbunden, es seinem Sohn und Nachfolger zu halten. Eine Chikane, welche der Regent aus Klugheit übersah, weil er ihn nicht zum Gehorsam zwingen konnte. Es wurde eine Unterredung zu Amiens zwischen den Herzogen von Bedford, Burgundien und Bretagne bestimmt, wobey der Graf von Richemont auch gegenwärtig war d): die Allianz zwischen diesen Prinzen wurde erneuert, und der Regent überredete den Philipp, seine älteste Schwester, eine Wittwe des verstorbenen Dauphins Ludwigs, Carls des älteren Bruders, an den Grafen von Richemont zu verheyrathen. So wurde Arthur mit dem Regenten und

dem

d) Hall, S. 84. Monstrelet, B. I. S. 4. Stowe, S. 364.

dem Herzoge von Burgundien verwandt, und
schien durch sein Intereße gebunden zu seyn, dieselbe Absicht zu befördern, und den Fortgang der
englischen Waffen zu unterstützen.

Indem die Wachsamkeit des Herzogs von
Bedford beschäftiget war, diese Alliirten, die durch
ihre Nachbarschaft für ihn so wichtig waren, zu
gewinnen, oder vester mit sich zu verbinden; übersah er doch den Zustand entfernterer Länder nicht.
Der Herzog von Albanien, Regent von Schottland, war gestorben, und seine Gewalt war auf seinen Sohn Murdac gekommen, einen Prinz von
blödem Verstande und träger Gemüthsart, welcher,
weit entfernt, daß er die erforderlichen Eigenschaften, dieses hartnäckige Volk zu regieren, besitzen
sollte, nicht einmal im Stande war, sich in seiner
Familie im Ansehen zu erhalten, oder den Muth-
willen und den Trotz seiner Söhne zu zähmen. Die
Begierde der Schotten, in Frankreich zu dienen,
wo Carl ihnen Ehre und Hochachtung erwies, und
wo der Bruder des Regenten die Würde eines
Constables bekleidete, brach von neuen unter dieser
schwachen Regierung aus. Täglich kamen neue
Hülfstruppen über, und ergänzeten die Armeen
des Königes von Frankreich. Der Graf von
Douglas führte ihm eine Verstärkung von 5000
Mann

Mann zu; und man befürchtete mit Recht, daß
die Schotten durch Feindseligkeiten in Norden der
englischen Macht eine größere Diversion machen,
und den Carl von einem Theil derjenigen Macht
befreyen würden, welche ihn so hart drückte.
Der Herzog von Bedford überredete daher den
englischen Rath, mit dem Jakob, ihrem Gefangenen, eine Allianz zu schließen; diesen Prinzen
aus der langen Gefangenschaft loszulassen, und
ihn durch die Vermählung mit der Tochter des
Grafen von Sommerset, einer Cousine des jungen
Königs, mit England zu verbinden e). Da es
dem schottischen Regenten, der seiner gegenwärtigen Würde, die er nicht länger behaupten konnte,
müde war, mit seinem Anhalten um die Freyheit
Jakobs ein Ernst geworden war; so wurde der
Traktat bald geschlossen; vierzig tausend Pfund
wurden zur Ranzion bestimmt f), und der König
von Schottland wurde wieder auf den Thron seiner Vorfahren gesetzet, und machte sich in seiner
kurzen Regierung zu einem der berühmtesten Prinzen, welche dieses Reich jemals beherrscht hatten.
Er wurde im Jahr 1437 von seinem verrätherischen
Bluts-

e) Hall, S. 86. Stowe, S. 364. Grafton, S. 501.
f) Rymer, B. X. S. 299, 300, 316.

Blutsfreunde, dem Grafen von Athole, ermordet.
Seine Neigungen zogen ihn auf die Seite der Franzosen; allein die Engländer hatten niemals Ursache,
sich bey seiner Lebzeit über einen Bruch der Neutralität Schottlands zu beklagen.

Allein der Regent war mit diesen politischen
Unterhandlungen nicht so sehr beschäftiget, daß er
die Kriegsoperationen darüber vergaß, durch
welche er allein hoffen konnte, in der Vertreibung
des Königs von Frankreich glücklich zu seyn.
Obgleich der vornehmste Sitz der Macht Carls in
den südlichen Provinzen, jenseit der Loire lag; so
besaßen seine Anhänger doch auch einige Vestungen
im Norden, und sogar in der Nachbarschaft von
Paris, und der Herzog von Bedford mußte diese
Länder erst von Feinden säubern, ehe er daran
denken konnte, entferntere Eroberungen zu versuchen. Das Castel Dorsey wurde nach einer
Belagerung von sechs Wochen eingenommen:
Noyelle und die Stadt Rue in der Picardie hatten
dasselbige Schicksal: Pont für Seine, Vertüs,
Montaigu, wurden von den englischen Waffen
unterwürfig gemacht, und man gewann bald
nachher noch beträchtlichere Vortheile durch die
vereinigten Waffen Englands und Burgundiens.
Johann Stuart, Constable von Schottland, und
der

der Lord d'Estissac hatten Crevant in Burgundien belagert: die Grafen von Salisbury und Suffolk waren nebst dem Grafen Toulongeon abgeschickt, es zu entsetzen. Es erfolgte ein hartnäckiges und hitziges Gefechte. Die Schotten und Franzosen wurden geschlagen: der Constable von Schottland und der Graf von Ventadour wurden gefangen; und über tausend Mann, darunter auch Sir Wilhelm Hamilton war, blieben auf dem Schlachtfelde g). Die Einnahme der Stadt Gaillon an der Seine, und der Stadt la Charite an der Loire, war die Frucht dieses Sieges; und da dieser letzte Ort den Eingang in die südlichen Provinzen eröffnete; so schien die Einnahme desselben dem Herzoge von Bedford desto wichtiger, und versprach einen glücklichen Ausgang des Krieges.

Je mehr der König Carl mit einem Einfall in diejenigen Provinzen, welche ihm noch anhiengen, bedrohet wurde, je nothwendiger war es, daß er alle Castele, die er noch in den Gegenden des Feindes besaß, im Besitz behielte. Der Herzog von Bedford hatte in eigner Person die Stadt Yvri in der Normandie, drey Monate lang bela-

gert;

---

g) Hall. S. 85. Monstrelet. B. II. S. 8. Holingshed. S. 586. Grafton. S. 500.

gert; und der tapfere Commandant war gezwungen, zu capituliren, da er sich nicht länger vertheidigen konnte. Er versprach, die Stadt zu übergeben, wenn vor einer gesetzten Zeit kein Entsatz
käme. Carl erhielt Nachricht von diesen Bedingungen, und beschloß, einen Versuch zu machen,
ob er diesen Ort retten könnte. Er versammlete
mit einiger Mühe eine Armee von 14000 Mann,
wovon die Hälfte Schotten waren; und schickte sie
dahin unter der Anführung des Grafen von
Buchan, des Constables, welcher den Grafen von
Douglas, seinen Landsmann, den Herzog von
Alencon, den Marschall de la Fayette, den Grafen d'Aumale, und den Vicomte von Narbonne
bey sich hatte. Als der Constable noch einige
Meilen von Yvri entfernt war, sah er, daß er zu
spät gekommen, und daß der Ort schon übergeben
war. Er wandte sich sogleich zur Linken, und
setzte sich vor Verneuil, welches die Einwohner
ihm wider Willen der Besatzung übergaben h).
Buchan hätte sich nun sicher wieder zurückziehen
können, mit dem Ruhme, daß er eine Eroberung
gemacht hätte, die eben so wichtig war, als der
Ort, welchen zu entsetzen er abgeschickt worden:
da

h) Monstrelet, B. II. S. 14, Graston, S. 504.

da er aber von Bedfords Ankunft hörte, versammlete er einen Kriegsrath, und fragte denselben, wie
er sich bey diesem Vorfalle verhalten sollte? Der
weiseste Theil des Raths erklärte sich für einen Zurückzug, und stellte ihm vor, daß alles vorige
Unglück der Franzosen aus ihrer Uebereilung,
Treffen zu liefern, wenn die Noth sie nicht zwang,
eine entscheidende Schlacht zu wagen, hergeflossen;
daß diese Armee die letzte Zuflucht des Königes, und
die einzige Vertheidigung der wenigen ihm noch
übrigen Provinzen sey; und daß ihn alle Gründe
antrieben, vorsichtige Anschläge zu fassen, welche
seinen Unterthanen Zeit ließen, zur Empfindung
ihrer Pflicht wieder zurück zu kommen, und seinen
Feinden, untereinander uneinig zu werden; da sie
nicht lange in ihrer Feindseligkeit wider ihn behar-
ren könnten, weil sie von keinem gemeinschaftlichen Bande des Interesses, noch von einem Bewe-
gungsgrunde der Allianz vereinigt wären. Alle
diese kluge Betrachtungen wurden von einem eitlen
Point d'Honneur, dem Feinde nicht den Rücken
zu kehren, überwogen, und man beschloß, die
Ankunft des Herzogs von Bedford zu erwarten.

Die beyden Armeen waren bey diesem Vorfalle an Zahl fast gleich; und da die lange Dauer
des Krieges einige, obgleich unvollkommne Kriegs-

zucht

zucht eingeführet hatte, die jedoch hinlänglich war,
den Schein einiger Ordnung bey diesen kleinen
Armeen zu erhalten; so war (den 27ten August) das
Treffen hartnäckig, zweifelhaft, und mit vielem
Blutvergießen von beyden Seiten verknüpfet.
Der Constable führte seine Truppen unter den
Mauern von Verneuil auf, und entschloß sich, den
Angriff der Feinde zu erwarten: allein die Ungedult
des Vicomte von Narbonne, der seine Glieder
trennete, und die ganze Schlachtordnung zwang,
ihm in Eil und Verwirrung zu folgen, war die
Ursache des erfolgenden Unglücks. Die englischen
Bogenschützen, welche, ihrer Gewohnheit nach,
ihre Pallisaden vor sich gepflanzt hatten, schickten
einen Regen von Pfeilen auf die französische
Armee; und ob sie gleich zurückgetrieben wurden,
und ihre Zuflucht unter die Bagage nehmen mußten, so stellten sie sich doch bald wieder, und fuhren fort, eine große Niederlage unter dem Feinde
anzurichten. Unterdessen drang der Herzog von
Bedford, an der Spitze der schweren Reuterey, in
die Franzosen, brachte die Glieder in Unordnung,
jagte sie vom Felde, und machte den Sieg vollständig und entscheidend i). Der Constable selbst,

der

i) Hall. S. 88, 89, 90. Monstrelet, B. II. S. 15. Stowe,
S. 365. Holingshed, S. 588.

der Graf von Douglas und sein Sohn, die
Grafen von Aumale, Tonnere und Ventadour,
nebst vielen andern Vornehmen von Adel, blieben im Treffen. Der Herzog von Alençon, der
Marschall de la Fayette, die Lords von Gau-
cour und Mortemar wurden gefangen. Es blieben ungefähr 4000 Franzosen und 1600 Engländer, ein Verlust, der damals für so ungewöhnlich von Seiten des Siegers gehalten wurde,
daß der Herzog von Bedford alle Freudenbezeu-
gungen über seinen Sieg verboth. Verneuil ergab sich den folgenden Tag mit Capitulation k).

Der Zustand des Königs von Frankreich
schien itzt sehr schrecklich und fast verzweifelt zu
seyn. Er hatte den Kern seiner Armee und die
Tapfersten seines Adels in dieser unglücklichen
Schlacht verlohren. Er hatte keine Hülfsquellen
mehr, seine Truppen zu recrutiren und zu verstärken: es mangelte ihm sogar an Gelde zu seinem eignen Unterhalt; und obgleich alle Pracht
eines Hofes verbannet war, so konnte er doch
kaum einen Tisch halten, der mit den nothwen-
digsten Speisen für ihn und seine wenige Bedienten besetzt war. Jeder Tag gab ihm Nachricht

k) Monstrelet, B. II. 15.

richt von einigem Verluste oder Unglück: Städte,
welche tapfer vertheidiget wurden, sahen sich
endlich genöthiget, sich, aus Mangel an Unterstützung und Lebensmitteln, zu ergeben: er
sah seine Anhänger gänzlich verjagt aus allen
Provinzen an der Nordseite der Loire, und konnte
nichts anders erwarten, als daß er durch die
vereinigten Kräfte seiner Feinde bald alle Länder
verlieren würde, wovon er bisher noch Herr
gewesen war; als sich eine Begebenheit zutrug,
welche ihn am Rande des Unterganges rettete,
und den Engländern eine solche Gelegenheit ent-
riß, ihre Eroberungen zu vollenden, als sie nachher niemals wieder erlangen konnten.

Jaqueline, die Gräfinn von Hennegau und
Holland, und Erbinn dieser Provinzen, hatte
den Herzog Johann von Brabant, einen leiblichen Vetter des Herzogs von Burgundien, geheyrathet: allein da sie, nach den gewöhnlichen
Beweggründen der Prinzen, unglücklich gewählet
hatte; so fand sie bald Ursache, ihre ungleiche
Verbindung zu bereuen. Sie war eine Prinzes-
sinn von männlichen Geiste und ungemeinen Verstande; der Herzog von Brabant war von schwäch-
licher Leibesbeschaffenheit und von schwachem Geiste: sie war in der Blüte ihres Alters; er hatte

J 2 nur

nur erst das funfzehnte Jahr erreichet: diese Ursachen hatten ihr so viele Verachtung, welche bald
in Feindschaft ausbrach, wider ihren Gemahl
eingeflößt, daß sie sich entschloß, eine Heyrath
aufzuheben, die vermuthlich noch durch nichts,
als die Cermonie geschlossen war. Der Zugang
zu dem römischen Hofe stund den Bitten von dieser Art gemeiniglich sehr leicht offen; besonders
wenn sie mit Macht und Geld unterstützet wurden: allein, da die Prinzeßinn eine große Widersetzung von den Verwandten ihres Gemahls befürchtete und ungeduldig war, ihr Vorhaben
auszuführen; so flüchtete sie nach England, und
begab sich unter den Schutz des Herzogs von
Glocester. Dieser Prinz hatte bey vielen edlen
Eigenschaften den Fehler, daß er von einer un-
gestümen Gemüthsart und von heftigen Leidenschaften beherrschet wurde, und ließ sich durch
die Reize der Gräfinn sowohl, als durch die
Hoffnung, ihre reiche Erbschaft zu besitzen, aus
Uebereilung verleiten, sich ihr zum Gemahl an-
zubiethen. Ohne eine päpstliche Dispensation zu
erwarten; ohne sich um die Einwilligung des Herzogs von Burgundien zu bewerben, ließ er sich
in eine Eheverbindung mit der Jaqueline ein,
und wollte sich sogleich in den Besitz ihrer Güter
                                                  setzen.

'feßen. Philipp mißbilligte ein so übereiltes Verfahren. Ihn verdroß das Unrecht, welches dem
Herzoge von Brabant, seinem nahen Anverwandten, wiederfuhr: er befürchtete, die Engländer
möchten sich neben ihm auf allen Seiten veßse-
tzen; und er sah die Folgen voraus, welche die
ausgebreitete und uneingeschränkte Herrschaft dieser Nation begleiten würden, wenn sie, noch ehe
ihre Macht völlig bevestiget war, einen Alliirten
beschimpften und beleidigten, dem sie schon so
viel zu danken hatten, und der ihnen so nöthig
war, sie ferner zu unterstützen. Er munterte daher den Herzog von Brabant auf, sich zu widersetzen: er nöthigte viele von Jaquelines Unterthanen, diesem Prinzen anzuhängen: er schickte
selbst Truppen ab, ihn zu/ unterstützen; und da
der Herzog von Glocester immer bey seinem Vorsatz blieb, so entstund plötzlich ein heftiger Krieg
in den Niederlanden. Der Streit wurde bald
sowohl persönlich als politisch. Der englische
Prinz schrieb an den Herzog von Burgundien,
beklagte sich, daß er sich seinen Ansprüchen wi-
dersetze; und ob er sich gleich überhaupt freund-
schaftlicherer Ausdrücke in seinem Briefe bediente;
so erwähnte er doch einige Falschheiten, wozu
Philipp sich bey diesen Unterhandlungen hatte

J 3   ver-

verleiten laſſen. Dieſer unvorſichtige Ausdruck
wurde ſehr übel aufgenommen: der Herzog von
Burgundien drang darauf, daß er ihn widerrufen ſollte; und bey dieſer Gelegenheit fielen Her-
ausfoderungen und Provocationen von beyden
Seiten vor l).

Der Herzog von Bedford konnte die ſchlechten Folgen eines ſo unzeitigen und unvorſichtigen
Streits leicht vorausſehen. Alle Hülfsvölker,
welche er von England erwartete, und in dieſen
kritiſchen Umſtänden ſo nöthig hatte, wurden von
ſeinem Bruder angehalten, und in Holland und
Hennegau gebraucht: die Truppen des Herzogs
von Burgundien, worauf er ſich gleichfalls verlaſſen hatte, wurden ihm durch eben dieſen Krieg
entwendet, und auſſer dieſem doppelten Verluſt
ſtund er in großer Gefahr, denjenigen Alliirten
zu verlieren, deſſen Freundſchaft ihm ſeines In-
tereſſes wegen höchſt wichtig war, und dem der
vorige König mit allen Merkmaalen der Hochachtung und der Gefälligkeit zu begegnen ihm ſter-
bend befohlen hatte. Alle dieſe Gründe ſtellte er
dem Herzoge von Gloceſter nachdrücklich vor.
Er bemühete ſich, den Zorn des Herzogs von
Bur-

l) Monſtrelet. B. II. S. 19. 20. 21.

Burgundien zu mildern: er suchte diese beyden
Prinzen zu versöhnen: allein in keiner von seinen
Bemühungen war er glücklich; und er fand, daß
die heftige Gemüthsart seines Bruders immer das
größte Hinderniß eines Vergleiches war m). Aus
dieser Ursache sah er sich genöthiget; anstatt den
bey Verneuil erfochtenen Sieg weiter zu treiben,
eine Reise nach England zu thun, und durch seinen Rath und sein Ansehen zu versuchen, ob er
den Herzog von Glocester zu einem mäßigern Verfahren bereden könnte.

Es waren auch einige Streitigkeiten unter
den englischen Ministern ausgebrochen, welche
sehr weit gegangen waren, und welche des Regenten Gegenwart erfoderten, um sie beyzulegen n).
Der Bischof von Winchester, dem die Sorge für
die Person und Erziehung des Königes anvertrauet war, war ein Prälat von großer Fähigkeit und vieler Erfahrung: aber von einem tü-
ckischen und gefährlichen Charakter; und da er
nach der Regierung trachtete, so hatte er beständ-
dig Streitigkeiten mit seinem Vetter dem Protector und erhielt öftere Vortheile über die heftige

J 4 und

m) Monstrelet, S. 18.
n) Stowe. S. 368. Holingshed, S. 590.

und unpolitische Gemüthsart dieses Prinzen. Der
Herzog von Bedford bediente sich des Ansehens
des Parlaments, um sie zu versöhnen; und diese Nebenbuhler mußten vor dem Parlament versprochen, daß sie alle ihre Streitigkeiten in Vergessenheit begraben wollten o). Auch die Zeit
schien Mittel zu verschaffen, die Streitigkeit mit
dem Herzoge von Burgundien beyzulegen. Dieser Prinz hatte durch sein Ansehen eine Bulle
vom Papst erhalten, wodurch nicht allein Jaquelines Vermählung mit dem Herzog von Glocester für ungültig erkläret, sondern auch ausgemacht wurde, daß es ihr, auch wenn der Herzog von Brabant sterben sollte, nicht erlaubt
wäre, sich mit dem englischen Prinzen zu verheyrathen. Humphrey verzweifelte an einem guten
Ausgange, und heyrathete ein Frauenzimmer von
niedrigem Stande, welches schon eine Zeitlang
seine Maitresse gewesen war p). Der Herzog
von Brabant starb, und seine Wittwe war genöthiget, ehe sie ihre Güter wieder in Besitz
nehmen konnte, den Herzog von Burgundien für

ihren

o) Hall. S. 98, 99. Holingshed, S. 593, 594. Po-
lydore Virgil, S. 466. Grafton, S. 512, 519.
p) Stowe. S. 367.

ihren Erben zu erklären, im Fall sie unbeerbt
stürbe, und zu versprechen, daß sie sich ohne
seine Bewilligung nicht wieder verheyrathen wollte. Allein, obgleich die Sache solchergestalt zum
Vortheil des Philipp geendiget war, so ließ sie
doch einen unangenehmen Eindruck in seinem
Gemüthe zurück. Sie erregte bey ihm eine große
Eifersucht wider die Engländer, und öffnete ihm
die Augen für sein wahres Interesse; und da
nichts, als seine Feindseligkeit wider den Carl
ihn zu einer Verbindung mit jenen verleitet hatte,
so gab sie dieser Leidenschaft durch eine andre
von eben der Art ein Gegengewicht, welches am
Ende überwiegend wurde, und ihn nach und nach
wieder zu seinen natürlichen Verbindungen mit
seinem Geschlecht und mit seinem Vaterlande
brachte.

Um eben diese Zeit fieng der Herzog von Bretagne an, sich der englischen Allianz zu entziehen. Sein Bruder, der Graf von Richemont,
war dem Besten Frankreichs sehr geneigt, ob er
gleich durch seine Gemahlinn mit den Herzogen
von Burgundien und Bedford verwandt war;
und gab den Vorschlägen, welche Karl ihm that,
um seine Freundschaft zu erhalten, leicht Gehör.
Die große Bedienung eines Constables, welche

durch den Tod des Grafen von Buchan erlediget
war, wurde ihm angeboten; und da seine kriegerische und kühne Gemüthsart gern Armeen com-
mandiren wollte, welches er von dem Herzoge
von Bedford zu erhalten vergebens sich bemühet
hatte; so nahm er dies Amt nicht allein an,
sondern beredete auch seinen Bruder zu einer Allianz mit dem Könige von Frankreich. Nachdem
der neue Constable einmal diese Veränderung in
seinen Maasregeln gemacht hatte, blieb er nachher beständig bey seinen Verbindungen mit Frankreich. Ob gleich sein Stolz und seine Heftigkeit,
welche in der Gunst seines Herrn keinen Nebenbuhler leiden konnten, und ihn so gar verleiteten,
die andern Lieblinge aus dem Wege zu räumen,
dem Karl so sehr mißfallen hatten, daß er ihn
einmal vom Hofe verbannete, und ihn nicht vor
sich lassen wollte; so arbeitete er doch stets zum
Dienste dieses Monarchen mit Lebhaftigkeit, und
erhielt endlich, durch seine Standhaftigkeit, wegen seiner vorigen Vergehen Verzeihung.

In dieser Situation fand der Herzog von
Bedford, bey seiner zurückkunft die französischen
Sachen, nachdem er sich acht Monate in England
aufgehalten hatte, (i. J. 1426.) Der Herzog von
Burgundien war sehr mißvergnügt. Der Herzog
von

von Bretagne hatte sich in Verbindungen mit dem
Karl eingelassen, und diesem Prinzen für sein
Herzogthum den Eid der Treue geschworen. Die
Franzosen hatten Zeit gehabt, sich von dem Erstaunen zu erholen, worein sie durch ihr vielfäl-
tiges Unglück gerathen waren. Es trug sich überdem eine Begebenheit zu, welche ihren Muth sehr
ermunterte. Der Graf von Warwic hatte Mon-
targis mit einer kleinen Armee von 3000 Mann
belagert; und es war mit dem Orte aufs Aeusserste gekommen, als der Bastard von Orleans
ihn zu entsetzen unternahm. Dieser General,
welcher ein natürlicher Sohn des, vom Herzoge
von Burgundien ermordeten Prinzen war, und
nachmals zum Grafen von Dunois ernannt wurde, führte ein Corps von 1600 Mann nach Mon-
targis, und that einen Angriff auf die Laufgräben des Feindes, mit so vieler Tapferkeit, Klugheit und so vielem Glück, daß er nicht nur in
den Ort drang, sondern den Engländern auch
einen heftigen Streich versetzte, und den Warwic
nöthigte, die Belagerung aufzuheben q). Dies
war die erste merkwürdige That, welche den Ruhm
des Dunois erhöhete, und ihm den Weg zu allen
denen

q) Monstrelet. B. H. S. 32, 33. Holingshed. S. 597.

denen vielen großen Ehrenstellen bahnte, wozu
er nachmals gelangte.

Aber der Regent erneuerte bald nach seiner
Ankunft das Ansehen der englischen Waffen, durch
eine wichtige Unternehmung, die er glücklich durch-
trieb. Er brachte in kleinen Detaschements heimlich eine ansehnliche Armee an den Gränzen von
Bretagne zusammen; und fiel so unvermuthet in
diese Provinz, daß der Herzog, der ihm nicht
widerstehen konnte, in alle von ihm verlangte
Bedingungen willigte; er entsagte der Allianz mit
den Franzosen, und versprach, den Traktat von
Troye zu beobachten: er erkannte den Herzog von
Bedford für den Regenten von Frankreich, und
versprach, dem König Heinrich für sein Herzogthum den Eid der Treue zu schwören r). Und
nachdem sich der englische Prinz also von einem
gefährlichen Feinde, den er im Rücken hatte, befreyete, beschloß er eine Unternehmung, die wenn
sie glücklich ausfiele, den Ausschlag zwischen den
beyden Nationen geben, und den Weg zur gänzlichen Eroberung Frankreichs bahnen konnte.

Die Stadt Orleans war zwischen den Provinzen, welche Heinrich und Karl besaßen, so gelegen,

r) Monstrelet. B. II. S. 35. 36.

legen, daß sie zu beyden den Eingang eröffnete;
(i. J. 1428.) und da der Herzog von Bedford sich
sehr bemühete, in das südliche Frankreich zu dringen, so mußte er mit diesem Orte anfangen, der
unter den gegenwärtigen Umständen der wichtigste
im Reiche geworden war. Die Anführung bey dieser
Unternehmung übergab er dem Grafen von Salisbury, der ihm neulich eine Verstärkung von 6000
Mann aus England überbracht, und sich durch seine
Geschicklichkeit in den gegenwärtigen Kriegen schon
sehr hervorgethan hatte. Salisbury gieng über die
Loire, bemächtigte sich vieler kleinen Oerter an
dieser Seite um Orleans s); und da man hieraus seine Absichten ersah, so wendete der König
von Frankreich alles an, die Stadt mit Besatzung
und Provision zu versehen, und sie in den Stand
zu setzen, daß sie eine lange und anhaltende Belagerung ausstehen könnte. Der Lord von Gau-
cour, ein tapferer und erfahrner General, wurde
zum Commandanten ernannt: viele angesehene
Officiere warfen sich in diesen Ort: die Truppen,
welche sie anführten, waren zum Kriege gewöhnet, und entschlossen, die hartnäckigste Gegenwehr zu leisten; und selbst die Einwohner, welche

s) Monstrelet. B. II. S. 38. 39. Polyd. Virg. S. 468.

che durch die lange Dauer der Feindseligkeiten zu
Soldaten geworden, waren geschickt, zu ihrer
eignen Vertheidigung, die Bemühungen der alten
Soldaten zu unterstützen. Die Augen des ganzen Europa waren auf diesen Schauplatz gerichtet, wo die Franzosen wie man mit Recht vermuthete, alles anwenden würden, die Unabhänglichkeit ihrer Monarchie und die Rechte ihres Souverains zu unterstützen.

Der Graf von Salisbury nahete sich endlich dem Orte mit einer Armee, die nur aus
10,000 Mann bestund; und da er nicht im Stande war mit einer so kleinen Armee diese große
Stadt, welche die Brücke über die Loire bestrei-
chen könnte, einzuschließen; so setzte er sich an
der Südseite gegen Sologne, und überließ die
ändern gegen Beauße dem Feinde. Er griff hier
die Vestungswerke an, welche den Zugang zu
der Brücke sicherten; und nach einem hartnäckigen Widerstande nahm er verschiedene derselben
ein: wurde aber selbst von einer Kanonenkugel,
beym Recognosciren erschossen t). Der Graf von
Suffolk folgte ihm im Commando; und da er
mit

t) Hall. S. 105. Monstrelet. B. II. S. 39.] Stowe
S. 369. Holingshed. S. 599. Grafton. S. 531.

mit einer großen Menge Engländer und Burgundier verstärket war, gieng er mit der Hauptarmee über den Strom, und schloß Orleans von
der andern Seite ein. Da es itzt mitten im Winter war, und Suffolk es beschwerlich fand, in
dieser Jahrszeit rund herum Verschanzungen zu
ziehen, so begnügte er sich vorerst damit, daß
er in verschiedenen Distanzen Redouten aufwer-
fen ließ, worinn seine Leute sicher seyn, und die
Zufuhr aufheben konnten, welche der Feind in
den Ort zu bringen versuchen möchte. Ob er
gleich in seinem Lager unterschiedene Stücke groben Geschützes hatte, (und diese ist die erste Belagerung in Europa, worinn man fand, daß die
Kanonen wichtige Dienste leisteten) so war die
Ingenieurwissenschaft doch bisher noch so unvollkommen, daß Suffolk sich mehr darauf verließ,
die Stadt durch Hunger als durch Gewalt einzunehmen; und er war Willens, die Circumval-
lation im Frühjahr vollständiger zu machen, indem er Gräben von einer Redoute zur andern
ziehen wollte. Unzählbare Heldenthaten wurden
in diesem Winter so wohl von den Belagerern
als Belagerten verrichtet. Es wurden kühne
Ausfälle gethan, und mit eben so vieler Kühnheit zurückgetrieben: zuweilen wurden Provisionen,

in

in die Stadt gebracht, oft wurden sie auch aufgefangen; doch war die Zufuhr zu dem, was
verzehret wurde, niemals zureichend; und die
Engländer schienen der Vollendung ihrer Unternehmung täglich, wiewohl mit kleinen Schritten,
näher zu kommen.

Allein, so lange sie in dieser Situation stunden, verheerten die französischen Parteyen alle
Länder umher; und die Belagerer, welche ihren
Unterhalt in einiger Entfernung holen mußten,
waren selbst der Gefahr des Mangels und Hungers ausgesetzt. Sir Johann Fastolfe führte
eine starke Zufuhr von allerhand Provisionen
herbey, welche er mit einem Detaschement von
2500 Mann bedeckte, als er von einem Corps
von 4000 Franzosen unter der Anführung der
Grafen von Clermont und Dünois angegriffen
wurde. Fastolfe zog sich hinter seine Wagen:
aber die französischen Anführer, die zu vorsichtig waren, ihn in dieser Stellung anzugreifen,
bepflanzten eine Batterie mit Kanonen gegen ihn,
welche alles in Unordnung brächten, und ihnen
den Sieg gewiß zuwege gebracht haben würden,
wenn nicht die Ungeduld einiger Schotten, welche aus der Linie des Treffens hervorrückten,
ein Handgemenge veranlasset hätten, worinn

Fa-

Faſtolfe ſiegte. Der Graf von Dünois wurde verwundet, und mehr als 500 Franzoſen blieben auf der Stelle. Dieſer Vorfall, der bey den itzigen Umſtänden ſehr wichtig war, wurde gemeiniglich die Häringsſchlacht genannt, weil die Convoy eine große Menge Lebensmittel von dieſer Art für die engliſche Armee in der Faſtenzeit mitbrachte v).

Karl ſchien itzt nur Ein Mittel zu haben, die Stadt zu retten, welche ſo lange eingeſchloſſen geweſen war. Der Herzog von Orleans, der noch immer in England gefangen war, erhielt die Einwilligung des Protektors und des Raths, daß alle ſeine Güter während des Krieges neutral bleiben dürften, und zu deſto größerer Sicherheit in die Hände des Herzogs von Burgundien übergeben werden ſollten. Dieſer Prinz, welcher itzt weniger ernſtlich, als vormals, für das Beſte der Engländer ſorgte, reiſete nach Paris, und trug dieſes dem Herzoge von Bedford vorz allein, der Regent erwiederte ſehr kaltſinnig, er wäre nicht Sinnes, die Mühe zu

ha-

u) Hall. S. 106. Monſtrelet. B. II. S. 41. 42. Stowe. S. 369. Holingſhed. S. 600. Polyd. Virg. S. 469. Grafton. S 532.

haben, und andern den Nutzen zu überlaßen.
Eine Antwort, welche den Herzog so sehr erzürnte,
daß er alle burgundische Truppen, welche sich
bey der Belagerung befanden, zurück rief x).
Der Ort wurde unterdessen von den Engländern
täglich enger eingeschlossen: die Besatzung und die
Einwohner fiengen schon an, einen großen Mängel zu empfinden: Karl verzweifelte schon, eine
Armee zusammen zu bringen, die sich wagen dürfte, den feindlichen Laufgräben sich zu nähern,
und gab die Stadt nicht nur verlohren, sondern
hatte auch nur sehr schlechte Aussichten, in Absicht auf den ganzen Zustand seiner Sachen. Er
sah, daß das Land, worinn er sich bisher mit
Mühe erhalten hatte, den Einfällen eines mächtigen und siegenden Feindes gänzlich offen stehen
würde; und er redete schon davon, daß er sich
mit dem Ueberrest seiner Macht zurück in Lan-
guedok und das Delphinat ziehen, und sich in
dieser entfernten Gegend so lange, als möglich,
vertheidigen wollte. Aber es war ein Glück für
diesen guten Herrn, daß er sich von dem Frauenzimmer beherrschen ließ; und daß die Frauens-

per-

x) Hall. S. 106. Monstrelet. B. II. S. 42. Stowe.
S. 369. Grafton. S. 533.

perſonen, welche er zu Rathe zog, Herz genug
hatten, ſeinen ſinkenden Muth in dieſer großen
Gefahr zu unterſtützen. Maria von Anjou, ſeine
Gemahlinn, eine Prinzeßinn von großen Ver-
dienſten und vieler Klugheit, widerſetzte ſich
heftig dieſer Entſchließung, die, wie ſie vorher
ſah, allen ſeinen Anhängern den Muth nehmen,
und ihnen ein allgemeines Signal ſeyn würde,
einen Prinzen zu verlaſſen, der ſelbſt an ſeiner
Sache zu verzweifeln ſchien. Auch ſeine Maitreſſe,
die ſchöne Agnes Sorel, die in einer völligen
Freundſchaft mit der Königinn lebte, unterſtützte
alle ihre Vorſtellungen, und drohete, wenn er
auf dieſe kleinmüthige Art den Zepter von Frankreich von ſich werfen würde, ſo wollte ſie an
dem engliſchen Hofe ein Glück ſuchen, welches
ihren Wünſchen beſſer entſpräche. Die Liebe war
fähig, in der Bruſt Karls denjenigen Muth zu
erregen, welchen Ehrliebe nicht zu erregen ver-
mocht hatte. Er entſchloß ſich, ſeinem gebieth-
riſchen Feinde einen jeden Fußbreit Landes ſtrei-
tig zu machen, und lieber mit Ehre unter ſeinen
Freunden umzukommen, als unrühmlich ſeinem
Unglück zu weichen: als ihm unvermuthet ein
Entſatz von einem andern Frauenzimmer, von
ganz andrem Charakter, zugebracht wurde, wel-

ches

ches eine der sonderbarsten Revolutionen, die man
in der Geschichte antrifft, verursachte.

In dem Dorfe Domremi bey Vaucouleurs,
an der Gränze von Lothringen, lebte ein Landmägdchen von sieben und zwanzig Jahren, mit
Namen Johanna d'Arc, welche in einem kleinen
Wirthshause diente, und sich angewöhnet hatte,
die Pferde der Gäste zu warten, mit denselben
ungesattelt zur Tränke zu reuten, und andre
Dinge zu verrichten, welche in großen Wirths-
häusern sonst den Mannspersonen zukommen y).
Dieses Mägdchen führte ein ehrbares Leben, und
war bisher wegen keiner Sonderbarkeit bemerket
worden; weil sie entweder keine Gelegenheit gefunden, ihr Genie zu zeigen, oder weil die ungeschickten Augen derer, die mit ihr umgiengen,
nicht fähig gewesen waren, ihr ungemeines Verdienst zu erkennen. Man kann sich leicht vorstellen, daß die gegenwärtige Situation von Frankreich eine interessante Sache, selbst für Leute von
dem geringsten Stande gewesen, und öfters eine
Materie ihrer Gespräche geworden sey. Ein junger
Prinz, der von seinem erblichen Throne durch
den

y) Hall. S. 107. Monstrelet. B. II. S. 40. Grafton.
S. 534.

den Aufruhr seiner Unterthanen, und die Waffen
der Ausländer vertrieben war, mußte unfehlbar
das Mitleiden desjenigen Theiles seines Volks
erregen, dessen Herzen nicht von der Faktion angesteckt waren; und der besondre Charakter Karls,
der so sehr zur Freundschaft und zu den zärtlichen Leidenschaften geneigt war, machte ihn natürlicher Weise zu dem Helden desjenigen Geschlechtes, dessen edle Herzen keine Gränzen in
seinen Neigungen kennet. Die Belagerung von
Orleans, das Glück der englischen Waffen vor
diesem Orte, die große Noth der Besatzung und
der Einwohner, die Wichtigkeit, die Stadt und
ihre tapfern Vertheidiger zu retten, hatten die
Augen der ganzen Welt dahin gezogen; und es
kam der Johanna, die von den allgemeinen Gesinnungen entflammet war, ein heftiges Verlangen an, ihrem Souverain in seinem gegenwärtigen Unglücke einen Entsatz zu verschaffen. Ihr
unerfahrner Geist, der Tag und Nacht an diese
so geliebte Entschließung dachte, nahm den Trieb
ihrer Leidenschaft für göttliche Eingebungen an,
und bildete sich ein, sie sähe Erscheinungen, und
hörte Stimmen, welche sie ermahneten, den französischen Thron wieder zu bevestigen, und die
ausländischen Feinde zu vertreiben. Eine unge-

K 3   wöhn-

wöhnliche, unverzagte Gemüthsart machte, daß
sie alle Gefahren übersah, welche ihr auf einem
solchen Wege folgen möchten: und da sie vom
Himmel zu dieser Verrichtung bestimmt zu seyn
glaubte; so setzte sie alle Blödigkeit und Furcht-
samkeit an die Seite, welche gemeiniglich ihrem
Geschlechte, ihren Jahren und ihrem niedrigen
Stande anhängen. Sie kam zu dem Baudricourt,
dem Commandanten von Vaucouleurs, verschaffte
sich einen Zutritt zu demselben; benachrichtigte
ihn von ihren Eingebungen und Absichten, und
beschwor ihn, die Stimme Gottes, welche durch
sie redete, nicht zu verachten, sondern diese himm-
lischen Offenbarungen, welche sie zu dieser rühmlichen Unternehmung antrieben, zu unterstützen.
Baudricourt begegnete ihr anfangs mit Kaltsin-
nigkeit; allein, da sie öfter zu ihm kam, und
ungestüm anhielt, bemerkte er endlich etwas Auß-
serordentliches an dem Mägdchen, und wurde
geneigt, auf alle Gefahr einen so leichten Versuch
zu machen. Es ist ungewiß, ob dieser Herr Be-
urtheilungskraft genug besaß, einzusehen, daß
er bey dem gemeinen Manne mit einer so ungewöhnlichen Maschine viel ausrichten könnte; oder,
welches in diesen leichtgläubigen Zeiten wahrscheinlicher ist, ob er selbst ein Proselit dieser Schwär-

merinn wurde; genug, er nahm endlich den
Vorschlag der Johanna an, und gab ihr einige
Begleiter, welche sie nach dem französischen Hofe
führten, der sich damals zu Chinon aufhielt.

Es ist das Geschäffte, der Geschichte Wun-
derwerke und wunderbare Dinge von einander zu unterscheiden; die ersten in allen weltlichen und bloß menschlichen Erzählungen zu ver-
werfen; die zweyten in Zweifel zu ziehen; und
wenn sie durch ungezweifelte Zeugnisse, wie in
dem gegenwärtigen Falle, gezwungen ist, etwas
Außerordentliches anzunehmen; so wenig davon
anzunehmen; als mit den bekannten Thaten und
Umständen bestehen kann. Man sagt, daß Johanna, als sie vor den König geführet worden,
ihn so gleich gekannt habe, ob sie gleich sein
Gesicht vorher niemals gesehen, und er sich mit
Fleiß unter einen Haufen von Hofleuten verstecket,
und von seinem Anzuge und seiner Kleidung alles
abgeleget hatte, was ihn hätte kenntlich machen
können: Daß sie sich im Namen des allmächtigen
Schöpfers angebothen hatte, die Belagerung von
Orleans aufzuheben, und ihn nach Rheims zu
führen, um daselbst gekrönet und gesalbet zu
werden; und da er ihr wegen ihrer göttlichen Sendung einige Zweifel gemacht, ihm in Gegenwart

K 4

eini-

einiger geschwornen Vertrauten ein Geheimniß
entdecket habe, welches, außer ihm, niemand
gewußt, und welches ihr nichts als eine himmlische Eingebung hätte entdecken können: daß sie
ferner zu einem Werkzeuge ihrer künftigen Siege
ein besondres Schwerd gefodert habe, welches
in der St. Katharinenkirche zu Fierbois aufgehoben wurde, und welches sie, ob sie es gleich
niemals gesehen, nach allen Kennzeichen beschrieb,
und so gar den Ort anzeigte, wo es lange gelegen hatte, ohne daß jemand darauf geachtet z).
So viel ist gewiß, daß alle diese wunderbare Geschichte in der Absicht ausgestreut wurden, um
den Pöbel zu hintergehen. Jemehr der König
und seine Minister entschlossen waren, diesem
Blendwerk Raum zu geben, desto mehr stellten
sie sich, als wenn sie zweifelten. Eine Versammlung ehrwürdiger Doktoren und Theologen un-
tersuchte die Sendung der Johanna mit vieler
Vorsichtigkeit, und fand, daß sie ungezweifelt
und übernatürlich sey. Sie wurde zu dem Parlament geschickt, welches damals zu Poitiers
war, und wurde vor dieser Versammlung befraget. Die Präsidenten, die Räthe, welche von
ih-

z) Hall. S. 107. Holingshed. S. 600.

ihrem Betrug überzeuget in die Versammlung kamen, giengen von ihrer Eingebung überzeugt wieder zurück. Ein Stral der Hoffnung fieng an,
durch diese Verzweiflung zu brechen, in welche die
Gemüther aller Menschen bisher eingehüllt waren.
Der Himmel hatte sich itzt für Frankreich erkläret,
und hatte seinen Arm ausgestrecket, von den Feinden desselben Rache zu nehmen. Wenige konnten
einen Unterschied machen unter dem Trieb der Rei-
gung und der Gewalt der Ueberzeugung; und keiner wollte die Mühe einer unangenehmen Untersuchung übernehmen.

Nachdem diese künstliche Vorsichtigkeit und
Vorbereitungen eine Zeitlang gebraucht waren,
wurde endlich die Bitte der Johanna erfüllet. Sie
wurde vom Kopf zu Fuß bewaffnet, auf ein Pferd
gesetzet, und in diesem kriegerischen Anzuge vor
dem ganzen Volke gezeigt. Ihre Geschicklichkeit,
ihr Pferd zu regieren, wurde, ob sie sich gleich dieselbe in ihren vormaligen Diensten erworben hatte,
für einen neuen Beweis ihrer Sendung angesehen;
und sie wurde mit den fröhlichsten Zurufungen von
den Zuschauern aufgenommen. Ihre vorige Beschäftigung wurde sogar geläugnet: sie war nicht
mehr die Dienstmagd eines Gastwirths: sie wurde
in eine Schäferinn verwandelt, eine Beschäftigung,

L 5   die

die der Einbildung weit angenehmer war. Um sie noch wichtiger zu machen, wurden beynahe zehn Jahre von ihrem Alter abgezogen; und solchergestalt alle Empfindungen der Liebe und der ritterlichen Tapferkeit mit der Schwärmerey verbunden, um die Einbildung des Volks mit Vorurtheilen für sie einzunehmen.

Als die Maschine solchergestalt bis zum völligen Glanz aufgeputzet war; so war es Zeit, ihre Kraft wider den Feind zu versuchen. Johanna wurde nach Blois geschickt, wo eine große Convoy für Orleans zubereitet, und eine Armee von 10,000 Mann, unter der Anführung des St. Severe versammlet war, sie zu begleiten. Sie befahl, daß alle Soldaten beichten sollten, ehe sie diese Unternehmung anfiengen: sie verbannete alle berüchtigte Frauenspersonen aus dem Lager: sie führte in ihrer Hand eine geheiligte Fahne, worauf das höchste Wesen vorgestellet war, den Erdball in der Hand haltend, und mit Lilien umgeben. Und kraft ihrer prophetischen Sendung drung sie darauf, daß die Convoy von der Seite von Beausse gerades Weges in Orleans einziehen sollte: allein, der Graf von Dunois, der die Regeln der Kriegskunst ihren Eingebungen nicht unterwerfen wollte, befahl, daß sie von der andern

Sei-

Seite des Flusses anrücken sollte, wo er wußte, daß
der schwächste Theil der englischen Armee gestellet
war.

Vor diesem Versuche hatte das Mägdchen an
den Regenten und die englischen Generäle, die vor
Orleans stunden, geschrieben, ihnen im Namen des
allmächtigen Schöpfers, von welchem sie geschickt
wäre, befohlen, sogleich die Belagerung aufzuheben, und Frankreich zu räumen, und hatte ihnen
mit der göttlichen Rache gedrohet, wenn sie nicht
gehorchten. Alle Engländer stellten sich, als wenn
sie mit Verachtung von dem Mägdchen und ihrer
göttlichen Sendung redeten, und sagten, der
König von Frankreich müßte gewiß schon sehr in
der Enge seyn, daß er zu solchen lächerlichen Mitteln seine Zuflucht nähme: allein, ihre Herzen wurden heimlich von der gewaltigen Ueberzeugung gerühret, welche bey allen, die um sie waren,
herrschte; und sie warteten mit einer ängstlichen
Erwartung, nicht ohne allen Schrecken, auf den Ausgang dieser außerordentlichen Zurüstungen.

Da die Convoy sich dem Flusse näherte, that
die Besatzung einen Ausfall an der Seite von
Beausse, um den englischen General zu verhindern, daß er keine Detaschements nach der andern
Seite schicken möchte: die Lebensmittel wurden

(den

(den 29sten April) geruhig in Boote leingeladen,
welche die Einwohner von Orleans geschickt hatten, um sie einzunehmen: das Mägdchen bedeckte
mit ihren Truppen die Einschiffung: Suffolk wagte
es nicht, sie anzugreifen, und der französische General führte die Armee sicher nach Blois zurück;
eine Veränderung der Sachen, welche die ganze
Welt sah, und welche eine gemäße Wirkung auf die
Gemüther beyder Parteyen hatte.

Das Mägdchen zog in die Stadt Orleans
ein, in ihrem kriegerischen Anzuge, und mit ihrer
Fahne in der Hand, und wurde von allen Einwohnern als eine himmlische Erretterinn aufgenommen. Sie hielten sich nun für unüberwindlich
unter ihrer heiligen Anführung; und Dünois
selbst, der eine so große Verwunderung an Freunden und Feinden bemerkte, willigte darein, daß
die nächste Convoy, welche in wenig Tagen erwartet wurde, von der Seite von Beausse einziehen
sollte. Die Convoy näherte sich (den 24sten May):
kein Zeichen einer Widersetzung wurde an den Belagerern wahrgenommen: die Wagen und Truppen giengen ungehindert zwischen den Redouten der
Engländer durch: todte Stille und Erstaunen
herrschten unter denjenigen Truppen, die vormals

so

so stolz auf ihre Siege, und im Treffen so kühn
waren.

Der Graf von Suffolk befand sich in einer
sehr ungewöhnlichen und außerordentlichen Situation, die einen Mann von der größesten Fähigkeit
und von der standhaftesten Gemüthsart wohl hätte
in Verlegenheit setzen können. Er sah, daß seine
Truppen in Schrecken gesetzt waren, und daß die
Vorstellung eines göttlichen Einflusses, welcher
das Mägdchen begleitete, einen tiefen Eindruck
auf sie gemacht hatte. Anstatt diese eitlen Schrecken durch Geräusch, Thätigkeit und Krieg zu vertreiben, wartete er, bis die Soldaten sich wieder
von demselben erholet hätten; und gab daher
diesen Vorurtheilen Zeit, immer tiefer in ihre Gemüther einzuwurzeln. Die Kriegsmaximen, welche in ordentlichen Fällen klug sind, betrogen ihn
bey diesen unerklärlichen Vorfällen. Die Engländer empfanden, daß ihr Muth bezwungen und
übermältiget war; und hieraus schlossen sie, daß
eine göttliche Rache ihnen über dem Kopfe schwe-
be. Die Franzosen machten denselben Schluß aus
einer so neuen und unerwarteten Unwirksamkeit:
alles war itzt nach der Meynung beyder Völker,
(und auf Meynung kömmt alles an,) verändert:
der Muth, welcher aus einem langen und ununter-
bro-

brochenem Glücke herrührte, wurde plötzlich den
Siegern genommen, und in die Ueberwundenen
verpflanzet.

Das Mägdchen rief, die Besatzung sollte sich
nicht länger blos vertheidigen; und versprach
ihren Anhängern den Schutz des Himmels, wenn
sie diejenigen Redouten der Feinde angriffen, von
welchen sie so lange in Furcht gehalten wären, und
welche sie zu verspotten bisher nicht gewaget hätten. Die Generale unterstützten ihren Eifer: man
griff eine Redoute an, und es schlug glücklich
aus a). Alle Engländer, welche die Verschan-
zung vertheidigten, wurden entweder niedergehauen, oder gefangen genommen; und Sir Johann Talbot selbst, der einige Truppen aus den
andern Redouten zusammen gezogen hatte, um sie
zu unterstützen, wagte sich nicht ins freye Feld
gegen einen so schreckbaren Feind.

Nichts schien dem Mägdchen und ihren
enthusiastischen Anhängern nach diesem Glücke
mehr unmöglich. Sie nöthigte die Generale, die
Hauptarmee der Engländer in ihren Verschanzungen anzugreifen: aber Dünois, der das Schicksal
Frankreichs durch gar zu große Verwegenheit nicht
aufs

a) Monstrelet. B. II. S. 45.

aufs Spiel ſetzen wollte, und einſah, daß der geringſte Wechſel des Glücks alle gegenwärtige
Blendwerke vernichten, und alles wieder in den
vorigen Stand ſetzen würde, hemmete ihre Heftigkeit, und ſchlug ihr vor, zuerſt den Feind aus den
Forts an der andern Seite des Fluſſes zu vertreiben, und ſolchergeſtalt die Gemeinſchaft mit dem
Lande zu eröffnen, ehe ſie eine waglichere Unternehmung verſuchte. Johanna ließ ſich bereden,
und dieſe Forts wurden muthig angegriffen. In
Einem Angriffe wurden die Franzoſen zurückge-
ſchlagen; das Mägdchen war faſt gänzlich verlaſſen; ſie war genöthiget, ſich zurück zu begeben,
und die Flüchtlinge wieder zu ſammlen: da ſie
aber ihre geheiligte Fahne fliegen ließ, und ihnen
mit ihrer Standhaftigkeit, ihren Gebärden, ihren
Ermunterungen Muth machte, führte ſie ſie wieder
zum Angriff zurück, und überwältigte die Engländer in ihren Verſchanzungen. Bey dem Angriff
eines andern Forts wurde ſie von einem Pfeil am
Halſe verwundet; ſie gieng einen Augenblick hinter
die Angreifenden; ſie zog den Pfeil mit ihren
eignen Händen heraus, ließ die Wunde geſchwind
verbinden, eilte zurück, die Truppen wieder anzuführen, und pflanzte ihre ſiegreiche Fahne auf die
Wälle des Feindes.

Durch

Durch so viele glückliche Vorfälle waren die
Engländer gänzlich aus ihren Vestungswerken an
dieser Seite verjaget: sie hatten mehr als 6000
Mann in diesen verschiedenen Actionen verlohren;
und welches weit wichtiger war, ihre gewohnte Herzhaftigkeit und Zuversicht war gänzlich verschwun-
den, und hatte dem Erstaunen und der Verzweiflung Platz gemacht. Das Mägdchen kehrte siegend
wieder über die Brücke zurück, und wurde von der
Stadt als ein Schutzengel aufgenommen. Da sie
solche Wunder that, überzeugte sie die hartnäckigste Ungläubigkeit von ihrer göttlichen Sendung.
Die Leute fühlten sich beseelet von einer höhern
Kraft, und hielten derjenigen göttlichen Hand,
welche sie so sichtbarlich leitete, nichts für unmöglich. Umsonst widersetzten sich die englischen Generale der bey ihren Soldaten überhandnehmenden
Meynung von einem göttlichen Einfluß: sie waren
vielleicht selbst von diesem Glauben eingenommen:
zum höchsten wollten sie nur zugeben, daß Johanna
kein Werkzeug Gottes, sondern des Teufels wäre:
allein, da die Engländer mit ihrer traurigen Erfahrung gelernet hatten, daß der Teufel zuweilen wohl
die Oberhand haben könnte; so konnten sie nicht
viel Trost aus dieser Meynung schöpfen.

Es

Es hätte für den Suffolk höchst gefährlich seyn können, mit so furchtsamen Truppen länger in der Gegenwart eines so muthigen und siegenden Feindes zu bleiben; und daher hob er die Belagerung (den 8ten May) auf, und zog sich mit aller nur möglichen Vorsicht zurück. Die Franzosen beschlossen, ihre Eroberungen weiter zu treiben, und den Engländern keine Zeit zu lassen, daß sie sich von ihrer Bestürzung erholen könnten. Carl brachte ein Corps von 6000 Mann zusammen, und schickte es ab, um Jergeau anzugreifen, wohin Suffolk sich mit einem Detaschement von seiner Armee gezogen hatte. Die Belagerung dauerte zehen Tage, und der Ort wurde hartnäckig vertheidiget. Johanna zeigte ihre gewohnte Unerschrockenheit bey dieser Gelegenheit. Sie stieg bey Anführung des Sturms in den Graben, und hier bekam sie einen Schlag an den Kopf von einem Stein, wovon sie betäubt wurde und zu Boden fiel: allein sie erholte sich bald wieder, und machte, daß der Sturm am Ende glücklich war: Suffolk ward genöthiget, sich einem Franzosen, Namens Renaud, gefangen zu geben; ehe er sich aber ergab, fragte er seinen Feind: ob er ein Edelmann wäre? Als er eine bejahende Antwort erhielt, fragte er: ob er ein Ritter sey? Renaud erwiederte,

daß

daß er diese Ehre noch nicht erhalten hätte. So will ich Sie dazu machen, versetzte Suffolk, worauf er ihm den Schlag mit seinem Degen gab, womit er ihn zum Ritter schlug; und darauf gab er sich ihm gefangen.

Der Ueberrest der englischen Armee wurde von dem Fastolfe, Scales und Talbot angeführet, welche an nichts anders dachten, als wie sie sich, sobald es möglich, in einen sichern Ort ziehen möchten, indem die Franzosen es so gut als für einen Sieg hielten, wenn sie sie einholten. So sehr hatten die Begebenheiten, welche sich vor Orleans zugetragen, alles unter den beyden Nationen verändert! Die Vortruppen der Franzosen unter dem Xantrailles griffen den Nachtrupp des Feindes (den 18ten Junii) bey dem Dorfe Patoy an: das Treffen dauerte keinen Augenblick: die Engländer wurden zerstreuet, und flohen: der tapfere Fastolfe selbst gab seinen Truppen ein Beyspiel im Fliehen, und der Orden deß Hosenbandes wurde ihm genommen, zur Strafe für dieses Beyspiel der Zaghaftigkeit b). Zwey tausend Mann wurden in diesem Treffen erschlagen, und sowohl Talbot, als Scales gefangen genommen.

In

b) Monstrelet, B. II. S. 46,

In der Erzählung aller dieser glücklichen Vorfälle sagen die französischen Schriftsteller, um das Wunder recht groß zu machen, von dem Mägdchen, (welches itzt unter dem Namen des Mägdchens von Orleans bekannt war) daß es sich nicht nur thätig im Treffen bewiesen, sondern auch das Amt eines Generals verrichtet habe; indem es die Truppen geleitet, die Kriegsunternehmungen geführt, und in jedem Kriegsrathe die Berathschlagungen regieret habe. Es ist gewiß, daß die Staatsklugheit des französischen Hofes sich bemühete, diesen Schein bey dem Publico zu erhalten. Allein es ist weit wahrscheinlicher, daß Dunois und die klügsten Anführer ihr alle ihre Maaßregeln eingaben, als daß ein Landmägdchen, ohne Erfahrung und Unterricht, auf einmal so erfahren in einer Kunst geworden sey, welche mehr Genie und Fähigkeit erfodert, als ein jeder andrer thätiger Auftritt des Lebens. Es ist Ruhm genug für sie, daß sie Personen zu wählen wußte, auf deren Urtheil sie sich verlassen konnte; daß sie den Wink und die Angebungen derselben annehmen, und die Meynungen derselben geschwinder als ihre eigne vortragen, und daß sie ihren prophetischen und enthusiastischen Geist, wovon sie ohne allen Zweifel getrieben wurde, zu rechter Zeit im Zaum

hal-

halten, und ihn mit Klugheit und Ueberlegung mäßigen konnte.

Die Aufhebung der Belagerung von Orleans war eine mit von denen Versprechungen, welche das Mägdchen dem Carl gethan hatte: seine Krönung zu Rheims war die andre; und itzt bestund sie heftig darauf, daß er von Stunde an zu diesem Vornehmen schreiten sollte. Einige Wochen früher würde ein solcher Vorschlag der rasendeste von der Welt geschienen haben. Rheims lag in einem entlegenen Theile des Königreichs; war damals in den Händen eines siegenden Feindes; die ganze Straße, die dahin führte, war mit seinen Garnisonen besetzt, und keine Einbildung konnte so feurig seyn, zu denken, daß ein solcher Versuch sobald möglich gemacht werden könnte. Allein weil dem Carl sehr viel daran lag, den Glauben zu erhalten, daß etwas Außerordentliches und Göttliches bey diesen Begebenheiten im Spiel wäre, und sich die gegenwärtige Bestürzung der Engländer zu Nutze zu machen, so beschloß er, den Ermahnungen seiner kriegerischen Prophetin zu folgen, und seine Armee zu diesem viel versprechenden Unternehmen anzuführen: Bisher hatte er sich von dem Schauplatz des Krieges entfernt gehalten: da das Wohl des Staats gänzlich von seiner Person ab-

abhieng; so hatte er sich bereden lassen, seinen kriegerischen Muth einzuschränken: allein, da er diesen glücklichen Wechsel der Umstände sah, so entschloß er sich, itzt an der Spitze seiner Armeen zu erscheinen, und allen seinen Soldaten ein Exempel der Tapferkeit zu geben. Und der französische Adel sah auf einmal seinen jungen Souverain einen neuen und glänzenden Charakter annehmen, von dem Glück unterstützet und von der Hand des Himmels geleitet; und bekam daher neuen Eifer, sich zu zeigen, und ihn wieder auf seinen väterlichen Thron zu setzen.

Carl trat die Reise nach Rheims an der Spitze von 12,000 Mann an: Er kam Troye vorbey, welches ihm seine Thore öffnete: Chalons folgte diesem Beyspiel: Rheims schickte ihm Deputirte mit den Schlüsseln der Stadt entgegen, ehe er nach daselbst ankam, und auf dem Wege dahin merkte er kaum, daß er durch ein feindliches Land marschirte. Die Ceremonie der Krönung wurde hier (den 17ten Julii) mit dem heiligen Oel verrichtet c), welches eine Taube dem Könige Clovis vom Himmel gebracht hat, bey der ersten Stiftung der französischen Monarchie. Das Mägdchen von

L 3　　　　　　Or-

c) Monstrelet, B. II. S. 48.

Orleans stund ihm zur Seite, in völliger Rüstung und mit ihrer heiligen Fahne in der Hand, welche die kühnsten Feinde so oft zerstreuet und in Verwirrung gesetzt hatte; und das Volk erhub in der aufrichtigsten Freude, da es eine solche Reihe von Wundern sah, ein Frohlocken. Nach Vollendung dieser Ceremonie warf das Mägdchen sich zu den Füßen des Königs, umfaßte seine Knie, und wünschte ihm mit einer Fluth von Thränen, welche Vergnügen und Zärtlichkeit ihr auspreßten, Glück zu dieser besondern und wunderbaren Begebenheit.

Als Carl solchergestalt gekrönet und gesalbet war, wurde er ehrwürdiger in den Augen aller seiner Unterthanen, und schien gewissermaßen sein Recht auf ihren Gehorsam durch einen göttlichen Befehl von neuem erhalten zu haben. Die Neigungen der Leute regierten ihren Glauben, und keiner zweifelte an den Eingebungen und dem prophetischen Geist des Mägdchens. So viele Vorfälle, welche alle menschliche Begriffe überstiegen, ließen keine Zeit, den göttlichen Einfluß zu untersuchen, und die wahren und ungezweifelten Thaten verschaften einer jeden Vergrößerung Glauben, welche kaum wunderbarer gemacht werden konnte. Laon, Soissons, Chateau-Thierri, Provins, und

viele

viele andre Städte und Vestungen in dieser Nachbarschaft unterwarfen sich bey der ersten Auffode-
rung dem Carl gleich nach seiner Krönung, und
die ganze Nation war geneigt, ihm die eifrigsten
Zeugnisse von ihrer Pflicht und ihrer Zuneigung zu
geben.

Nichts kann uns von der Weisheit, Geschicklichkeit und Entschlossenheit des Herzogs von Bedford einen höhern Begriff machen, als daß er fähig
war, sich in einer so gefährlichen Situation zu erhalten, und in Frankreich noch Fuß zu behalten,
nachdem so viele Oerter von ihm abgefallen, und
die übrigen alle geneigt waren, diesem anstecken-
den Beyspiel zu folgen. Dieser Prinz schien durch
seine Wachsamkeit und Vorsicht allenthalben gegenwärtig zu seyn. Er wendete jedes Hülfsmittel an,
welches das Glück ihm noch gelassen hatte: er setzte
alle englische Besatzungen in einen Vertheidigungsstand: er hatte ein wachsames Auge auf jeden
Versuch der Franzosen, einen Aufstand zu erregen:
er erhielt die Pariser im Gehorsam, indem er bald
gute Wort gab, bald Strenge gebrauchte, und da
er wußte, daß der Herzog von Burgundien in seiner Treue schon wankend war; so wendete er so
viel Geschicklichkeit und Klugheit an, daß er bey
diesen gefährlichen Umständen eine Allianz er-

L 4   ne-

neuerte, welche für das Ansehen und die Erhaltung
der englischen Regierung so wichtig war.

Der wenige Zuschuß, welchen er aus England erhielt, setzet die Talente dieses großen Mannes in ein noch größeres Licht. Die Liebe der
Engländer zu ausländischen Eroberungen war itzt
durch Zeit und Ueberlegung sehr geschwächet: das
Parlament scheinet sogar die Gefahr eingesehen zu
haben, welche aus einem fernern Fortgange hätte
entstehen können. Der Regent konnte in seiner
größten Verlegenheit keinen Zuschuß an Gelde erhalten, und die Leute ließen sich unter seiner Fahne
nur ungern annehmen, oder desertirten auch bald,
wegen der wunderbaren Erzählungen, die von der
Hexerey, Zauberey, und der teuflischen Gewalt des
Mägdchens von Orleans nach England gelanget
waren d). Inzwischen trug es sich zum guten
Glücke zu, daß der Bischof von Winchester, der
neulich Cardinal geworden war, mit einem Corps
von 5000 Mann zu Calais landete, welches er
nach Böhmen zu einem Kreuzzuge wider die Hußi-
ten führen wollte. Er ließ sich bereden, diese
Truppen seinem Vetter zu leihen e), und dadurch
wur-

d) Rymer, B. X. S. 459, 472.
e) Rymer, B. X. S. 421.

wurde der Regent in den Stand gesetzt, ins Feld
zu ziehen, und sich dem Könige von Frankreich, der
mit seiner Armee gegen die Thore von Paris anrückte, widersetzen zu können.

Die außerordentliche Fähigkeit des Herzogs
von Bedford leuchtete auch aus seinen Kriegsunternehmungen hervor. Er suchte seinen Truppen dadurch wieder Muth zu machen, daß er seinem Feinde dreist unter die Augen rückte: allein
er suchte seine Stellung mit so vieler Vorsicht aus,
daß er ein Treffen gänzlich vermeiden, und es auch
dem Carl unmöglich machen konnte, ihn anzugreifen. Er begleitete diesen Prinzen auf allen seinen
Bewegungen; deckte seine eigne Städte und
Besatzungen, und hielt sich allezeit so, daß er von
einer jeden Unvorsichtigkeit, und von jedem Fehl-
tritte des Feindes Vortheil ziehen konnte. Die
französische Armee, welche größtentheils aus Freywilligen bestund, die auf ihre eigne Kosten dienten, zog sich bald nachher wieder zurück, und
wurde auseinander gelassen: Carl kam wieder
nach Bourges, seiner ordentlichen Residenz: aber
nicht eher, als bis er sich der Städte Compiegne,
Beauvais, Senlis, Sens, Laval, Lagni, St. Denis
und verschiedener Oerter in der Nachbarschaft von

Paris bemächtiget, welche die Zuneigung des
Volks seinen Händen übergeben hatte.

Der Regent bemühte sich (i. J. 1430), die
Abnahme seiner Sachen dadurch zu ersetzen, daß
er den jungen König von England herüber brachte,
und ihn zu Paris zum Könige von Frankreich krönen
und erkennen ließ f). Alle Vasallen der Krone, welche
in den Provinzen lebten, die die Engländer besaßen,
schworen ihm von neuem Gehorsam, und leisteten
ihm den Eid der Treue. Allein diese Ceremonie war
kalt und unschmackhaft, in Ansehung der Pracht,
welche mit der Krönung Carls zu Rheims verbunden gewesen war, und der Herzog von Bedford
erwartete mehr Wirkung von einem Vorfall, der
diejenige Person in seine Hände brachte, welche
die Urheberinn alles seines Unglücks gewesen
war.

Das Mägdchen von Orleans erklärte dem
Grafen von Dünois, nach der Krönung Carls,
daß ihre Wünsche itzt erfüllet wären, und daß sie
nun nichts weiter verlangte, als wieder zu ihrem
vorigen Stande, den Beschäftigungen und der
Lebensart, welche ihrem Geschlecht zukäme, zurückzukehren: allein dieser Herr, der den großen
Vor-

f) Rymer, B. X. S. 432.

Vortheil erkannte, den er von ihrer Gegenwart
bey der Armee haben konnte, ermunterte sie,
fortzufahren, bis sie durch eine gänzliche Vertreibung der Engländer alle ihre Prophezeihungen
völlig in Erfüllung gebracht hätte. Zufolge dieses
Raths warf sie sich in die Stadt Compiegne,
welche damals von dem Herzoge von Burgundien, mit Hülfe der Grafen von Arundel und
Suffolk belagert wurde; und durch ihre Gegenwart glaubte die Besatzung unüberwindlich zu
seyn. Allein ihre Freude war von kurzer Dauer.
Das Mägdchen führte den Tag nach ihrer Ankunft
(den 25sten März) einen Ausfall auf die Quartiere
des Johann von Luxemburg an: zweymal trieb
sie den Feind aus seinen Verschanzungen; da
sie sah, daß die Anzahl desselben jeden Augenblick
zunahm, so befahl sie, man sollte sich zurückziehen: als sie von den Nachsetzenden sehr ge-
dränget wurde, kehrte sie sich um, und trieb
sie noch einmal zurück: da sie hier aber von
ihren Freunden verlassen und von dem Feinde
umgeben war, so wurde sie endlich, nachdem
sie die äußerste Tapferkeit bewiesen hatte, von
den Burgundiern gefangen genommen g). Die
ge-

g) Stowe, S. 371.

gemeine Meynung war, daß die französischen Officiers, nachdem sie gesehen, daß das Verdienst eines
jeden Sieges ihr zugeschrieben worden, sie aus
Neid wegen ihres Ruhms, wodurch der ihrige so
sehr verdunkelt wurde, diesem unglücklichen Zufalle mit Fleiß ausgesetzet hätten.

Der Neid ihrer Freunde war kein größerer
Beweis ihrer Verdienste, als der Triumph ihrer
Feinde. Ein völliger Sieg würde bey den Engländer und ihren Anhängern keine größere Freude erreget haben. Das Te Deum laudamus, welches von
Prinzen so oft entweihet ist, wurde über diese
glückliche Begebenheit in Paris öffentlich ange-
stimmet. Der Herzog von Bedford bildete sich
ein, daß er durch die Gefangenschaft dieser
außerordentlichen Frauensperson, welche alle seine
Eroberungen zunichte gemacht hatte, seine vorige
Herrschaft über Frankreich wieder erhalten würde:
und um seine Vortheile weiter zu treiben, er-
kaufte er die Gefangene von dem Johann de
Luxemburg, und ließ ihr einen Proceß machen,
der, er mochte nun aus Rache oder Staatsklugheit herrühren, eben so barbarisch, als unanständig war.

Es war gar keine Ursache möglich, warum Johanna nicht für eine Kriegsgefangene angesehen werden und zu aller Höflichkeit und guten Begegnung, welche civilisirte Nationen gegen Feinde bey dieser Gelegenheit ausüben, berechtiget seyn sollte. Sie hatte ihr Recht auf diese Begegnung in ihrer kriegerischen Verrichtung weder durch Verrätherey, noch Grausamkeit verwirket: sie hatte sich keines bürgerlichen Verbrechens schuldig gemacht: so gar hatte sie die Tugenden und den Wohlstand ihres Geschlechts strenge beobachtet h): und ob gleich ihre Erscheinung im Kriege, und ihre Anführung der Armeen

h) Wir ersehen aus ihrem Verhör beym Pasquier, daß, als sie beschuldiget worden, ihren Gefangenen, den Franquet d'Arras umgebracht zu haben, sie sich gerechtfertiget habe, indem sie gesagt, daß er ein bekannter Räuber gewesen wäre, und das Todesurtheil von einer bürgerlichen Obrigkeit verdienet hätte. Sie war so sorgfältig in Beobachtung des Wohlstandes, daß, wenn sie in eine Stadt oder Besatzung kam, sie allezeit bey angesehenen Frauenspersonen in dem Orte schlief: wenn sie im Felde war, schlief sie in der Rüstung, und hatte jederzeit zween Brüder zur Seiten. Die Engländer warfen ihr niemals etwas vor, in Absicht auf ihre Sitten.

meen zum Treffen als eine Ausnahme angesehen
werden möchte; so hatte sie doch dadurch ihrem
Könige einen so großen Dienst geleistet, daß sie
diese Unregelmäßigkeit reichlich ersetzet hatte; und
verdiente selbst deswegen noch mehr Ruhm und
Bewunderung. Es war daher dem Herzoge von
Bedford nöthig, die Religion bey diesem Processe
mit zu interessiren, und seine so große Verletzung
der Gerechtigkeit und der Menschlichkeit mit diesem Mantel zu bedecken.

Der Bischof von Beauvais, ein Mann, der
ganz englisch gesinnet war, gab eine Bittschrift
wider die Johanna ein, und verlangte, unter
dem Vorwande, daß sie in den Gränzen seines
Diöces gefangen genommen wäre, sie vor einem
geistlichen Gericht wegen Zauberey, Gottlosigkeit,
Abgötterey und Hexerey zu verhören. Die Universität zu Paris erniedrigte sich so sehr, daß
sie eben darum anhielt. Verschiedene Prälaten,
unter welchen der Cardinal von Winchester der
einzigste Engländer war, wurden zu ihren Richtern bestellt: sie hielten ihre Versammlung zu
Rouen, wo der junge König von England sich
damals aufhielt; und das Mägdchen wurde in
ihrer vorigen kriegerischen Tracht gekleidet, aber
in Ketten, vor dieses Gericht geführet.

Sie

:: Sie verlangte, erst von ihren Ketten befreyet zu werden: ihre Richter antworteten, daß sie schon einmal versucht hätte, zu entfliehen, indem sie sich von einem Thurm gestürzet: sie gestund die That, behauptete, daß sie gerecht wäre, und sagte, wenn sie könnte, so wollte sie diesen Vorsatz noch ausführen. Alle ihre andre Reden zeigten dieselbige Standhaftigkeit und Unverzagtheit: ob sie gleich vier Monate lang mit Fragen gequälet wurde; so verrieth sie doch niemals eine Schwachheit, oder eine weibische Zaghaftigkeit; und man konnte keinen Vortheil über sie gewinnen. Die Punkte, welche ihre Richter am stärksten trieben, waren ihre Erscheinungen, Offenbarungen und ihre Gemeinschaft mit verstorbenen Heiligen; und sie befragten sie, ob sie die Wahrheit dieser Eingebungen der Untersuchung der Kirche unterwerfen wollte? Sie antwortete, sie wollte sie Gott, der Quelle der Wahrheit, unterwerfen. Hierauf riefen jene, sie wäre eine Ketzerinn, und leugnete das Ansehen der Kirche. Sie berief sich auf den Papst, allein ihre Appellation wurde verworfen.

Sie wurde gefraget, warum sie sich auf ihre Fahne verlassen hätte, die durch zauberische Beschwörungen wäre geweihet gewesen? Sie antwor-

wortete, sie verließe sich allein auf Gott, dessen
Bild darauf stünde. Die Richter fragten, warum
sie diese Fahne bey der Salbung und Krönung
des Königs Carl zu Rheims in der Hand gehabt
hätte? Sie antwortete, diejenige Person, welche
die Gefahr mit ihm getheilet, wäre auch berechtiget gewesen, Theil an der Ehre zu nehmen.
Als man sie beschuldigte, daß sie, dem Wohl-
stande ihres Geschlechts zuwider, in den Krieg
gegangen wäre, und sich eine Regierung, und
ein Commando über Mannspersonen herausge-
nommen hätte; so trug sie kein Bedenken zu sagen, ihr einziger Endzweck wäre, die Engländer
zu schlagen, und sie aus dem Königreiche Frankreich zu vertreiben. Endlich wurde sie wegen
derjenigen Verbrechen die man ihr vorgeworfen,
und mit dem Vorwurf der Ketzerey vergrößert
hatte, verdammt, ihre Offenbarungen wurden
für Erfindungen des Teufels erkläret, womit sie
den Pöbel hintergehen wollte; und es wurde ihr
das Urtheil gesprochen, daß sie dem weltlichen
Arm überliefert werden sollte.

Johanna, welche so lange von ihren heftigsten Feinden umgeben gewesen, die ihr mit allen
Beschimpfungen begegneten, von vornehmen Leuten und Männern, die die Zeichen eines heiligen

Ei-

Charakters trugen, den sie zu verehren gewohnt
war, so lange geschrecket und in Furcht gesetzet,
empfand endlich, daß ihr Muth gebrochen war:
und diejenigen Träume von Eingebungen, worinn
sie durch die Triumphe über ihre Siege, und
durch das Freudengeschrey ihrer Partey bestärket worden, gaben dem Schrecken vor der ihr
zuerkannten Strafe nach. Sie erklärte sich öffentlich für bereit zu wiederrufen; sie erkannte
die Falschheit derjenigen Offenbarungen, welche
die Kirche verworfen hatte, und versprach, nie
dergleichen wieder vorzugeben. Ihr Urtheil wurde
darauf gemildert. Sie wurde zu einem ewigen
Gefängniß verdammet, und sollte von Wasser
und Brod leben.

Itzt war genug geschehen, um allen politischen Absichten ein Genüge zu leisten; und die
Engländer sowohl, als die Franzosen zu überzeugen, daß die Meynung von einem göttlichen
Einflusse, welche den ersten so viel Muth, und
die letzten so furchtsam gemacht hatte, ganz ungegründet sey. Allein die barbarische Rache der
Feinde der Johanna war mit diesem Siege noch
nicht vergnügt. Da sie vermutheten, daß die
Frauenzimmerkleidung, die sie itzt zu tragen hatte
versprechen müssen, ihr unangenehm seyn würde;

so hiengen sie in ihrem Zimmer, mit Vorsatz, Mannskleider auf, und lauerten, wozu diese Versuchung sie verführen würde. Da sie eine Kleidung erblickte, in welcher sie sich so viel Ruhm erworben, und die sie, wie sie ehemals glaubte, nach einer besondern Bestimmung des Himmels getragen hatte, so lebten alle ihre vorigen Gedanken und Leidenschaften wieder auf, und sie wagte es, in ihrer Einsamkeit sich wieder mit der verbotenen Tracht zu bekleiden. Ihre nachstellerischen Feinde überfielen sie in dieser Situation: man erklärte ihre Vergehung für nichts weniger, als einen Rückfall in die Ketzerey: keine Wiederrufung war itzt hinlänglich, und keine Verzeihung konnte ihr ertheilt werden. Sie wurde verdammt, auf dem Marktplatze zu Rouen verbrannt zu werden; und dieses schändliche Urtheil wurde auch (den 14. Jun.) an ihr vollzogen. Diese vortreffliche Heldinn, welcher der großmüthigere Aberglaube der Alten Altäre aufgerichtet haben würde, wurde, unter dem Vorwande der Ketzerey und der Zauberey, den Flammen lebendig übergeben, und büßte durch die schreckliche Strafe für die großen Dienste, die sie ihrem Prinzen und ihrem Vaterlande geleistet hatte.

Die

(i. J. 1432) Die Sachen der Engländer, anstatt durch diese Hinrichtung gebessert zu werden, verfielen täglich mehr und mehr: die großen Fähigkeiten des Regenten waren unfähig, der starken Neigung zu widerstehen, welche die Fränzosen bezeigten, wieder zum Gehorsam gegen ihren rechtmäßigen Souverain zurück zu kehren, und diese grausame That war sehr ungeschickt, diese Begierde zu dämpfen. Chartres wurde durch eine Kriegslist des Grafen von Dünois überrumpelt: ein Corps Engländer, unter dem Lord Willoughby, wurde zu St. Celerin an der Sarte geschlagen i): der Jahrmarkt in den Vorstädten von Caen, einer in dem englischen Bezirk gelegenen Stadt, wurde von Lore, einem berühmten französischen Hauptmann, geplündert: der Herzog von Bedford selbst wurde von Dünois gezwungen, die Belagerung von Lagni mit einigem Schimpf aufzuheben, und alle diese Unglücksfälle, die zwar klein, aber doch anhaltend waren, und ununterbrochen erfolgten, zogen den Engländern Mißcredit zu, und drohten ihnen mit einem nahen Verlust aller ihrer Eroberungen. Allein der größte Schaden, den der Regent litte, wurde durch den Tod seiner

M 2   Ge-

i) Monſtrelet, B. II. S. 100.

Gemahlinn verurfacht, welche bisher noch eini=
gen Schein der Freundschaft zwischen ihm und
ihrem Bruder, dem Herzoge von Burgundien
erhalten hatte k). Und seine bald darauf erfol=
gende Vermählung mit der Jaqueline von Lu=
remburg war der Anfang zu einem Bruch zwi=
schen ihnen l). Philipp beklagte sich, daß der
Regent niemals so höflich gewesen wäre, ihn
von seinen Absichten zu benachrichtigen, und daß
eine so baldige Verheyrathung eine Geringschä=
tzung gegen das Andenken seiner Schwester be=
zeigte. Der Cardinal von Winchester wollte eine
Aussöhnung zwischen diesen Prinzen stiften, und
führte sie zu dem Ende beyde nach St. Omers.
Der Herzog von Bedford erwartete hier den er=
sten Besuch, theils, weil er ein Sohn, Bruder
und Onkel eines Königes war, theils, weil er
schon so weit gegangen war, daß er sich in dem
Gebiete des Herzogs von Burgundien befand,
um sich mit ihm zu unterreden. Allein Philipp,
stolz auf seine große Gewalt und seine unabhäng=
liche Herrschaften, weigerte sich, dem Regenten
diese Höflichkeit zu erweisen; und diese beyden

Prin=

k) Monſtrelet, B. II. S. 87.
l) Stowe. S. 373. Grafton. S. 554.

Prinzen reisten, ohne einander zu sehen, wieder
ab, da sie über das Ceremoniel nicht einig werden konnten m). Eine schlechte Vorbedeutung
von ihrer aufrichtigen Absicht, die vorige Freundschaft und das gute Vernehmen wieder herzustellen!

Nichts konnte dem Besten des Hauses Burgundien nachtheiliger seyn, als die Vereinigung
der Kronen von Frankreich und England, eine
Sache, die, wenn sie zu Stande gekommen wäre,
den Herzog zu einem kleinen Prinzen, und seine
Situation abhängig und unsicher gemacht haben
würde. Auch das Recht zur französischen Krone,
welches nach dem Abgange des ältern Stammes
auf den Herzog oder seinen Nachkommen hätte
fallen können, war durch den Traktat zu Troye
aufgeopfert; und Ausländer und Feinde waren
dadurch unwiederruflich auf den Thron gesetzet
worden. Rache allein hatte den Philipp zu solchen unpolitischen Maaßregeln getrieben; und ein
Point d'Honneur hatte ihn bisher verleitet, bey
demselben zu bleiben. Allein, da es die Natur
der Leidenschaften ist, nach und nach abzunehmen, indem die Empfindung des Interesse

M 3   ewig

m) Monstrelet, B. II. S. 90. Grafton. S. 561.

ewig ihren Einfluß und ihre Gewalt behält; so
schien die Feindschaft des Herzogs gegen den Carl
seit einigen Jahren merklich abzunehmen, und er
gab den Entschuldigungen, welche dieser Prinz
wegen der Ermordung des vorigen Herzogs von
Burgundien machte, mehr Gehör. Man stellte
seine Jugend zu seiner Rechtfertigung vor; seine
Unfähigkeit, selbst zu urtheilen; die Herrschaft,
welche seine Minister über ihn gewonnen hatten;
und sein Unvermögen, eine That zu ahnden, die
ohne sein Wissen von denenjenigen verrichtet worden, unter deren Führung er sich damals befand.
Um dem Stolz Philipps noch mehr zu schmeicheln,
hatte der König von Frankreich den Tenegui de
Chatel, und alle, die in dieser Ermordung mit
verwickelt gewesen, von seinem Hofe und aus
seiner Gegenwart verwiesen; und sich zu jeder
andern Vergütung erbothen, die man von ihm
verlangen würde. Das Unglück, welches Carl
bereits erlitten, hatte die Rache des Herzogs schon
etwas befriediget; das Elend, dem Frankreich
so lange ausgesetzet gewesen, hatte angefangen,
sein Mitleiden zu erregen, und das Geschrey
von ganz Europa ermahnete ihn, daß sein Haß,
den man vielleicht bisher noch für gerecht gehalten hätte, von einem jeden als barbarisch und

uner

unerbittlich verdammet werden würde, wenn er
ihn länger fortſetzte. Indem der Herzog dieſe
Geſinnungen hegte, machte jeder Verdruß, der
ihm von den Engländern zugefüget würde, einen
doppelten Eindruck auf ihn; die Bitten des Grafen von Richemont und des Herzogs von Bourbon, welche ſeine beyden Schweſtern geheyrathet,
hatten Gewicht; und er faßte endlich den Vorſatz,
ſich mit der königlichen Familie von Frankreich,
von welcher ſeine eigne abſtammte, zu vereinigen.
Zu dem Ende wurde (i. J. 1435) ein Congreß
zu Arras, unter Vermittelung der Abgeordneten
des Papſtes und der Kirchenverſammlung zu Ba-
ſel angeſetzet. Der Herzog von Burgundien kam
in eigner Perſon; Der Herzog von Bourbon,
der Graf von Richemont und andre Vornehme
erſchienen daſelbſt als Ambaſſadeurs von Frankreich; und da die Engländer gleichfalls zu erſcheinen gebethen waren, ſo wurden dazu der
Cardinal von Wincheſter, der Erzbiſchof von
York, und andre von dem Regenten und dem
Rath n) bevollmächtigt.

Die Conferenzen würden im Auguſt in der
Abtey von St. Vaaſt gehalten, und fiengen mit

M 4   Un-

n) Monſtrelet, B. II. S. 110.

Unterſuchung der Vorſchläge der beyden Kronen an,
welche ſo weit von einander entfernt waren, daß
ſie keine Hoffnung zu einem Vergleich gaben. England ſchlug vor, daß jede Parten im Beſitze deſſen, was ſie itzt hätten, bleiben ſollte, nachdem
vorher einige Auswechſelungen zu beyder Bequemlichkeit veranſtaltet wäre: Frankreich ſchlug vor,
die Normandie nebſt Guienne abzutreten; wegen
beyder aber ſollte der gewöhnliche Huldigungseid
geleiſtet werden, und beyde ſollten ein Lehn der
Krone bleiben. Da die Anſprüche Englands auf
Frankreich in ganz Europa allgemein verhaßt
waren; ſo erklärten die Mittler die Anerbietun-
gen Carls für billig; und der Cardinal von Wincheſter, nebſt dem engliſchen Geſandten, verließen
ſogleich den Congreß. Es war nichts mehr übrig,
als die wechſelſeitigen Foderungen Carls und
Philipps zu unterſuchen. Dieſe waren bald beygelegt: der Vaſall befand ſich in einer Situation,
in welcher er ſeinem Lehnherrn Geſetze vorſchrei-
ben konnte; und machte ſich Bedingungen, welche, in jeder andern, als in dieſer Zeit der Noth,
für die Krone von Frankreich höchſt unanſtändig
und nachtheilig würde gehalten worden ſeyn.
Auſſer wiederholten Erſtattungen und Vergütun-
gen, welche Carl für die Ermordung des Herzogs
von

von Burgundien machen mußte, wurde er auch
gezwungen, alle Städte in der Picardie zwischen
der Somme und den Niederlanden, dem Philipp
abzutreten; er überließ ihm verschiedne Länder;
er bewilligte, daß Philipp diese und andre Länder, ohne dem gegenwärtigen Könige den Huldigungseid zu leisten, oder ihm Treue zu schwören, auf Lebenslang besitzen sollte; und er sprach
seine Unterthanen von allem Gehorsam frey,
wenn er jemals diesen Traktat bräche o). Das
waren die Bedingungen, womit Frankreich die
Freundschaft des Herzogs von Burgundien er-
kaufte.

Der Herzog schickte einen Herold mit einem
Briefe nach England, worinn er die Schließung
des Traktats zu Arras bekannt machte, und entschuldigte sich, daß er von dem Traktat zu Troye
abträte. Der Rath empfieng den Herold mit
vielem Kaltsinn; er wies ihm sogar seinen Aufenthalt bey einem Schuster an, um ihn zu be-
schimpfen; und der Pöbel war so erbittert, daß,
wenn der Herzog von Glocester ihm nicht eine
Wache zugegeben hätte, sein Leben in großer Gefahr gewesen seyn würde, so oft er sich auf den

M 5

Straß-

o) Monstrelet, B. II. S. 112. Grafton, S. 565.

Straßen sehen ließ. Die Unterthanen Philipps
aus Flandern und aus andern Ländern wurden
von den Londonern beschimpfet, und einige sogar getödtet; und alles ließ sich zu einem Bruch
zwischen den beyden Nationen an p). Diese Gewaltthätigkeiten waren dem Herzoge von Burgundien nicht unangenehm; da sie ihm einen
Vorwand zu denjenigen Maaßregeln gaben, welche er wider die Engländer, die er itzt für unversöhnliche und gefährliche Feinde hielt, ferner
zu nehmen Willens war.

Einige Tage, nachdem der Herzog von Béd-
ford die Nachricht von diesem, dem Besten Englands so nachtheiligen Traktat erhielt, starb er
zu Rouen, (den 14ten September. i. J. 1435.) als
ein Prinz von großen Fähigkeiten und vielen Tugenden; und dessen Andenken, die barbarische
Hinrichtung des Mägdchens von Orleans ausgenommen, von keinem wichtigen Flecken verun-
reiniget war. Isabella, die Königinn von Frankreich, starb kurz vor ihm, von den Engländern
verachtet, von den Franzosen verflucht, und in
ihren letzten Jahren in die Nothwendigkeit gebracht, daß sie den Fortgang und das Glück ihres

p) Monstrelet, B. II. S. 120. Holingshed, S. 612.

zes eigenen Sohnes in der Wiedereroberung seines Reiches, mit einem unnatürlichen Abscheu
ansehen mußte. Dieser Zeitpunkt wurde auch
durch den Tod des Grafen von Arundel, eines
großen englischen Generals, merkwürdig q); da
er, ob er gleich drey tausend Mann unter sich
hatte, von dem Xantrailles mit sechs hundert
Mann geschlagen wurde, und bald nachher an
den Wunden starb, welche er in der Action empfangen hatte.

Die gewaltsamen Factionen, welche an dem
englischen Hofe (i. J. 1436.) zwischen dem Herzoge von Glocester und dem Cardinal von Winchester herrschten, verhinderten die Engländer,
die gehörigen Maaßregeln zur Ersetzung dieses
vielfältigen Verlustes zu nehmen, und setzten
alle ihre Angelegenheiten in Verwirrung. Die
Gunst, worinn der Herzog bey dem Volke stund,
und seine nahe Verwandschaft mit der Krone,
gaben ihm bey diesem Streit viele Vortheile,
welche er oft durch seine offenherzige und unacht-
same Gemüthsart verlohr, als unfähig, mit dem
politischen und eigennützigen Geiste seines Nebenbuhlers zu kämpfen. Unterdessen ließ das Gleichgewicht

q) Monstrelet, B. II. S. 105. Holingshed, S. 160.

gewicht dieſer beyden Parteyen alles in Ungewißheit. Auswärtige Sachen wurden ſehr vernachläßiget; und obgleich der Herzog von York,
ein Sohn des Grafen von Cambridge, der in
dem Anfange der vorigen Regierung hingerichtet
worden, zum Nachfolger des Herzogs von Bedford beſtellt wurde; ſo vergiengen doch ſieben Monate, ehe ſeine Beſtallung ausgefertiget wurde;
und die Engländer blieben ſo lange in dem Lande
eines Feindes, ohne ein eigentliches Oberhaupt,
oder einen Anführer zu haben.

Der neue Gouverneur fand bey ſeiner Ankunft die Hauptſtadt ſchon verlohren. Die Pa-
riſer waren jederzeit dem Beſten der Burgundier
geneigter geweſen, als den Engländern, und
nach der Schließung des Traktats zu Arras brachte ihre allgemeine Zuneigung ſie ohne einige Zurückhaltung dahin, daß ſie wieder zum Gehorſam unter ihrem Erbkönige zurückkehrten. Der
Conſtable wurde, nebſt dem Lile-Adam, eben
demſelben, welcher Paris vormals dem Herzoge
von Burgundien in die Hände geſpielet hatte,
zur Nachtzeit durch ein Verſtändniß mit den Bürgern in die Stadt gelaſſen. Der Lord Willoughby, der nur eine kleine Beſatzung von 1500 Mann
commandirte, wurde heraus getrieben: : dieſer

Herr

Herr bezeigte große Tapferkeit und viel Gegenwart des Geistes bey dieser Gelegenheit: allein, da er einen so großen Ort gegen eine solche Menge nicht vertheidigen konnte; so zog er sich in die Bastille, und da er hier eingeschlossen war, übergab er den Platz, und ließ sich damit begnügen, daß er einen freyen Abzug für seine Truppen nach der Normandie ausbedung r).

In derselbigen Jahrszeit machte der Herzog von Burgundien öffentlich Partey wider die Engländer, und fieng seine Feindseligkeiten mit der Belagerung von Calais an, dem einzigen Orte, der den Engländern itzt einigen sichern Fuß in Frankreich gab, und sie noch immer gefährlich machte. Da er bey seinen Unterthanen sehr beliebt war, und sich den Beynamen des Guten durch seine liebreichen Eigenschaften erworben hatte; so war er im Stande, alle Einwohner der Niederlande zu dem guten Fortgange seiner Unternehmung zu intereßiren, und er schloß diesen Ort mit einer Armee ein, die ihrer Zahl nach sehr furchtbar, aber ohne Erfahrung, Kriegszucht oder kriegerischen Geist war s). Bey dem erften

r) Monftrelet, B. II. S. 105. Grafton. S. 568.
s) Monftrelet, B. II. S. 126, 130, 132. Holingshed, S. 613. Grafton. S. 572.

erſten Lärm, den dieſe Belagerung machte, verſammlete der Herzog von Gloceſter einige Truppen, ſchickte dem Philipp eine Ausfoderung, und verlangte von ihm, den Ausgang einer Schlacht zu erwarten, die er ihm zu liefern verſprach, ſo bald der Wind es ihm nur erlauben würde, Calais zu erreichen. Das kriegriſche Genie der Engländer hatte ſie damals allen nördlichen Völkern in Europa furchtbar gemacht; insbeſondere aber den Einwohnern von Flandern, welche in den Manufacturen erfahrner, als in den Waffen waren; und der Herzog von Burgundien, der ſchon in einigen Verſuchen vor Calais unglücklich geweſen war, und das Mißvergnügen und den Schrecken ſeiner eignen Armee bemerkte, hielt es für gut, die Belagerung den 26ten Junii aufzuheben, und ſich vor der Ankunft der Feinde wieder zurück in ſeine Länder zu ziehen t).

Die Engländer waren noch immer Herren von vielen ſchönen Provinzen in Frankreich; allein ſie behielten ſie im Beſitz, mehr wegen der groſſen Schwachheit Carls, als wegen der Stärke ihrer Beſatzungen, oder der Macht ihrer Armeen. Nichts kann in der That erſtaunlicher ſeyn, als
die

_____

t) Monſtrelet, B. II. S. 136. Holingshed, S. 614.

die schwachen Bemühungen, welche diese beyden
mächtigen Nationen in einer Zeit von zwey Jahren wider einander machten; indem die eine für
die Unabhänglichkeit stritt, und die andre nach
einer gänzlichen Ueberwindung ihrer Nebenbuhler
strebte. Der allgemeine Mangel an Fleiß, Handlung und Policey zu dieser Zeit hatte alle europäische Nationen, (und England und Frankreich
nicht weniger, als die andern,) ungeschickt gemacht, die Kosten des Krieges zu tragen, wenn
er länger als einen Sommer dauerte; und die
lange Dauer der Feindseligkeiten hatte schon lange
vorher die Macht und Geduld beyder Königreiche
erschöpfet. Kaum konnte noch von einer Seite
etwas ins Feld gestellet werden, was einer Armee gleich sah; und alle Operationen bestunden
in Ueberrumpelung der Oerter, in Scharmützeln
unter kleinen Detaschements, und in Streyfereyen
durch offne Länder, welche kleine Corps verrich-
teten, die aus den benachbarten Besatzungen schleunig zusammengezogen wurden. In dieser Art,
den Krieg zu führen, hatte der König von Frankreich den Vorzug: die Neigung des Volks war
ganz auf seiner Seite: die Nachrichten von dem
Zustande und den Bewegungen der Feinde wurden ihm zeitig gebracht: die Einwohner waren
be-

bereit, sich in einem jeden Versuch wider die
Besatzungen mit ihm zu vereinigen; und solchergestalt gewann er jederzeit, ob gleich langsam,
mehr Land von den Engländern. Der Herzog
von York, ein Prinz, der sehr viele Fähigkeiten
besaß, kämpfte wider diese Schwierigkeiten ganzer
fünf Jahre hindurch; und da er von der Tapferkeit des Lords Talbot, nachmaligen Grafens
von Shrewsbury, unterstützet würde, verrichtete
er Thaten, welche ihm Ehre erwarben, aber die
Aufmerksamkeit der Nachwelt nicht verdienen.
Es wäre gut gewesen, wenn dieser schwache
Krieg, neben der Ersparung des Menschenbluts,
auch alle andre Unterdrückungen verhindert hätte, und wenn die Wuth des Volkes, welche
Vernunft und Gerechtigkeit nicht zähmen kann,
solchergestalt von seinem Unvermögen und seiner
Unfähigkeit wäre im Zügel gehalten worden. Allein, obgleich die Engländer und Franzosen so
wenig Kraft ausübten, so giengen sie doch weiter, als ihr Nachsatz erlaubte, welcher noch geringer war; und die Truppen, welche keinen
Sold bekamen, waren gezwungen, vom Plündern und von Unterdrückung, so wohl ihrer eignen als der feindlichen Länder zu leben. Die
Felder in dem ganzen nördlichen Frankreich, welche

che der Schauplatz des Krieges waren, lagen
wüste und ungebauet u). Die Städte würden
nach und nach von Volk entblößt, nicht durch
das im Kriege vergoffene Blut, sondern durch
die weit mehr verwüstende Plündrungen der Besatzungen; und beyde Parteyen schienen der Feindseligkeiten, welche nichts entschieden, überdrüßig,
endlich nach dem Frieden zu verlangen, und
schritten daher zu Unterhandlungen. Allein die
Vorschläge, welche Frankreich und England
machten, waren so weit von einander entfernt,
daß alle Hoffnung zu einem Vergleiche sogleich
wieder verschwand. Die englischen Gesandten
foderten alle Provinzen wieder zurück, welche
jemals mit England verbündet gewesen waren,
nebst der gänzlichen Abtretung der Stadt Calais
und ihres Distrikts, und verlangten den Besitz
dieser großen Länder, ohne daß ihr Prinz die
Last einer Huldigung und eines Eides der Treue
dafür zu tragen hätte: die Franzosen bothen nur
einen Theil von Guienne, von der Normandie,
und Cala s unter den gewöhnlichen Pflichten an.
Es schien vergebens zu seyn, die Unterhandlungen weiter fortzusetzen, da man so wenig Hoffnung

u) Grafton. S. 562;

Hume Gesch. VI. B.   N

rung zu einem Vergleich sah. Die Engländer
waren noch zu stolz, die großen Hoffnungen,
welche sie sich vorher gemacht hatten, fahren zu
lassen, und Bedingungen anzunehmen, die dem
gegenwärtigen Zustande der beyden Königreiche
gemäßer waren.

Der Herzog von York übergab die Regierung bald nachher dem Grafen von Warwic,
einem angesehenen Herrn, den der Tod aber verhinderte, seine Würde lange zu genießen. Nach
dem Absterben dieses Herrn übernahm der Herzog sein Amt wieder, und unter dieser Verwaltung wurde ein Waffenstillstand zwischen dem
Könige von England und dem Herzoge von Burgundien geschlossen, welcher wegen des Hand-
lungsinteresses ihrer Unterthanen nothwendig geworden war x). Der Krieg mit Frankreich wurde auf eine eben so matte und schwache Art,
wie vorher, fortgesetzet.

Die Gefangenschaft von fünf Prinzen von
Geblüte, die in der Schlacht bey Azincour ge-
fangen genommen waren, war ein ansehnlicher
Vortheil, den die Engländer lange über ihren
Feind hatten: allein dieser Vortheil hatte sich
itzt

x) Grafton. S. 573.

ist gänz verlohren. Einige von diesen Prinzen
waren gestorben; andre hatten sich mit Gelde
ranzionirt, und der Herzog von Orleans, der
mächtigste unter ihnen, war noch zuletzt in den
Händen der Engländer. Er both die Summe
von 54,000 Nubeln y) für seine Freyheit; und
als dieser Vorschlag dem Rath von England vor
getragen wurde, waren die Meynungen der
Parteyen des Herzogs von Glocester und des
Cardinals von Winchester getheilt, so wie jede
Frage damals ein Gegenstand der Factionen war.
Der Herzog erinnerte diese Versammlung an den
Rath des sterbenden Königs, daß keiner von
den Gefangnen auf einige Bedingungen eher loß
gelassen werden sollte, bis sein Sohn zu dem
Alter gelangt wäre, die Zügel der Regierung
selbst zu führen. Der Cardinal berief sich auf

N 2　　　　　die

y) Rymer, B. X. S. 764; 776; 782; 795, 796.
　　Diese Summe macht so viel als 36,000 Pfund Ster-
　linge nach unserm itzigen Gelde. Eine Subsidie von
　einem Zehnten, und einem Funfzehnten wurde von
　Eduard dem Dritten auf 29,000 Pfund, das ist
　58,000 nach itzigem Gelde gerechnet. Das Parla-
　ment bewilligte nur Eine Subsidie in einer Zeit von
　sieben Jahren, von 1437 bis 1444.

die Größe der angebotenen Summe, welche in der That zwey Drittheile von allem ausserordentlichem Zuschuß ausmachte; den das Parlament seit sieben Jahren zur Fortsetzung des Krieges bewilligt hatte. Und er setzte hinzu, die Befreyung dieses Prinzen würde wahrscheinlicher Weise dem Besten Englands mehr vortheilhaft als nachtheilig seyn; indem er den französischen Hof mit Factionen erfüllen, und ein Haupt der vielen Mißvergnügten seyn würde, denen Carl itzt nur kaum widerstehen könnte. Die Partey des Cardinals behielt, wie gewöhnlich, die Oberhand: der Herzog von Orleans wurde frey gelassen, nach einer traurigen Gefangenschaft von fünf und zwanzig Jahren ż); und der Herzog von Burgundien erleichterte diesem Prinzen die Bezahlung der Ranzion, zu einem Pfande seiner gänzlichen Aussöhnung mit dem Hause Orleans. Man muß gestehen, daß die Prinzen und der Adel zu diesen Zeiten unter sehr nachtheiligen Bedingungen in den Krieg zogen: Wenn sie gefangen wurden, so blieben sie entweder auf Lebzeit in der Gefangenschaft, oder erkauften auch ihre Freyheit für einen Preis, den die Siege für gut fanden, und

---

ż) Grafton. S. 578.

und der ihre Familien oft in Armuth und Mangel
setzte.

Die Meynung des Cardinals behielt bald
nachher, in einer weit wichtigern Sache (i. J. 1443),
die Oberhand. Dieser Prälat hatte allezeit jeden
Vorschlag zu einem Vergleich, mit Frankreich befördert, und hatte die gänzliche Unmöglichkeit vor-
gestellt, die Eroberungen in diesem Königreiche
unter den gegenwärtigen Bedingungen weiter zu
treiben, und die vielen Schwierigkeiten, die schon
gemachten Eroberungen zu erhalten. Er berief
sich auf den großen Widerwillen des Parlaments,
Zuschuß zu bewilligen; auf die Unordnungen,
worinn die englischen Sachen in der Normandie
verwickelt waren; auf den täglichen Fortgang, den
der König von Frankreich machte, und auf den
Vortheil, den die Engländer haben würden, wenn
sie ihm durch einen kurzdaurenden Vergleich Einhalt thäten, welcher Gelegenheit geben könnte,
daß Zeit und Zufälle etwas zu ihrem Besten
wirkten. Der Herzog von Glocester, hochmüthig,
stolz und erzogen in den hohen Aussichten, woran
er durch das vormalige Glück seiner beyden Brüder
gewöhnet war, konnte sich noch nicht bereden
lassen, alle Hoffnung, Frankreich zu überwältigen,
aufzugeben; vielweniger konnte er es mit Geduld

N 3   an-

ansehen, daß seine Meynung durch den Einfluß
seines Nebenbuhlers in den englischen Rath verachtet und verworfen würde. Aber ungeachtet
seiner Widersetzung wurde der Graf von Suffolk,
ein Herr, der jederzeit der Partey des Cardinals
angehangen hatte, nach Tours geschickt, um mit
den französischen Ministern Unterhandlungen zu
pflegen. Man fand es unmöglich, die Bedingungen eines dauerhaften Friedens auszumachen;
aber ein Waffenstillstand wurde (den 28sten May)
auf zwey und zwanzig Monate geschlossen, kraft
dessen alles zwischen den beyden Parteyen auf dem
gegenwärtigen Fuß bleiben sollte. Die vielen Unordnungen, welche in der französischen Regierung
herrschten, und welchen die Zeit abhelfen konnte,
brachten den Carl dahin, daß er diesen Waffenstillstand einging; und dieselben Bewegungs-
ursachen nöthigten ihn nachher, denselben zu verlängern a). Allein Suffolk, der noch nicht zufrieden damit war, daß er diesen Auftrag ausgerichtet
hatte, brachte noch ein anderes Geschäfte zu Stande,
welches in der Vollmacht, die ihm ertheilt war, mehr
enthalten, als angedeutet zu seyn schien b). Die

a) Rymer, B. XI. S. 102, 103, 206, 214.
b) Rymer, B. XI. S. 53.

Wie Heinrich an Jahren zunahm, so wurde auch sein Charakter am Hofe mehr bekannt, und war keiner Partey mehr zweifelhaft. Da er von unschuldigen, unbeleidigenden und einfältigen Sitten, aber von sehr schwachem Verstande war, so war er ein Herr, der theils wegen seiner Sanftmüthigkeit, theils wegen der Schwachheit seines Verstandes, von denen, die um ihn waren, beständig regieret werden konnte, und man konnte leicht vorhersehen, daß seine Regierung zu einer beständigen Minderjährigkeit ausschlagen würde. Da er itzt das drey und zwanzigste Jahr seines Alters erreichet hatte, so war es natürlich, an die Wahl einer Königinn für ihn zu denken, und jede Partey wollte die Ehre haben, daß er eine von ihrer Hand annehmen möchte, weil es wahrscheinlich war, daß dieser Umstand den Sieg unter ihnen auf immer entscheiden würde. Der Herzog von Glocester schlug ihm eine Tochter des Grafen von Armagnac vor; hatte aber nicht so viel Ansehen, daß er seinen Vorschlag durchtreiben konnte. Der Cardinal und seine Freunde hätten ihre Augen auf Margaretha von Anjou geworfen, eine Tochter des Renatus, Titularkönigs von Sicilien, Neapolis und Jerusalem, welcher von dem Grafen von Anjou, einem Bruder Carls des Fünften, abstammte, der seinen Nachkommen diese prächtigen Titel, aber ohne wirkliche Gewalt, oder Länder, hinterlassen hatte. Diese Prinzeßinn selbst war die vollkommenste ihrer Zeit, sowohl in Absicht auf den Körper, als auf die Seele, und schien diejenigen Eigenschaften zu besitzen, welche sie in den Stand setzen konnten, sowohl die Herrschaft über den Heinrich zu erhalten, als auch alle seine Fehler und Schwachheiten zu ersetzen. Sie hatte einen männlichen und muthigen Geist, eine zu Unternehmungen geneigte Gemüthsart, einen eben so lebhaften, als gründlichen Verstand; hatte diese große Talente in dem Privatstande der Familie ihres Vaters nicht einmal verbergen können, und man konnte mit Grund erwarten, daß sie, falls sie den Thron besteigen sollte, in einen noch größern Glanz ausbrechen würden. Der Graf von Suffolk that daher, nach Verabredung mit seinen Freunden aus dem englischen Rath, der Margaretha Heyrathsvorschläge, welche angenommen wurden. Aber dieser Herr, der schon dadurch sich der Gunst der Margaretha versichert hatte, weil er das vornehmste Werkzeug ihrer Erhebung war, bemühete sich auch, sich bey ihr und ihrer Familie durch sehr außerordentliche Verwilligungen einzuschmeicheln. Obgleich die Prinzeßinn

keine Aussteuer mitbrachte, so wagte er es doch für
sich selbst, ohne eine eigentliche Vollmacht von dem
Rath, vermuthlich aber mit Erlaubniß des Cardinals und der regierenden Mitglieder, in einem
geheimen Artikel auszumachen, daß die Provinz
Maine, welche damals in den Händen der Engländer war, dem Carl von Anjou, ihrem Onkel c),
überliefert werden sollte, welcher Premierminister
und Liebling des Königs von Frankreich war, und
welcher bereits diese Provinz von seinem Herrn,
als seine Apanage, erhalten hatte.

Der Heyrathstraktat wurde in England genehmiget: Suffolk erhielt erstlich den Titel eines
Marquis, und bald darauf den Titel eines Herzogs; und sogar das Parlament stattete ihm eine
Danksagung für seine Dienste ab, daß er den
Traktat geschlossen d). Die Prinzeßinn gerieth sogleich in nahe Verbindungen mit dem Cardinal
und seiner Partey, den Herzogen von Sommerset,
Suffolk und Buckingham e); welche, von ihrer
mächtigen Freundschaft gestärket, den gänzlichen
Untergang des Herzogs von Glocester beschlossen.

N 5   Die-

c) Grafton, S. 590.
d) Cotton. S. 630.
e) Holingshed. S. 626.

Dieser edelmüthige Prinz, der (i. J. 1447)
in allen Intriguen des Hofes, wozu seine Gemüthsart so wenig geschickt war, unterlag, aber
die Gunst des Volks in einem hohen Grade besaß,
hatte von seinen Nebenbuhlern schon eine sehr
grausame Demüthigung erlitten, die er bisher
zwar geduldig ertragen, die aber eine Person von
seinem Geiste und seiner Leutseligkeit unmöglich
vergeben konnte. Seine Gemahlinn, eine Tochter
des Reginald, Lords Cobham, war der Zauberey
beschuldiget worden, und man hatte vorgegeben,
daß man das Bildniß des Königs in Wachs bey
ihr gefunden, welches sie und ihre Gehülfen, Sir
Roger Bolingbroke, ein Priester, und eine gewisse
Margeria Jordan von Eye, auf eine magische Art,
vor einem schwachen Feuer geschmolzen, um dem
Heinrich nach und nach seine Kraft und Lebhaftigkeit zu nehmen. Diese Klage war so eingerichtet,
daß sie das schwache und leichtgläubige Gemüth
des Königes rühren, und in einem unwissenden
Jahrhundert Glauben finden konnte; und die
Herzoginn wurde mit ihrem Gehülfen vor Gericht
gezogen. Die Beschaffenheit dieses Verbrechens,
welches aller menschlichen Vernunft so sehr zuwider ist, scheinet die Kläger in ihren Beweisen immer von der Beobachtung der Regeln der gesunden

Ver-

Vernunft frey zu sprechen: die Gefangnen wurden für schuldig erkläret, die Herzoginn wurde verurtheilet, öffentliche Buße zu thun, und in ewiger Gefangenschaft zu leben, und die andern wurden hingerichtet f). Allein, da dieses gewaltsame Verfahren einzig und allein der Bosheit der Feinde des Herzogs zugeschrieben wurde; so befreyete das Volk die unglücklichen Leidenden wider seine Gewohnheit bey solchen Fällen; und seine Hochachtung und Zuneigung zu einem Prinzen, der so tödtlichen Beleidigungen ohne Schutz ausgesetzet war, vermehrte sich.

Aus diesen Gesinnungen des Publicums sahen der Cardinal von Winchester und seine Anhänger, daß es nothwendig wäre, einen Mann aus dem Wege zu räumen, dessen Gunst bey dem Volk gefährlich werden könnte, und dessen Haß zu befürchten, sie so viele Ursachen hatten. Um diesen Vorsatz zu bewerkstelligen, wurde ein Parlament versammlet, nicht zu London, welche Stadt dem Herzoge gar zu geneigt seyn möchte, sondern zu St. Edmondsbury, wo er, ihrer Vermuthung nach, ihrer Gnade gänzlich überlassen seyn würde. Sobald

f) Stowe, S. 381. Holingshed, S. 622. Grafton, S. 587.

bald er erschien, beschuldigte man ihn der Verrätherey, und warf ihn ins Gefängniß. Er wurde
bald darauf in seinem Bette (den 28ten Febr.) todt
gefunden g); und ob man gleich vorgab, daß sein
Tod natürlich sey, und obgleich sein Körper, welcher öffentlich ausgesetzet wurde, keine äußerliche
Merkmaale einer Gewaltsamkeit an sich hatte; so
zweifelte doch niemand, daß er ein Opfer der
Rache seiner Feinde geworden sey. Ein Streich,
den man vormals schon an Eduard dem Zweyten,
Richard dem Zweyten, und an dem Thomas von
Woodstock, Herzoge von Glocester, ausgeübet
hatte, konnte niemand mehr betriegen. Die
Ursache dieser Gewaltthätigkeit schien nicht diese
gewesen zu seyn, weil die herrschende Partey befürchtet, daß er im Parlament wegen seiner Unschuld, welche in solchen Zeiten selten viel geachtet
wurde, losgesprochen werden möchte, sondern
weil sie glaubte, sein öffentlicher Proceß und seine
Hinrichtung würde mehr Neid erregen, als die
heimliche Ermordung, welche sie läugnen wollte.
Einige Edelleute von seinen Anhängern wurden
nachher vor Gericht gezogen, weil sie ihm in seiner
Verrätherey behülflich gewesen seyn sollten, und
wur-

g) Grafton. S. 597.

würden verdammt, gehangen und geviertheilt zu
werden. Sie wurden gehangen, und wieder abgenommen; allein eben als der Scharfrichter sie
viertheilen wollte, wurde ihnen Pardon gebracht,
und sie kamen wieder zu sich selbst h). Die grausamste Art von Gnade, die man sich nur vorstellen
kann!

Man sagt, daß dieser Prinz eine gelehrtere
Erziehung gehabt, als zu der Zeit gewöhnlich war,
daß er eine der ersten öffentlichen Bibliotheken in
England angeleget habe; und daß er ein großer
Gönner der Gelehrten gewesen sey. Unter andern
Vortheilen, welche er von dieser Denkungsart ein-
erndtete, diente sie auch dazu, ihn von der Leicht-
gläubigkeit zu heilen; wovon Sir Thomas More
folgendes Beyspiel giebt. Es lebte ein Mann,
welcher vorgab, daß er als ein Blindgebohrner sein
Gesicht durch die Berührung des Altars von
St. Albans wieder bekommen hätte. Der Herzog,
welcher bald darauf von ungefehr diesen Weg kam,
befragte diesen Mann, und da er zu zweifeln schien,
ob er auch sehen könnte, fragte er ihn nach der
Farbe verschiedener Kleider, welche die Leute in
seinem Gefolge trugen. Der Mann sagte es sehr
ge-

h) Fabian Chron. anno 1447.

geschwind. Ihr seyd ein Schelm, rief der Prinz,
wäret ihr blind gebohren, so könntet ihr keine
Farben unterscheiden; und sogleich befahl er, ihn
als einen Betrüger in den Stock zu legen i).

Der Cardinal von Winchester starb sechs Wochen nach seinem Vetter, dessen Ermordung ihm
und dem Herzoge von Suffolk von einem jeden zugeschrieben wurde, und welche ihm, wie man sagt,
mehr Gewissensbisse in seinem letzten Augenblicke
verursachte, als man von einem Manne erwarten
konnte, der durch ein in Falschheit und Staats-
streichen lange zugebrachtes Leben verhärtet war.
Wie viel Antheil die Königinn an dieser Schuld
gehabt hat, ist nicht ausgemacht; ihre gewöhnliche
Thätigkeit und ihr Muth machte, daß das Publicum mit einigem Grunde schloß, die Feinde des
Herzogs hätten, ohne ihr Mitwissen, zu einer solchen That nicht schreiten dürfen. Allein es begab
sich bald nachher ein Vorfall, wovon sie und ihr
Liebling, der Herzog von Suffolk, unwidersprech-
lich die ganze Schuld hatten.

Derjenige Artikel in dem Heyrathstraktat,
kraft dessen die Provinz Maine dem Carl von Anjou, dem Onkel der Königinn, abgetreten werden
soll-

_____

i) Grafton. S. 597.

follte, war vielleicht bisher geheim gehalten; und
so lange der Herzog von Glocester lebte, würde
es gefährlich gewesen seyn, auf die Vollziehung
desselben zu dringen. Allein, da der französische
Hof durchaus auf die Vollziehung drang, so
wurden dem Sir Francis Sukienne, Commandanten von Mans, Befehle unter Heinrichs
Hand ertheilet, daß er diesen Ort dem Carl von
Anjou ausliefern sollte.   Surienne zog entweder
die Gültigkeit des Befehls in Zweifel, oder sah
seine Commandantenstelle für sein einziges Glück
an, und wollte nicht gehorchen; und eine franz-
zösische Armee unter der Anführung des Grafen
von Dünois mußte den Ort belagern. Der Commandant machte eine so gute Vertheidigung, als
ihm seine Situation erlaubte; da er aber keine
Unterstützung vom Edmund, dem Herzoge von
Sommerset, dem damaligen Gouverneur der
Normandie, erhielt, wurde er endlich gezwungen,
zu capituliren, und nicht nur Mans, sondern auch
alle Vestungen dieser Provinz zu übergeben, welche
solchergestalt von der Krone England gänzlich getrennet wurden.

Diese schlechte Folgen dieser Maaßregel hörten hier noch nicht auf. Surienne begab sich
(i. J. 1448) mit allen seinen Besatzungen, die
sich

sich auf 2500 Mann beliefen, nach der Norman-
bie, in der Hoffnung, daselbst in Sold genommen, und in einigen Städten dieser Provinz ein-
quartirt zu werden. Allein Sommerset, der keine
Lebensmittel für eine so große Menge hatte, und
vermuthlich über Suriennes Ungehorsam böse war,
wollte ihn nicht aufnehmen; und dieser Abanturier,
der sich nicht unterstund, in den Ländern des
Königs von Frankreich oder England Plünderun-
gen anzustellen, märschirte nach Bretagne, besetzte
die Stadt Fougeres, verbesserte die Befestigungs-
werke von Pontorson und St. James de Benveron,
und unterhielt seine Truppen von den Verheerungen, welche er in dieser ganzen Provinz anrich-
tete k). Der Herzog von Bretagne beklagte sich
über diese Gewaltthätigkeiten bey dem Könige von
Frankreich, seinem Lehnsherrn: Carl that deswegen Vorstellungen bey dem Herzoge von Sommerset. Dieser Herr erwiderte, daß die Gewaltthaten ohne sein Wissen geschehen wären, und daß
er über den Surienne und seine Anhänger nicht zu
befehlen hätte l). Obgleich Carl, der den freyen
und unabhänglichen Geist dieser in Sold genom-

                                                menen

k) Monstrelet, B. III. S. 6.
l) Monstrelet, B. III. S. 7. Holingshed, S. 639.

menen Soldaten oftmals sehr hart gefühlet hatte,
diese Antwort befriedigend finden mochte, so
wollte er doch diese Entschuldigung nicht gelten
lassen. Er bestund beständig darauf, daß diese
Plünderer zurückgerufen; und dem Herzoge von
Bretagne aller zugefügte Schaden ersetzet werden
sollte; und um einen Vertrag ganz unmöglich zu
machen, schätzte er den Verlust auf nicht weniger
als 1,600,000 Kronen. Er empfand die Uebermacht, welche ihm der itzige Zustand seiner Sachen
über England gab, und beschloß, sich derselben zu
Nutze zu machen.

Der Waffenstillstand zwischen den beyden
Reichen war nicht sobald geschlossen, als Carl sich
mit Fleiß und Ueberlegung an die Verbesserung
der unzählbaren Uebel machte, welche Frankreich
bey den innerlichen und auswärtigen Kriegen so
lange erlitten hatte. Er stellte den Lauf der öffentlichen Gerechtigkeit wieder her; er führte wieder-
um Ordnung in den Finanzen ein; er setzte die
Mannszucht bey seinen Truppen auf guten Fuß;
er unterdrückte die Factionen bey Hofe; er belebte
den erstorbenen Zustand des Ackerbaues und der
Künste von neuem; setzte binnen wenig Jahren sein
Reich in einen blühenden Zustand, und machte es
seinen Nachbarn furchtbar. Unterdessen hatten

die Sachen in England eine ganz andre Wendung
genommen. Der Hof war durch Parteyen zertheilt,
welche gegeneinander erbittert waren: das Volk
war mit der Regierung unzufrieden; Eroberungen
in Frankreich, wobey mehr der Ruhm als der
Nutzen in Betracht kam, wurden unter den häuslichen Vorfällen, welche die Aufmerksamkeit aller
Leute an sich zogen, übersehen. Der Gouverneur
der Normandie, der nicht mit Geld versehen
wurde, mußte den größten Theil seiner Truppen
abbanken, und die Vestungswerke der Städte und
Castele in Verfall gerathen lassen; und der Adel
und das Volk in dieser Provinz hatten, während
der öffentlichen Gemeinschaft mit Frankreich, viel-
fältige Gelegenheit gehabt, ihre Verbindungen
mit ihrem alten Herrn zu erneuern, und Mittel
zur Vertreibung der Engländer zu verabreden.
Es schien dem Carl daher (i. J. 1449) die rechte
Zeit zu seyn, den Waffenstillstand zu brechen; und
die Normandie wurde auf einmal von vier mächtigen Armeen angegriffen; die eine commandirte der
König selbst; die zweyte der Herzog von Bretagne;
die dritte der Herzog von Alencon, und die vierte
der Graf von Dunois. Die Städte öffneten ihre
Thore, sobald sich die Franzosen nur sehen ließen:
Verneuil, Nogent, Chateau Gaillard, Ponteau de
Mer,

Mer, Gisors, Mante, Vernon, Argentan, Lisieux, Fecamp, Coutences, Belesme, Pont de l'Arche fielen dem Feinde sogleich in die Hände. Der Herzog von Sommerset, weit entfernt, daß er eine Armee hatte, welche er ins Feld stellen, und womit er diese Oerter entsetzen konnte, war nicht einmal im Stande, sie mit Besatzungen und nöthigen Vorrath zu versehen. Er warf sich mit den wenigen Truppen, die er noch hatte, in Rouen, und glaubte genug zu thun, wenn er diese Hauptstadt so lange von dem allgemeinen Schicksal der Provinz befreyen könnte, bis Hülfs= völker aus England ankämen. Der König von Frankreich ließ sich an der Spitze einer Armee von 50,000 Mann vor den Thoren dieser Stadt sehen. Das gefährliche Exempel der Empörung hatte die übrigen angesteckt, und sie schrien öffentlich um Ca= pitulation. Sommerset, der nicht zu gleicher Zeit einem auswärtigen und einem innerlichen Feinde widerstehen konnte, zog sich mit der Besatzung in den Palast und das Castel, welche unhaltbare Oerter er zu übergeben gezwungen wurde. Er er= kaufte sich (den 4ten Nov.) einen Abzug nach Har= fleur für 56,000 Kronen, für das Versprechen, daß er Argues, Tancarville, Caudebek, Honfleur und andre Oerter in der Obernormandie übergeben, und Geiseln, wegen der Erfüllung dieser Artikel, auslie=

fern

fern wollte m). Der Commandant von Honfleur
wollte seinem Befehl nicht folgen; worauf der Graf
von Shrewsbury, einer von den Geiseln, gefangen
zurückbehalten wurde; und die Engländer waren
also des einzigen Generals beraubt, der sie aus ihrer
gegenwärtigen unglücklichen Situation zu retten
fähig gewesen wäre. Harfleur vertheidigte sich besser
unter seinem Commandanten, dem Sir Thomas
Curson; wurde aber endlich gezwungen, seine Thore
dem Grafen von Dünois zu öffnen. Endlich erschienen Hülfstruppen aus England, unter dem Sir
Thomas Kyriel, und landeten zu Cherbourg: allein,
sie kamen sehr spät, machten nur 4000 Mann aus,
und wurden bald nachher bey Fourmigny von dem
Grafen von Clermont geschlagen n). Dieser Scharmützel war die einzige Action, welche die Engländer
für die Vertheidigung ihrer Länder in Frankreich
wagten, die sie mit so viel Blutvergießen und so
vielen Schätzen erkauft hatten. Sommerset, der iü
Caen, ohne alle Hoffnung eines Entsatzes, eingeschlossen war, sah sich genöthigt, zu capituliren:
Falaise öffnete seine Thore mit der Bedingung, daß
der Graf von Shrewsbury in Freyheit gesetzt werden

m) Monstrelet, B. III. S. 21. Grafton. S. 643.
n) Holingshed. S. 631.

ben follte; und nachdem Cherbourg, der letzte Ort in
der Normandie, der den Engländern noch übrig
war, sich ergeben hatte, so war die Eroberung dieser
wichtigen Provinz, zur unendlichen Freude der
Einwohner und des ganzen Königreichs, binnen
zwölf Monaten von dem Carl vollendet o).

Ein ungleiches Glück begleitete die französischen Waffen in Guienne: obgleich die Einwohner
dieser Provinz durch eine lange Gewohnheit der
englischen Regierung geneigter wären. Der Graf
von Dünois wurde dahin geschickt, und fand im Fel-
be keinen, und in den Städten wenig Widerstand.

In der Einrichtung und dem Gebrauch der
Artillerie hatte man zu der Zeit schon große Verbesserungen gemacht; in der Fortification aber gar
keine; und die Kunst, sich zu vertheidigen, war daher mehr, als jemals, der Kunst anzugreifen ungleich. Nachdem alle kleine Derter um Bourdeaux
erobert waren, versprach diese Stadt, sich auch zu
ergeben, wenn sie nicht zu einer gewissen Zeit entsetzet würde; und da in England niemand an diese
entfernte Angelegenheiten dachte, so erschien kein
Entsatz. Der Ort ergab sich; und nachdem
Bayonne bald nachher eingenommen worden, so

D 3 wur-

o) Grafton. S. 646.

wurde diese ganze Provinz, welche seit der Thronbesteigung Heinrichs des Zweyten mit England vereinigt gewesen, nach drey Jahrhunderten der französischen Monarchie völlig wieder einverleibet.

Obgleich kein Frieden oder Waffenstillstand
zwischen Frankreich und England geschlossen wurde, so hatte der Krieg doch gewissermaßen ein En-de.
Die Engländer, welche durch die bürgerlichen
Spaltungen ganz zerrissen waren, machten nur
einen schwachen Versuch, Guienne wieder zu erobern; und Carl, der in seinem Lande beschäfftiget
war, die Regierung einzurichten, und wider die
Intriguen seines aufrührischen Sohns, Ludwigs,
des Dauphins, zu beveftigen, versuchte kaum jemals
sie in ihrer Insel anzugreifen, oder ihnen gleiches
zu vergelten, indem er sich ihrer innerlichen Unordnungen zu Nuße machte.

Das

Das ein und zwanzigſte Kapitel.

Heinrich VI.

Des Herzogs von York Anſprüche auf die Kro-
ne. Der Graf von Warwic   Anklage des
Herzogs von Suffolk. — Seine Verban-
nung, und Tod. Aufſtand des Pöbels. Die
Parteyen des York und Lancaſter. Erſte Rü-
ſtung des Herzogs von York. Erſte Schlacht
bey St. Albans. Schlacht bey Blore-heath.
Bey Northampton. Ein Parlament. Schlacht
bey Wakefield. Tod des Herzogs von York.
Schlacht bey Mortimers - Croß.   Zweyte
Schlacht bey St. Albans. Eduard der
Vierte nimmt die Krone an. Vermiſchte
Verrichtungen dieſer Regierung.

So oft der engliſche Thron mit einem ſchwachen Prinzen, ſo ſanftmüthig und unſchuldig
er auch ſeyn mochte, beſetzt geweſen, (i. J. 1450) ſo
oft hatte es auch nicht gefehlet, daß er nicht von

Fak-

Faktion, Mißvergnügen und bürgerlichen Empörungen beunruhiget worden wäre; und da Heinrichs Unfähigkeit täglich mehr hervorleuchtete,
so wurden diese gefährlichen Folgen, nach der
vorigen Erfahrung von jedem mit Recht befürchtet. Unruhige Köpfe, welche sich itzt mit keinen
auswärtigen Kriegen beschäfftigten, wovon die
Situation der benachbarten Staaten sie ausschloß,
waren desto geneigter, innerliche Unruhen anzurichten, und durch ihre Emulation, Nacheifrung
und Feindseligkeiten die Eingeweide ihres Vaterlandes zu zerreißen. Allein, obgleich diese Ursachen schon vor sich hinlänglich waren, Unordnungen auszubrüten; so kam doch noch ein andrer Umstand von der gefährlichsten Art dazu: Es
erschien ein Prätendent der Krone. Das Recht,
selbst des schwachen Prinzen, der den Namen eines Souverains führte, wurde streitig gemacht:
Und die Engländer mußten itzt eine schwere, obgleich späte Strafe leiden, für ihre Unruhen unter dem Richard II. und für die Leichtsinnigkeit,
womit sie die gerade Erbfolge ihrer Monarchen,
ohne Noth und ohne eine gegründete Ursache unterbrochen hatten.

Alle männliche Nachkommen des Hauses Mortimer waren ausgestorben; allein Anna, eine

Schwe-

Schwester des letzten Grafen von Marche, hatte,
nachdem sie sich an den Grafen von Cambridge,
der unter der Regierung Heinrichs V. enthauptet war, vermählet, ihre verborgenen aber noch
nicht vergessenen Ansprüche, ihrem Sohn Richard,
dem Herzoge von York hinterlassen. Dieser Prinz,
der also von Seiten seiner Mutter von der Philippa, einer einzigen Tochter des Herzogs von
Clarence, eines zweyten Sohns Eduards des
Dritten, abstammte, gieng in der Ordnung der
Nachfolge dem Könige offenbar vor, welcher seine
Abkunft von dem Herzoge von Lancaster, einem
dritten Sohne dieses Monarchen, herrechnete;
und diese Ansprüche hätten in vielen Absichten in
keine gefährlichern Hände fallen können, als in
die Hände des Herzogs von York. Richard war
ein tapferer und geschickter Herr, weise in seinem
Betragen, und von einer sanften Gemüthsart:
Er hatte Gelegenheit gehabt, diese Tugenden bey
seiner Regierung in Frankreich zu zeigen: Und
ob er gleich durch die Ränke und das größere
Ansehen des Herzogs von Sommerset von diesem
Commando zurück berufen war, so hatte man
ihm doch aufgetragen, eine Rebellion in Irrland
zu unterdrücken; er hatte in dieser Unternehmung
viel mehr Glück gehabt, als sein Nebenbuhler

D 5 in

in der Vertheidigung der Normandie; und war
so gar fähig gewesen, die ganze irrländische Nation, welche zu bezwingen er abgeschickt war,
sich und seiner Familie geneigt zu machen a).
Von seines Vaters wegen war er der erste Prinz
von Geblüte; und mit dieser Würde gab er seinem Rechte, das er von der Familie des Mortimer herleitete, welcher zwar von sehr großem
Adel war, dennoch aber seines Gleichen im Königreiche hatte, und von den königlichen Nachkommen des Hauses Lancaster sehr verdunkelt
wurde, einen großen Glanz. Er besaß ein uner-
meßliches Vermögen durch die Vereinigung so
vieler Erbschaften, nämlich des Cambridge und
York an der einen, und des Mortimer an der
andern Seite: und diese letzte Erbschaft war noch
kurz vorher durch die Vereinigung der Güter des
Clarence und Ulster mit den väterlichen Erbgütern des Geschlechtes von Marche vermehret worden. Auch hatte die Vermählung des Richard,
da er die Tochter des Ralph Nevil, Grafen von
Westmoreland, heyrathete, sein Ansehen unter dem
Adel sehr ausgebreitet, und ihm viele Verbindungen mit diesem angesehenen Stande verschafft.

Das

a) Stowe. S. 387.

Das Geschlecht Nevil war damals, theils wegen seiner reichen Güter, theils durch die Charaktere der Männer, vielleicht das mächtigste, welches jemals in England erschienen ist. Denn außer dem Grafen von Westmoreland, den Lords Latimer, Fauconbridge und Abergavenny, gehörten auch die Grafen von Salisbury und Warwic zu dieser Familie, und diese waren an sich selbst in vielen Absichten die größten Adlichen im Reiche. Der Graf von Salisbury, ein Schwager des Herzogs von York, war des Grafen von Westmoreland ältester Sohn zweyter Ehe, und erbte von Seiten seiner Gemahlinn, einer Tochter und Erbinn des Montacute, Grafens von Salisbury, der vor Orleans blieb, die Güter und die Rechte dieser großen Familie. Sein ältester Sohn, Richard, hatte die Anna, eine Tochter und Erbinn des Beauchamp, Grafens von Warwic, der als Souverneur von Frankreich starb, geheyrathet; und durch diese Verbindung hatte er die Güter und das Recht auch dieser andern Familie erlanget; welche eine der reichesten, ältesten und berühmtesten im Königreiche war. Auch die persönlichen Eigenschaften dieser beyden Grafen, insbesondre des Warwic, vergrößerten den Glanz ihres Adels, und vermehrten ihren Einfluß bey

dem

dem Volke. Dieser letzte Herr, der wegen der
nachfolgenden Begebenheiten gemeiniglich unter
dem Namen, Königmacher, bekannt ist, hatte sich
durch seine Tapferkeit im Felde, durch seine Gaſtfreyheit, durch seine Pracht, und noch mehr durch die
Freygebigkeit in seinem Aufwande, und durch sein
muthiges und kühnes Betragen, welches ihn bey
allen seinen Handlungen begleitete, hervorgethan.
Die aufrichtige Freymüthigkeit und Offenherzigkeit seines Charakters, machten seine Eroberungen
über die Neigungen der Menschen desto gewisser
und unfehlbarer: Seine Geschenke wurden für
wahre Zeugnisse der Hochachtung und der Freundschaft, und seine Freundschaftsversicherungen für
Ausflüsse seiner edlen Gesinnungen angesehen.
Man sagt: daß nicht weniger als 30,000 Menschen täglich auf seine Kosten auf den verschiedenen Ländereyen und Castelen, welche er in England besaß, gelebet haben: Die Kriegsleute, welche er theils durch seine Freygebigkeit und seine
Gaſtfreyheit, theils durch seine Tapferkeit an sich
zog, waren ihm aufs eifrigste ergeben: Das Volk
überhaupt hatte eine uneingeschränkte Liebe für
ihn: Seine zahlreichen Anhänger folgten seinem
Willen mehr, als dem Willen des Königs und
den Gesetze: Und er war der größeste und letzte
derer

dererjenigen mächtigen Baronen, welche die Krone vormals in Furcht hielten, und das Volk zu einem ordentlichen System der bürgerlichen Regierung unfähig machten.

Allein, der Herzog von York hatte, außer dem Geschlechte von Nevil, noch viele andre Anhänger unter dem großen Adel. Courteney, Graf von Devonshire, ein französischer Prinz von Geblüte, war auf seiner Seite: Moubray, Herzog von Norfolk, hatte, wegen seines erblichen Hasses gegen das Geschlecht Lancaster dieselbe Partey ergriffen: Und das Mißvergnügen, welches unter dem Volke allenthalben herrschte, machte eine jede Verbindung unter den Größen für die eingeführte Regierung noch gefährlicher.

Obgleich das Volk niemals willig gewesen war, den nöthigen Zuschuß, um den Besitz von den in Frankreich eroberten Provinzen zu erhalten, herzugeben; so bedauerte es doch den Verlust dieser pralenden Eroberungen sehr, und glaubte, weil ein unvermutheter Einfall Eroberungen machen könnte, so sey es auch möglich, dieselben ohne standhafte Maasregeln, und ohne gleichförmige Ausgaben zu erhalten. Die freywillige Abtretung der Provinz Maine an der Königinn

— One

Onkel hatte verursacht, daß man bey dem Verlust der Normandie und Guienne Verrätherey
argwohnte. Man sah die Margaretha jederzeit
für ein französisches Frauenzimmer, und für eine
heimliche Feindinn des Reichs an. Und da man
ihren Vater und alle ihre Verwandte wirksam
sah, das Beste der Franzosen zu befördern; so
konnte man sich nicht überreden, daß sie, die
in den englischen Rath so vielen Einfluß hatte,
sich ihren Unternehmungen eifrig widersetzen würde.

Allein, den tödtlichsten Streich empfieng das
Ansehen der Krone, und das Interesse des Lancastrischen Hauses durch die Ermordung des tugendhaften Herzogs von Glocester, dessen Charakter, wenn er noch gelebt hätte, die Anhänger
des York würde in Furcht gehalten haben, dessen Andenken aber, weil es bey dem Volke noch
sehr in Ehren stund, dazu diente, auf seine Mörder einen unendlichen Haß zu werfen. Durch
diese Begebenheit zog sich die regierende Familie
einen doppelten Nachtheil zu: Sie wurde ihrer
vestesten Stütze beraubt, und mit aller Schande
dieser unvorsichtigen und barbarischen Hinrichtung
beschweret.

Da man wußte, daß der Herzog von Suffolk bey diesem Verbrechen Hand angeleget hatte;

so

so fiel auch ein großer Theil des Hasses, der
darauf folgte, auf ihn: und die Klagen, welche
man über ihn, als Premierminister und erklärten
Liebling der Königinn, führte, wurden dadurch
zehnfach vermehrt, und ließen sich nicht mehr in
Schranken halten Der große Adel konnte keinen
über sich erhaben sehen; vielweniger einen Mann,
der nur ein Urenkel eines Kaufmanns, und dessen Geburt so tief unter der seinig n war. Das
Volk klagte über seine willkührlichen Maasregeln,
welche gewissermaßen eine natürliche Folge der
unordentlichen Gewalt war, die der Prinz damals besaß, welche aber von dem geringsten Mißvergnügen leicht bis zur Tyranney vergrößert wurden. Der tägliche starke Zuwachs seiner Güter
war ein Gegenstand des Neides; und da derselbe
auf Kosten der Krone geschah, welche selbst in
die ärgerlichste Armuth gerathen war; so kam er
deswegen allen gleichgültigen Leuten desto tadels-
würdiger und verhaßter vor.

Das Einkommen der Krone; welches schon
längst gegen ihre Macht und ihr Ansehen ein schlechtes Verhältniß gehabt hatte, war unter der Min-
derjährigkeitHeinrichs sehr verschwendet worden b);
theils

b) Cotton. S. 609.

theils durch die Haabsucht der Hofleute, welche
die Onkel des Königes nicht im Zügel halten
konnten, theils durch die nothwendigen Kosten
des französischen Krieges, welche durch die Bewilligungen des Parlaments beständig so schlecht
unterstützet waren. Die königlichen Güter waren
verschwendet, und der König zugleich mit einer
Schuld von 372,000 Pfund beschweret, einer so
ungeheuren Summe, daß das Parlament nie
daran denken konnte, sie abzutragen. Diese unglückliche Situation zwang die Minister zu vielen
willkührlichen Maasregeln: der königliche Hofstaat selbst konnte nicht unterhalten werden, ohne
das Recht der Purveyance bis aufs höchste zu
treiben, und es zu einer Art von allgemeiner Rau-
berey, welche man an dem Volke ausübte, zu
machen: Die öffentlichen Klagen nahmen bey
dieser Gelegenheit sehr zu, und niemand hatte
die Billigkeit, der bedrängten Situation des Königes etwas nachzusehen. Suffolk, der nun einmal verhaßt geworden war, mußte von allem die
Schuld tragen; und jede Beschwerde in jedem
Theile der Regierung wurde von allen seiner Tyranney und Ungerechtigkeit zugeschrieben.

Dieser Herr, der den öffentlichen Haß, worein er gefallen war, merkte, und einen Angriff
der

der Gemeinen besorgte, bemühete sich, seine Feinde
dadurch in Furcht zu halten, daß er sich bey der
Klage dreist darstellete, und auf seine Unschuld
und seine und seines Geschlechtes Verdienste in
öffentlichen Diensten berief. Er stund auf in der
Versammlung der Pairs; erwähnte der wider ihn
ausgestreuten Klagen, und bedauerte, daß man,
nachdem er der Krone in vier und dreyßig Feld-
zügen gedienet, nachdem er siebzehn Jahr außer
Landes zugebracht, ohne sein Vaterland einmal
zu sehen, nachdem er einen Vater und drey Brüder in den Kriegen mit Frankreich verlohren,
nachdem er selbst gefangen gewesen, und seine
Ranzion mit einer großen Summe erkauft hätte,
daß man nach diesen ihn dennoch wollte in Verdacht haben, als wenn er sich von seiner Pflicht
durch diesen Feind hätte abziehen lassen, dem
er sich jederzeit mit so viel Eifer und Tapferkeit
widersetzt; und als wenn er seinen Prinzen betrogen hätte, der seine Verdienste mit den höchsten Ehrenstellen und den größten Aemtern, welche er nur ertheilen könnte, belohnet c). Diese
Rede hatte nicht die vermuthete Wirkung. Die
Gemeinen, welche durch diese Ausforderung nur

mehr

c) Cotton. S. 641.

mehr aufgebracht wurden, öffneten ihre Kläge-
wider den Suffolk, und schickten eine Beschuldigung der Verrätherey, welche in verschiedene
Artikel getheilet war, in das Oberhaus. Sie
behaupteten, er hätte den König von Frankreich
beredet, England mit gewaffneter Hand anzugreifen, um den König abzusetzen, seinen eignen
Sohn, John de la Pole, wieder auf den Thron
zu setzen, welchen er mit der Margaretha, der
einzigen Tochter des John, vormaligen Herzogs
von Sommerset, zu verheyrathen Willens wäre,
und welchem er durch diese Mittel, wie er sich
einbildete, ein Recht zur Krone verschaffen wollte: Er hätte dazu beygetragen, daß der Herzog
von Orleans loßgelassen worden, in der Hoffnung, daß dieser Prinz den König Karl in der
Vertreibung der Engländer aus Frankreich, und
in der neuen Besitznehmung seines Königreiches
helfen und beystehen würde: Er hätte diesen
König nachher aufgemuntert, wider die Normandie und Guienne Krieg zu führen, und die Eroberungen desselben dadurch befördert, daß er
die Geheimnisse der Engländer verrathen, und
die Hülfstruppen, welche man nach diesen Provinzen zu schicken Willens gewesen, zurück gehalten: Er hätte endlich, ohne einige Vollmacht

oder

oder Commißion, die Provinz Maine an den
Karl von Anjou, vermöge eines Traktats auszuliefern versprochen, und nachher auch wirklich
ausgeliefert; eine Abtretung, welche am Ende,
eine Haupturſache des Verluſtes der Normandie
geworden wäre d).

Wenn man dieſe Artikel überſiehet, ſo erhellet, daß die Gemeinen alle Klagen des Volks
über den Herzog von Suffolk ohne Unterſuchung
aufgenommen; und ihm Verbrechen angeſchuldi-
get haben, deren ihn niemand anders, als der
Pöbel, im Ernſte ſchuldig glauben konnte. Nichts
kann unglaublicher ſeyn, als daß ein Herr von
ſeinem Range und Charakter ſich ſollte haben
einfallen laſſen, die Krone auf ſeine Familie zu
bringen, und den Heinrich, nebſt der Margaretha, ſeiner Beſchützerinn, einer Prinzeßinn von
ſo vielem Geiſt und ſo großer Einſicht, durch
eine auswärtige Macht abzuſetzen. Suffolk berief ſich auf viele Edelleute in der Verſammlung,
welche wüßten, daß er ſeinen Sohn an eine
Miterbinn des Grafen von Warwic zu verheyrathen Willens geweſen, daß ihm aber dieſe Ab-

P 2   ſicht

d) Cotton. S. 642. Hal. S. 157. Holingſhed. S. 631.
Grafton. S. 607.

ſtcht durch den Tod dieſer Dame fehlgeſchlagen
wäre: Und er merkte an, daß die Margaretha
von Sommerſet ihrem Gemahl kein Recht an die
Krone zubringen könnte; weil ſie ſelbſt in der
vom Parlament veſtgeſtellten Erbfolge nicht einmal mit begriffen ſey. Die Urſachen des Verluſtes der Normandie und Guienne kann man leicht
aus dem Zuſtande der Sachen zwiſchen den beyden Königreichen erklären, ohne eine Verrätherey
bey den engliſchen Miniſtern anzunehmen: und
man kann ſicher behaupten, daß eine größere Lebhaftigkeit in Rathſchlägen erforderlich war, ſie
wider die Waffen Karls VII. zu vertheidigen,
als ſie vormals von ſeinem Vorfahren zu erobern.
Es konnte nie das Intereſſe irgend eines engliſchen Miniſters ſeyn, dieſe Provinzen zu verrathen und fahren zu laſſen, vielweniger eines Miniſters, der der Gunſt ſeines Herrn ſo ſehr ver-
ſichert war, der ſo hohe Ehrenſtellen und weit-
läuftige Güter in ſeinem eigenen Vaterlande beſaß, der nichts als die Folgen des öffentlichen
Haſſes zu befürchten hatte, und der ohne den
größten Widerwillen niemals denken konnte, ein
Flüchtling oder ein Verwieſener in einem fremden
Lande zu ſeyn. Der einzige Artikel, der einige
Wahrſcheinlichkeit zu haben ſcheinet, iſt ſein Verſprechen,

chen, die Provinz Maine an den Karl von Anjou auszuliefern; allein, Suffolk behauptete mit
vielem Schein der Wahrheit, daß diese Maasregel verschiedenen in dem Rathe bekannt gewesen
und von ihnen bewilliget wäre e); und dieser
Sache den nachmaligen Verlust der Normandie
und die Vertreibung der Engländer zuzuschreiben,
wie das Parlament that, scheint gar zu strenge
zu seyn. Die Normandie stund an allen Seiten
den Einfällen der Franzosen offen: Maine, eine
innländische Provinz, hätte bald nachher ohne
einen Angriff sich ergeben müssen: Und da die
Engländer in andern Gegenden mehr Vestungen
besaßen, als sie mit Besatzungen und Provisionen
versehen konnten; so schien es keine üble Staatsklugheit zu seyn, seine Macht zusammen zu ziehen, und die Vertheidigung dadurch zu erleich-
tern, daß man sie in einen engeren Bezirk brachte.

Vermuthlich sahen die Gemeinen ein, daß
diese Beschuldigung der Verrätherey wider den
Suffolk keine genaue Untersuchung ausstehen würde, und schickten daher bald darauf eine neue
Klage in das Oberhaus, welche gleichfalls in
verschiedene Artikel abgetheilet war. Unter an-

P 3 dern

e) Cotton. S. 643.

dern Beschuldigungen versicherten sie, er habe von
der Krone unmäßige Verwilligungen erhalten, er
habe die Gelder des Staats durchgebracht, habe
ungeschickten Personen Bedienungen gegeben, habe die Gerechtigkeit verdrehet, indem er ungerech-
te Sachen unterstützet, und habe allgemein bekannten Verbrechern Verzeihung verschaffet f).
Die Artikel sind größtentheils allgemein, aber doch
nicht unwahrscheinlich: Und da Suffolk ein
schlechter Mann, und ein eben so schlechter Minister gewesen zu seyn scheinet; so wird es keine
Uebereilung seyn, wenn wir glauben, daß er
schuldig war, und daß viele von diesen Artikeln
wider ihn bewiesen werden konnten. Der Hof
wurde über die gerichtliche Anklage eines Lieb-
lingsministers beunruhiget, welcher unter einer
solchen Last der Vorurtheile des Volks lag: und
fiel auf ein Mittel, ihn von dem gegenwärtigen
Untergange zu befreyen. Der König ließ alle
geistliche und weltliche Lords zu sich in sein Zimmer kommen: Der Gefangene wurde vor sie geführet, und gefragt, was er zu seiner Vertheidigung sagen könnte: Er läugnete die Beschuldigung; unterwarf sich aber der Gnade des Kö-

niges

f) Cotton. S. 643.

niges; Heinrich sagte, er wäre mit der ersten
Bill wegen seiner Verrätherey nicht zufrieden;
aber in Ansehung der zweyten, wegen verschiedener Vergehungen, sagte er, wollte er den Suffolk, nicht kraft einer richterlichen Gewalt, sondern blos nach seiner eignen Unterwerfung, auf
fünf Jahre aus dem Königreiche verweisen. Die
Lords schwiegen hiezu still; allein, so bald sie
wieder in das Haus zurückgekehret waren, verfertigten sie eine Protestation, daß dieses Urtheil
keinesweges ihren Vorrechten schaden sollte, und
daß Suffolk, wenn er auf seinem Rechte bestanden wäre, und sich dem Befehle des Königs nicht
freywillig unterzogen hätte, berechtiget wäre, von
den Pairs im Parlament gerichtet zu werden.

Man siehet leicht, daß dieses ungesetzliche
Verfahren zum Besten des Suffolk abzielte, und
daß er, da er noch immer der Vertraute der Königinn war, bey der ersten guten Gelegenheit wieder in sein Vaterland zurückgerufen, und in seine
vorige Macht und Ansehen eingesetzet werden würde. Seine Feinde brauchten daher einen Schiffs-
kapitain, ihn bey der Ueberfahrt nach Frankreich
aufzufangen: Er wurde bey Dover ergriffen; der
Kopf wurde ihm auf dem Bord eines Boots
abgeschlagen, und sein Körper in die See ge-

P 4. wor-

worfen g). Man stellte nachher wegen der Urheber und der Mitschul digen dieser verwegnen
Gewaltthat keine Untersuchung an.

Der Herzog von Sommerset folgte dem Suffolk in der Stelle eines Ministers und eines Vertrauten der Königinn; und da er eben derjenige
war, unter dessen Händen die französischen Provinzen verlohren gegangen waren; so machte das
Volk, welches allezeit nach dem Erfolge ur-
theilt, ihn gleichfalls bald zum Gegenstande seines Hasses und seiner Feindseligkeit. Der Herzog von York war während aller dieser Begebenheiten in Irrland; und ob man gleich argwöhnte, daß seine Anhänger die gerichtliche Anklage des Suffolk angefangen und unterstützet
hatten, so hatte man doch keinen unmittelbaren
Grund zur Klage wider ihn. Allein es trug sich
bald nachher eine Begebenheit zu, wodurch die
Eifersucht des Hofes erreget, und demselben die
große Gefahr entdeckt wurde, welcher er durch
die Ansprüche dieses weisen und beliebten Prinzen
ausgesetzt war.

Durch

g) Hall. S. 158. Hist. Croyland. cont. S. 525. Stowe, S. 388. Grafton. S. 610.

Durch die Anklage vor dem Parlament, und durch den Fall eines so großen Lieblings, als Suffolk war, wurden die Launen des Volks in Bewegung gebracht, und brachen in verschiednen Unordnungen aus, welche bald unterdrücket wurden; allein, es entstund eine in Kent, welche leicht gefährlichere Folgen hätte haben können. Ein Mann von niedrigem Stande, John Cade, ein Irländer von Geburt, der wegen Verbrechen nach Frankreich zu fliehen genöthiget gewesen war, bemerkte bey seiner Rückkehr das Mißvergnügen des Volks, und bauete auf demselben Projekte, die anfangs einen erstaunlich guten Fortgang hatten. Er nahm den Namen John Mortimer an, vermuthlich in der Absicht, um für einen Sohn desjenigen Sir John Mortimer gehalten zu werden, der vom Parlament zum Tode verdammet und im Anfange dieser Regierung hingerichtet war, ohne Verhör oder Beweis, bloß nach einer Beschuldigung der Verrätherey h).

P 5   So

h) Stowe. S. 364. Cotton, S. 564. Dieser Verfasser wundert sich, wie eine solche Ungerechtigkeit habe in Friedenszeiten begangen werden können: Er hätte noch hinzusetzen können, und von so tugendhaften Prinzen, als Bedford und Glocester. Allein man hat

Ur 3

Sobald der gemeine Pöbel in Kent diesen beliebten Namen hörte, liefen gegen 20,000 zu der
Fahne des Cade zusammen, und erregten ihren
Eifer dadurch, daß er Klagen über die vielen
Mißbräuche der Regierung führte, und auf die
Abstellung dieser Beschwerden drang. Der Hof,
der die Gefahr noch nicht einsah, schickte gegen
diese Aufrührer einige wenige Truppen, unter
der Anführung des Sir Humphrey Stafford aus,
der in einer Action bey Sevenoke geschlagen wurde, und selbst blieb 1); und Cade, der mit seinen Anhängern gegen London anrückte, schlug
sein Lager in Black-Heath auf. Ob er gleich
durch seinen Sieg stolz geworden war, so behielt
er doch immer den Schein einer Mäßigung; und
indem er dem Hofe ein sehr scheinbares Verzeichniß

Ursache zu muthmaaßen, daß Mortimer schuldig gewesen; obgleich seine Verdammung höchst unregelmäs-
sig und ungesetzlich war. Das Volk hatte damals
wenige Empfindung von Gesetzen und von einer
Staatseinrichtung; und die Gewalt wurde durch diese Gränzen sehr wenig eingeschränket. Wenn das
Verfahren eines Parlaments so unregelmäßig war,
so kann man sich leicht vorstellen, daß das Verfahren
eines Königs noch unregelmäßiger seyn mußte.

1) Hall. S. 159. Holingshed. S. 634.

niß von Beschwerden überschickte k), versprach
er, die Waffen nieder zu legen, so bald diese
abgestellet, und der Schatzmeister Lord Say, und
Cromer, der Ober Sherif von Kent, wegen ihrer
Vergehen bestraft wären. Der Rath, welcher
merkte, daß niemand gegen Leute fechten wollte,
deren Forderungen so billig waren, führte den
König, der Sicherheit halber, nach Kenilworth;
und die Stadt öffnete sogleich ihre Thore dem
Cade, welcher eine Zeitlang unter seinen Anhängern große Ordnung und Mannszucht hielt. Er
führte sie des Nachts immer aufs Feld, und
ließ strege Verbote wieder das Plündern und alle
Gewaltthätigkeiten von der Art ergehen: Da er
aber, um ihrem Haß gegen den Say und Cromer genug zu thun, gezwungen war, diese Herren ohne gesetzliche Untersuchung hinzurichten l);
so sah er, daß er nach diesem Verbrechen nicht
mehr über ihre räuberische Gemüthsart Herr war,
und daß alle seine Befehle vernachläßiget wurden m). Sie brachen in ein reiches Haus, welches sie ausplünderten, und die Bürger, welche durch diese Gewaltthat aufgebracht wurden,

vere

k) Stowe, S. 388, 389. Kolingshed, S. 633.
l) Grafton. S. 612.
m) Hall S. 160.

versperrten die Thore vor ihnen, und nachdem
sie von einem Detaschement Soldaten, das ihnen von dem Lord Scales, dem Commandanten
des Tower geschickt wurde, verstärket waren,
schlugen sie die Angreifer mit einer großen Niederlage zurück n). Die Aufrührer wurden durch diesen Streich so muthlos, daß sie, nachdem sie
eine allgemeine Pardon von dem Primas, der
damals Canzler war, erhalten hatten, sich zurück nach Rochester begaben, und darauf auseinander giengen. Der Pardon wurde bald nachher, als mit Gewalt erzwungen, für nichtig erkläret: Ein Preis wurde auf den Kopf des Cade
gesetzt o), welcher von einem Mann aus Sussex,
Namens Jden, getödtet wurde; und viele von
seinen Anhängern wurden wegen ihrer Rebellion
am Leben gestraft.

Der Hof bildete sich ein, daß der Herzog
von York den Cade zu diesem Versuche heimlich
angetrieben habe; um die Gesinnung des Volks
gegen sein Recht und seine Familie zu erforschen p):
Und da der Versuch nach Wunsch ausgefallen
war,

n) Hist. Croyl. cont. S. 526.
o) Rymer, B. XI. S. 275.
p) Cotton. S. 661. Stowe, S. 391.

war, so hatte die herrschende Partey die künf
tigen Folgen dieser Ansprüche itzt mehr, als
jemals zu befürchten. Zu gleicher Zeit hörte sie,
daß er wieder aus Irrland zurückkehren wolle;
und da sie befürchtete, daß er eine bewaffnete
Mannschaft mit zu bringen Willens seyn möchte; so stellte sie, im Namen des Königs, Befehle
aus, sich ihm zu widersetzen und seine Landung
in England zu verhindern q). Allein der Herzog entwaffnete seine Feinde, indem er nicht mehr,
als sein ordentliches Gefolge, mitbrachte: Die
Vorsicht, welche die Minister gebraucht hatten,
dienten nur dazu, ihm ihre Eifersucht und Bosheit zu zeigen: Er sah ein, daß sein Recht, welches für den König gefährlich war, auch für ihn
selbst gefährlich geworden: Er erkannte die Unmöglichkeit, in seinem itzigen Zustande zu bleiben,
und die Nothwendigkeit, in Durchsetzung seiner
Ansprüche weiter zu gehen. Er gab daher seinen Anhänger einen Wink, in allen Gesellschaften zu behaupten, daß er nach der Erbfolge, nach
den Grundgesetzen und nach der Verfassung des
Reichs, das nächste Recht hätte. Diese Untersuchung wurde täglich mehr und mehr der Stoff

der

q) Stowe S. 394.

der Reden in Gesellschaften: Die Gemüther der
Nation wurden durch dieses Disputiren unvermerkt gegen einander hitziger, ehe sie noch zu
gefährlichern Dingen schritten: Und verschiedene
Gründe wurden zur Unterstützung der Rechte einer jeden Partey angeführet.

Die Anhänger des Hauses Lancaster behaupteten, ob gleich die Erhöhung Heinrichs IV. für
etwas unordentlich gehalten werden möchte, und
nach denen Grundsätzen, auf welchen dieser Prinz
sein Recht bauete, nicht gerechtfertiget werden
könnte; so wäre sie doch auf allgemeine Einwilligung gegründet, wäre eine Verfügung der ganzen Nation, und flösse aus der freywilligen Einwilligung eines freyen Volks her, welches durch
die Tyranney der vorhergehenden Regierung seines Gehorsams entlassen, und von Dankbarkeit
und von der Empfindung des gemeinen Bestens
bewogen worden, den Zepter in die Hände seines Erretters zu übergeben: Wenn man auch zu-
gäbe, daß diese Einrichtung anfänglich ungültig
gewesen wäre, so hätte sie doch durch die Zeit, das
einzige Mittel, welches einer Regierung Authorität giebt, und diejenigen Bedenken wegnimmt,
die von unordentlichen Verfahren, welche bey
allen Revolutionen vorfallen, gemeiniglich in den

Ge-

Gemüthern der Menschen zurück bleiben, schon
eine Festigkeit erlanget. Das Erbrecht wäre nur
eine des allgemeinen Bestens, und der guten Ordnung halber, zugelassene Regel, und könnte niemals vorgeschützet werden, um die Ruhe der Nation zu stören, und die ordentliche Verfassung
umzukehren. Die Grundsätze der Freyheit würden nicht weniger, als die Maximen des innerlichen Friedens, durch die Ansprüche des Hauses
York beleidiget; und wenn die vielen wiederholten Gesetze, durch welche die Krone der gegenwärtigen Familie bestätiget worden, itzt ihre Gültigkeit verlieren sollten; so müßte die Englische
Nation nicht für ein freyes Volk angesehen werden, welches über seine Regierung zu gebieten
hätte, sondern für einen Haufen Sklaven, welche
durch Erbrecht von dem einen auf den andern
kommen: Die Nation wäre dem Hause Lancaster
nicht allein aus moralischen, sondern auch aus
politischen Ursachen, Gehorsam schuldig; und
wollte sie die vielen Eide der Treue, welche sie
dem Heinrich und seinen zahlreichen Vorfahren
geleistet hätte, brechen; so würde sie künftig von
allen Grundsätzen so sehr entbunden seyn, daß
es schwer seyn würde, sie nachher im Zügel zu
halten: Der Herzog von York hätte selbst dem

Kö-

Könige, als seinem rechtmäßigen Herrn, oft den
Eid der Treue geleistet, und dadurch auf die
feyerlichste Art stillschweigend Verzicht gethan, auf
alle Ansprüche, mit welchen er itzt die öffentliche
Ruhe zu stören wagte: Obgleich die Verletzung
der Rechte des Geblüts durch die Absetzung des
Richard etwas voreilig und unvorsichtig gewesen,
so wäre es doch itzt zu spät, das Versehen zu
verbessern; die Gefahr einer streitigen Nachfolge
könnte nicht länger vermieden werden, das Volk,
welches zu einer Regierung gewöhnt wäre, die
in den Händen seines vorigen Königs so glorreich,
und in den Händen seines Vorfahren so klug
und heilsam gewesen, würde derselben allezeit ein
Recht zuschreiben; durch Anrichtung vieler Unordnungen, und durch Vergießung einer großen
Menge Bluts würde man nur den Vortheil erhalten, daß man einen Prätendenten mit dem
andern vertauschte; und das Haus York selbst
würde, wenn es auf den Thron gesetzt wäre,
bey der ersten Gelegenheit denen Empörungen ausgesetzt seyn, welche man von dem gereitzten un-
beständigem Geiste des Volkes so sehr zu befürchten hätte: Und obgleich der itzige König nicht
diejenigen glänzenden Talente besäße, welche man
an seinem Vater und Großvater wahrgenommen;

so

so könnte er doch einen Sohn bekommen, der mit demselben begabet wäre; er selbst unterscheide sich durch seine unschuldige und unbeleidigende Gemüthsart, und wenn wirksame Prinzen unter dem Vorwande der Unfähigkeit abgesetzt werden sollten; so würde in der Staatsverfassung künftig keine festgesetzte und bestimmte Regel des Gehorsams gegen einen Souverain statt finden.

Diesen starken Gründen für das Haus Lancaster wurden von dem Hause York nicht weniger überzeugende entgegengesetzt. Die Anhänger dieser letzten Familie behaupteten, daß die Beobachtung der Ordnung in der Nachfolge der Prinzen, weit entfernt, Eingriffe in die Rechte des Volks zu seyn, oder dessen Fundamentalrecht zu einer guten Regierung zu schwächen, nur dazu diene, die unzähligen Verwirrungen zu vermeiden, welche erfolgen müßten, wenn man keiner andern Regel, als den ungewissen und streitigen Betrachtungen der jedesmaligen Zuträglichkeit folgen wollte: Dieselbigen Maximen, welche den öffentlichen Frieden sicherten, wären auch der Nationalfreyheit heilsam; die Vorrechte des Volks könnten nur durch die Beobachtung der Gesetze erhalten werden, und wenn man nicht auf die Rechte des Souverains sehen wollte, so könne man auch nicht erwarten, daß

Hume Gesch. VI. B.　　　Q　　　man

man das Eigenthum und die Freyheit des Unterthanen achten würde. Es wäre niemals zu spät,
ein schädliches Beyspiel zu verbessern; eine unge-
rechte Verfügung erhielte, je länger sie bestünde,
eine größere Festigkeit und Gültigkeit; sie könnte
mit mehrerm Schein der Wahrheit als eine Authorität für eine ähnliche Ungerechtigkeit angeführet
werden, und die Unterstützung derselben, anstatt
die öffentliche Ruhe zu erhalten, diente nur dazu,
alle Grundsätze, wodurch die menschliche Gesellschaft erhalten würde, aufzuheben: Diejenigen,
die sich unrechtmäßigerweise ein Reich anmaßeten,
würden glücklich seyn, wenn der gegenwärtige
Besitz, oder eine kurze Dauer ihrer Macht, sie zu
rechtmäßigen Prinzen machen könnte; allein nichts
wäre elender seyn, als das Volk, wenn alle
Einschränkungen der Gewaltthätigkeit und des
Stolzes solchergestalt aufgehoben, und denen
Versuchen eines jeden unruhigen Neuerungsstifters
ein freyer Lauf gelassen würde: Die Zeit gäbe zwar
Festigkeit einer Regierung, deren erste Stifftung
auf dem schwächsten Grunde ruhet: allein es würde eine sehr lange Zeit erfodert, diese Wirkung
hervorzubringen, und diejenigen Prätendenten
gänzlich aus dem Wege zu schaffen, deren Recht
auf die ursprünglichen Grundsätze der Staats-

ver-

Verfaſſung gegründet iſt: Die Abſetzung des Richards, und die Thronbeſteigung Heinrichs des
Vierten wären keine überlegte Handlungen der
ganzen Nation; ſondern eine Folge der Leichtſin-
nigkeit und Gewaltthätigkeit des Volks; und
wären aus ebendenſelben Mängeln der menſchlichen Natur entſprungen, welche eben durch die
Einführung der politiſchen Geſellſchaft und der
Ordnung in der Thronfolge verhütet werden ſollten: die nachmaligen Beſtimmungen der Thronfolge für das Haus Lancaſter wären eine Fort-
ſetzung derſelben Gewaltthätigkeit und Uſurpation;
ſie wären durch keine Geſetze der Legislatur beſtät-
get, weil die Einwilligung des rechtmäßigen
Königes noch immer fehle; und daß erſt das Haus
Mortimer und hernach die Familie York dazu ſtill
geſchwiegen hätte, wäre nur aus Noth geſchehen,
und enthielte keinen Verzicht auf ihre Anſprüche:
Man könnte die Wiederherſtellung dieſer Ordnung
in der Thronfolge nicht für einen Wechſel anſehen,
der das Volk zu Empörungen gewöhnte; ſondern
für eine Verbeſſerung des vorigen Wechſels, welcher den Geiſt der Neuerung, der Rebellion und
des Ungehorſams aufgemuntert hätte: Da endlich
das urſprüngliche Recht des Lancanſter in der
Perſon Heinrichs des Vierten nur darauf beruhe,

D 2   daß

daß es damals zuträglich gewesen, so hätte sich
dieser Grund selbst, so unrichtig er auch wäre,
wenn er nicht von den Gesetzen und der Staatsverfassung unterstützet würde: itzt für die andre
Partey erkläret; es fände auch gar keine Vergleichung statt, zwischen einem Prinzen, der ganz
unfähig wäre, den Zepter zu führen, der sich von
schlechten Ministern oder einer herrschsüchtigen
Königinn ganz regieren ließe, und von fremden
und feindlichem Intereße eingenommen wäre, und
zwischen einem Prinzen, der reif an Jahren, von
bekannter Weisheit und Erfahrung, von Geburt
ein Engländer, ein Erbe der Krone in gerader
Linie, wenn er wieder auf den Thron gesetzt
würde, alles in seine vorige Verfassung bringen
würde.

So viele wahrscheinliche Gründe konnten von
beyden Seiten für diese interessante Streitfrage angeführt werden, daß die Meynungen des Volks
sehr zertheilt waren; und obgleich die mächtigsten
und angesehensten Edelleute die Yorkische Partey
ergriffen zu haben schienen; so hatte die Gegenpartey doch den Vortheil, daß sie durch die gegenwärtigen Gesetze, und durch den unmittelbaren
Besitz des königlichen Ansehens unterstützet wurde.
Viele große Edelleute hielten es mit der Lancastri-

schen

schen Partey, gaben dem Ansehen ihrer Antagoni-
sten ein Gegengewicht, und erhielten die Nation
zwischen denselben in Zweifel. Der Graf von
Northumberland hielt es mit der gegenwärtigen
Regierung: der Graf von Westmoreland wurde,
ungeachtet seiner Verbindungen mit dem Herzoge
von York und mit der Familie Nevil, deren Haupt
er war, zu derselben Partey gezogen; und der
ganze nordliche Theil von England, der kriegerisch-
ste Theil des Reichs, wurde vermittelst dieser beyden
mächtigen Edelleute auf die Seite der Lancaster gezogen. Edmund Beaufort, Herzog von Sommerset und sein Bruder Heinrich, waren große Stützen
dieser Sache; dieses waren auch Heinrich Holland,
Herzog von Exeter, Stafford, Herzog von Buckingham, der Graf von Shrewsbury, der Lord Clifford,
Lord Dudley, Lord Scales, Lord Audley und andre
Edelleute.

Indem sich das Reich in dieser Situation befand, konnte man natürlicherweise nichts anders
erwarten, als daß so viele aufrührische Baronen,
die ein so unabhängliches Ansehen hatten, sogleich
zu den Waffen greifen, und die Sache nach ihrer
Gewohnheit, durch Krieg und Schlachten unter der
Fahne der streitenden Prinzen entscheiden würden.
Allein es fanden sich noch immer viele Ursachen,

wel-

welche dieses verzweifelte und äußerste Mittel ver-
zögerten, und machten, daß eine lange Reihe von
Faction, Staatslist und Cabalen vor den kriegerischen Unternehmungen he giengen. Durch den
allmähligen Fortgang der Künste in England sowohl, als in andern Ländern von Europa, war
das Volk itzt von einiger Wichtigkeit geworden;
die Gesetze fiengen an von demselben geehrt zu werden, und es war aus verschiedenen Absichten nöthig, die Gemüther desselben zu dem gänzlichen
Umsturz einer so alten Thronfolge, als das Haus
Lancaster hatte, zu bewegen, ehe man den Beystand desselben mit Grund erwarten konnte. Der
Herzog von York selbst, der neue Prätendent, war
von einem sehr mäßigen und vorsichtigen Charakter,
ein Feind der Gewaltthat, und geneigt, sich mehr
auf Zeit und Politik, als auf blutdürstige Maaßregeln wegen des Fortgangs seiner Ansprüche zu
verlassen. Heinrichs große Schwachheit selbst
diente dazu, die Factionen in Ungewißheit zu erhalten, und machte, daß sie lange für einander in
Furcht stunden: Sie machte es der Lancastrischen
Partey unmöglich, einige Feindseligkeiten an ihren
Feinden auszuüben; sie erregte bey der Yorkischen
Partey die Hoffnung, sie würde, wenn die Minister des Königes verbannet wären, und man sich
seit-

seiner Person versichert hätte, sein Ansehen nach
und nach untergraben können; und im Stande
seyn, die Thronfolge, ohne das gefährliche Mittel
eines bürgerlichen Krieges, durch das Ansehen des
Parlaments und der Gesetze zu verändern.

Die Gesinnungen, welche man in dem Parlament wahrnahm, welches bald nach der Ankunft
des Herzogs von York aus Irland (i. J. 1451, den
6ten Nov.) versammlet wurde, begünstigte diese
Erwartung, entdeckten eine ungewöhnliche Kühnheit in den Gemeinen, und waren ein Beweis des
allgemeinen Mißvergnügens über die Regierung.
Das Unterhaus übergab, ohne eine vorhergehende
Untersuchung, und ohne eine andre Ursache, als
ein allgemeines Gerücht anzugeben, eine Adreße
wider den Herzog von Sommerset, die Herzogin
von Suffolk, den Bischof von Chester, den Sir
John Sutton, Lord Dudley und verschiedne
andre von niederm Stande; und bat den König,
sie auf immer aus seiner Gesellschaft und seinem
Rath auszuschließen, und ihnen zu befehlen, daß
sie sich stets zwölf Meilen weit von dem Hofe entfernt halten sollten r). Dieses war ein heftiger,
etwas willkührlicher und durch wenige Beyspiele

Q 4 un-

r) Parliamentary History, B. II. S. 263.

unterstützter Angriff wider die Minister; dennoch
durfte der König sich demselben nicht gänzlich und
öffenbar widersetzen.   Er erwiederte, er wollte,
die Lords ausgenommen, alle andre Ein Jahr
lang vom Hofe verbannen, wenn er ihrer Hülfe
nicht nöthig hätte, eine Rebellion zu unterdrücken.
Zu derselben Zeit verwarf er eine Bill, zur Ueber-
weisung des vorigen Herzogs von Suffolk, welche
beyde Häuser paßiret war, und ein sehr allgemeines Vorurtheil wider die Maaßregeln des Hofes
anzeigte.

Der Herzog von York, der sich auf diese
Zeichen verließ, versammlete (i. J. 1452) eine
Armee von 10,000 Mann, mit welcher er nach London marschirte.   Er verlangte eine Verbesserung
der Regierung, und die Absetzung des Herzogs
von Sommerset von aller seiner Gewalt und Ansehen s):   Er fand die Thore der Stadt wider Vermuthen vor sich verschlossen; und als er sich nach
Kent zurückzog, folgte der König ihm mit einer
überlegenen Armee, worunter sich verschiedene von
Richards Freunden, insbesondre Salisbury und
Warwic befanden; vermuthlich in der Absicht,
zwischen beyden Parteyen eine Vermittelung zu
stif-

s) Stowe. S. 394.

fiiften, und die Foderungen des Herzogs von
York, bey vorfallender Gelegenheit, zu unterstützen. Es wurde eine Unterredung gehalten:
Richard bestund auf Sommersets Absetzung und
gerichtlicher Untersuchung vor dem Parlament:
Der Hof gab vor, er wolle seine Foderungen
erfüllen; und dieser Herr wurde in Arrest genommen: Der Herzog von York ließ sich hierauf bereden, dem Könige in seinem Gezelt die Aufwartung
zu machen; und indem er seine Beschuldigungen
wider den Herzog von Sommerset wiederholte, erstaunte er, als er diesen Minister hinter einem
Vorhange hervortreten, und seine Unschuld zu
rechtfertigen sich erbieten sah. Richard merkte itzt,
daß er hintergangen; daß er in den Händen seiner Feinde, und daß es zu seiner Sicherheit nothwendig war, seine Foderungen zu mäßigen. Unterdessen wurde doch keine Gewalt wider ihn gebraucht: Die Nation war nicht in der Gemüths-
fassung, den Untergang eines so beliebten Prinzen
zu ertragen: Er hatte viele Freunde unter Heinrichs Armee: Und sein Sohn, den der Hof nicht
in seiner Gewalt hatte, konnte seinen Tod an allen
seinen Feinden noch immer rächen. Er wurde
daher losgelassen; worauf er sich nach seinem

Siß zu Wigmore, an den Gränzen von Wallis,
begab t).

Unterdeffen daß der Herzog von York sich hier
aufhielt, trug sich etwas zu, das seiner Hoffnung
günstig war, indem es das allgemeine Mißvergnügen vermehrte. Verschiedne Gascognische
Lords, die der englischen Regierung geneigt und
mit der neuen Herrschaft der Franzosen unzufrieden
waren, kamen nach London, und erboten sich,
zu ihrem Gehorsam gegen den Heinrich zurückzukehren u). Der Graf von Shrewsbury wurde mit
einem Corps von 8000 Mann hinüber geschickt,
sie zu unterstützen. Bourdeaux öffnete ihm seine
Thore: Er bemeisterte sich (i. J. 1453) der Städte
Fronsac, Castillon und einiger andrer Oerter: Seine Sachen hatten eine Zeitlang ein sehr gutes Ansehen: Allein da der König Carl sich diesem gefährlichen Eingriff (den 20ten Jul.) zu widersetzen
eilte, kehrte sich das Glück der Engländer um,
Shrewsbury, ein ehrwürdiger achtzigjähriger
Feldherr, blieb im Treffen, seine Eroberungen
giengen verlohren. Bourdeaux mußte sich dem
　　　　　　　　　　　　　　　　Kö-

t) Grafton. S. 620.

u) Holingshed. S. 640.

Könige von Frankreich wieder unterwerfen x); und alle Hoffnungen, diese Provinz wieder zu erhalten, verschwanden auf einmal.

Obgleich die Engländer sich hätten glücklich schätzen sollen, die entfernten Länder glücklich loß zu seyn, welche ihnen nichts nützten, und welche sie niemals wider die anwachsende Macht Frankreichs vertheidigen konnten; so bezeigten sie ein großes Mißvergnügen darüber, und rechneten alle Schuld den Ministern zu, welche nicht fähig gewesen waren, Unmöglichkeiten wirklich zu machen. Bey diesen Gesinnungen hielten sie (den 13ten Oct.) die Geburt eines Prinzen, der in der Taufe den Namen Eduard erhielte, für keine freudige Begebenheit; und da diese alle Hoffnung entfernte, daß der Herzog von York, der sonst von seines Vaters wegen, und nach den Gesetzen, die nach der Thronbesteigung des Hauses Lancaster gemacht waren, der nächste Erbe der Krone war, den Thron in Frieden besteigen würde; so diente sie vielmehr dazu, den Streit zwischen den beyden Häusern zu entzünden. Allein der Herzog war unfähig, gewaltsame Anschläge zu fassen; und wenn ihn gleich kein sichtbares Hinderniß von dem

Thron

x) Polyd. Virg. S. 501. Grafton. S. 623.

Thron zurückhielt, so würde er durch seine eigne
Gewissenszweifel von der Besteigung desselben abgehalten. Heinrich, der jederzeit unfähig war, die
Regierung zu führen, fiel damals (i. J. 1454) in
eine Krankheit, welche seine natürliche Schwachheit so sehr vermehrte, daß er sogar den Schein
der königlichen Würde zu erhalten, unfähig
wurde. Die Königinn und der Rath, die dieser
Stütze beraubt waren, konnten der Yorkischen
Partey nicht widerstehen, und sahen sich genöthiget, dem Strom zu weichen. Sie schickten den
Sommerset in den Tower; machten den Richard
zum Statthalter des Reichs, mit der Gewalt, eine
Sitzung des Parlaments zu eröffnen und zu halten y). Diese Versammlung, welche den Zustand
des Reichs in Betrachtung zog, ernannte ihn auch
zum Protector, so lange es ihm gefiel. Leuten,
die einen, der so offenbare und starke Ansprüche
auf die Krone hatte, also mit königlicher Gewalt
versahen, mußte seine unmittelbare und völlige
Besitznehmung des Throns gewiß nicht sehr zuwider seyn. Dennoch schien der Herzog, anstatt
sie zu ferneren Verwilligungen zu treiben, etwas
furchtsam und unentschlüßig, selbst bey der
　　　　　　　　　　　　　　　　　　Ueber-

_____

y) Rymer, B. XI. S. 344.

Uebernehmung derjenigen Macht, welche ihm übergeben wurde. Er verlangte, daß es im Parlament
aufgezeichnet werden sollte, daß dieses Ansehen
ihm aus freyem Willen und ohne einiges Ansuchen
von seiner Seite übergeben wäre: Er sagte, er
hoffe, sie würden ihm in der Ausübung desselben
beystehen: Er machte es zu einer Bedingung, unter
welcher er es übernahm, daß die andern Lords,
welche bestimmt waren, mit in dem Rath zu sitzen,
dieses Amt gleichfalls übernehmen und ausüben
sollten, und verlangte, daß alle Verrichtungen
seines Amtes benannt und durch eine Parlaments-
acte bestimmt werden sollten.   Diese Mäßigung
des Richard war gewiß sehr ungewöhnlich und
lobenswürdig: allein sie war bey den gegenwärtigen Umständen der Sachen mit schlechten Folgen
verknüpft, und indem sie den Feindseligkeiten der
Faction Zeit gab, zu entstehen und zu gähren,
wurde sie eine Quelle aller derjenigen wüthenden
Kriege und Unruhen, welche erfolgten.

Die Feinde des Herzogs von York merkten
bald, daß es in ihrer Gewalt war, aus dieser
ungemeinen Vorsichtigkeit Nutzen zu ziehen. Nachdem Heinrich sich von seiner Krankheit in soweit
wieder erholet hatte, daß er den Schein einer Ausübung der königlichen Gewalt führen konnte, ver-
mochd.

mochten sie ihn (i. J. 1455), seine Gewalt wieder
anzunehmen, die Regierung des Herzogs aufzuheben, den Sommerset aus dem Tower zu befreyen z), und die Regierung den Händen dieses
Herrn anzuvertrauen.   Richard, welcher merkte,
wie gefährlich es ihm seyn könnte, daß er vormals
die ihm vom Parlament aufgetragene Würde
übernommen hätte, wenn er sich die Aufhebung
derselben gefallen ließe, warb eine Armee; aber
noch immer, ohne einige Ansprüche auf die Krone
zu machen.   Er beklagte sich nur über die Minister
des Königs, und verlangte eine Verbesserung der
Regierung.   Es fiel ein Treffen (den 22ten May)
bey St. Albans vor, in welchem die Yorkische
Partey siegte, und ohne einen großen Verlust an
ihrer Seite, über 50,000 von ihren Feinden tödtete; worunter sich der Herzog von Sommerset,
der Graf von Northumberland, der Graf von
Stafford, der älteste Sohn des Herzogs von
Buckingham, Lord Clifford und verschiedne andre
Personen von Stande befanden a).   Der König
selbst fiel dem Herzoge von York in die Hände,

der

---

z) Rymer, B. XI. S. 361.   Holingshed, S. 634.
   Grafton, S. 626.
a) Stowe, S. 399.   Holingshed, S. 643.

der ihm mit vieler Ehrerbietung und Zärtlichkeit
begegnete: Er wurde nur gezwungen, (welches er
für keine Härte hielt) die ganze Macht der Krone
seinem Nebenbuhler zu übergeben.

Dieses war das erste Blut, welches in diesem
unglücklichen Streit vergossen wurde, der in
nicht weniger, als einer Zeit von breyßig Jahren,
geendigt wurde; der wegen zwölf Haupttreffen
merkwürdig geworden; der einen Schauplatz einer
außerordentlichen Erbitterung und Grausamkeit
eröffnet; der achtzig Prinzen vom Geblüte das
Leben gekostet, und der den alten englischen Adel
fast gänzlich aufgerieben hat. Die genaue Verbindung, in welcher Verwandte damals miteinander
stunden, und die rachsüchtige Gemüthsart, welche
für ein Point d'Honneur angesehen, machten die
großen Familien in ihrem Haß unversöhnlich, und
erweiterten alle Augenblicke den Bruch zwischen
den beyden Parteyen. Doch kam es nicht sogleich
aufs Aeußerste: die Nation wurde eine Zeitlang in
Ungewißheit erhalten: die Lebhaftigkeit und der
Geist der Königinn Margaretha, der ihre geringe
Gewalt unterstützte, hielt dem großen Ansehen
des Richards, welches durch seine unentschlossene
Gemüthsart eingeschränket wurde, das Gleichgewicht. Ein Parlament, welches bald nachher

ver-

verſammlet wurde, entdeckte durch den Wider-
ſpruch in ſeinem Verfahren ganz deutlich den Wi-
derſpruch in den Bewegungsgründen, von welchen es getrieben wurde. Es gab der Yorkiſchen
Partey eine allgemeine Indemnität, und gab das
Protektorat dem Herzoge wieder, der bey Uebernehmung deſſelben alle ſeine vorige Vorſicht noch
einmal gebrauchte: Allein zugleich erneuerte es
dem Heinrich den Eid der Treue, und beſtimmte die
Dauer des Protectorats bis auf die Mündigkeit
ſeines älteſten Sohns Eduards, der die gewöhnlichen Würden eines Prinzen von Wallis, Herzogs
von Cornwal, und Grafen von Cheſter erhielt.
Die einzige entſcheidende Acte dieſes Parlaments
war eine völlige Wiederholung aller Verwilligungen, welche ſeit dem Tode Heinrichs des Fünften
gemacht waren, und die Krone in die ärgerlichſte
Armuth gebracht hatten.

Man fand es (i. J. 1456) nicht ſchwer, die
Gewalt ſo ſchwachen Händen, als des Herzogs
von York, zu entreißen. Margaretha machte ſich
die Abweſenheit dieſes Prinzen zu Nutze, und führte ihren Gemahl vor das Oberhaus; und da ſeine
Geſundheitsumſtände ihm damals erlaubten, ſeine
Rolle mit einigem Anſtand zu ſpielen, ſo erklärte
er ſich, daß er geſonnen ſey, die Regierung wieder

zu übernehmen, und der Macht des Richard
ein Ende zu machen. Dieser Maaßregel widersetzte die Gegenpartey sich nicht, da sie sie nicht
erwartete: Das Oberhaus, in welchem sich viele
fanden, die mit der neulichen Wiederanneh-
mung der Regierungsverwaltung nicht zufrieden
waren, gab dem Vorschlag des Heinrich Beyfall: Und der König wurde demnach für wieder-
eingesetzt erkläret, und mit souverainer Gewalt
bekleidet. Der Herzog von York ließ sich sogar
diese unordentliche Handlung der Pairs gefallen,
und alles gieng ohne Unordnung zu. Allein,
die Ansprüche dieses Prinzen auf die Krone waren zu bekannt, und die Schritte, die er gethan
hatte, sie durchzutreiben, waren zu offenbar,
als daß ein wahres Zutrauen und Zuversicht
zwischen den beyden Parteyen statt finden konnte. Der Hof begab sich (i. J. 1457.) nach Coventry, und ladete den Herzog von York und die
Grafen von Salisbury und Warwic ein, die
Person des Königs dahin zu begleiten. Unter-
weges erfuhren sie, daß ihre Feinde wider ihr
Leben und ihre Freyheit Anschläge gemacht hätten. Sogleich trenneten sie sich: Richard begab
sich nach dem Castel Wigmore in der Grafschaft
Hereford: Salisbury nach Middleham in York-

shire,

shire, und Warwic nach seiner Commandantenstelle zu Calais, welche ihm nach der Schlacht
bey St. Albans übergeben, und welche, da er
durch dieselbe das Commando über die einzige re-
guläre Kriegsmacht hatte, welche England unterhielt, bey den itzigen Umständen von äußerster
Wichtigkeit war. Friedfertig gesinnte Leute, und
unter diesen Bourchier, der Erzbischof von Canterbury, hielten es noch nicht für zu spät, sich
ins Mittel zu legen, um das Blutvergießen, womit dem Reiche gedrohet wurde, zu verhindern;
und die Furcht der einen Partey vor der andern
gab ihrer Vermittelung eine Zeitlang einen guten
Fortgang. Man beliebte, daß alle vornehmsten
Anführer in London zusammen kommen, und
feyerlich versöhnet werden sollten. Der Herzog
von York und seine Anhänger begaben sich mit
einem zahlreichen Gefolge dahin, (i. J. 1458.) und
nahmen ihre Wohnungen neben einander zu desto
größerer Sicherheit. Die Häupter der Lancastrischen Partey brauchten dieselbe Vorsicht. Der
Major hielt Nacht und Tag mit 5000 Mann eine
genaue Wache; und war sehr wachsam, Frieden
unter ihnen zu erhalten b). Es wurden Bedin-
gun-

b) Fabian. Chron. anno 1458. Dieser Verfasser saget,
daß

dingungen ausgemacht, welche den Grund ihres
Streits nicht hoben. Nur eine äußerliche Ver-
söhnung wurde zu Stande gebracht: Und um
diesen Vergleich dem ganzen Volke bekannt zu
machen, wurde eine feyerliche Proceßion nach
der St. Pauls Kirche angestellt, in welche der
Herzog von York die Königinn Margaretha führte, und ein Oberhaupt der einen Partey mit dem
Oberhaupt der andern Hand in Hand gieng c).
Je mehr die äußerlichen Zeichen der Freundschaft
verdoppelt wurden, desto weniger herrschte wahre Aufrichtigkeit. Ein jeder Verständiger sah wohl
ein, daß ein Streit um eine Krone nicht so fried-
lich beygelegt werden könnte; daß eine jede Partey nur auf eine bequeme Gelegenheit wartete,
die andre zu stürzen; und daß noch viel Blut
vergossen werden müßte, ehe die Nation zu einer
vollkommnen Ruhe gelangen, oder eine bestgesetzte
und bestimmte Regierung erlangen könnte.

R 2   Der

daß einige Lords ein Gefolge von 900, andre von 600,
keiner aber weniger als 400 mitgebracht habe. Siehe
auch Grafton. S. 633.

c) Holingshed. S. 648. Poly. Virg. S. 506. Grafton.
S. 634.

Der geringste Vorfall (i. J. 1459.) ohne alle Absichten, war hinreichend, bey der gegenwärtigen Gemüthsverfassung der Nation, die anscheinende Freundschaft zwischen den Parteyen zu brechen; und wären die Absichten der Häupter auch noch so freundschaftlich gewesen; so würde es ihnen doch schwer geworden seyn, die Feindseligkeit ihrer Anhänger in Zügel zu halten. Einer von dem Gefolge des Königs beschimpfte einen von den Leuten des Grafen von Warwic: die Gefährten derselben an beyden Seiten nahmen Theil an dem Streit: Es erfolgte eine heftige Schlägerey: Der Graf besorgte, daß man ihm nach dem Leben trachtete: Er flüchtete nach seiner Commandantenstelle in Calais d), und beyde Parteyen machten in ganz England offenbare Zurüstungen, um den Streit mit den Waffen zu entscheiden.

Der Graf von Salisbury wollte sich mit dem Herzoge von York vereinigen, wurde aber von dem Lord Audley, (den 23sten Sept. 1459.) mit einer überlegenen Anzahl Truppen, bey Bloreheath, an den Gränzen von Staffordshire eingeholet, wo sich ein kleiner Fluß mit steilen Ufern zwi-

d) Grafton. S. 635.

zwischen beyden Heeren befand. Salisbury er-
fetzte hier seinen Mangel an der Zahl durch eine
Kriegslist; eine Klugheit, wovon man wenige
Beyspiele in den englischen Bürgerkriegen antrifft,
in welchen man gemeiniglich mehr hitzige Tapferkeit als Kriegswissenschaft bemerket. Er begab
sich verstellter Weise auf die Flucht, und verführte
den Audley, ihm in der größten Eile zu folgen:
Nachdem aber ein Theil der königlichen Armee über
den Bach gegangen war, fiel Salisbury sie unvermuthet an, und schlug sie, theils weil sie überraschet, und theils, weil ihre Macht getheilet
war: Dem Beyspiele der Flucht folgte auch der
übrige Theil der Armee: Und Salisbury, der
einen völligen Sieg erhielt, langte auf dem allgemeinen Sammelplatze der Yorkischen Partey zu
Ludlow an e).

Der Graf von Warwic brachte ein auserlesenes Corps alter Soldaten aus Calais eben
dahin, von welchen man glaubte, daß es das
Kriegsglück sehr entscheiden würde; allein, diese
Verstärkung wurde am Ende der Yorkischen Partey verderblich. Als sich die königliche Armee
näherte, und man stündlich ein Haupttreffen er-

N 3. war-

c) Holingshed. S. 650. Grafton. S. 537.

wartete, gieng Sir Andrew Trollep, der dieses
Corps alter Soldaten anführte, des Nachts zu
dem Könige über; und die Yorkische Parten wurde durch dies Beyspiel der Verrätherey, welches
machte, daß jeder sich für seinem Kameraden
fürchtete, so sehr erschrecken, daß sie, ohne einen Schwertstreich zu thun, aus einander gieng f):
Der Herzog von York flüchtete nach Irrland:
Der Graf von Warwic begab sich mit einigen
von den andern Häuptern nach Calais, wo ihm
seine Liebe unter allen Ständen des Reichs, und
besonders unter dem Soldatenstande, bald Anhänger zuzog, und seine Gewalt sehr furchtbar
machte. Die Freunde des Hauses York in England hielten sich allenthalben in Bereitschaft, bey
der ersten Aufforderung ihrer Anführer aufzubrechen.

Nachdem Warwic einiges Glück zur See
gehabt hatte, landete er zu Kent mit dem Grafen
von Salisbury, und dem Grafen von Marche,
dem ältesten Sohne des Herzogs von York; und
da er von dem Primas, dem Lord Cobham und
andern Vornehmen empfangen wurde, marschirte er unter den Zurufungen des Vojks nach
Lon-

f) Stowe. S. 409.

London. Die Stadt öffnete ihm sogleich ihre
Thore; und da seine Truppen auf jeder Tage-
reise anwuchsen, sah er sich bald im Stande,
der königlichen Armee die Spitze zu bieten, welche von Coventry herbey eilte, ihn anzugreifen. Das Treffen wurde (i. J. 1460. den 10ten
Julii) bey Northampton gehalten und bald
zum Nachtheile der Königlichen, durch die Untreue des Lord Grey von Rutbin, entschieden, der in der Hitze des Treffens mit der
Avantgarde, welche er commandirte, zu dem
Feinde übergieng, und unter der Armee eine allgemeine Verwirrung ausbreitete. Der Herzog
von Buckingham, der Graf von Shrewsbury,
die Lords Beaumont und Egremont, und Sir
William Lucie blieben in dem Treffen, oder auf
der Flucht: Die Niederlage traf vornehmlich
den großen und kleinen Adel; der gemeine Mann
wurde, auf Befehl der Grafen von Warwic und
Marche geschonet g). Heinrich selbst, dieser leere
Schatten eines Königes, wurde zum zweytenmal
gefangen; und da die Unschuld und Einfalt seiner Sitten, welche den Schein der Heiligkeit an
sich hatten, ihm die zärtliche Hochachtung des

R 4 Volks

g) Stowe. S. 409.

Volks zuwege gebracht hatte h), so trugen der
Graf von Warwic und andre Anführer Sorge, sich
durch ihr ehrerbietiges Betragen hervor zu thun.

Es wurde ein Parlament im Namen des
Königes zusammen berufen, und zu Westminster
gehalten; woselbst der Herzog von York bald
nachher aus Irrland ankam *). Dieser Prinz hatte bisher keine offenbare Ansprüche auf die Krone gemacht: Er hatte nur über schlechte Minister
geklaget, und eine Abstellung der Beschwerden
verlangt: Und selbst in den gegenwärtigen Umständen, da das Parlament von seiner stehenden
Armee umgeben war, bezeigte er so viel Hochachtung für das Gesetz und die Freyheit, als
man nicht leicht findet, wenn eine Partey bey
bürgerlichen Zwistigkeiten die Oberhand hat; und
als man in diesen gewaltsamen und ausgelassenen Zeiten am wenigsten erwarten konnte. Er
nahete sich dem Throne; und als der Erzbischof
von Canterbury ihm begegnete, und ihn fragte,
ob er schon dem Könige seine Ehrerbietung bezeigt
hätte? antwortete er, daß er keinen kenne, dem
er diesen Titel zu geben schuldig wäre. Hierauf
                                        stell-

h) Hall. S. 169. Grafton. S. 595.
*) Den 7ten October.

stellte er sich neben den Thron i), wendete sich
gegen die Pairs, und legte ihnen eine Deduktion
seines Rechts nach seiner Abkunft vor, erwähnte
die Grausamkeiten, wodurch das Haus Lancaster
sich den Weg zur souverainen Gewalt gebahnet,
stellte ihnen das Elend vor, welches mit der Regierung Heinrichs verknüpft wäre, ermahnte sie,
zu dem rechten Wege zurück zu kehren, indem
sie dem Thronfolger der geraden Linie Gerechtigkeit wiederfahren ließen, und vertheidigte solchergestalt seine Sache vor ihnen, als vor seinen
natürlichen und rechtmäßigen Richtern k). Diese
gesetzte und gemäßigte Art, eine Krone zu fodern,
machte seine Freunde furchtsam und seine Feinde
muthlos: Die Lords blieben im Zweifel l), und
keiner sagte ein Wort dazu. Richard, der vermuthlich erwartet hatte, daß die Pairs ihn nöthigen würden, sich auf den Thron zu setzen,
erstaunte nicht wenig über ihr Stillschweigen,
welches er nicht erwartet hatte; ersuchte sie aber,
das, was er vorgetragen, zu überlegen, und
verließ das Parlament. Die Pairs nahmen die
Sachen in Ueberlegung, mit eben so großer Ruß

R 5   he-

i) Holingshed. S. 655.
k) Cotton S 665. Grafton. S. 643.
l) Holingshed. S. 657. Grafton. S. 645.

he, als wenn sie über einen gemeinen Gegenstand
zu rathschlagen hätten: Sie verlangten den Beystand einiger angesehenen Mitglieder des Unter-
hauses zu ihren Berathschlagungen: Sie hörten
in verschiedenen auf einander folgenden Tagen die
Gründe an, welche für den Herzog von York
angeführet wurden: Sie machten hierauf sogar
Einwürfe gegen seinen Anspruch, welche sich auf
die ehemaligen Uebertragungen der Krone, und
auf die Huldigungseide, die dem Hause Lancaster geschworen waren, gründeten m): Sie be-
merkten auch, daß Richard, weil er bisher das
Yorkische, nicht das Clarencische Wapen geführet, als Erbe der letzten Familie keine Ansprüche
machen könnte: Und nachdem sie auf diese Einwürfe Antworten erhalten hatten, die sich auf
die Gewaltthätigkeit und Macht bezogen, mit
welcher das Haus Lancaster seinen gegenwärtigen
Besitz der Krone unterstütze; so thaten sie endlich
einen entscheidenden Ausspruch. Ihr Urtheil war,
so viel nur möglich, dergestalt eingerichtet, daß
es beyden Parteyen gefallen konnte: Sie erklärten das Recht des Herzogs von York für gewiß
und unläugbar: allein in Betracht dessen, daß

Hein-

---

m) Cotton. 666.

Heinrich die Krone ohne Zank und Streit ganze
acht und dreyßig Jahre hindurch getragen hatte,
entschieden sie, daß er dieses Recht und diese
Würde in seiner noch übrigen Lebenszeit besitzen
sollte; daß inzwischen die Verwaltung der Regierung dem Richard verbleiben; daß er für den
wahren und gesetzmäßigen Erben der Krone erkannt werden; daß ein jeder schwören sollte,
seine Thronfolge zu unterstützen; daß es ein Hochverrath seyn sollte, ihm nach dem Leben zu ste-
ben, und daß alle vorige Uebertragungen der Krone unter der gegenwärtigen und den beyden vorhergehenden Regierungen aufgehoben, und wieder vernichtet werden sollten n). Der Herzog
von York ließ sich diese Entscheidung gefallen:
Heinrich selbst, der gefangen war, konnte sich
nicht wiedersetzen: Wenn er auch seine Freyheit gehabt hätte, würde er vermuthlich doch
keine gewaltsame Wiedersetzung bezeigt haben:
Die Akte paßirte also mit einmüthiger Bewilligung
der ganzen gesetzgebenden Versammlung. Obgleich
dieser friedliche Vergleich der Mäßigung des Herzogs von York zuzuschreiben ist; so muß man
doch nothwendig auch deutliche Zeichen einer größern

n) Cotton. S. 666. Grafton. S. 647.

fern Achtung für die Gesetze, und eines vestern
Ansehens des Parlaments dabey bemerken, als
sich jemals in einer Periode der englischen Geschichte gezeiget hat.

Vermuthlich hätte der Herzog von York,
ohne Drohungen oder Gewalt zu gebrauchen,
von den Gemeinen eine schicklichere und einför-
migere Versicherung der Krone erhalten können:
Allein da viele, wo nicht alle Mitglieder des Oberhauses, Gnadenbezeugungen, Verwilligungen oder
Ehrenstellen in den letzten sechzig Jahren, da das
Haus Lancaster die Regierung besaß, erhalten
hatten; so befürchteten sie, durch einen gar zu
plötzlichen und gewaltsamen Umsturz dieser Familie ihren eignen Rechten zu schaden; und indem sie so das Mittel zwischen den beyden Parteyen trafen, setzten sie den Thron auf einen
Grund, auf welchem er unmöglich bestehen konnte. Der Herzog, welcher einsah, daß seine größte
Gefahr von dem Genie und Geiste der Königinn
Margaretha herrührte, suchte einen Vorwand,
unter welchem sie aus dem Königreiche vertrieben werden könnte; und schickte ihr zu dem Ende
im Namen des Königes einen Befehl, sogleich
nach London zu kommen; in der Absicht, wenn
sie nicht gehorchen sollte, wider sie zu dem Aeus-

sern

ferſten zu ſchreiten. Allein, es bedurfte dieſer
Drohung nicht, um die Wirkſamkeit der Königinn zum Behuf der Rechte ihres Geſchlechts zu
erregen. Nach der Schlacht bey Northampton
war ſie mit ihrem unmündigen Sohne nach Durham, und von da nach Schottland geflohen; da
ſie aber bald wieder zurückgekehret war, hatte
ſie ſich zu den nordlichen Baronen gewendet,
und alle Bewegungsgründe angewandt, ſich ihren Beyſtand zu verſchaffen. Ihre Geſprächig-
keit, Gefälligkeit, Klugheit und Eigenſchaften,
die ſie im höchſten Grade beſaß; ihre Liebkoſungen,
ihre Verſprechungen thaten eine mächtige Wirkung
auf einen jeden, der ſich ihr näherte. Auf die
Bewunderung ihrer großen Eigenſchaften folgte
das Mitleiden mit ihrem hülfloſen Zuſtande: Der
Adel in dieſer Gegend, der ſich für den tapfer-
ſten im ganzen Reiche hielt, wurde ungehalten,
als er die nordlichen Baronen über die Krone
gebieten und die Regierung einrichten ſah: Und
damit er das Volk deſto mehr unter ſeine Fahne
bringen möchte, verſprach er demſelben die Beute
aus allen Provinzen jenſeits der Trent. Durch
dieſe Mittel hatte die Königinn eine Armee von
zwanzig tauſend Mann in einer Geſchwindigkeit

ge-

gesammlet, die ihre Freunde nie erwartet, und
ihre Feinde nie befürchtet hatten.

So bald der Herzog von York die Nachricht
von ihrer Erscheinung in Norden erhalten hatte,
eilte er mit einem Corps von 5000 Mann dahin, um, wie er sich einbildete, den Anfang
eines Aufstandes zu unterdrücken; als er aber
zu Wakefield ankam, fand er, daß seine Feinde
an Zahl ihm sehr überlegen waren. Er warf
sich in das Castel Sandal, welches in der Nachbarschaft lag; und von dem Grafen von Salisbury, und andern klugen Räthen wurde ihm gerathen, in demselben zu bleiben, bis sein Sohn,
der Graf von Marche, der an den Gränzen
von Wallis Truppen warb, ihm zu Hülfe kommen könnte o). Allein, ob es gleich dem Herzoge an einem klugen Muthe fehlte, so besaß er
doch einen hohen Grad von persönlicher Tapferkeit; und ungeachtet aller seiner Weisheit und
Erfahrung, glaubte er, daß es ein ewiger
Schimpf für ihn seyn würde, wenn er sich hinter den Mauren versteckte, und den Sieg nur
auf einen Augenblick einem Frauenzimmer über-
ließe. Er zog sich ins Feld, und both dem Feinde

o) Stowe. S. 412.

de ein Treffen an, welches auch gleich angenommen wurde. Die große Ungleichheit an der Zahl
war allein hinlänglich, das Treffen zu enschei-
den *); allein, die Königinn machte ihren Sieg
noch gewisser und unstreitiger, indem sie ein Detaschement abschickte, welches der Armee des Herzogs in den Rücken fiel. Der Herzog selbst blieb
in dem Treffen, und da man ihn unter den Erschlagenen fand, wurde ihm, auf Befehl der
Margaretha, der Kopf abgeschlagen, und über
den Thoren von York mit einer papiernen Krone,
zur Verspottung seines vorgegeben Rechtes, auf-
gestell'. Sein Sohn, der Graf von Rutland,
ein Jüngling von siebenzehn Jahren, wurde zu
dem Lord Clifford gebracht, und dieser Barbar
ermordete, um den Tod seines Vaters, der in
der Schlacht bey St. Albans geblieben war, zu
rächen, mit kaltem Blut und mit eigner Hand
diesen unschuldigen Prinzen, dessen äußerliches
Ansehen und andre Geschicklichkeiten die Geschichtschreiber als sehr liebenswürdig beschreiben. Der
Graf von Salisbury wurde verwundet, gefangen, und gleich darauf mit verschiedenen andern
Vornehmen zu Pomfret, nach dem Kriegsrechte,

ent-

*) Den 24sten December.

enthauptet p). In diesem Treffen blieben gegen
drey tausend von der Yorkischen Partey: Der
Herzog wurde von seiner Partey mit Recht sehr
bedauret; ein Prinz, der gewiß ein besseres
Schicksal verdiente, dessen Fehler in der Aufführ-
rung blos aus solchen Eigenschaften herrührten,
die ihn um so viel mehr zu einem Gegenstande
der Zuneigung und Liebe machten. Er starb in
dem funfzigsten Jahre seines Alters, und hinterließ drey Söhne, den Eduard, Georg und Richard, nebst dreyen Töchtern, Anna, Elisabeth
und Margaretha.

Nach diesem wichtigen Siege vertheilte die
Königinn ihre Armee, (i. J. 1461.) und schickte
den kleinsten Theil unter dem Jasper Tudor, Grafen von Pembroke, einem Halbbruder des Königes, gegen den Eduard, den itzigen Herzog von
York. Sie selbst marschirte mit dem größten Theil
nach London, wo der Graf von Warwic, als
Anführer der Yorkischen Partey, zurückgeblieben
war. Pembroke wurde von dem Eduard, bey
Mortimers Croß in Herefordshire, mit einem
Verlust von beynahe vier tausend Mann geschlagen: Seine Armee wurde zerstreuet; er selbst entkam

---

p) Polyd. Virg. S. 510.

kam durch die Flucht; allein sein Vater, Sir
Owen Tudor, wurde gefangen, und sogleich auf
Eduards B.fehl enthauptet. Diese barbarische
Gewohnheit, die nun einmal angefangen war,
wurde von beyden Parteyen aus Rache, die sich
unter dem Vorwande des Vergeltungsrechtes
versteckte, fortgesetzet q).

Margaretha ersetzte diese Niederlage durch
einen Sieg, den sie über den Grafen von Warwic erhielt. Dieser Herr führte bey Annäherung
der Lancastrischen Armee seine Truppen ins Feld,
welche von einem starken Corps Londoner, die
ihm sehr zugethan waren, verstärket worden; und
lieferte der Königinn ein Treffen bey St. Albans.
Indem die Armeen aufs hitzigste fochten, entzog
Lovelace, der ein ansehnliches Corps unter der
Yorkischen Armee commandirte, sich verrätherischer Weise dem Treffen; und diese unanständige
That, wovon man in diesen bürgerlichen Kriegen
viele Beyspiele findet, brachte der Königinn den
Sieg zuwege. Ueber 2300 von der Yorkischen
Partey kamen in dem Treffen und auf der Flucht
um; und der König fiel seiner eignen Partey wieder in die Hände. Dieser schwache Prinz war
faſt

q) Holingshed. S. 660. Grafton. S. 650.

fast allezeit auf gleiche Art ein Gefangener, es
mochte ihn diese oder jene Partey haben; und
die eine beobachtete in ihrer Begegnung wenig
mehr Anständigkeit als die andre. Lord Bonville,
dem er zur Aufsicht anvertrauet war, blieb nach
dem Treffen bey ihm, da Heinrich ihm Pardon
gegeben hatte: Allein, Margaretha achtete das
Versprechen ihres Gemahls nicht, sondern ließ
ihm sogleich durch den Scharfrichter den Kopf
abschlagen r). Mit dem Sir Thomas Kiriel,
einem tapfern Krieger, der sich in den französischen Kriegen sehr hervorgethan hatte, wurde
auf eine eben so unmenschliche Art verfahren.

Dieser Sieg nutzte der Königinn nicht viel:
Der junge Eduard kam ihr von der andern Seite
über den Hals; und nachdem er die Ueberbleibsel der Armee des Warwic gesammlet hatte, war
er bald im Stande, ihr ein Treffen mit überle-
gener Macht zu liefern. Sie sah ihre Gefahr,
der sie ausgesetzt war, wenn sie zwischen dem
Feinde und der Stadt London stünde; und fand
es nöthig, sich mit ihrer Armee nach Norden zu
ziehen s). Eduard zog unter den Zurufungen der
Bür-

r) Holingshed. S. 660.
s) Grafton. S. 654.

Bürger in London ein, und eröffnete seiner Partey sogleich einen neuen Schauplatz. Dieser Prinz,
der in der Blüte seiner Jugend, und wegen seiner persönlichen Schönheit, Tapferkeit, Thätigkeit,
Umgänglichkeit und einer jeden beliebten Eigen-
schaft merkwürdig war, hatte so viel Gunst bey
dem Volke erworben, daß er durch den seinem
Alter natürlichen Geist stolz, sich nicht länger in
denjenigen engen Gränzen einzuschließen beschloß,
welche sein Vater sich vorgeschrieben, und welche
seiner Sache sehr nachtheilig geworden waren,
wie er aus der Erfahrung gelernet hatte. Er
entschloß sich, den Namen und die Würde eines
Königs anzunehmen; auf seine Ansprüche öffentlich zu bringen, und denjenigen, die sich ihm
widersetzten, als Verräther und Rebellen wider
sein gesetzmäßiges Ansehen zu begegnen. Allein,
weil es nöthig zu seyn schien, daß eine Einwilligung der Nation, oder doch wenigstens ein
Schein derselben vor diesem kühnen Verfahren,
ungeachtet seines scheinbaren Rechtes, vorher
gehen müßte, und weil die Versammlung eines
Parlaments zu vielen Aufschub verursachen, und
mit noch andern Unbequemlichkeiten verbunden
seyn möchte; so wagte er, auf eine wenige regelmäßige Art zu verfahren, und nahm seinen

S 2 Fein-

Feinden die Gewalt, seinem Fortgange Hinder-
niſſe in den Weg zu legen. Er ließ ſeine Armee
auf dem St. Johns Felde zuſammen kommen;
eine unzählbare Menge Volks umgab ſie; es
wurde eine Rede an dieſes vermiſchte Volk gehalten, in welcher Eduards Recht auseinander
geſetzet, und auf die Tyranney und Uſurpation
der Nebenfamilie geſchmälet wurde; und hierauf
wurde das Volk befraget, ob es den Heinrich
von Lancaſter zum Könige haben wollte? Ein
jeder erklärte ſich wider dieſen Vorſchlag. Hierauf wurde gefraget, ob es Eduard, den älteſten
Sohn des vorigen Herzogs von York, annehmen
wollte? Es bezeugte ſeine Einwilligung durch
laute und freudenvolle Zurufungen t). Darauf
wurde eine große Anzahl von Biſchöfen, Lords,
Obrigkeiten und andern Vornehmen in dem Caſtel
Baynard verſammlet, welche die Wahl des
Volks beſtätigten, und den folgenden Tag den
5ten März wurde der neue König unter dem Namen Eduards des Vierten zu London ausgerufen u).

So

---

s) Stowe. S. 415. Holingſhed. S. 661.
u) Grafton. S. 653.

So endigte sich die Regierung Heinrichs des
Sechsten, eines Monarchen, der schon in der
Wiege zum Könige von Frankreich und England
ausgerufen war, und der sein Leben mit den
herrlichsten Aussichten, welche jemals ein Prinz
in Europa gehabt hat, anfieng. Die Staatsveränderung war, als eine Quelle bürgerlicher
Kriege, für sein Volk unglücklich: für den Heinrich selbst aber ganz gleichgültig, weil er äußerst
unfähig war, seine Gewalt auszuüben, und
wenn man ihm nur wohl begegnete, gern zufrieden war, indem er sich allezeit in Sklaverey befand, er mochte in den Händen seiner Freunde
oder seiner Feinde seyn. Seine Schwachheit
und sein zweifelhaftes Recht waren die vornehmsten Ursachen des allgemeinen Unglücks: Allein,
ob sich seine Gemahlinn und seine Minister nicht
auch eines großen Mißbrauchs ihrer Gewalt
schuldig gemacht, das können wir in einer so
großen Entfernung schwerlich entscheiden. Man
findet in den Urkunden keine Beyspiele von einer wichtigen Verletzung der Gesetze, außgenom-
men bey dem Morde des Herzogs von Glocester,
welcher ein Privatverbrechen war, kein Beyspiel
abgab, und nur gar zu sehr der gewöhnlichen
Rauhigkeit und Grausamkeit der Zeit entsprach.

S 3   Das

Das merkwürdigste Gesetz, welches unter
dieser Regierung gegeben wurde, war wegen der
rechtmäßigen Erwählung der Mitglieder des Parlaments in den Grafschaften. Nach dem Verfall des Feudalsystems war der Unterschied der
Lehne größtentheils verlohren; und jeder Frey-
saße sowohl, als diejenigen, welche ihre Lehne
von Afterlehnsherren, als den unmittelbaren Lehn-
trägern der Krone, hatten, wurden nach und
nach zugelassen, ihre Stimmen bey der Wahl
zu geben. Diese Neurung war durch ein Gesetz
von Heinrich dem Vierten bestätiget x); welches
so vielen die Wahlgerechtigkeit gab, daß daraus
große Unordnungen entstunden. In dem achten
und zehnten Jahre dieses Königes wurden daher Gesetze gegeben, welche die Wahlgerechtigkeit
auf diejenigen einschränkten, die in den Grafschaften jährlich vierzig Schilling an Land hatten, und frey von allen Lasten waren y). Diese
Summe belief sich jährlich ungefähr auf zwanzig
Pfund nach itziger Münze; und es wäre zu
wünschen, daß dieses Gesetz, so wohl dem

Inn-

x) Statutes at large, 7. Henr. IV. cap. 15.
y) Statutes at large, 8. Henr. VI. cap. 7. 10. Henr.
VI. cap. 2.

Innhalt als dem Buchstaben nach, beobachtet
wäre.

Der Eingang dieser Statute ist merkwürdig:
„ Demnach die Ritter, seit einiger Zeit, in ver-
„ schiedenen Grafschaften von England von ei-
„ ner übermäßigen, und außerordentlichen Menge
„ Volks gewählet sind, worunter sich verschie-
„ dene gefunden, die nur kleine Güter und Reich-
„ thümer besitzen, dem ungeachtet aber mit dem
„ besten Ritter und Esquire ein gleiches Recht
„ verlanget haben; wodurch denn sehr leicht
„ Todschlag, Excessen, Schlägereyen und Spal-
„ tungen unter dem Adel und dem Volk in der-
„ selben Grafschaft entstehen können, wo keine
„ gehörige Mittel dagegen vorgekehret werden, ꝛc. „
Wir können aus diesen Ausdrücken abnehmen,
welch eine wichtige Sache die Wahl eines Mit-
gliedes im Parlament itzt in England geworden
war: Diese Versammlung fieng in diesem Zeitpunkt an, ein großes Ansehen zu erlangen: Die
Gemeinen hatten es sehr in ihrer Gewalt, die
Ausübung der Gesetze zu erzwingen; und wenn
sie in diesem Stück ihre Pflicht nicht beobachteten so rührte dieses doch nicht so sehr von der
unmäßigen Gewalt der Krone her, als von dem
ausgelassenen Geiste der Aristokratie, und viel-

leicht

leicht von der damaligen schlechten Erziehung, und
von dem Mangel eines rechten Begriffs von den
Vortheilen, welche für sie aus einer regelmäß:gen
Verwaltung der Gerechtigkeit entsprangen.

Als der Herzog von York, die Grafen von
Salisbury und Warwic, nachdem ihre Truppen
desertirt waren, aus dem Reiche flüchteten, wurde ein Parlament zu Coventry im Jahre 1460
zusammen berufen, von welchen sie alle verurtheilet wurden. Dieses Parlament scheint sehr
unordentlich versammlet zu seyn, und verdienet
kaum den Namen: es paßirte so gar in demselben eine Akte: „Daß alle Ritter einer Grafschaft,
„ die kraft des königlichen Ausschreibens und oh-
„ ne eine andre Wahl wieder ins Parlament kä-
„ men, gültig seyn sollten, und daß kein Shr-
„ rif wegen der Wiederkunft derselben in die
„ Strafe der Statute Heinrichs des Vierten fal-
„ len sollte z). „ Alle Akten dieses Parlaments
wurden nachher umgestoßen; „ weil es ungesetz-
„ lich zusammen berufen, und die Ritter und Ba-
„ ronen nicht gehörig erwählet waren a). „

Die

z) Cotton. S. 664.
a) Statutes at large, 39. Henr. VI. cap. 1.

Die Parlamente bemüheten sich unter dieser
Regierung, anstatt in ihrer Wachsamkeit wider
die Anmaßungen des römischen Hofes nachzulas-
sen, auf den vorigen zu dem Ende gemachten
Gesetzen zu halten. Die Gemeinen bathen, daß
kein Fremder eine geistliche Beförderung erhalten,
und daß es dem Patron erlaubt seyn möchte,
eine Pfründe, wo der Geistliche nicht zugegen
wäre, von neuem zu vergeben b): Allein, der
König wich dieser Bitte aus. Der Papst Martin schrieb ihm einen bittern Brief wider die Statute der Provisors, welche er eine abscheuliche
Statute nennet, die einem jeden, der sie beobachtete, unfehlbar die Verdammniß zuziehen würde c). Der Cardinal von Winchester war Legat;
und da er zugleich eine Art von Premierminister,
und durch seine geistlichen Würden ausserordentlich reich geworden war; so wurde das Parlament auf seine Ausbreitung der päpstlichen Gewalt eifersüchtig, und verlangte, der Cardinal
sollte sich von allen Angelegenheiten, und aus
dem Rathe des Königes entfernen, so oft von

S 5   dem

b) Cotton. S. 585.

c) Burnets Sammlung der Urkunden B. I. S. 99.

dem Papst oder dem römischen Stuhl d) etwas
verhandelt würde.

Das Parlament erlaubte die Ausfuhr des
Getraides, wenn es wohlfeil war; das Quarter
Weizen zu sechs Schilling und acht Pfennige,
Gersten drey Schilling und vier Pfennige e).
Aus diesen Preisen siehet man, daß das Korn
nur noch immer halb so theuer war, als itzt;
obgleich andre Waaren weit wohlfeiler waren.

Der innländische Kornhandel wurde auch in
dem achtzehnten Jahr dieser Regierung eröffnet,
indem der König den Zöllnern erlaubte, Korn
von einer Grafschaft in die andre paßiren zu
laßen f). In demselben Jahre wurde eine See-
Handlungsacte, in Absicht auf alle Plätze in dem
Canal, in Vorschlag gebracht: Der König verwarf sie aber g).

Das erste Beyspiel einer im Namen des Parlaments gemachten Schuld findet sich unter dieser
Regierung h).

Das

d) Cotton. S. 593.
e) Statutes at large, 15. Henr. VI. cap. 2.
f) Cotton. S. 625.
g) Cotton. S. 626.
h) Cotton, S. 593, 614, 638.

Das zwey und zwanzigste Kapitel.

Eduard IV.

Schlacht bey Touton.   Heinrich flüchtet nach
Schottland.   Ein Parlament.   Schlacht bey
Hexham.   Heinrich wird gefangen, und auf den
Tower gesetzt.   Des Königs Vermählung mit
der Lady Elisabeth Gray.   Warwics Mißvergnügen.   Allianz mit Burgundien. Aufstand in
Yorkshire.   Schlacht bey Banbury.   Verbannung des Warwic und Clarence.   Rückkehr des
Warwic und Clarence. Eduard der Vierte wird
vom Throne gestoßen. Heinrich der Sechste wird
wieder auf den Thron gesetzt. Eduard der Vierte
wird wieder zurückgerufen. Schlacht bey Barnet
und Warwics Tod.   Schlacht bey Teukesbury
und Ermordung des Prinzen Eduard.   Tod
Heinrichs des Sechsten.   Einfall in Frankreich.
Friede zu Perquigni.   Proceß und Hinrichtung
des Herzogs von Clarence. Tod und Charakter Eduards des Vierten.

Der junge Eduard, der itzt sein zwanzigstes
Jahr hatte, war nach seiner Gemüthsart
geschickt, durch denjenigen Schauplatz von Krieg,

Ver-

Verwüstung und Verheerung hindurch zu gehen,
welcher ihn zu dem völligen Besitz derjenigen Krone
leiten mußte, die er zwar nach dem Erbrecht foderte, aber blos nach einer unordentlichen Wahl seiner Partey annahm. Er war kühn, thätig und
waghaft; und die Härte seines Herzens nebst der
Strenge seines Charakters machten ihn unempfindlich gegen alle Regungen des Mitleides, wodurch
seine Lebhaftigkeit in der blutigsten Rache an seinen
Feinden hätte können geschwächet werden. Sogar
der Anfang seiner Regierung zeigte die Merkmaale
seiner blutdürstigen Gemüthsart. Ein Kauffmann
zu London, der vor seinem Laden eine Krone aus-
gehangen, hatte gesagt, er wolle seinen Sohn zum
Erben der Krone machen; dieser unschuldige Spaß
wurde so ausgelegt, als wenn er gesagt sey, um
Eduards angenommenen Titel lächerlich zu machen;
und der Kauffmann wurde für diese Beleidigung
verdammet und hingerichtet a). Diese tyrannische
Handlung war ein wahres Vorspiel zu den folgenden Auftritten. Sowohl das Schavot, als das
Feld strömten unaufhörlich von dem edelsten Blute
in England, das in dem Streit zwischen den beyden kämpfenden Familien, deren Feindschaft itzt

u?•

a) Habington in Kennet, S. 431. Grafton, S. 789.

unverſöhnlich geworden war, vergoſſen wurde.
Das Volk, welches durch ſeine Zuneigung getheilet wurde, wählte ſich auch Kennzeichen ſeiner
entgegengeſetzten Partenen: Die Anhänger des
Hauſes Lancaſter wählten eine rothe Roſe zu ihrem
Unterſcheidungszeichen, die Freunde des Hauſes
York wurden von einer weißen Roſe benannt, und
dieſe bürgerlichen Kriege wurden ſolchergeſtalt in
ganz Europa unter dem Namen des Streits zwiſchen
den benden Roſen bekannt.

Die Freyheit, welche die Königinn Margaretha ihren Truppen zu erlauben genöthiget worden
war, jagte der Stadt London und allen ſüdlichen
Provinzen des Reichs großen Schrecken ein: und
da ſie hier einen ſehr hartnäckigen Widerſtand vermuthete, zog ſie ſich klüglich gegen Norden, zu
ihren Anhängern. Dieſelbe Freyheit, wie auch
der Eifer der Faction, brachten bald eine große
Menge unter ihrer Fahne zuſammen: und in wenigen Tagen war ſie im Stande, eine ſechzig tauſend
Mann ſtarke Armee in Yorkshire zu ſammlen.
Der König und der Graf von Warwic eilten mit
einer Armee von vierzig tauſend Mann, ihrem
Fortgange Einhalt zu thun: und da ſie zu Pomfret anlangten, ſchickten ſie ein Corps unter
der Anführung des Lord Fitzwalter ab, um den

Ueber-

Uebergang über den Fluß Are, der zwischen ihnen
und dem Feinde lag, bey Ferrybridge zu sichern.
Fitzwalter setzte sich an dem ihm angewiesenen
Orte, war aber nicht im Stande, ihn gegen den
Lord Clifford, der ihn mit einer überlegenen Zahl
angriff, zu behaupten. Die Anhänger der York-
schen Partey wurden mit großem Verlust über den
Fluß gejagt; und Lord Fitzwalter selbst blieb in
dem Treffen b). Der Graf von Warwic, der die
Folgen dieses Unglücks befürchtete, zu einer Zeit,
da man stündlich ein entscheidendes Treffen erwartete, ließ sogleich sein Pferd bringen, welches er
vor die ganze Armee stellte; und indem er das
Gefäß seines Schwerds küßte, schwur er, er wäre
entschlossen das Schicksal des geringsten Soldaten
mit ihm zu theilen c). Und um eine noch größere
Sicherheit zu zeigen, wurde zugleich bekannt gemacht, daß jeder, dem es gefiele, völlige Freyheit hätte, sich zurück zu begeben; daß man aber
diejenigen mit der härtesten Strafe belegen würde,
die in dem folgenden Treffen einige Zagbaftigkeit
bezeigen würden d). Lord Falconbridge wurde

ab-

b) W. Wyrcester, S. 489. Hall, S. 186. Holingsh,
　　S. 664.
c) Habington, S. 432.
d) Holingshed, S. 664.

abgeſchickt, den neulich verlohrnen Voſten wieder
einzunehmen; er gieng einige Meilen über Ferrybridge über den Fluß, und indem er den Clifford
unvermuthet überfiel, rächete er das vorige Unglück durch die Niederlage dieſer Partey und den
Tod ihres Anführers e).

Die beyden feindlichen Heere begegneten ſich
(den 29ten März) zu Touton, und es erfolgte ein
hartnäckiges und blutiges Treffen. Indem die
Yorkiſche Partey anmarſchirte, fiel eben ein ſtarker
Schnee, welcher den Feinden ins Geſicht wehete
und die Augen blendete; und dieſer Vortheil
wurde durch eine Kriegsliſt des Lord Falconbridge
vergrößert. Dieſer Herr befahl, daß einiges Fuß-
volk vor der Schlachtordnung vorrücken, und
wenn es eine Salve von Pfeilſchüſſen auf den Feind
gethan hätte, ſich ſogleich wieder zurückziehen
ſollte. Die Lancaſtriſche Partey meynte, ſie
könnte itzt die entgegenſtehende Armee erreichen,
und ſchoß alle ihre Pfeile ab, welche ſolchergeſtalt
vor der Yorkiſchen Partey ohne einige Wirkung
niederfielen f). Nachdem die Köcher der Feinde
ausgeleeret waren, rückte Eduard mit ſeiner Linie

vor,

e) Hiſt. Croyl. cont. S. 521.
f) Hall. S. 186.

vor, und richtete eine große Niederlage unter dem
erschrocknen Feind an. Doch wurde der Bogen
bald an die Seite gelegt, und das Schwird entschied das Treffen, welches sich mit einem gänzlichen Siege an der Seite der Yorkischen Partey
endigte. Eduard befahl, kein Quartier zu geben g): Die geschlagene Armee wurde mit vielem
Blutvergießen und in großer Verwirrung bis nach
Lancaster verfolgt; und man rechnet, daß über
sechs und dreyßig tausend Mann in dem Treffen
und auf der Flucht geblieben sind h). Unter diesen
befanden sich der Graf von Westmoreland und sein
Bruder, Sir John Nevil, der Graf von Northumberland, die Lords Dacres und Welles, und
Sir Andrew Tróllop i). Der Graf von Devonshire, der sich itzt unter den Anhängern des
Heinrichs befand, wurde gefangen vor den Eduard
geführt, und bald darauf nach dem Kriegsrechte
zu York enthauptet. Sein Kopf wurde auf eine
über dem Thor der Stadt aufgerichtete Stange
gesteckt; und die Köpfe des Herzogs Richard und

des

g) Habington, S. 432.

h) Holingshell, S. 665. Grafton, S. 656, Hist, Croyl,
cont. S. 533.

i) Hall, S. 187. Habington, S. 433.

des Grafen von Salisbury wurde herabgenommen, und mit ihren Körpern begraben. Heinrich und Margaretha waren während der Action zu York geblieben; da sie aber die Niederlage ihrer Armee erfuhren, und einsahen, daß sie zu keinem Orte in England ihre Zuflucht nehmen konnten, flüchteten sie in größter Eile nach Schottland. Sie wurden begleitet von dem Herzoge von Exeter, der, ob er gleich Eduards Schwester geheyrathet, dennoch die Lancastrische Partey ergriffen hatte; und von dem Herzoge Heinrich von Sommerset, der in der unglücklichen Schlacht bey Touton commandiret hatte, und ein Sohn desjenigen Herzogs von Sommerset war, der in der ersten Schlacht bey St. Albans blieb.

Ungeachtet der großen Feindseligkeit, welche zwischen den beyden Reichen herrschte, hatte Schottland sich doch niemals bemühet, aus den Kriegen, welche England in Frankreich führte, oder aus den bürgerlichen Unruhen, welche zwischen den streitenden Familien ausbrachen, Vortheile für sich zu ziehen. Jakob der Erste war auf eine sehr löbliche Art beschäftigt, seine Unterthanen gesittet zu machen, und sie zu dem heilsamen Joche des Gesetzes und der Gerechtigkeit zu gewöhnen; daher vermied er alle Feindseligkeiten

Hume Gesch. VI. B.   S   mit

mit auswärtigen Nationen; und ob es gleich sein
Intereße zu fodern schien, ein Gleichgewicht zwischen Frankreich und England zu erhalten; so
stund er doch dem ersten Königreiche selbst in seinem größten Unglücke nicht anders bey, als daß er
seinen Unterthanen erlaubte in französische Dienste
zu gehen, und sie hiezu auch vielleicht aufmunterte.
Nach der Ermordung dieses vortrefflichen Prinzen
erhielten die Minderjährigkeit seines Sohnes und
Nachfolgers Jakobs des Zweyten, und die Zerrüttungen unter derselben, die Schotten in gleicher
Neutralität; und die Oberhand, welche Frankreich so sichtbar behauptete, machte es seinen
Alliirten unnöthig, sich zu dessen Vertheidigung
darein zu mischen. Allein, da der Streit zwischen
den Häusern Lancaster und York anfieng, und ohne
eine gänzliche Zerstörung der einen Partey ganz
unheilbar wurde: so ließ sich Jakob, der itzt ein
männliches Alter erreicht hatte, verleiten, sich
dieses Vortheils zu bedienen, und diejenigen Plätze
wieder zu erobern, welche die Engländer vormals
seinen Vorfahren abgenommen hätten. Er belagerte im Jahr 1460 das Castel Roxborough, und
hatte sich zu dieser Unternehmung mit einem kleinen Zuge groben Geschützes versehen: Allein, seine
Kanonen waren so schlecht gemacht, daß eine

der-

derselben zersprang, als er sie abfeuerte, und seinem Leben in der Blüthe seines Alters ein Ende
machte. Sein Sohn und Nachfolger Jakob der
Dritte war auch noch minderjährig: Hierauf erfolgten die gewöhnlichen Zerrüttungen in der Regierung: Die verwittwete Königinn Anna von
Geldern trachtete nach der Regierung: Die
Familie der Douglas widersetzte sich ihren Foderungen: Und da die Königinn Margaretha nach
Schottland flüchtete, fand sie daselbst ein Volk,
welches nicht vielweniger durch Factionen zertheilt
war, als dasjenige, von welchem sie vertrieben
worden. Ob sie sich gleich auf die Verbindungen
zwischen der königlichen Familie in Schottland
und dem Hause Lancaster, von Seiten der Groß-
mutter des jungen Königs, welche eine Tochter
des Grafen von Sommerset gewesen, berief; so
konnte dieses den Schottischen Rath doch zu nichts
weiter bewegen, als daß er seine aufrichtigen
Wünsche für ihr Bestes an den Tag legte: Allein
mit ihrem Anerbieten, daß sie ihnen sogleich die
wichtige Vestung Berwic überliefern und ihren
Sohn mit einer Schwester des Königs Jakob verheyrathen wollte, fand sie ein bessers Gehör; und
die Schotten versprachen den Beystand ihrer
Waffen, um ihre Familie wieder auf den Thron

T 2

zu setzen k). Allein da die Gefahr von dieser
Seite dem Eduard nicht sehr dringend schien, so
verfolgte er den flüchtigen König und seine Gemahlinn nicht in diese ihre Zuflucht; sondern kehrte
nach London zurück, wo ein Parlament versammlet
wurde, um die Regierung einzurichten.

Eduard bemerkte (den 4ten Novemb.) an dieser Versammlung die guten Wirkungen seiner lebhaften Maaßregeln, indem er die Krone angenommen, und des Sieges bey Touton, wodurch er
dieselbe gesichert hatte: Das Parlament bedachte
sich nicht länger, für welche Partey es sich erklären sollte; es trug keine zweydeutige Entscheidun-
gen vor, welche nur dazu dienen konnten, die
Feindschaft der Parteyen dauerhafter und heftiger
zu machen. Es erkannte Eduards Recht zu der
Krone, vermöge seiner Abkunft von dem Geschlechte Mortimer, und erklärte sich, daß er der
rechtmäßige König nach dem Tode seines Vaters
sey, welcher ebenfalls dasselbige gesetzmäßige Recht
gehabt hätte; und daß er von dem Tage an im
Besitz der Krone sey, da er die Regierung, welche
ihm durch die Zurufungen des Volks angeboten
wor-

k) Hall. S. 137. Habington, S. 434.

worden, übernommen hätte l). Es bezeugte seinen
Abscheu gegen die Anmaßung und Eindringung
des Hauses Lancaster, und insbesondre des
Grafen von Derby, sonst Heinrich der Vierte
genannt, welche, wie es sagte, mit allen Arten
von Unordnung, mit der Ermordung des Königs
und der Unterdrückung der Unterthanen verbunden
gewesen wäre. Eine jede Verwilligung, welche
unter diesen Regierungen gemacht war, wurde für
nichtig erkläret; er setzte den König wieder in den
Besitz alles dessen, was der Krone vor der sogenannten Absetzung Richards des Zwenten gehöret
hatte; und ob es gleich gerichtliche Sachen und
Urtheile der Niedergerichte bestätigte, so stieß es
doch alle Verurtheilungen um, welche in einem
vorgeblichen Parlament paßiret waren; insbesondre die Verurtheilung des Grafen von Cambridge,
eines Großvaters des Königs, wie auch der Grafen von Salisbury und Glocester und des
Lord Lumley, deren Güter eingezogen waren,
weil sie es mit Richard dem Zwenten gehalten m)
hatten.

T 3 Viele

---

l) Cotton. S. 670.

m) Cotton, S. 672, Statutes at large, 1. Edw. IV. Cap. 1.

Viele von diesen Stimmen waren die gewöhnliche Folge der Gewaltthätigkeit des ParteyEifers:
In ruhigern Zeiten wurden sie von der gesunden
Vernunft widerrufen: Und die Statuten des
Hauses Lancaster, welche Verfügungen einer vest-
gesetzten Regierung und von Prinzen gemacht waren, die lange in Ansehen gestanden hatten, wurden jederzeit für gültig und verbindlich gehalten.
Unterdessen hatte das Parlament, da es diese vest-
gegründete Gesetze umstieß, noch immer den Vorwand, die Regierung wieder auf ihrem alten und
natürlichen Grunde zu erbauen: Allein in seinen
folgenden Maaßregeln wurde es mehr von Rache,
oder wenigstens von der Betrachtung der Bequemlichkeit geleitet, als von den Grundsätzen der
Billigkeit und Gerechtigkeit. Es paßirte eine Acte
der Confiscation und Achtserklärung wider Heinrich den Sechsten; die Königinn Margaretha
und ihren unmündigen Sohn den Prinzen Eduard.
Dieselbe Acte erstreckte sich auch auf die Herzoge
von Sommerset und Exeter; die Grafen von
Northumberland, Devonshire, Pembroke und
Wilts; den Viscomte Beaumont, die Lords
Roos, Nevil, Clifford, Wells, Darce, Gray
von Rugemont, Hungerford; den Alexander He-
die, Nikolas Latimer, Edmund Mountfort, John
He-

Heron und viele andre Perſonen von Stande n).
Das Parlament zog die verfallenen Güter aller
dieſer Perſonen an die Krone, obgleich ihr einziges Verbrechen darinn beſtund, daß ſie es mit einem Prinzen gehalten hatten, den ein jedes Mitglied des Parlaments ſo lange erkannt, und den
der itzige König ſelbſt, der itzt auf dem Throne ſaß,
angenommen, und als ſeinem geſetzmäßigen Monarchen gehorchet hatte.

Die Nothwendigkeit, die einmal feſtgeſetzte
Regierung zu unterſtützen, wird einige andre gewaltſame Handlungen beſſer rechtfertigen: obgleich
die Art, wie man ſie ausführte, jederzeit tadelswürdig ſeyn wird. Es wurde ein Verſtändniß des
John, Grafen von Oxford und ſeines Sohnes,
Aubry de Vere, mit der Königinn Margaretha
entdeckt, ſie wurden nach dem Kriegsrechte vor
dem Conſtable verhört, verdammt und hingerichtet o). Sir William Tyrrel, Sir Thomas Tuden-
ham und John Montgomery wurden vor demſelben
willkührlichem Gerichtshofe verdammt, hingerich-

T 4   tet

n) Cotton, S. 670. W. Wyrceſter, S. 490.

o) W. Wyrceſter, S. 402. Hall. S. 189. Grafton,
S. 685. Fabian, S. 215. Fragment. ad finem.
T. Sprotti.

tet und ihre Güter confiscirt. Diese Einführung des Kriegsrechtes in die bürgerliche Regierung war eine sehr große Ausdehnung des königlichen Vorrechts, welches gewiß, wäre es nicht wegen der Gewaltsamkeit der Zeit durchgegangen, einer Nation, die so eifersüchtig auf ihre Freyheiten war, als die Englische itzt geworden, tadelswürdig geschienen haben würde p). Es konnte unmöglich anders seyn, eine so große und plötzliche Verän-

de-

---

p) Um zu sehen, welch ein willkührlicher Gerichtshof das Gericht des Constable von England war, dürfen wir nur das Patent durchlesen, das unter dieser Regierung an den Grafen von Rivers ausgefertiget wurde, so wie man es in Spellmanns Glossar. unter dem Worte Constabularius, und noch vollständiger beym Rymer, B. XI. S. 581. findet. Hier ist eine Clausel aus demselben: Et ulterius de uberiori gratia nostra eidem comiti de Rivers plenam potestatem damus ad cognoscendum & procedendum, in omnibus & singulis causis & negotiis, de & super crimine læsæ majestatis seu super occasione cæterisque causis, quibuscunque per præfatum comitem de Rivers, ut constabularium Angliæ — quæ in curia constabularii Angliæ ab antiquo, sc. tempore dicti domini Gulielmi conquestoris seu alio tempore citra tractari, audiri,

exa-

derung mußte, die Wurzeln des, Mißvergnügens
und Unwillens in den Unterthanen zurücklassen,
welche auszurotten große Kunst, oder an deren
Statt große Gewalt nöthig war. Das letzte Mittel
stimmte mit dem Genie der Nation in den damaligen rauhen Zeiten am besten überein.

Allein die neue Staatsverfassung war unsicher und ungewiß, nicht nur wegen des innerlichen Mißvergnügens des Volks, sondern auch

T 5   we-

examinari, aut decidi consueverant, aut jure de-
buerant, aut debent, causasque & negotia præ-
dicta cum omnibus & singulis emergentibus, inci-
dentibus & connexis, audiendum, examinandum,
& fine debito terminandum, etiam *summarie & de
plano, sine strepitu & figura justitiæ,* sola facti veritate
inspecta, ac etiam manu regia, si opportunum visum
fuerit eidem comiti de Rivers, vices nostras, appel-
latione remota. Das Amt eines Constables war in der
Monarchie fortdaurend; seine Gerichtsbarkeit war nicht
auf Kriegszeiten eingeschränkt, wie es aus diesem Patent erhellet und derselbe Verfasser berichtet: Doch
war seine Gewalt ein gerader Widerspruch wider die
Charta Magna; und es ist offenbar, daß keine ordentliche Freyheit mit derselben bestehen konnte. Sie enthielt eine völlige dictatorische Macht, die beständig in
                                              dem

wegen der Bemühungen auswärtiger Mächte.
Ludewig der Eilfte dieses Namens, war seinem
Vater Carl im Jahre 1460 auf dem Throne gefol-
get, und wurde von den sich leicht darbiethenden
Bewegungsgründen des National-Intereßes ver-
leitet, die Flammen der bürgerlichen Zwistigkeit
unter so gefährlichen Nachbarn, durch Unter-
stützung der schwächern Partey, zu nähern.
Allein der tückische und politische Geist dieses
Prin-

dem Staate herrschte. Das einzige Mittel, die Krone
in Schranken zu halten, bestund, außer dem Mangel
an Gewalt, alle ihre Vorrechte zu unterstützen, darinn,
daß das Amt eines Constables gemeiniglich entweder
erblich war, oder auf Lebenszeit dauerte; und die Person, welche dasselbe bekleidete, war daher kein so eigentliches Werkzeug der willkührlichen Gewalt des Königs.
Deswegen wurde dieses Amt von Heinrich dem Achten,
dem eigenmächtigsten unter allen Englischen Königen,
unterdrücket. Unterdessen blieb die Gewohnheit, das
Kriegsrecht auszuüben, beständig bey, und wurde nicht
eher abgeschaffet, als bis unter Carl dem Ersten, durch
die Bittschrift für die Rechte. Dies war die Epoche der
wahren Freyheit, welche durch die Wiedereinsetzung des
Hauses Stuart bestätiget, und durch die Empörung er-
weitert und gesichert wurde.

Prinzen wurde hier durch sich selbst aufgehalten:
Nachdem er es versuchet hatte, seinen Vasallen die
Unabhänglichkeit zu rauben, hatte er in seinem
Lande eine solche Widerspenstigkeit erreget, daß er
verhindert wurde, sich des ganzen Vortheiles der
englischen Unruhen zu bedienen. Er schickte jedoch
(i. J. 1462) dem Heinrich ein kleines Corps zu
Hülfe, unter dem Commando des Varenne,
Seneschals von der Normandie q), welches in
Northumberland landete, und das Castel Alne-
wic in Besitz nahm; allein da die unermüdete
Margaretha in eigner Person nach Frankreich kam,
um einen größern Beystand anhielt r), und Calais
an den Ludewig abzutreten versprach, wenn ihre
Familie durch seine Hülfe wieder zu dem englischen
Thron gelangte; so ließ er sich überreden, ihr
noch ein Corps von 2000 Mann schwerer Cavallerie
mitzugeben s), wodurch sie in den Stand gesetzt
war, wieder (i. J. 1464) im Felde zu erscheinen,
und in England einzufallen. Ob sie gleich von
ei-

q) Monstrelet, B, III. S. 95.

r) W. Wyrcester, S. 493. Hall. S. 190. Holingshed,
S. 665.

s) W. Wyrcester, S. 493.

einem zahlreichen Haufen Parteygänger aus
Schottland und von vielen Anhängern des Hauses
Lancaster verstärket war; so wurde ihr doch Einhalt gethan zu Hedgleymore von dem Lord Montacute, oder Montague, einem Bruder des Grafen
von Warwic und Beschützer der östlichen Gränzen
zwischen Schottland und England t). Mantague
wurde durch dieses Glück so stolz, daß, obgleich
eine zahlreiche Verstärkung, die auf Eduards
Befehl zu ihm stoßen sollte, auf dem Marsch war,
er es dennoch wagte, die Lancastrische Armee mit
seinen Truppen allein zu Hexham anzugreifen, wo
er auch einen völligen Sieg über dieselbe erhielt.
Der Herzog von Sommerset, die Lords Roos und
Hungerford geriethen beym Nachsetzen in die Gefangenschaft, und wurden sogleich zu Hexham
nach dem Kriegsrechte (den 15ten May) enthauptet u). Auf gleiche Weise wurde ein summarisches
Gericht über den Sir Humphrey Nevil und verschiedne andre zu Newcastle gehalten x). Alle diejenigen, welche in der Schlacht mit dem Leben davon

---

t) Rymer, B. XI. S. 500.

u) W. Wyrcester, S. 498. Hall. S. 190. Grafton
S. 661.

x) Fabian, S. 215. Polyd. Virg. S. 512. 513.

von gekommen waren, mußten es auf dem Schavot
laſſen; und die gänzliche Ausrottung ihrer Gegner
war itzt der einzige Endzweck der Yorkiſchen Partey
geworden; eine Aufführung, welche nur eine gar
zu ſcheinbare Entſchuldigung in dem vorigen Betragen der Partey der Lancaſter vor ſich hatte.

Das Schickſal der unglücklichen königlichen
Familie war nach dieſer Niederlage ſehr ſonderbar.
Margaretha, die mit ihrem Sohn in einen Wald-
floh, um ſich daſelbſt zu verbergen, wurde in der
Finſterniß der Nacht von Räubern umgeben,
welche entweder ihren Stand nicht wußten, oder
nicht achteten, ſie ihrer Ringe und Juwelen beraubten, und ihr mit der äußerſten Schmach begegneten. Die Theilung dieſer reichen Beute
erregte einen Streit unter ihnen; und da die Auf-
merkſamkeit derſelben hiemit beſchäftiget war,
nahm ſie die Gelegenheit wahr, und entflohe
mit ihrem Sohn in den Dickicht des Waldes, wo
ſie eine Zeitlang herumwanderte, von Hunger
und Strapazen abgemattet, und von Furcht und
Traurigkeit niedergeſchlagen. In dieſem unglücklichen Zuſtande ſah ſie einen Räuber mit bloßem
Degen auf ſich zu gehen; und da ſie keine andre
Gelegenheit ſah zu entkommen, faßte ſie geſchwind
den Entſchluß, ſich ſeiner Treue und Edelmüthig-

keit

keit zum Schutze zu übergeben. Sie gieng zu ihm,
stellte ihm den jungen Prinzen vor, und rief ihm
zu: Hier, mein Freund, übergebe ich die Sicherheit des Sohns eures Königs eurer Fürsorge. Der Räuber, deſſen menſchenliebendes
und edelmüthiges Herz durch ſein laſterhaftes
Leben zwar verſchlimmert, aber noch nicht gänzlich verlohren war, wurde von der Sonderbarkeit
des Vorfalls gerührt, und über das auf ihn ge-
ſetzte Zutrauen vergnügt: und verſprach nicht nur
ſich aller Beleidigung gegen die Prinzeßinn zu enthalten, ſondern ſich auch ihrer Sicherheit und
ihrem Schutz gänzlich zu widmen y). Durch ſeine Hülfe hielt ſie ſich einige Zeit in dem Walde
verborgen, und wurde endlich an die Seeküſte geführet, von wannen ſie nach Flandern flüchtete.
Sie begab ſich von hier an den Hof ihres Vaters,
wo ſie verſchiedne Jahre insgeheim und eingezogen lebte. Ihr Gemahl hatte nicht das Glück oder
die Geſchicklichkeit, zu entkommen. Einige von
ſeinen Freunden nahmen ihn in Schutz, und begleiteten ihn nach Lancaſhire, wo er ſich zwölf
Monate verborgen hielt; endlich aber entdeckt,
dem Eduard überliefert, und in den Tower
ge-

y) Hall. S. 191. Fragm. ad finem Sproti.

geschickt wurde z). Die Sicherheit seiner Person
rührte nicht so sehr aus der Edelmüthigkeit seiner
Feinde her, als aus der Verachtung, welche sie gegen seinen Muth und Verstand hegten.

Die Gefangenschaft des Heinrichs, die
Vertreibung der Margaretha, die Hinrichtung und
Confiscation der Vornehmsten von der Lancastrischen Partey schienen der Regierung Eduards
völlige Sicherheit gegeben zu haben, dessen Erbrecht, das itzt vom Parlament erkannt war, und
dem sich das Volk unterworfen hatte, nicht länger in Gefahr stund, von einem Gegner angefoch-
ten zu werden. In dieser glücklichen Situation
überließ sich der König gänzlich denen Vergnügungen, die zu genießen ihn seine Jugend, sein großes
Glück und seine angebohrne Gemüthsart anlock-
ten, und die königlichen Sorgen wurden weniger
geachtet, als die Zerstreuung in Vergnügungen
und die Sättigung der Leidenschaften. Eduards
grausamer und unerweichlicher Geist war, obgleich
durch bürgerliche Kriege zur Wildheit gewöhnet,
doch zugleich denen sanftern Leidenschaften sehr
ergeben, welche eine starke Herrschaft über ihn
hatten, doch ohne seine strenge Gemüthsart zu
mil-

z) Polyd. Virg. S. 513. Biondi.

mildern und ihn eben so sehr beschäftigten, als seine
Bemühung, Ehre zu erwerben, und sein Durst
nach Ruhm im Kriege. Während des gegenwärtigen Friedens lebte er mit seinen Unterthanen, und
besonders mit den Londonern auf die vertrauteste
und gesellschaftlichste Art; und die Schönheit seiner Person sowohl, als sein galantes Betragen,
welche ihn auch ohne den Beystand der königlichen Würde, dem schönen Geschlechte sehr angenehm gemacht haben würden, erleichterten seine
Bemühungen um ihre Gunst. Diese ungezwun-
gene und vergnügliche Lebensart vermehrten seine
Liebe unter allen Ständen des Volks: Er hatte
insbesondre die Gewogenheit der Jungen und
Schönen beyderley Geschlechts: Die Gemüthsart
der Engländer, die wenig zur Eifersucht geneigt
ist, verhinderte sie, aus diesen Freyheiten Verdacht zu schöpfen. Und seine Neigung, sich dem
Vergnügen zu ergeben, war zu gleicher Zeit, da
sie seine Lust befriedigte, ohne seine Absicht ein
Mittel geworden, seine Regierung zu unterstützen
und zu sichern: Allein, da es schwer ist, die herrschende Leidenschaft in den Schranken der Klug-
heitsregeln zu erhalten; so leitete auch die verliebte
Gemüthsart den Eduard in Fallstricke, welche sei-

ner

ner künftigen Ruhe und der Vestigkeit seines
Throns sehr nachtheilig waren.

Jaqueline de Luxembourg, Herzoginn von
Bedford, hatte nach dem Tode ihres Gemahls
ihren Ehrgeiz der Liebe so weit aufgeopfert, daß
sie in der zweyten Ehe den Sir Richard Wide-
ville beyrathete, einen gemeinen Edelmann, der
aber nachher zum Lord Rivers ernannt wurde,
dem sie verschiedne Kinder, und unter andern
auch eine Tochter, Namens Elisabeth gebahr,
die sowohl wegen der Reizungen und Schönheit
ihrer Person, als auch wegen andrer liebenswür-
diger Eigenschaften merkwürdig war. Dieses junge Frauenzimmer hatte sich mit dem Sir John
Gray von Groby verheyrathet, mit welchem
sie auch verschiedne Kinder hatte; und nachdem
ihr Mann, der an der Seite der Lancastrischen
Partey gefochten hatte, in der zweyten Schlacht
bey St. Albans geblieben, und seine Güter confiscirt waren, begab seine Wittwe sich zu ihrem
Vater auf seinen Landsitz zu Grafton in North-
hamptonshire. Der König kam auf einer Jagd
von ungefähr zu diesem Hause, um die Herzoginn von Bedford zu besuchen; und da dieses
eine erwünschte Gelegenheit zu seyn schien, von
diesem galanten Monarchen einige Gnade zu er-

Hume Gesch. VI. B.   U   lan-

langen; warf diese junge Wittwe sich ihm zu
Füßen, und bat ihn mit Thränen, mit ihren
armen unglücklichen Kindern Mitleiden zu haben.
Der Anblick einer so großen Schönheit, in so
großer Betrübniß rührte den verliebten Eduard
sehr; Die Liebe stahl sich unvermerkt unter dem
Schein des Mitleidens in sein Herz, und ihre
Betrübniß, welche einer tugendhaften Matrone so
wohl stund, machte, daß seine Hochachtung seiner Liebe bald gleich wurde. Er hob sie mit Versicherung seiner Gnade von der Erde auf: er merkte, daß seine Leidenschaft durch das Gespräch
mit einem so liebenswürdigen Gegenstande sich
jeden Augenblick vermehrte; und es währte nicht
lange, so lag er selbst bittend zu den Füßen der
Elisabeth. Allein, diese Dame verabscheuete,
entweder durch Empfindung ihrer Pflicht, eine
ehrlose Liebe, oder merkte, daß der Eindruck,
den sie gemacht hatte, tief genug wäre, daß sie
die höchste Erhebung hoffen könnte, und wegerte
sich aufs äußerste, seiner Liebe ein Genüge zu leisten, und alle Schmeicheleyen, Liebkosungen und
Bitten des jungen und liebenswürdigen Eduard
wurden von ihrer strengen und unbeweglichen
Tugend abgewiesen. Seine Liebe, die durch Widersetzung gereizet, und durch seine Hochachtung
für

für solche edle Gesinnungen vermehret wurde,
riß ihn zuletzt über alle Gränzen der Vernunft
weg; und er erboth sich, sowohl seinen Thron
als sein Herz mit derjenigen Dame zu theilen,
die wegen der Schönheit ihrer Person und der
Würde ihres Charakters zu beyden ein so großes
Recht hätte. Die Vermählung wurde in der
Stille zu Grafton gefeyert a): Das Geheimniß
wurde eine Zeitlang sorgfältig verhehlet: keiner
argwohnte, daß ein Prinz von so freyer Lebensart sich so sehr einer romanhaften Liebe ergeben
könnte: Und es waren wichtige Ursachen, welche
diesen Schritt, insbesondre zu dieser Zeit, im
höchsten Grade gefährlich und unvorsichtig machten.

Der König, der seinen Thron so wohl durch
die Erwartung eines Erben, als durch auswärtige Allianzen befestigen wollte, hatte sich kurz
vorher entschlossen, um eine benachbarte Prinzeßinn anzuhalten; und seine Augen auf die Bona
von Savoyen, eine Schwester der Königinn von
Frankreich, geworfen, durch welche er hoffte, sich
die Freundschaft dieser Macht zu versichern, die
allein fähig und geneigt war, seinem Nebenbuhler

U 2   Hül-

a) Hall, S. 193. Fabian, S. 216.

Hülfe und Beystand zu leisten. Damit die Unterhandlung desto besser von statten gehen möchte, war der Graf von Warwic bereits nach Paris, wo sie sich damals aufhielt, geschickt worden; er hatte die Bona im Namen des Königes
angesprochen; seine Anwerbung war angenommen; der Traktat war völlig geschlossen; und es
fehlte nichts mehr, als daß die Bedingungen
genehmiget, und die Prinzeßinn nach England
hinüber gebracht wurde b). Allein, da das Geheimniß von der Vermählung des Eduards ausbrach, entbrannte dieser stolze Graf von Wuth
und Zorn, weil er sich beschimpft glaubte, theils,
daß man ihn in einer betrüglichen Unterhandlung gebrauchet, theils, daß der König, der
seiner Freundschaft alles schuldig war, ihm seine
Absichten nicht mitgetheilt hatte, und kehrte sogleich nach England zurück. Der Einfluß der
Liebe auf einen so jungen Herrn, als Eduard
war, hätte eine Entschuldigung seines unvorsichtigen Verfahrens seyn können, wenn er nur seinen
Irrthum hätte gestehen, und seine Schwachheit
zur Entschuldigung anführen wollen: Allein, seine

feh-

---

b) Hall. S. 193. Habington. S. 437. Holingshed.
S. 667. Grafton. S. 665. Polyd. Virg. S. 513.

fehlerhafte Schaamhaftigkeit, oder sein Stolz,
verführten ihn, daß er dieser Sache nicht einmal
gegen den Warwic gedachte; und er litte, daß
dieser Herr den Hof in der bösen Laune, und
mit dem Mißvergnügen, die er mitgebracht hatte,
wieder verließ.

Eine jede Begebenheit diente jetzt dazu, den
Bruch zwischen dem König und diesem seinem mächtigen Unterthan zu vergrößern. Die Königinn
verlohr durch die Heyrath ihren Einfluß über den
König nicht; und sie war eben so sorgfältig, ihren
Freunden und Verwandten jede Gnade und Gunst
zuzuspielen, als die Freunde des Grafen, welchen sie für ihren Todtfeind ansah, davon auszuschließen. Ihr Vater wurde zum Grafen von
Rivers ernannt: wurde zum Schatzmeister an der
Stelle des Lord Mountjoy erhoben c); wurde
auf Lebenszeit mit dem Amte eines Constables
bekleidet; und sein Sohn erhielt die Exspectanz
auf diese hohe Würde d). Eben dieser junge Herr
wurde mit der einzigen Tochter des Lord Scales
verheyrathet, besaß die großen Güter dieser Familie, und erhielt den Titel des Scales. Katha-

U 3   rine

c) W. Wyrcester. S. 506.
d) Rymer B. XI. S. 581.

rine, der Königinn Schwester, wurde mit dem
jungen Herzoge von Buckingham, einem Pupillen
der Krone, verheyrathet e): Maria, eine andre
von ihren Schwestern, heyrathete den William
Herbert, der zum Grafen von Huntington er=
nannt wurde: Anna, eine dritte Schwester,
wurde dem Erben und Sohn des Gray, dem
Lord Ruthyn, der zum Grafen von Kent erho=
ben war, zur Gemahlinn gegeben f). Die Toch=
ter und Erbinn des Herzogs von Exeter, die auch
eine Nichte des Königs war, wurde an den Sir
Thomas Gray, einen von den Söhnen der Kö=
niginn von ihrem ersten Manne, verheyrathet;
und da der Lord Montague eine Heyrath zwischen
seinem Sohn und diesem Frauenzimmer vorhatte,
und dem jungen Gray der Vorzug gegeben wurde;
so hielt man dies für eine Beleidigung und Be=
schimpfung der ganzen Familie des Nevil.

Der Graf von Warwic konnte nicht die min=
deste Verringerung desjenigen Ansehens vertra=
gen, welches er lange gehabt, und wie er glaub=
te, durch so wichtige Dienste verdienet hatte.
Ob er gleich von der Krone so viele Geschenke
erhal=

e) W. Wyrcester. S. 505.
f) W. Wyrcester. S. 566.

erhalten, daß die Einkünfte aus denselben sich, außer seinen väterlichen Erbgütern, jährlich auf 80,000 Kronen, nach der Rechnung des Philipp de Comines, beliefen g); war doch sein stolzer Geist beständig unvergnügt, so lange er sah, daß andre ihn an Ansehen und Einfluß bey dem Könige übertrafen h). Auch war Eduard, der eifersüchtig auf diejenige Macht war, welche ihn unterstützet, und welche er selbst noch höher erhoben hatte, vergnügt, dem Grafen von Warwic Nebenbuhler des Ansehens aufzustellen; und mit dieser politischen Absicht rechtfertigte er seine Parteylichkeit für die Verwandte der Königinn. Allein, die andern Edelleute von England, welche der Familie des Widewille ihre plötzliche Erhöhung beneideten i), waren geneigter, mit dem Mißvergnügen des Warwic Partey zu nehmen, an dessen Größe sie schon gewöhnt waren, und der sie mit seinem Vorzuge durch sein gnädiges und freundschaftliches Betragen zufrieden gemacht hatte. Und da Eduard vom Parlament eine Wiederrufung alles dessen erhielt, was er seit seiner

U 4　　　　Thron

g) Liv. III. Chap. 4.
h) Polyd. Virg. S. 514.
i) Hist. Croyl. cont. S. 559.

Thronbesteigung verschenket, und welches die Krone sehr arm gemacht hatte k); so erregte diese Akte, welche zwar mit einigen Ausnahmen, und insbesondre für den Grafen von Warwic paßirte, dennoch eine allgemeine Unrube unter den Edelleuten und machte sogar viele eifrige Anhänger des Hauses York mißvergnügt.

Allein, der ansehnlichste Bundsgenosse, den Warwic erhielt, war der Herzog George von Clarence, ein zweyter Bruder des Königes. Dieser Prinz achtete sich nicht weniger beleidigt, als die übrigen Großen, durch den uneingeschränkten Einfluß der Königinn und ihrer Anverwandten; und da sein Vermögen nur immer auf schwachen Füßen blieb, indem jene das ihrige völlig vestsetzten; so machte diese Zurücksetzung so wohl, als sein unruhiger und rastloser Geist ihn geneigt, alle Mißvergnügte in Schutz zu nehmen l). Diese günstige Gelegenheit, ihn zu gewinnen, wurde von dem Grafen von Warwic ausgespähet, welcher ihm seine älteste Tochter und Miterbinn aller seiner ungemein großen Güter zur Ehe anboth; eine Vermählung, die ihn sogleich zu der Partey

des

k) W Wyrcester. S. 508.
l) Grafton. S. 673.

des Grafen zog, indem sie wichtiger war, als
alles, was der König ihm geben konnte m). So
wurde unvermerkt eine ausgebreitete und gefährliche Verbindung wider den Eduard und seine
Minister gemacht: Obgleich die Absicht der Mißvergnügten bis itzt noch nicht war, den Thron
umzustürzen; so war es doch nicht schwer, die
letzten Schritte vorher zu sehen, wozu sie konnten verleitet werden; und da in diesen Zeiten
die Widersetzung wider die Regierung allemal
mit den Waffen ausgeführet wurde; so war es
wahrscheinlich, daß bürgerliche Zerrütungen und
Unordnungen die Frucht dieser Intriguen und
Verbindungen seyn würden.

Indem diese Wolken sich im Lande zusammen zogen, hatte Eduard seine Aussichten
auf auswärtige Länder gerichtet, und bemühete
sich, durch auswärtige Allianzen sich wider
seinen aufrührischen Adel zu sichern. Je mehr
der verborgene und gefährliche Stolz Ludewigs
des Eilften bekannt wurde, je mehr Unruhe er-

U 5 regte

m) W. Wyrcester, S. 511. Hall. S. 200. Habington. S. 439. Holingshed. S. 671. Polyd. Virg.
S. 515.

regte er unter allen Nachbaren und Basallen;
und da derselbe durch große Fähigkeiten unter=
stützt, und von keinen Grundsätzen der Treue
oder der Leutseligkeit eingeschränkt wurde; so
fanden sie keine andre Sicherheit für sich, als
in einer eifersüchtigen Verbindung wider ihn.
Der Herzog Philipp von Burgundien war ißt
todt: Seine reichen und großen Gebiete waren
seinem einzigen Sohne, Karl, zugefallen, dem
seine kriegerische Gemüthsart den Zunamen, der
Kühne, erwarb, und sein Stolz, der größer
als Ludwigs, aber von geringerer Macht und
Staatsklugheit unterstützet war, wurde von den
andern europäischen Mächten mit günstigern Au=
gen angesehen. Der Widerspruch ihres Interes=
ses, und noch mehr eine Feindschaft ihrer Cha=
raktere brachte eine offenbare Feindseligkeit zwischen
diesen beyden Bösen Prinzen hervor; und Eduard
war solchergestalt der Zuneigung eines von bey=
den, für welchen er sich erklären wollte, gewiß.
Der Herzog von Burgundien, der von Seiten
seiner Mutter, einer Prinzeßinn von Portugal,
vom John von Gaunt abstammte, war natür=
licher Weise dem Hause von Lancaster geneigt n):

Al=

n) Comines Liv. III. Chap. 4. 6.

Allein, diese Betrachtung konnte von der Staatsklugheit leicht überwogen werden; und Karl, der
es merkte, daß das Ansehen dieses Hauses in
England sehr gefallen war, schickte seinen natürlichen Bruder, gemeiniglich der Bastard von
Burgundien genannt, nach England, um in seinem Namen Vorschläge zu seiner Vermählung
mit der Margaretha, des Königs Schwester, zu
thun. Die Allianz mit Burgundien war in England beliebter, als die mit Frankreich; das
Handlungsinteresse dieser beyden Nationen be-
wog die Prinzen, eine genaue Vereinigung mit
einander zu schließen; ihre gemeinschaftliche Eifersucht gegen den Ludwig war ein natürliches
Band zwischen ihnen; und Eduard, der sich
freuete, sich mit einem so mächtigen Bundsgenossen zu verstärken, schloß diesen Traktat bald,
(i. J. 1468.) und gab seine Schwester dem Karl o).
Ein Bündniß, welches Eduard um dieselbe Zeit
mit dem Herzoge von Bretagne schloß, schien
seine Sicherheit zu vermehren, und ihm die Aussicht zu eröffnen, seinen Vorfahren in diesen ausländischen Eroberungen gleich zu werden, die,
so kurzdaurend und unnütz sie auch waren, ihre

Regie-

o) Hal. S. 169. 127.

Regierungen doch beliebt und berühmt gemacht
hatten. p).

Allein, was für stolze Entwürfe auch der König auf diese Allianzen bauen mochte, so wurden sie doch bald durch innerliche Unruhen, welche seine ganze Aufmerksamkeit an sich zogen,
(i. J. 1469.) vereitelt. Vermuthlich entstunden
diese Unordnungen nicht unmittelbar aus den Intriguen des Grafen von Warwic, sondern aus
einem Zufall, der von dem unruhigen Geist der
damaligen Zeit, von dem allgemeinen Mißvergnügen, welches dieser beliebte Herr der Nation
eingeflößt hatte, und vielleicht auch von einiger
überbliebenen Zuneigung für das Haus Lancaster
unterstützet wurde. Das Hospital St. Leonhard
bey York hatte, durch eine alte Begnadigung des
Königs Athelstäne, das Recht bekommen, von
einem jeden Pflug Landes vier und zwanzig Gar-
ben zu fodern; und da solche milde Stiftungen
oft Mißbräuchen unterworfen sind, so beklagten
sich die Bauern, daß die Einkünfte des Hospi-
tals nicht mehr zum Besten der Armen angewandt,
sondern von den Aufsehern untergeschlagen, und

zu

p) W. Wyrcester, S. 5. Parliament. Hist. B. II.
S. 332.

zu ihren eignen Abſichten gebraucht wurden. Nachdem ſie lange über dieſe Abgabe mißvergnügt geweſen waren, wegerten ſie ſich endlich, ſie abzutragen. Es erfolgten hierauf geiſtliche und weltliche Ahndungen: Ihre Güter wurden in Beſchlag
genommen, und ſie ſelbſt ins Gefängniß geworfen: bis ſie endlich, da ihr Mißvergnügen zunahm, zu den Waffen griffen; die Bedienten des
Hoſpitals anfielen, ſie niederhieben; und fünf-
zehn tauſend Mann ſtark gegen die Thore von
York anrückten q). Der Lord Montague, der
in dieſer Gegend commandirte, widerſetzte ſich
ihrem Fortgange; und nachdem er in einem
Scharmützel das Glück gehabt hatte, den Robert
Hulderne, ihren Anführer, gefangen zu bekommen, ließ er ihn, nach der barbariſchen und un-
geſetzlichen Gewohnheit dieſer Zeiten, ſogleich hinrichten r). Unterdeſſen blieben die Rebellen noch
immer in den Waffen; und da ſie bald von an-
ſehnlichern Männern, dem Sir Henrich Nevil,
einem Sohn des Lord Latimer, und dem Sir
John Coniers angeführet wurden, marſchirten
ſie

q) Hall. S. 200. Holingſhed. S. 672. Polyd. Virg.
    S. 516.
r) Grafton. S. 674.

fie gegen Süden, und wurden der Regierung gefährlich. Herbert, Graf von Pembroke, der diesen Titel nach der Confiscation des Jasper Tudor erhalten hatte, erhielt von dem Eduard Befehl, ihnen mit einem Corps Wallisen entgegen zu gehen; und es stießen fünf tausend Bogenschützen zu ihm, unter der Anführung des Stafford, Grafens von Devonshire, welcher der Familie von Courtney, die auch confiscirt worden, in diesem Titel gefolgt war. Allein, eine kleine Streitigkeit über die Quartiere hatte zwischen diesen beyden Herren eine Feindschaft gestiftet, und der Graf von Devonshire zog sich mit seinen Bogenschützen zurück, und ließ den Pembroke allein wider die Rebellen fechten s). Die beyden Heere näherten sich einander bey Banbury; und nachdem Pembroke in einem Scharmützel die Oberhand erhalten, und den Sir Henrich Nevil gefangen bekommen hatte, ließ er ihn sogleich ohne einen Proceß hinrichten. Diese Hinrichtung brachte die Rebellen in Wuth, ohne sie zu schrecken: Sie griffen die wallisische Armee an, schlugen sie, (den 26sten Julii) und hieben alles ohne Gnade

nie-

---

s) Stowe. S. 221. Holingshed. S. 672. Fragm. ad Chem Sprotti.

nieder; und da sie den Pembroke gefangen bekamen, rächten sie den Tod ihres Anführers an
ihm t). Der König schrieb dieses Unglück dem
Grafen von Devonshire zu, der den Pembroke
verlassen hatte, und befahl, ihn auf eine eben
so summarische Art hinzurichten. Allein, diese
schleunige Hinrichtungen, oder vielmehr offenbare
Ermordungen, hatten damit noch kein Ende. Die
nördlichen Rebellen schickten eine Partey nach
Grafton, und nahmen den Grafen von Rivers,
und seinen Sohn, John, gefangen; Leute, die
durch ihre nahe Verwandschaft mit dem Könige,
und durch seine Liebe gegen sie verhaßt geworden
waren: Und diese wurden sogleich auf Befehl des
Sir John Coniers hingerichtet u).

Kein Theil der englischen Geschichte seit der
Eroberung ist so dunkel, so ungewiß, so wenig
authentisch und übereinstimmend, als die Geschichte der Kriege zwischen den beyden Rosen:
Die Geschichtschreiber sind über verschiedene wichtige Umstände uneinig: einige Begebenheiten von
den wichtigsten Folgen, worinn fast alle übereinstimmen, sind unglaublich, und widerspre-
chen

t) Hall. S. 201. 202. Grafton. S. 676. 677.
u) Fabian. S. 217.

chen den Urkunden x); und es ist merkwürdig,
daß diese tiefe Finsterniß uns eben zu der Zeit
über.

x) Wir wollen ein Beyspiel geben: Fast alle Geschichtschreiber, selbst Comines und der Fortsetzer der An-
nalen des Croyland erzählen, daß Eduard um diese
Zeit von dem Clarence und Warwic gefangen genommen, und der Aufsicht des Erzbischofs von York,
eines Bruders des Grafen, anvertrauet worden sey;
daß er aber, da ihm dieser Prälat auf die Jagd zu
gehen erlaubet, aus der Gefangenschaft entflohen sey,
und nachher die Rebellen aus dem Reiche gejaget
habe. Allein, daß diese ganze Erzählung falsch ist,
ersehen wir aus dem Rymer, welcher berichtet, daß
der König diesen ganzen Zeitpunkt hindurch seine Gewalt ausgeübt habe, und niemals in seiner Regierung unterbrochen sey. Den siebenten März. 1470
trug er dem Clarence, den er für einen getreuen
Unterthanen hielt, eine Commißion zur Ausrüstung
der Armee auf; und den 23sten desselben Monats
erhielt er schon Befehl, ihn gefangen zu nehmen.
Ueberdem erwähnet der König keiner That von der
Art in dem Manifeste wider den Herzog und den
Grafen, (Clauf. 10. Edw. IV. m. 7. z.) wo er doch
alle ihre Verräthereyen erzählet: Er beschuldigt sie
nicht einmal, daß sie die Rebellion des jungen Welles verursacht: Er sagt nur, daß sie ihn ermuntert
hätten, seine Rebellion fortzusetzen. Hieraus können
wir

überfällt, da die Wissenschaften wieder hergestellet wurden, und die Buchdruckerkunst schon in ganz Europa bekannt war. Alles, was wir zwischen den dicken Wolken, welche diesen Zeitpunkt bedecken, mit Gewißheit unterscheiden können, ist ein Schauplatz des Schreckens, des Blutvergießens, wilder Sitten, willkührlicher Hinrichtungen, und eines verrätherischen und unanständigen Betragens bey allen Parteyen. Es ist unmöglich, zum

wir abnehmen, wie sehr kleinere Vorfälle von denen Geschichtschreibern entstellt sind, die sich in den wichtigsten Begebenheiten so grob versehen. Man könnte so gar zweifeln, ob der Bona von Savoyen Vorschläge zur Heyrath gemacht sind; obgleich fast alle Geschichtschreiber darinn übereinstimmen, und die Sache an sich selbst sehr wahrscheinlich ist: Denn es finden sich im Rymer keine Spuren, daß Warwic jemals eine solche Ambassade nach Frankreich gehabt habe. Die vornehmste Gewißheit in dieser und der vorhergehenden Regierung rührt entweder aus öffentlichen Urkunden her, oder aus den Nachrichten, die man aus gewissen Stellen der französischen Geschichtschreiber nimmt. Im Gegentheil ist die französische Geschichte einige Jahrhunderte nach der Eroberung nicht vollständig ohne den Beystand der englischen Schriftsteller.

zum Exempel, von den Absichten und Vorhaben
des Grafen von Warwic zu dieser Zeit Rechenschaft zu geben. Es ist ausgemacht, daß er
sich mit seinem Schwiegersohn, dem Herzoge von
Clarence, in seinem Gouvernement zu Calais bey
dem Anfange dieser Rebellion aufgehalten habe,
und daß sein Bruder, Montague, wider die nördlichen Rebellen mit Nachdruck gefochten habe.
Hieraus können wir abnehmen, daß der Aufstand
nicht aus den heimlichen Rathschlägen und Eingebungen des Warwic entsprungen sey; obgleich
der Mord des Grafen von Rivers, seines Todt-
feindes, welchen die Rebellen begiengen, an der
andern Seite eine starke Vermuthung wider ihn
giebt. Er und Clarence kamen nach England
hinüber, boten dem Eduard ihre Dienste an,
wurden ohne Argwohn aufgenommen, wurden
von ihm mit den höchsten Befehlshaberstellen be-
trauet y), und blieben beständig getreu. Bald
darauf finden wir die Rebellen beruhiget, und
durch eine allgemeine Pardon zerstreuet, welche
Eduard auf Anrathen des Grafen von Warwic
verwilligte: Allein, warum ein so muthiger Prinz,
wenn er von Warwics Treue versichert gewesen,
eine

y) Rymer. B. XI. S. 647. 649. 650.

eine allgemeine Pardon solchen Leuten verwilliget habe, die sich so großer und persönlicher Beleidigungen wider ihn schuldig gemacht hatten,
das ist unbegreiflich; auch läßt sich nicht einsehen, warum dieser Herr, wäre er ungetreu gewesen, sich hätte bemühen sollen, eine Rebellion
zu stillen, von welcher er so große Vortheile haben konnte. Allein, es erhellet, daß nach diesem Aufstande eine Zeitlang Frieden gewesen sey,
in welcher Zeit der König die Familie des Nevil
mit der größten Ehre und Gnade überhäufte:
Er machte den Lord Montague zum Marquis
gleiches Namens: Er ernannte seinen Sohn George zum Herzoge von Bedford z): Er erklärte
öffentlich, daß er diesen jungen Herrn mit seiner ältesten Tochter, Elisabeth, verheyrathen
wollte, welche, da er noch keinen Sohn hatte,
die vermuthliche Erbinn der Krone war: Doch
finden wir, daß er bald darauf, als er von
dem Erzbischof von York, einem jüngern Bruder des Warwic und Montague, zu einem Gast-
mahl eingeladen wurde, den Argwohn gefaßt,
daß sie ihn gefangen setzen oder ermorden wol-

X 2   len:

––––––––––––––––––––––––––––––
z) Cotton. S. 702.

len: Und unvermuthet die Gesellschaft a) verlaſſen habe.

Bald nachher brach eine andre Rebellion aus, (i. J. 1470.) wovon man, ſo wie von allen vorigen Begebenheiten, keine Rechenſchaft geben kann; hauptſächlich, weil keine hinlängliche Urſache davon angegeben iſt, und weil die Familie des Nevil, ſo viel man weis, nichts beygetragen hat, dieſelbe zu erregen oder zu unterhalten. Sie entſtund in Lincolnſhire, und das Haupt derſelben war Sir Robert Welles, ein Sohn des Lords gleiches Namens. Die Armee der Rebellen belief ſich auf 30,000 Mann; allein, der Lord Welles ſelbſt, weit entfernt ſie zu unterſtützen, floh in einen Schuzort, um ſich vor dem Zorn oder dem Argwohn des Königs zu ſichern. Er wurde aus dieſem Orte durch Verſprechung der Sicherheit herausgezogen; und ungeachtet dieſer Verſicherung bald nachher mit dem Sir Thomas Dymoc auf Eduards Befehl enthauptet b). Der König lieferte den Rebellen ein Treffen, ſchlug ſie, den 13ten März, bekam den Sir Robert Welles und

den

---

a) Fragm. Ed. IV. ad fin. ſprotti.

b) Hall. S. 204. Fabian. S. 218. Habington. S. 442. Holingſhed. S. 674.

den Sir Thomas Launde gefangen, und ließ sie sogleich enthaupten.

Eduard hegte, da dieses vorgieng, noch so wenig Eiferſucht gegen den Grafen von Warwic, oder den Herzog von Clarence, daß er ihnen auftrug, Truppen wider die Rebellen zu werben c): Allein, ſobald dieſe Herren den Hof verlaſſen hatten, warben ſie Truppen in ihrem eigenen Namen, ſtellten ſchriftliche Erklärungen wider die Regierung aus, und beklagten ſich über Beſchwerden, Unterdrückungen und böſe Miniſter. Die unvermuthete Niederlage des Welles zerſchlug alle ihre Maasregeln; und ſie zogen ſich gegen Norden in Lancaſhire, wo ſie von dem Lord Stanley, der des Grafen von Warwic Schweſter geheyrathet hatte, unterſtützet zu werden hoffeten. Allein, da dieſer Herr ihnen allen Beyſtand verſagte, und da auch der Lord Montague ſich in Yorkſhire ruhig hielt; ſo wurden ſie genöthiget, ihre Armee aus einander gehen zu laſſen, und nach Devonſhire zu flüchten, wo ſie nach Calais zu Schiffe giengen d).

X 3 Ein

c) Holingſhed. S. 674.

d) Der König ließ durch eine Bekanntmachung im ganzen Lande demjenigen, der ſie gefangen liefern könnte,

eine

Ein Gascogner, Namens Vaucler, war vom
Warwic zu Calais zurück gelassen. Als dieser
den Grafen in einem so betrübten Zustande zurückkehren sah, wollte er ihn nicht einlassen, und
sogar der Gräfinn von Clarence nicht einmal erlauben, ans Land zu kommen, ob sie gleich vor
einigen Tagen auf dem Schiffe von einem jungen Sohn entbunden worden, und sich noch sehr
schlecht befand. Kaum erlaubte er, daß einige
Flaschen Wein für das Frauenzimmer ans Schiff
gebracht wurden: Allein, da er ein kluger Kopf
war, und die Staatsveränderungen, denen England unterworfen war, wohl kannte, so entschuldigte er sich heimlich bey dem Warwic, wegen dieses Scheins von Untreue, und versicherte
ihn, daß dieses Verfahren blos aus einem Eifer ihm zu dienen herrühre. Er sagte, die Stadt
sey schlecht mit Provision versehen; er könne
sich nicht auf die Zuneigung der Besatzung verlassen; die Einwohner, welche vom englischen

Han-

eine Belohnung von 1000 Pfund, oder 100 Pfund
jährlich an Land versprechen. Woraus wir ersehen,
daß Landgüter damals für den Preis der Einkünfte
von zehn Jahren verkauft wurden Rymer. B. II.
S. 654.

Handel lebten, würden sich gewiß für die eingeführte Regierung erklären; der Ort sey gegenwärtig nicht im Stande, der englischen Macht von der einen Seite, und der Macht des Herzogs von Burgundien von der andern zu widerstehen; und wenn er sich für den Eduard erkläre, so würde er das Zutrauen dieses Prinzen gewinnen, und es stets in seiner Gewalt haben, diese Vestung, wenn er es für sicher und klüglich hielte, ihrem alten Herrn wieder zu übergeben e). Es ist ungewiß, ob Warwic mit dieser Entschuldigung zufrieden gewesen, oder ob er den Vaukler wegen einer doppelten Untreue in Verdacht gezogen habe; allein, er stellte sich, als wenn er von ihm überzeugt worden, und nachdem er sich einiger Schiffe aus Flandern, die vor Cálais lagen, bemächtiget hatte, segelte er sogleich nach Frankreich.

Der König von Frankreich, der mit der genauen Verbindung zwischen dem Eduard und dem Herzoge von Burgundien unzufrieden war, nahm den unglücklichen Warwic f) mit den größten Ehrenbezeugungen auf, da er mit demselben schon

X 4   ehe

e) Comines. Liv. III. Chap. 4. Hall. S. 205.
f) Polyd. Virg. S. 519.

ehemals ein heimliches Verständniß gehabt hatte,
und ihn noch immer zu einem Werkzeuge, die
englische Regierung umzustoßen, und das Haus
Lancaster wieder auf den Thron zu bringen, zu
gebrauchen hoffte. Keine Feindschaft konnte größ-
ser seyn, als diejenige, welche sich zwischen dem
Hause Lancaster und dem Grafen von Warwic
lange befunden hatte. Sein Vater war auf Befehl der Margaretha enthauptet: Er selbst hatte
den Heinrich zweymal gefangen genommen, hatte
die Königinn aus dem Reiche vertrieben, hatte
alle ihre getreuesten Anhänger entweder auf dem
Schlachtfelde oder dem Schavot getödtet, und
hatte dieser unglücklichen Familie unzählige Uebel
zugefüget. Da er aus diesen Ursachen glaubte,
daß ein solcher eingewurzelter Haß niemals eine
aufrichtige Aussöhnung zulassen würde; so hatte
er, Heinrichs Namen nicht einmal genannt, als
er wider den Eduard die Waffen ergriffen; und
sich vielmehr bemühet, durch seine eigene Anhänger die Oberhand zu erhalten, als eine Partey
wieder zu ergreifen, welche er von ganzem Herzen haßte. Allein, seine gegenwärtige große Noth
und Ludwigs Anhalten machten, daß er Friedensvorschlägen Gehör gab; und als Margaretha von
Angers, wo sie sich damals aufhielt, geholet

war,

war, so wurde bald durch das gemeinschaftliche
Intereße ein Vergleich unter ihnen zu Stande gebracht. Es wurde vestgesetzt, daß Warwic Heinrichs Partey ergreifen und sich bemühen sollte, ihn
wieder in Freyheit und auf den Thron zu setzen;
daß die Regierung, während der Minderjährigkeit
des jungen Eduards, des Sohnes Heinrichs, von
dem Grafen von Warwic und dem Herzoge von
Clarence gemeinschaftlich geführet werden sollte;
daß der Prinz Eduard die Anna, eine zweyte
Tochter dieses Herrn, heyrathen sollte; und daß
die Krone, im Fall dieser Prinz keine männliche
Erben hinterließe, auf den Herzog von Clarence,
mit völliger Ausschließung des Königs Eduard
und seiner Nachkommen, fallen sollte. Niemals
ist eine Allianz von beyden Seiten weniger natürlich und offenbarer nothwendig gewesen, als
diese: Allein, Warwic hoffte, daß aller vorige Haß
der Lancastrischen Partey sich in den gegenwärtigen politischen Betrachtungen verliehren würde;
und daß die unabhängliche Macht seiner Familie,
und die Zuneigung des Volks ihn gewiß in
Sicherheit und in den Stand setzen könnten, die
gänzliche Erfüllung aller eingegangenen Bedingungen zu erzwingen. Die Vermählung des Prinzen

Edu-

Eduard mit der Anna wurde sogleich in Frankreich vollzogen.

Eduard sah ganz wohl vorher, daß es leicht seyn würde, ein Bündniß, welches aus so mißhelligen Theilen bestund, zu zerstören. Zu dem Ende schickte er eine Dame von großer Klugheit und Geschicklichkeit hinüber, welche zu dem Gefolge der Herzoginn von Clarence gehörte, und welche, unter dem Vorwande, ihre gnädige Frau zu begleiten, bevollmächtiget war, mit dem Herzoge Unterhandlungen zu pflegen, und die Verbindungen dieses Prinzen mit seiner Familie zu erneuern g). Sie stellte dem Clarence vor, daß er unversehens und zu seinem Untergange ein Werkzeug der Rache des Warwics geworden wäre, und sich in die Hände seiner ärgsten Feinde übergeben hätte; daß die tödtlichen Beleidigungen, welche die eine königliche Familie von der andern erlitten, itzt zu groß wären, als daß sie jemals vergeben werden könnten, und keine Vorstellung einer eingebildeten Vereinigung des Intereßes würde sie jemals verlöschen können. Wenn auch die Anführer die vorigen Beleidigungen vergessen woll-

g) Comines, Liv. III. Chap. 5. Hall. S. 207. Holingf. S. 675.

wollten, so würde die Feindseligkeit ihrer Anhänger doch eine wahrhafte Vereinigung der Parteyen
verhindern, und trotz aller Worte und Vergleiche
auf kurze Zeit, einen ewigen Widerspruch der
Maasregeln zwischen denselben erhalten; ein
Prinz, der seine Verwandten verließe, und sich
mit den Mördern seines Vaters vereinigte, beraubte sich selbst aller seiner Freunde und alles
Schutzes, und wenn er in unvermeidliche Unglücksfälle geriethe, könnte er auf das Mitleiden und
die Hochachtung aller übrigen Menschen keine Ansprüche machen. Clarence war nur ein und zwanzig Jahr alt, und scheint nur von geringer Fähigkeit gewesen zu seyn, dennoch konnte er die Stärke
dieser Gründe leicht einsehen, und versprach insgeheim, wenn sein Bruder ihm vergeben und ihn
seiner versichern wollte, bey einer guten Gelegenheit, den Grafen von Warwic und die Lancastrische
Partey zu verlassen.

Während dieser Unterhandlungen führte
Warwic einen heimlichen Briefwechsel von gleicher
Art mit seinem Bruder dem Marquis von Montague, welcher Eduards völliges Vertrauen besaß;
und gleiche Bewegungsgründe erregten bey diesem
Herrn auch gleiche Entschließungen. Der Marquis
entschloß sich auch an seiner Seite, um den ent-

wor-

worfenen Streich um so viel tödtlicher und unheil-
barer zu machen, eine bequeme Gelegenheit, seine
Untreue auszuüben, zu erwarten, und stets das
Ansehen eines eifrigen Anhängers des Hauses York
zu behaupten.

Nachdem solchergestalt diese Fallstricke von
beyden Seiten sorgfältig gestellet waren, rückte die
Entscheidung des Streits herbey. Ludewig rüstete
eine Flotte aus, den Grafen von Warwic zu bedecken, und both ihm Zuschuß von Truppen und
Geld an h). Der Herzog von Burgundien, der
auf den Grafen, wegen der Wegnehmung der
Schiffe aus Flandern vor Calais, erbittert war,
und die regierende Familie in England, mit welcher sein Intereße itzt verbunden war, zu unterstützen sich bemühete, rüstete dagegen eine noch
größere Flotte aus, mit welcher er den Canal beschützte, und wärnete sogleich seinen Schwager vor
der bevorstehenden Gefahr, welcher er ausgesetzet
war. Allein, obgleich Eduard jederzeit tapfer und
oftmals wirksam war, so hatte er doch nicht die
Gabe etwas vorher zu sehen, oder eine Sache zu
durchdringen: Er merkte seine Gefahr nicht: Er
machte keine zulängliche Kriegsrüstung gegen den
                                        Gra-

h) Comines, Liv. III. Chap. 4. Hall. S. 303.

Grafen von Warwic i): Er sagte sogar, daß der
Herzog die Mühe, die See zu bewachen, nur spa-
ren möchte, und daß er nichts mehr wünschte, als
daß Warwic seinen Fuß auf den englischen Boden
setzen möchte. Ein eitles Vertrauen, welches er
in seine Tapferkeit setzte, nebst einer unmäßigen
Liebe zu Vergnügungen, hatte ihn unfähig zu
allen vernünftigen Ueberlegungen gemacht k).

Die Begebenheit, wornach Eduard so sehr zu
verlangen schien, trug sich bald (im September) zu.
Ein Sturm zerstreuete die Flandrischen Schiffe,
und öffnete dem Warwic die See l). Dieser Herr
bediente sich der Gelegenheit, gieng unter Seegel
und landete unvermuthet zu Dartmouth, mit dem
Herzoge von Clarence, dem Grafen von Oxford
und Pembroke und wenigen Truppen, indem der
König im Nordlichen beschäftiget war, eine Rebellion zu unterdrücken, welche der Lord Fitz-Hugh,
Warwics Schwager, erreget hatte. Der folgende
Auftritt gleicht vielmehr der Fiction eines Gedichts
oder eines Romans, als einer Begebenheit in einer
wahren Geschichte. Die sehr große Liebe, worinn
War-

i) Grafton, S. 687.
k) Comines, Liv. V. Chap. 5. Hall. S. 208.
l) Comines, Liv. III. Chap. 5.

Warwic bey dem Völke stund m), der Eifer der
Lancastrischen Partey, der Geist des Mißvergnügens, von welchem viele angestecket waren, und
die allgemeine Unbeständigkeit der englischen Nation, welche durch die neulichen häufigen Empörungen verursachet war, brachte eine solche Menge
Volks unter seine Fahne, daß seineArmee sich binnen wenig Tagen auf sechszig tausend Mann belief,
und noch täglich anwuchs. Eduard eilte gegen
Süden, um ihm entgegen zu kommen; und die
beyden Armeen näherten sich einander bey Nottingham, wo ein entscheidendes Treffen alle Augenblick erwartet wurde. Der schnelle Fortgang
des Warwic hatte den Herzog von Clarence außer
Stand gesetzt, seine Verrätherey auszuüben; und
der Marquis von Montague hatte hier die Gelegenheit, den ersten Streich zu thun. Er theilte seinen
Anhängern sein Vorhaben mit, welche ihm ihren
Beystand versprachen: Sie griffen zur Nachtzeit
zu den Waffen, und eilten mit lautem Geschrey zu
dem Lager des Eduards: Der König erwachte von
dem Geräusche, fuhr aus dem Bette, und hörte
dasjenige Feldgeschrey, was die Lancastrische
Partey zu gebrauchen pflegte. Lord Hastings, sein

Kam-

m) Hall. S. 205.

Kammerherr, unterrichtete ihn von der Gefahr, und bath ihn, sich durch eine eilige Flucht von einer Armee zu entfernen, unter welcher er so viele heimliche Feinde hätte, und so wenige es mit seinem Dienste eifrig zu meynen schienen. Er kam mit genauer Noth zu Pferde, und eilte mit einem kleinen Gefolge nach Lynne in Norfolk, wo er glücklicherweise einige Schiffe segelfertig fand und sich einschiffte n). Und auf diese Weise war der Graf von Warwic in einer Zeit von eilf Tagen Herr des ganzen Reiches.

Allein Eduards Gefahr endigte sich noch nicht mit dieser Einschiffung. Die Hanseestädte waren damals in einem Kriege mit Frankreich und England verwickelt; einige Schiffe dieses Volkes, welche auf den englischen Küsten kreuzten, machten Jagd auf des Königs Schiffe, und nicht ohne große Gefahr liefen diese in den holländischen Hafen Alcmaer ein. Der König war in einer solchen Eile aus England geflohen, daß er nichts von einigem Werthe mitgenommen hatte; und die einzige Belohnung, die er dem Schiffscapitain, der ihn überbracht hatte, ertheilen konnte, war ein mit Zobel gefütterter Rock; er versprach ihm

aber

n) Comines, Liv. III. Chap. 5. Hall. S. 202.

aber eine große Belohnung, wenn er jemals ein besseres Schicksal erleben würde o).

Es ist nicht wahrscheinlich, daß Eduard eine große Neigung haben konnte, sich in diesem elenden Zustande dem Herzoge von Burgundien darzustellen; noch daß ihm, da er nach seinen großen Prahlereyen itzt nicht eine Handbreit Landes von seinem Königreiche besaß, das Gelächter, womit dieser Prinz ihn ansehen mußte, nicht empfindlich gewesen sey. Der Herzog hingegen war nicht weniger in Verlegenheit, wie er diesem dethronisirten Monarchen begegnen sollte. Da er jederzeit für das Haus Lancaster mehr Zuneigung gehabt hatte, als für das Haus York; so hatte nichts, als politische Absichten ihn verleitet, mit der letzteren Familie ein Bündniß zu schließen; und er sah voraus, daß die Staatsveränderung in England diese Allianz vermuthlich wider ihn kehren, und die herrschende Familie in diesem Reiche zu seinem unversöhnlichen und eifersüchtigen Feinde machen würde. Aus diesen Ursachen schien er, als das erste Gerücht von dieser Begebenheit, mit dem Zusaße, daß Eduard todt wäre, vor ihn gebracht wurde, mit dieser Catastrophe vielmehr zu

o) Comines Liv. III. Chap. 5.

zufrieden zu seyn; und es war keine angenehme
Entwickelung für ihn, als er sah, daß er entweder die Last haben müßte, einen verjagten
Prinzen zu unterstützen, oder die Schande, einen
so nahen Verwandten in der Noth zu verlassen p).
Er sieng schon an zu sagen, daß er eine Verbindung mit dem Königreiche England, nicht aber
mit dem Könige habe, und daß es ihm gleich sey,
ob der Name Eduard oder Heinrich in dem Traktat
stünde q). In diesen Gesinnungen wurde er durch
die folgenden Begebenheiten immer bestärket.
Baucler, der Untercommandant von Calais,
welcher zwar in diesem Amte von dem Eduard
bestätiget war, und von dem Herzoge von Burgundien eine jährliche Besoldung wegen seiner
Treue gegen die Krone erhalten hatte r), sah seinen alten Herrn, den Warwic, nicht sobald wieder in
Ansehen, als er sich für ihn erklärte, und mit
Bezeugung eines großen Eifers und vieler Zuneigung der ganzen Besatzung seine Liverey gab s).
Und die Nachricht, welche der Herzog täglich aus

Eng-

p) Comines, Liv. III. Chap. 5. Habington. S. 445.
q) Comines, Liv. III. Chap. 6. Hall. S. 211.
r) Grafton, S. 683.
s) Comines, Liv. VI. Chap. 6. Hall. S. 211.

England bekam, schien eine gänzliche und völlige
Festsetzung des Hauses Lancaster zu versprechen.

Sobald Eduards Flucht dem Warwic das
Reich völlig überlassen hatte, eilte er nach London,
befreyete den Heinrich aus dem Tower, worinn
dieser König meistens durch ihn eingesperret war,
und ließ ihn mit großer Feyerlichkeit zum Könige
ausrufen. Es wurde im Namen dieses Prinzen
ein Parlament nach Westmünster zusammenberu-
fen; und da diese Versammlung unter solchen erbitterten Factionen, welche ein so ungestümer
Geist, als Warwic, regierte, keine Freyheit hoffen
konnte; so wurden die Stimmen derselben ihr
von der herrschenden Partey eingegeben t). Der
Traktat mit der Margaretha wurde hier völlig in
Ausübung gebracht: Heinrich wurde für den unrechtmäßigen König erkannt; allein da man seine
Unfähigkeit zur Regierung erkannte, so wurde dem
Warwic und Clarence die Regierung bis zur
Mündigkeit des Prinzen Eduards aufgetragen,
und Clarence wurde, im Fall dieser Prinz ohne
Erben verstürbe, zum Thronfolger ernannt. Itzt
fieng man auch die gewöhnliche Aufhebung der

Edik-

t) Grafton. S. 691. Fabian. S. 219. Polyd. Virgg.
S. 521.

Edikte ohne Widerſetzung an :   Eine jede Statute
von der Regierung Eduards wurde widerrufen;
dieſer Prinz wurde für einen Uſurpateur erklärt;
er und ſeine Anhänger wurden verurtheilet, und
insbeſondere der Herzog von Gloceſter, Richard
ſein jüngerer Bruder : Alle Verurtheilungen der
Lancaſtriſchen Parten der Herzoge von Sommerſet
und Exeter, der Grafen von Richmond, Pembroke, Oxford und Armond wurden umgeſtoßen,
und ein jeder, der als ein Anhänger Heinrichs ſeine Ehrenſtellen und Güter verlohren hatte, wurde
wieder hergeſtellet.

Die herrſchende Parten war dieſesmal ſpar-
ſamer mit den Hinrichtungen, als bey einer
Staatsveränderung in dieſen gewaltſamen Zeiten
üblich war. Das einzige wichtige Opfer war John
Tibetot, Graf von Worceſter, der Conſtable von
England. Dieſer ſehr geſchickte Herr, welcher zu
einer Zeit und unter einer Nation gebohren war,
wo der Adel auf Unwiſſenheit, als ſein Vorrecht,
ſtolz, den Mönchen und Schulmeiſtern, für
welche ſich die unächte Art von Gelehrſamkeit der
damaligen Zeit am beſten ſchickte, überließ, war
von den erſten Stralen der Wiſſenſchaften, welche
anfiengen aus Süden hervorzubrechen, gerühret,
und hatte ſich durch ſeine Ermunterung und ſein

Bey-

Beyspiel bemühet, die Liebe zu den Wissenschaften unter seinen ungelehrten Landsleuten auszubreiten. Man hat behauptet, daß die Wissenschaften diejenige Wirkung, welche so natürlich mit denselben verknüpft ist, nämlich die Gemüthsart gesitteter zu machen und das Herz zu bessern, bey diesem Herrn selbst nicht hervorgebracht habe u); und daß er die Lancastrische Partey durch die gegen sie ausgeübte Strenge, während der Oberherrschaft seiner Partey, wider sich erbittert hatte. Er wollte sich nach Eduards Flucht verbergen, wurde aber auf dem Gipfel eines Baums zu Weybridge gefangen, nach London geführet, von dem Grafen von Oxford verhört, verdammt und hingerichtet. Alle andre vornehme Anhänger der Yorkischen Partey flüchteten entweder über See, oder in heilige Schutzörter; wo ihnen die Vorrechte der Geistlichkeit Schutz gaben. Man rechnet, daß in London allein 2000 Personen auf diese Art ihr Leben gerettet haben x), und unter andern auch Eduards Gemahlinn, welche daselbst von einem Sohn entbunden wurde, der den Namen seines Vaters bekam y).

Die

u) Hall. S. 216. Stowe, S. 422.

x) Comines, Liv. III. Chap. 7.

y) Hall. S. 210. Stowe, S. 423. Holingf. S. 671. Gratton, S. 690.

Die Königinn Margaretha, eine Nebenbuhlerinn der gedachten Königinn, war zwar noch
nicht in England erschienen; als sie aber von dem
Glücke Warwics hörte, bereitete sie sich und ihren
Prinzen Eduard zur Reise. Alle verbanneten Anhänger der Lancastrischen Partey versammleten sich
zu ihr, und unter diesen auch der Herzog von
Sommerset, ein Sohn des nach der Schlacht bey
Hexham enthaupteten Herzogs. Dieser Herr, den
man lange für das Haupt dieser Partey gehalten
hatte, war bey der Zerstreuung seiner Freunde in
die Niederlande geflüchtet; und da er seinen Namen und seinen Stand verhehlete, hatte er im
größten Mangel und Armuth gelebt. Philipp de
Comines erzählt uns z), daß er ihn sowohl als
den Herzog von Exeter daselbst in einem Zustande
gesehen habe, der nicht besser, als der Zustand
des schlechtesten Bettlers gewesen sey: bis sie
endlich von dem Herzoge von Burgundien entdeckt
worden, von ihm ein kleines Gehalt bekommen,
und in der Stille und im Verborgenen gelebt hätten, als das Glück ihrer Partey sie von da weg-
berief. Allein, sowohl Sommerset als Margaretha
wurden durch widrigen Wind von der Englischen

Y 3   Kü-

z) Liv. III. Chap. 4.

Küste abgehalten a), bis eine neue Staatsveränderung in diesem Reiche, die nicht weniger
plötzlich und erstaunlicher als die vorige war, sie
in ein größeres Elend stürzte, als woraus sie sich
eben erhoben hatten.

Obgleich der Herzog von Burgundien den
Eduard vergaß, und sich der eingeführten Regierung gefällig bezeigte, um sich die Freundschaft der
Landcastrischen Partey zu erwerben; so sah er doch,
daß er in seinen Wünschen nicht glücklich war; und
die alten Verbindungen zwischen dem Könige von
Frankreich und dem Grafen von Warwic erhielten
ihn immer in Zweifel und Sorgen b). Dieser Herr
hatte, weil er den Carl gar zu frühzeitig für seinen
Feind gehalten, ein Corps von 4000 Mann in die
Niederlande einfallen lassen c), und der Herzog
von Burgundien sah sich in der Gefahr, von den
vereinigten Waffen Frankreichs und Englands
unterdrücket zu werden. Er entschloß sich demnach, seinem Schwager einige Hülfe zu leisten,
aber auf eine so verdeckte Art, daß es die englische
Regierung am wenigsten beleidigen möchte.   Er
rü

a) Grafton, S. 692. Polyd. Virg. S. 522.
b) Hall. S. 205.
c) Comines, Liv. III. Chap. 6.

rüstete im Namen einiger Kaufleute vier große
Schiffe zu Terveer in Zeeland aus, und nachdem
er heimlich vierzehn Schiffe von den Hanseestädten
gemiethet hatte, überließ er diese kleine Escadre
dem Eduard, welcher, nachdem er auch eine
Summe Geldes von dem Herzoge erhalten, sogleich
nach England absegelte. Carl erfuhr seine Abreise nicht sobald, als er allen seinen Unterthanen
(i. J. 1471) verboth, ihm Schutz oder Beystand zu
leisten d); ein Kunstgriff, der den Grafen von
Warwic nicht blenden konnte, sondern nur
zu einem schicklichen Vorwande diente, seine
Freundschaft mit dem Hause Burgundien zu erhalten.

Eduard, begierig sich an seinen Feinden zu
rächen, und sein verlohrnes Ansehen wieder zu erhalten, machte mit seiner Kriegsmacht, die sich
nicht über 2000 Mann belief, einen Versuch, auf
der Küste von Norfolk zu landen; als er hier aber
zurückgeschlagen wurde e), seegelte er gegen Norden, und landete zu Ravenspur in Yorkshire. Da
er (den 25ten März) fand, daß die neuen, vom
Grafen von Warwic bestellten Obrigkeiten das

Y 4 Volk

d) Comines, Liv. III. Chap. 6.
e) Holingshed, S. 679.

Volk abhielten, sich mit ihm zu verbinden, so gab
er vor und beschwur sogar, daß er nicht gekommen
wäre den Thron zu fodern, sondern nur die Erb
güter des Hauses York, die ihm mit Recht zukä
men, und daß er nicht die Absicht hätte einen bür
gerlichen Krieg in dem Reiche anzurichten f). Sein
Anhänger kamen haufenweise zu seiner Fahne: E
wurde in die Stadt York eingelassen g), und fan
sich bald im Stande, daß er einen erwünschten
Erfolg in allen seinen Ansprüchen und Foderungen
hoffen konnte. Der Marquis von Montague com
mandirte in den nordlichen Grafschaften; allein er
achtete aus einigen geheimen Ursachen, welche kein
Schriftsteller, so wie viele andre wichtige Begeben
heiten dieser Zeit, aufgekläret hat, den Anfang ei
nes Aufstandes zu wenig, welchen er für so furcht
bar hätte halten sollen h). Warwic versammlete
eine Armee zu Leicester, in der Absicht, dem Feinde
ein

f) Hall. S. 314. Habington, S. 447. Hollngshed,
S. 679. Grafton, S. 698. Fabian, S. 219.

g) Polyd. Virg. S. 524. Lelands Collect. B. II.
S. 504.

h) Hall. S. 315. Habington, S. 447. Holingshed,
S. 680. Polyd. Virg. S. 524.

ein Treffen zu liefern; allein Eduard nahm einen andern Weg, gieng ihn, ohne beunruhiget zu werden, vorbey, und stellte sich vor den Thoren von London dar. Wäre er hier nicht eingelassen worden, so wäre er gänzlich zu Grunde gerichtet gewesen: Allein es waren verschiedene Ursachen, welche die Bürger bewogen, ihn zu begünstigen. Seine zahlreichen Freunde kamen aus ihren Schutzörtern hervor, und nahmen sich seiner Sache eifrig an; viele reiche Kaufleute, welche ihm vormals Geld vorgeschossen hatten, sahen kein andres Mittel, zu ihrem Gelde zu gelangen, als seine Wiedereinsetzung; die Damen der Stadt, welche mit ihrer Gunst gegen ihn freygebig gewesen waren, und welche ihre Zuneigung gegen diesen jungen und galanten Prinzen fortsetzten, überredeten ihre Ehemänner und Freunde, sich seiner Sache anzunehmen i); und vor allem hatte der Erzbischof von York, Warwics Bruder, dem die Aufsicht über die Stadt anvertrauet war, aus unbekannten Ursachen ein geheimes Verständniß mit ihm, und dieser erleichterte seine Einlassung in die Stadt London. Die wahrscheinlichste Ursache, welche man von diesen vielen Untreuen selbst in der Familie der Nevil

Y 5 an-

____

1) Comines, Liv. III. Chap. 7.

angeben kann, ist der Factionsgeist, von welchem
sich nicht leicht jemand befreyen kann, wenn er
einmal eingewurzelt ist. Diese Personen, welche
lange für die Yorkische Partey gefochten hatten,
waren unfähig, sich mit Eifer und Aufrichtigkeit
der Lancastrischen Partey anzunehmen, und waren geneigt, bey jeder Hoffnung der Gnade, oder
eines Vergleichs, die Eduard ihnen machte, wieder in ihre alte Verbindungen zurück zu treten.
Dem sey wie ihm wolle, Eduards Einzug in London machte ihn nicht nur zum Meister dieser reichen und mächtigen Stadt, sondern auch der Person Heinrichs, welcher, bestimmt ein beständiges Spiel des Glücks zu seyn, solchergestalt
von Neuem in die Hände seiner Feinde gerieth k).

Es scheinet nicht, daß Warwic, während
dieser kurzen Reichsverwaltung, welche nur sechs
Monate gedauret, eine dem Volk unangenehme
That begangen, oder auf einige Weise verdienet
habe, die Gunst zu verlieren, durch deren Hülfe
er den Eduard neulich überwältiget hatte. Allein dieser Prinz, der sich vormals nur. vertheidigte, that itzt den Angriff, und nachdem er
                                          die

k) Grafton, S. 702.

die Schwierigkeiten, welche mit dem Anfange
einer Empörung verbunden sind, überwunden
hatte, besaß er viele Vortheile über seinen Feind.
Seine Anhänger wurden von demjenigen Eifer
und von der Tapferkeit getrieben, welche das
Bewußtseyn eines Angriffs einflößt; die sich ihm
widersetzten, waren aus eben dem Grunde furchtsam; ein jeder, dem seine Hoffnung von Warwics Erhöhung fehlschlug, wurde entweder ein
kalter Freund, oder ein offenbarer Feind dieses
Herrn; und ein jeder Mißvergnügter trat zur Armee des Eduard, sein Mißvergnügen mochte herrühren aus welchem Grunde es immer wollte.
Der König fand sich daher im Stande, dem
Grafen von Warwic die Spitze zu bieten, der,
von seinem Schwiegersohn, dem Herzoge von
Clarence und seinem Bruder dem Marquis von
Montague verstärket, zu Barnet in der Nachbarschaft von London Posten gefaßt hatte. Man erwartete täglich die Ankunft der Königinn Margaretha, welche alle wahre Freunde der Lancastrischen Partey zusammen gebracht, und die
Macht des Warwic sehr verstärkt haben würde.
Allein selbst diese Betrachtung wurde dem Grafen
ein Bewegungsgrund, lieber zu einem entscheidenden Treffen zu eilen, als den Sieg mit Ne-
ben-

benbuhlern und alten Feinden zu theilen, welche,
wie er voraus sah, bey einem glücklichen Erfolge sich das größte Verdienst bey der Unternehmung zuschreiben würden 1). Allein, da seine
Eifersucht ganz auf diese Seite gerichtet war,
übersah er die gefährliche Untreue derjenigen
Freunde, welche ihm am nähesten waren. Sein
Bruder Montaque, welcher sich neulich nur in
die Zeit geschickt hatte, schien itzt für das Beste
seines Geschlechts eifrig eingenommen zu seyn:
Allein sein Schwiegersohn, der durch alle Bande
der Ehre und der Dankbarkeit mit ihm verbunden war, der die Macht in der Regierung mit
ihm theilte, der von dem Warwic alle Ehrenstellen und Erbgüter des Hauses York erhalten
hatte, entschloß sich, die heimlichen Verbindungen, welche er vormals mit seinem Bruder gemacht hatte, zu erfüllen, und das Interesse seines Geschlechts zu unterstützen. Er gieng zur
Nachtzeit zu dem Könige über, und nahm ein
Corps von 12000 Mann mit sich m). Warwic
war schon zu weit vorgerücket, als daß er sich
wie-

l) Comines, Liv. III, Chap. 7.
m) Grafton, S. 700 Comines, Liv. III. Ch. 7. Lelands Collect. B. II. S. 505.

wieder zurückziehen konnte, und da er alle Frie-
densanträge, welche ihm von dem Eduard und
Clarence angeboten wurden, mit Verachtung verwarf, so war er genöthiget (den 14ten April.)
ein Haupttreffen zu wagen. Das Treffen war
von beyden Seiten sehr hartnäckig: Die beyden
Armeen bezeigten, nach dem Beyspiel ihrer Anführer, eine ungemeine Tapferkeit: Und der Sieg
blieb lange unentschieden. Allein, ein Zufall gab
der Yorkischen Partey endlich das Uebergewicht.
Eduards Feldzeichen war eine Sonne, Warwics
ein Stern mit Stralen; und da sie wegen der
Dämmerung des Morgens schwer zu unterschei-
ben waren, so wurde John, Graf von Oxford,
einer von der Lancastrischen Partey, aus Versehen
von seinen Freunden angegriffen, und vom
Schlachtfelde gejagt n). Warwic fochte wider
seine Gewohnheit an diesem Tage zu Fuß, um
seiner Armee zu zeigen, daß er Willens sey, ein
jedes Schicksal mit ihr zu theilen, und wurde
in der Hitze des Treffens erschlagen o): Sein
Bruder hatte dasselbe Schicksal: Und da Eduard
Befehl ertheilt hatte, kein Quartier zu geben, so
                                    erfolg-

n) Habington, S. 449.
o) Comines, Liv. III. Chap. 7.

erfolgte beym Nachfetzen ein großes Blutbad ohne Unterschied der Perfonen p). Von Seiten
der Sieger blieben ohngefähr 1500 Mann.

An eben dem Tage, da diefes entfcheidende
Treffen vorfiel q), langte die Königinn Margaretha, und ihr Sohn, der itzt ungefähr achtzehn
Jahr alt war, und von dem man fich fehr viel
verfprechen konnte, zu Weymouth mit einem kleinen Corps Franzöfifcher Truppen an. Als diefe
Prinzeßinn die Gefangenfchaft ihres Gemahls,
und die Niederlage und den Tod des Grafen
von Warwic vernahm, fo verlohr fie allen Muth,
der fie bey fo vielen unglücklichen Vorfällen fonft
immer unterftützet hatte, und fah alle böfe Folgen diefes Unglücksfalles vorher. Sie nahm
zuerft ihre Zuflucht in die Abtey Beaulieu r);
allein, da fie durch die Erfcheinung der Grafen
Tudor von Pembroke und Courtenay von Devon-
fhire, der Lords Wenloc und St. John, und
andrer Herren von Stande aufgemuntert wurde;
fo bekam fie ihren vorigen Muth wieder, und
ent-

p) Hall. S. 218.

q) Lelands Collect. B II. S. 505.

r) Hall. S. 219. Habington. S. 451. Grafton. S. 706.
   Polyd. Virg. S. 505.

entschloß sich, die Ueberbleibsel ihres zerfallenen
Glücks aufs äusserste zu vertheidigen. Sie marschirte durch die Grafschaften Devon, Sommerset und Glocester, und auf jeder Tagreise wuchs
ihre Armee an; endlich wurde sie aber von dem
geschwinden Eduard zu Teukesbury an den Ufern
der Severne eingeholt. Die Lancastrische Partey
wurde hier aufs Haupt geschlagen: Der Graf
von Devonshire und Lord Wenloc blieben (den
4ten May.) auf der Wahlstadt: Der Herzog
von Sommerset, und mehr als zwanzig andre
Vornehme, welche in eine Kirche geflüchtet waren, wurden umgeben, herausgeschleppt und sogleich enthauptet: Es blieben gegen 3000 von
ihrer Seite: Und die ganze Armee wurde zerstreuet.

Die Königinn Margaretha und ihr Sohn
wurden gefangen genommen und zu dem Könige
geführt, welcher den Prinzen auf eine spöttische
Art fragte, wie er sich unterstünde in seine Länder einzufallen? Der junge Prinz, der mehr an
seine hohe Geburt als an sein gegenwärtiges
Schicksal dachte, erwiederte, daß er gekommen
wäre, um seine ihm zukommende Erbschaft zu
fodern. Der unedelmüthige Eduard, deß Mitleidens unfähig, schlug ihn mit dem Panzer-
hand-

handschuh ins Gesicht, und die Herzoge von
Clarence und Glocester, Lord Hastings und Sir
Thomas Gray, welche dieses für ein Zeichen
nahmen, daß sie mehr Gewaltthätigkeit ausüben
sollten, stießen den Prinzen in das nächste Zimmer und tödteten ihn mit ihren Dolchen s).
Margaretha wurde in den Tower geworfen: Der
König Heinrich starb in eben diesem Gefängniß
einige Tage nach der Schlacht zu Teukesbury;
ob er eines natürlichen oder gewaltsamen Todes
gestorben, ist ungewiß. Es wird erzählt und
durchgehends geglaubt, daß der Herzog von Glocester ihn (den 21ten May) mit eigner Hand getödtet habe t): Allein der allgemeine Haß, welchen das Andenken dieses Prinzen sonst auch verdient hat, macht die Nation geneigt, seine Verbrechen ohne Grund zu vergrößern. Unterdessen
ist es gewiß, das Heinrichs Tod sehr plötzlich
war; und obgleich seine Gesundheitsumstände vorher sehr schlecht waren; so giebt doch dieser Umstand, nebst den allgemeinen Sitten dieser Zeit,
einen sehr natürlichen Grund zum Argwohn, wel-

cher

s) Hall. S. 221. Habington, S. 453. Holingshed,
S. 688. Polyd. Virg. S. 530.

t) Comines, Hall. S. 223. Grafton. S. 703.

cher denn dadurch, daß sein Leichnam öffentlich
ausgeseßet wurde, mehr ver.rößert als verrin-
gert wird. Diese Vorsicht diente nur dazu, sich
verschiedener ähnlicher Fälle in der englischen Geschichte zu erinnern, und eine Vergleichung an
die Hand zu geben.

Alle Hoffnung der Lancastrischen Partey schien
ißt völlig verloschen zu seyn. Alle rechtmäßige
Prinzen dieser Familie waren todt: Fast alle große
Anführer dieser Partey waren entwider auf dem
Schlachtfelde oder auf dem Schavot geblieben:
Jasper, Graf von Pembroke, der in Wallis Truppen warb, ließ seine Armee auseinander gehen,
als er von der Schlacht zu Tukesbury Nachricht
erhielt, und flüchtete mit seinem Vetter, dem
jungen Grafen von Richmond nach Bretagne u).
Der Bastard von Falconbridge, welcher einige
Truppen geworben, und damit gegen London,
während Eduards Abwesenheit gerücket war, wurde zurück geschlagen; seine Leute verließen ihn;
er wurde gefangen genommen und hingerichtet x):
Und da die Nation ißt wieder völlig Frieden hatte,
so wurde ein Parlament versammlet, welches, wie
ge-

---

u) Habington, S. 454. Polyd. Virg. S. 531.

x) Holingshed, S. 689, 693. Hist. croyl. cont. S. 554.

gewöhnlich, alle Verfügungen des Siegers genehmigte, und sein Ansehen (den 6ten October.)
für rechtmäßig erkannte.

Allein dieser Prinz, der zur Zeit des Unglücks so standhaft, wirksam und unverzagt gewesen, war dennoch unfähig, den Reizungen eines glücklichen Lebens zu widerstehen, und ergab
sich, wie vormals, dem Vergnügen und den Ergötzungen, nachdem er sich des Königreiches völlig bemächtiget und keinen Feind mehr hatte, der
ihm Unruhe oder Sorgen machen konnte. Unterdessen erhielt er (i. J. 1472.) durch sein munteres
und unbeleidigendes Leben, und durch seine un-
gezwungenen und vertrauten Manieren diejenige
Liebe des Volks wieder, welche er, wie man
sich leicht vorstellen kann, durch die vielen an
seinen Feinden verübten Grausamkeiten verlohren
hatte; auch das Beyspiel seiner muntern Fröh-
lichkeit diente dazu, die alte Erbitterung unter
den Factionen bey seinen Unterthanen zu unterdrücken, und die Einigkeit, die durch die streitenden Parteyen so lange unterbrochen gewesen,
wieder herzustellen. Ein jeder schien mit der itzigen Regierung völlig vergnügt zu seyn, und das
Andenken des vorigen Elendes diente nur dazu,
dem Volke die Empfindung seines Gehorsams,
und

und den Entschluß, solche schreckliche Auftritte nie wieder zu erneuern, deßo fester einzuprägen.

Allein, indem der König sich solchergestalt den Vergnügungen überließ, wurde er durch die Hoffnung auswärtiger Eroberungen, wozu ihn vermuthlich mehr die Begierde, Gunst bey dem Volk zu erwerben, als die Ruhmsucht ein Verlangen machte, aus dem Schlaf erwecket. Ob er sich gleich dem Herzoge von Burgundien, wegen der Aufnahme, womit dieser Prinz ihn auf seiner Flucht empfangen hatte y), sehr wenig verpflichtet achtete, so erhielt das politische Interesse ihrer Staaten doch immer eine genaue Verbindung unter ihnen, und sie beredeten sich, ihre Waffen zu einem mächtigen Einfall in Frankreich zu vereinigen. Es wurde ein Bündniß geschlossen, in welchem Eduard versprach, mit einer Armee von mehr als 10,000 Mann überzukommen, und in die französischen Länder einzufallen: Karl versprach, mit allen seinen Truppen zu ihm zu stoßen: Der König sollte auf die Krone Frankreich Anspruch machen, und wenigstens die Provinzen Normandie und Guienne erhalten: Der Herzog wollte Champagne und einige andre Län-

Z 2   der

der haben, und seine eigne Länder von der Laft
des Huldigun Eides an Frankreich befreyen: Und
keine Parten sollte, ohne Bewilligung der andern, Frieden schließen z). Sie wurden in der
Hoffnung, in diesem Bündniß glücklich zu seyn,
noch mehr bestärkt, da der Graf von St. Pol,
der Constable von Frankreich, welcher St. Quintin und einige andre Städte an der Somme unter sich hatte, ihnen heimlich seinen Beystand versprach; und man hoffte sogar, den Herzog von
Bretagne mit in das Bündniß zu ziehen.

Die Aussicht eines französischen Krieges war
jederzeit ein sicheres Mittel, vom Parlament
Geld zu erhalten, so viel die Beschaffenheit der
damaligen Zeiten (i. J. 1474.) erlaubten. Es bewilligte dem Könige einen Zehnten an Renten,
oder zwey Schillinge vom Pfunde, welches sehr
unordentlich eingehoben seyn muß, weil es nur
31,460 Pfund betrug; und es fügte zu diesem
Zuschuß noch einen ganzen Funfzehnten und drey
Viertheil hinzu a). Allein, da der König diese
Summen noch zu klein für die Unternehmung
hielt, so versuchte er, Geld unter dem Namen
einer

z) Rymer. B. IX. S. 806. 807. 808. etc.
a) Cotton. S. 696. 700. Hift. Croyl. cont. S. 558.

einer Benevolenz zu erlangen; eine Auflage,
welche, außer unter der Regierung Heinrichs des
Dritten, vorher niemals gewesen, und welche,
ob man gleich die Bewilligung der Leute erhalten
zu haben vorgab, doch nicht für ganz freywillig
gehalten werden konnte b). Die Clausel, welche
dem Parlamentsschluß beygefüget ist, zeigt hinlänglich die Gedanken der Nation von dieser Sache. Das Geld, welches durch den Funfzehnten
eingehoben war, sollte nicht in die Hände des
Königes kommen, sondern in heiligen Häusern
aufbewahret, und falls die Unternehmung wider
Frankreich nicht zu Stande käme, sollte es sogleich
wieder unter das Volk vertheilet werden. Nach
diesen Verwilligungen wurde das Parlament aus
einander gelassen, welches beynahe drittehalb
Jahr gesessen hatte, und verschiedenemal proro-
giret war; ein Verfahren, welches damals in
England nicht sehr gebräuchlich war.

Der König gieng (i. J. 1475) mit einer Armee
von 1500 Mann schwerer Reuterey und 1500 Bogenschützen nach Calais über; in Begleitung der
vornehmsten Englischen von Adel, welche sich

Z 3 aus

b) Hall. S. 226. Habington. S. 461: Grafton. S. 719.
Fabian. S. 221.

aus dem vorigen ein künftiges Glück weissagten,
und gern auf diesem Schauplatz der Ehre erschienen c) Allein, alle ihre großen Hoffnungen verschwanden, als sie in Frankreich kamen, und
fanden, daß weder der Constable ihnen die Thore
eröffnen wollte, noch der Herzog von Burgundien
ihnen den geringsten Beystand brachte. Dieser
Prinz, durch sein hitziges Temperament verführet, hatte alle seine Truppen weit weggeführt,
und sie in Kriegen an den Gränzen Deutschlands
wider den Herzog von Lothringen gebraucht; und
ob er gleich persönlich zu dem Eduard kam, und
sich wegen dieses Bruchs seines Bündnisses entschuldigen wollte: so war es doch gar nicht zu
hoffen, daß sie sich in diesem Feldzuge mit den
Engländern vereinigen würden. Dieser Umstand
machte den König sehr mißvergnügt, und geneigt,
denenjenigen Friedensvorschlägen Gehör zu geben,
welche Ludewig beständig machte.

Die

c) Comines Liv. IV. Chap. 5. Dieser Verfasser saget,
(Chap. 11) daß der König aus List einige der reichsten Unterthanen mit sich genommen habe, von welchen er gewußt, daß sie des Krieges bald müde werden und die Friedensvorschläge befördern würden, welche, wie er voraus sah, bald nothwendig werden
müßten.

Diesem Monarchen, der sich mehr durch politische Aussichten als Ehrliebe leiten ließ, wär
keine Unterwerfung zu niedrig, die ihn von Feinden befreyen konnte, welche seinen Vorfahren so
fürchterlich gewesen waren, und welche mit so
vielen andern Feinden vereinigt, noch immer fähig seyn könnten, die wohleingerichtete Regierung
von Frankreich zu erschüttern. Es erhellet aus
dem Comines, daß die Kriegszucht unter den
Engländern damals sehr schlecht gewesen sey,
und daß sie in ihren bürgerlichen Kriegen, die
allezeit durch geschwinde Treffen entschieden wurden, so lange dieselben auch gedauert, doch nicht
diejenigen Verbesserungen der Kriegskunst gelernt
hatten, welche auf dem vesten Lande in derselben gemacht waren d). Allein, da Ludwig einsah, daß der kriegrische Geist der Nation sie
bald zu vortrefflichen Soldaten machen würde;
so war er weit entfernt, sie wegen ihres itzigen
Mangels an Uebung zu verachten, und wendete
alles an, sie von ihrem Bündniß mit Burgundien
los zu machen. Als Eduard einen Herold abschickte, der die französische Krone fodern, und
wenn er abschlägige Antwort bekäme, ihn heraus-

Z 4   for-

_____

d) Comines. Liv. IV. Chap. 5.

fordern sollte; so antwortete er, anstatt dieser
Bravade eben so hohe Worte entgegen zu setzen,
mit großer Mäßigung, und machte dem Herold
so gar ein ansehnliches Geschenk e) : Er nahm
nachher Gelegenheit, einen Herold nach dem englischen Lager zu schicken; und da er ihm befahl,
sich an die Lords Stanley und Howard zu wenden, welche, wie er gehört hatte, Freunde des
Friedens waren, bath er diese beyden Herren
(den 29sten August) um ihre Vermittelung, einen
Vergleich zwischen ihm und ihrem Könige zu befördern f). Da Eduard itzt eben so gesinnt war,
so wurde bald ein Waffenstillstand geschlossen,
auf Bedingungen, welche für den Ludewig mehr
vortheilhaft als rühmlich waren. Er versprach,
dem Eduard für den Zurückzug seiner Armee sogleich 75,000 Kronen, und künftig, so lange sie
beyde lebten, ihm jährlich 50,000 Kronen, zu
zahlen: Hirnächst sollte der Dauphin Eduards
älteste Tochter heyrathen, wenn er erwachsen
wäre g). Um diesen Traktat zu zeichnen, beschlossen diese beyden Monarchen eine persönliche
Unter-

---

e) Comines. Liv. IV. Chap. 5. Hall. S. 287.
f) Comines Liv. IV. Chap. 7.
g) Rymer. B. XII. S. 17.

Unterredung; und zu dem Ende wurden zu Pequigni bey Amiens die nöthigen Anstalten gemacht: Es wurde ein Stacket quer über die Brücke dieses Orts gezogen, mit so kleinen Zwischenräumen, daß man eben einen Arm hindurch stecken konnte; eine Vorsicht, welche gebraucht wurde, um einen ähnlichen Vorfall zu verhüten, als derjenige, der sich bey der Unterredung des Herzogs von Burgundien mit dem Daupbin zu Montereau zugetragen hatte. Eduard und Ludewig kamen an beyde entgegengesetzte Seiten: unterredeten sich heimlich miteinander, und nachdem sie sich einander ihrer Freundschaft versichert, und sich wechselseitige Höflichkeiten erwiesen hatten, schieden sie bald nachher wieder voneinander h).

Ludewig bemühete sich, nicht nur die Freundschaft des Königes, sondern auch der Nation und der Vornehmsten an dem englischen Hofe zu gewinnen. Er theilte jährlich 16000 Kronen an Pensionen unter den Lieblingen des Königs aus; Lord Hastings bekam 2000 Kronen; Lord Howard und andre nach Verhältniß; und diese großen Minister schämten sich nicht, von einem fremden Prinzen

Z 5   Sold

h) Comines, Liv. IV. Chap. 9.

Gold zu nehmen i). Als die beyden Armeen nach
Schließung des Waffenstillstandes noch einige Zeit
in der Nachbarschaft miteinander blieben, wurden
die Engländer nicht nur frey in Amiens, wo der
König sich aufhielt, eingelassen, sondern wurden
auch frey gehalten, und ihnen wurden Wein und
Lebensmittel in jedem Wirthshause gegeben, ohne
daß einige Zahlung dafür gefodert wurde. Sie
liefen in einer so großen Menge dahin, daß einmal
über neun tausend in der Stadt waren, und sich
der Person des Königes hätten bemächtigen können; allein Ludewig, der aus ihrer sorglosen und
freyen Lebensart schloß, daß sie keine bösen Absichten hätten, hütete sich wohl, daß er nicht die
geringste Furcht und Eifersucht verrieth. Und als
Eduard, von dieser Unordnung benachrichtiget, ihn
ersuchen ließ, das Thor zu sperren; erwiederte er,
er würde den Engländern den Ort seines Aufent-
halts niemals verschließen; aber Eduard möchte,
wenn es ihm gefiele, sie zurückrufen, und seine eigne
Officiers an den Thoren von Amiens stellen, damit
sie nicht wieder hineinkämen k).

Lud.

i) Hall. S. 235.

k) Camines, Liv. IV. Chap. 9. Hall. S. 233.

Ludwigs Verlangen, eine wechselseitige
Freundschaft mit England zu bevestigen, trieb ihn
sogar an, unvorsichtige Anträge zu thun, wovon
er sich nachher nicht ohne einige Mühe losmachen
konnte. In der Unterredung zu Pequigni hatte er
zum Eduard gesagt, daß er ihn in Paris zu sehen
wünsche; daß er sich bemühen wolle, ihn daselbst
mit dem Frauenzimmer ein Vergnügen zu machen;
und wenn er einige Fehler begehen würde, wollte
er ihm den Cardinal von Bourbon zum Beichtvater
geben, der ihm, nach seiner eignen gleichen Empfindung, nicht gar zu strenge Penitenzen auflegen
würde. Dieser Wink machte tiefere Eindrücke, als
Ludwig wollte. Lord Howard, welcher ihn nach
Amiens zurück begleitete, sagte ihm im Vertrauen,
daß es, wenn es sein Ernst wäre, nicht schwer seyn
würde, den Eduard zu bereden, eine Reise mit ihm
nach Paris zu thun, wo sie sich miteinander lustig
machen könnten. Ludewig stellte sich anfänglich,
als wenn er das Anerbieten nicht hörte; als
Howard es aber wiederholte, sagte er, seine Kriege
mit dem Herzoge von Burgundien würden ihm nicht
erlauben, seinen königlichen Gast zu begleiten, und
ihm die gehörigen Ehren zu bezeigen. „Eduard,
„sagte er insgeheim zum Comines, „ist ein sehr
„hübscher und verliebter Prinz: Eine gewisse Da-
„me

„ me zu Paris möchte ihn leicht eben so gut leiden
„ können, als er sie, und ihn einladen, auf eine
„ andre Art wieder zurückzukommen. Es ist beſſer,
„ daß die See zwiſchen uns bleibt l). *)

Dieſer Traktat machte beyden Monarchen
wenig Ehre: Er zeigte Eduards Unvorſichtigkeit,
der mit ſeinen Alliirten ſo ſchlechte Maasregeln
genommen hatte, daß er genöthiget war, nach ſo
koſtbaren Zurüſtungen wieder zurückzukehren, ohne
einige Eroberungen zu machen, die den Zurüſtungen gleich waren. Er beweiſet Ludewigs Mangel
an Würde, der ſein Reich lieber einem Tribute
unterwarf, als ein Treffen wagte, und ſolchergeſtalt die Ueberlegenheit eines benachbarten Prinzen
erkannte, der ſo viel weniger Gewalt und Länder
hatte, als er ſelbſt. Allein, da Ludewig das
Intereſſe zu dem einzigen Probierſtein der Ehre
machte, ſo glaubte er, daß alle Vortheile bey dieſem
Traktat an ſeiner Seite wären, und daß er den
Eduard überſehen hätte, da er ihn auf ſo leichte
Bedingungen aus Frankreich geſchickt. Deswegen
bemühete er ſich, ſeinen Triumph zu verbergen:
und befahl ſeinen Hofleuten, den Engländern nicht
das geringſte Zeichen einer Spötterey oder Ver-
höh-

1) Comines, Liv. IV. Chap. 20. Habington, S. 469.

Höhnung zu geben. Allein, er selbst beobachtete
eine so kluge Regel nicht sorgfältig : Er konnte sich
einst in seiner Freude nicht enthalten, über die
Einfalt des Eduards und seines Raths zu spot-
ten. Als er merkte, daß ein Gascogner, der sich
in England niedergelassen, dieses hörte, erkannte
er sogleich sein Versehen ; schickte einen Boten zu
dem Manne, und that ihm solche Vorschläge, die
ihn bewogen, in Frankreich zu bleiben. Es ist
billig, sagte er, daß ich für meine Schwatzhaf-
tigkeit m) bezahle.

Das Ruhmwürdigste des Friedenstraktats
zwischen dem Ludwig und Eduard war die Befreyung der Königinn Margaretha, welche Eduard
noch immer gefangen hielt, ob sie gleich nach dem
Tode ihres Gemahls und Sohnes der Regierung
nicht mehr schaden konnte. Ludewig zahlte funfzig
tausend Kronen für ihre Ranzion, und diese
Prinzeßinn, welche auf dem Schauplatze der
Welt so wirksam gewesen war, und eine so mannichfaltige Abwechslung des Glücks erfahren hatte, brächte den Rest ihrer Tage in Ruhe und in der
Stille zu, bis an das Jahr 1482, wo sie starb:
Eine bewundernswürdige Prinzeßinn, welche aber
mehr

m) Comines, Liv. III. Chap. 10.

mehr durch ihren unerschrockenen Muth im Unglück, als durch ihre Mäßigung im Glücke berühmt ist. Sie scheint weder die Tugenden noch die Schwachheiten ihres Geschlechts besessen zu haben, und hatte eben so viel von der Wildheit an sich, als von dem Heldenmuth desjenigen barbarischen Zeitalters, worinn sie lebte.

Obgleich Eduard so wenig Ursache hatte, mit der Aufführung des Herzogs von Burgundien zufrieden zu seyn; so stellte er es diesem Prinzen doch frey, dem Traktat von Amiens beyzutreten: Allein Carl antwortete stolz auf dieses Anerbieten, daß er sich ohne Eduards Beystand vertheidigen könnte, und daß er mit dem Ludewig nicht eher Friede schließen wollte, bis drey Monate nach Eduards Zurückkunft in England. Dieser Prinz besaß allen Stolz und Muth eines Eroberers; da es ihm aber an Politik und Klugheit, nicht weniger wesentlichen an Eigenschaften mangelte, so war er in allen seinen Unternehmungen unglücklich, und blieb endlich in einem Treffen gegen die Schweizer n); ein Volk, welches er verachtete, und welches, so frey und tapfer es auch war, in dem allgemeinen System von Europa bisher gewissermaßen über-

se

n) Comines, Liv. V. Chap. 8.

sehen worden. Diese Begebenheit, welche sich im
Jahre 1477 zutrug, verursachte eine große Veränderung in den Absichten der Prinzen, und hatte
Folgen, welche man viele Menschenalter hindurch
empfand. Carl hinterließ nur eine Tochter von
seiner ersten Gemahlinn, Maria; und um diese
Prinzeßinn, eine Erbinn der reichsten und größesten Länder, wurde von allen christlichen Potentaten angehalten, welche sich wetteifernd um diese
reiche Beute bemüheten. Ludewig, das Haupt
ihrer Familie, hätte, wenn er es gehörig angefangen, sie leicht für den Dauphin erhalten, und
auf diese Art die ganzen Niederlande, nebst Burgundien, Artois und Picardie an Frankreich bringen können; wodurch sein Reich die Oberhand
über alle seine Nachbarn hätte erhalten können.
Allein, ein im höchsten Grade eigennütziger Mensch
ist eben so selten, als einer, der die entgegengesetzte Tugend besitzet; und Ludewig, der von
keiner Empfindung der Edelmuthigkeit und Freundschaft überwunden werden konnte, wurde bey
dieser Gelegenheit durch Feindschaft und Rache
von dem Wege der Staatsklugheit abgeleitet. Er
hätte einen so bittern Haß gegen das Haus Burgundien eingesogen, daß er die Prinzeßinn lieber
mit den Waffen bezwingen, als sie durch eine

Hey.

Heyrath mit seinem Geschlechte vereinigen wollte:
Er eroberte das Herzogthum Burgundien, und
einen Theil der Picardie, welcher Philipp dem
Guten in dem Traktat zu Arras abgetreten war:
Allein, er nöthigte die Staaten der Niederlande,
ihre Herzoginn an den Maximilian von Oesterreich,
einen Sohn des Kaisers Friedrich, zu verheyrathen,
von welchem sie Schutz in ihrer gegenwärtigen
Bedrückung erwarten konnten: Und auf diese
Weise verlohr Frankreich die Gelegenheit, welche es
nie wieder erhielt, diese wichtige Erweiterung seiner
Macht und seiner Länder zu gewinnen.

In diesen bedenklichen Umständen mangelte
es dem Eduard nicht weniger an Staatsklugheit,
und er ließ sich nicht weniger von Privatleiden-
schaften regieren, die einem Souverain und einem
Staatsmanne so unanständig sind. Die Eifersucht auf seinen Bruder Clarence hatte gemacht,
daß er die Vorschläge, diesen Prinzen, der itzt
Wittwer war, mit der Erbinn von Burgundien zu
verheyrathen, aus der Acht gelassen o); und er
schickte ihr einen Antrag, den Grafen Anton von
Rivers, einen Bruder seiner Gemahlinn zu hey-
ra

o) Polyd. Virg Hall S. 240. Holingshed, S. 703.
Habington, S. 474. Grafton, S. 742.

rathen, welche noch immer eine gänzliche Herrschaft über ihn hatte. Allein, diese Partey wurde
mit Verachtung ausgeschlagen p); und Eduard,
der über diese Begegnung empfindlich war, erlaubte
dem Ludewig, seine Siege über diese wehrlose
Alliirte ununterbrochen fortzusetzen. Jeder Vorwand war ihm gut genug, sich der Nachläßigkeit
und dem Vergnügen, welche itzt seine herrschende
Leidenschaften geworden waren, gänzlich zu ergeben. Der einzige Gegenstand, der seine Aufmerksamkeit theilte, war die Vermehrung des Ein-
kommens der Krone, welches durch die Noth oder
Nachläßigkeit seiner Vorfahren sehr vermindert
war; und einige von seinen Mitteln zu dem Ende,
die uns zwar unbekannt sind, wurden damals für
das Volk für drückend gehalten q). Die Umstände
bey Privatbeleidigungen entgehen gemeiniglich der
Geschichte; aber eine tyrannische Handlung, deren
Eduard sich in seiner eignen Familie schuldig
gemacht, ist von allen Geschichtschreibern aufbehalten, und von allen nach Verdienst getadelt
worden.

Der

p) Hall. S. 240.
q) Hall. S. 241. Hist. Croyl. cont. S. 559.

Der Herzog von Clarence hatte durch alle seine Dienste, indem er den Warwik verlaſſen, die
Freundſchaft des Königes, welche er durch ſeine
vorige Verſchwörung mit dieſem Herrn verſcherzet
hatte, niemals wieder erhalten können. Er wurde
am Hofe immer für einen Mann von einem
gefährlichen und wankelmüthigen Charakter gehalten, und ſeine unvorſichtige Offenherzigkeit
und Heftigkeit vermehrten und erbitterten ſeine
Feinde aufs höchſte, ob ſie ihn gleich weniger gefährlich machten. Unter andern hatte er das Unglück
gehabt, der Königinn ſowohl, als ſeinem Bruder,
dem Herzoge von Gloceſter, zu mißfallen, einem
Prinzen von der tiefſten Staatsklugheit, von dem
alleranerweichlichſten Stolz, und der in den
Mitteln zur Erhaltung ſeiner verderblichen Abſichten am ungewiſſenhafteſten war. Zwiſchen
dieſen mächtigen Gegnern wurde eine geheime
Verbindung wider den Clarence gemacht; es
wurde beſchloſſen, mit einem Angriffe wider ſeine
Freunde den Anfang zu machen; in der Hoffnung,
daß, wenn er dieſe Beleidigung geduldig ertrüge,
ſeine Kleinmüthigkeit ihn in den Augen des
Publicums verächtlich machen; wenn er aber Widerſtand und Unwillen bezeigte, ſeine Hitze ihn zu
Maasregeln verleiten würde, welche ihnen Vortheile

theile über ihn geben würden. Der König, welcher
einst in dem Thiergarten des Thomas Burdet von
Arrow, in Warwicshire, jagte, hatte einen
weißen Rehbock erlegt, worauf der Eigenthümer
sehr viel hielt; und Burdet, der über den Verlust
verdrießlich war, wurde zornig, und wünschte
die Hörner des Thiers in den Bauch desjenigen,
der dem Könige gerathen hatte, ihm diese Beleidigung zuzufügen. Dieser natürliche Ausbruch des
Zornes, welchen man übersehen oder vergessen
haben würde, wäre er aus einem andern Munde
gekommen, wurde durch die Freundschaft, in
welcher dieser Herr mit dem Clarence zu leben das
Unglück hatte, an ihm sträflich. und wichtig: Er
wurde aufs Leben angeklagt; die Richter und
Geschwornen waren sclavisch genug, ihn zu verdammen; und er wurde wegen dieser vorgegebenen
Beleidigung zu Tyburn enthauptet r). Um eben
diese Zeit erfuhr ein gewisser John Stacey, ein
Geistlicher, der sowohl mit dem Herzoge, als dem
Burdet, in Verbindung stund, eine gleiche unge-
rechte und barbarische Verfolgung. Dieser Mann,
der in der Mathematik und Astronomie mehr,

Aa 2　　als

r) Habington, S. 475. Holingshed, S. 703. Sir T. More
　　in Kennet, S. 498.

als zu der Zeit gewöhnlich war, gelernet hatte,
wurde von dem unwissenden Pöbel der Hexerey
beschuldigt; und der tyrannische Hof bediente sich
dieses Gerüchtes, seinen Untergang zu befördern.
Er wurde wegen dieses eingebildeten Verbrechens
vor einem Gerichtshofe verklaget; viele der größesten Pairs gaben durch ihre Gegenwart dem Processe ein Ansehen; er wurde verdammt, auf die
Tortur gebracht und hingerichtet s).

Der Herzog von Clarence wurde beunruhiget,
als er solche gewaltsame Handlungen an allen, die
um ihn waren, ausüben sah: Er betrachtete das
Schicksal des guten Herzogs von Glocester unter
der vorigen Regierung, welcher, nachdem er seine
nähesten Verwandten und Freunde unter den
schändlichsten Vorwänden hatte hinrichten sehen,
endlich selbst (i. J. 1478, den 16ten Jan.) ein Opfer
der Rache seiner Feinde wurde. Allein Clarence,
anstatt durch Stillschweigen und Zurückhaltung
sein Leben bey der gegenwärtigen Gefahr zu sichern,
rechtfertigte offenherzig und frey die Unschuld seiner Freunde, und beschwerte sich über die Ungerechtigkeit ihrer Verfolger. Der König, welcher
durch diese Freyheit höchst beleidiget wurde, oder

Die-

____

s) Hist. Croyl. cont. S. 561.

diesen Vorwand wider ihn brauchte, ließ ihn in
den Tower setzen-t), versammlete ein Parlament, und klagte ihn vor dem Hause der
Pairs, dem höchsten Gericht der Nation, aufs
Leben an.

Man beschuldigte ihn einer Beurtheilung der
öffentlichen Gerechtigkeit, indem er solche Leute als
unschuldig vertheidigt hätte, welche von dem Gerichte verdammt wären, und sich über die Ungerechtigkeit des Königs beklagt hätte, der zu ihrer
gerichtlichen Verfolgung den Befehl ertheilt u).
Es wurden ihm viele übereilte Ausdrücke zur Last
gelegt, und auch einige, die seines Bruders Recht
zur Krone zu genau beurtheilten; er wurde aber
keiner offenbaren Verrätherey beschuldigt; und
man kann sogar die Wahrheit dieser Reden in
Zweifel ziehen; weil dem Gerichte die Freyheit zu
urtheilen genommen wurde, indem der König selbst,
als Ankläger seines Bruders, erschien x), und die
Sache wider ihn führte. Allein, ein verdammen-
des Endurtheil war damals, wenn gleich dieser
außerordentliche Umstand nicht gewesen wäre, eine

Aa 3 noth-

t) Hift. Croyl. cont. S. 562.
u) Stowe, S. 430.
x) Hift. Croyl. cont. S. 562.

nothwendige Folge, wenn entweder der Hof, oder
die herrschende Parten Kläger waren; und der
Herzog von Clarence wurde also von den Pairs
für schuldig erkannt.   Das Haus der Gemeinen
war nicht weniger sclavisch und ungerecht: Es
hielt in einer Bittschrifft um die Hinrichtung des
Herzogs an, und paßirte nachher eine Verdam-
mungsbill wider ihn y)   Die Maasregeln des
Parlaments in den damaligen Zeiten geben uns
Beyspiele von einem seltsamen Contrast der Freyheit und der Sclaverey: Es trug Bedenken, dem
Könige den kleinsten Zuschuß, der zur Unterstützung
der Regierung unentbehrlich, und zur Fortsetzung
der Kriege, welche das Parlament und die Nation
so sehr wünschten, nothwendig war, zu verwilli-
gen, und schlug ihm denselben zuweilen ganz ab:
Allein, niemals trug es Bedenken, an den unge-
rechtesten und tyrannischsten Handlungen Antheil
zu nehmen, welche einzelne Personen betrafen, so
sehr sie auch durch Geburt und Verdienste hervor-
stachen. Diese Maximen, die so unedel, den
Grundsätzen einer guten Regierung so widerspre-
chend, und den Handlungen des itzigen Parlaments so sehr entgegen waren, bemerket man in
                                                    allen

<hr />

y) Stowe, S. 430. Hist. Croyl. cont. S. 562.

en Begebenheiten in der englischen Geschichte län-
r als ein Jahrhundert nach dieser Zeit.

Die einzigste Gnade, welche der König
inem Bruder nach seiner Verdammung wie-
rfahren ließ, war, daß er ihm seine Todes-
rt selbst zu wählen erlaubte; und er wurde
eimlich im Tower in einem Fasse Malvasier
)en 18ten Februar) ertränket: Eine seltsame
Wahl, welche seine Liebe zu diesem Getränke
eweiset. Der Herzog hinterließ zwey Kinder,
ie er mit der ältesten Tochter des Grafen von
Warwic gezeuget hatte, einen Sohn, der
nit dem Titel seines Großvaters zum Grafen
rnannt wurde; und eine Tochter, die nachmalige
Gräfinn von Salisbury. Sowohl der Prinz als
)ie Prinzeßinn hatten endlich das Unglück, eines
gewaltsamen Todes zu sterben; ein Schicksal, welches viele Jahre hindurch allen Prinzen von Geblüte in England wiederfuhr. Ein altes Gerücht
sagt, die Hauptursache der Anklage des Herzogs
von Clarence, dessen Taufnamen Georg war, sey
eine gemeine Prophezeihung gewesen, daß die
Söhne des Königs von einem ermordet werden sollten, dessen Namen mit dem Buchstaben G anfien-

ge

ge z). Es ist nicht unmöglich, daß eine solche al-
berne Ursache in diesen unwissenden Zeiten einigen
Einfluß gehabt habe: Allein, es ist mehr zu vermuthen, daß die ganze Geschichte eine Erfindung der
folgenden Zeiten ist, und sich auf die Ermordung
dieser Kinder von dem Herzoge von Glocester
gründet. Comines bemerkt, daß die Engländer
damals jederzeit eine abergläubische Prophezeihung zur Ursache einer jeden Begebenheit angeführt
haben.

Der ganze Ruhm der Regierung Eduards
endigte sich mit dem bürgerlichen Kriege; in welchem seine Lorbeerzweige nur gar zu sehr mit Blut,
Gewaltthaten und Grausamkeiten besudelt wurden.
Sein Geist scheinet nachher in Nachläßigkeit und
Vergnügungen versunken zu seyn, oder seine
Maasregeln wurden durch Uebereilung oder Mangel an Vorsicht vergeblich gemacht. Es war ihm
keine Beschäfftigung angenehmer, als seine Töchter
ansehnlich verheyrathet zu sehen, ob sie gleich alle
noch sehr jung waren, und obgleich die Erfüllung
seiner Absichten, wie leicht zu sehen war, von un-

zäh-

z) Hall S 239. Holingshed, S. 703. Grafton, S. 741.
Polyd. Virg. S. 537.   Sir T. More in Kennet
S. 497.

ihligen Vorfällen abhängen mußte, welche man
unmöglich vorhersehen oder vergüten konnte.
Seine älteste Tochter Elisabeth wurde mit dem
Dauphin verſprochen; ſeine zwote Tochter,
Cecilia, mit dem älteſten Sohne Jakobs des
Dritten, Königs von Schottland; ſeine dritte,
Anna, mit Philipp, dem älteſten Sohn des
Maximilian, und der Herzoginn von Burgundien; ſeine vierte, Katharina, mit dem Johann,
einem Sohn und Erben des Königs Ferdinand
von Arragonien, und der Iſabella, Königinn
von Caſtilien a). Keine von dieſen in Vorſchlag
gebrachten Heyrathen kam zur Wirklichkeit; und
der König ſah noch ſelbſt bey ſeinen Lebzeiten die
Trennung der erſteren Heyrath mit dem Dauphin,
welche ihm immer ſehr am Herzen gelegen hatte.
Ludewig, der für keine Traktate oder Verbindungen einige Achtung hatte, fand ſeinen Vortheil
dabey, daß er den Dauphin mit der Prinzeßinn
Margaretha, einer Tochter des Maximilian,
verheyrathete; und der König rüſtete ſich, ungeachtet ſeiner Trägheit, zur Rache wegen dieſes
Schimpfes. Der franzöſiſche Monarch, der ſowohl ſeiner Klugheit als ſeiner Falſchheit wegen

Aa 5

be-

a) Rymer, B. II. S. 110.

berühmt war, bemühete sich (i. J. 1482), diesen
Streich zu verhüten; und brachte es durch Geschenke an dem Hofe von Schottland dahin, daß
der König Jakob mit England Krieg anfieng.
Dieser schwache Prinz, der mit seinem eignen
Adel sehr uneinig lebte, und dessen Kriegsmacht
dieser Unternehmung schlecht entsprach, ließ eine
Armee werben; als er aber in England einfallen
wollte, wurden seine Lieblinge von den Baronen,
die sich wider sie verschworen hatten, ohne Verhör hingerichtet; und die Armee gieng sogleich
auseinander. Der Herzog von Glocester, unter
Begleitung des Herzogs von Albanien, eines
Bruders des Jakob, welcher aus seinem Vaterlande verbannet gewesen war, fiel mit einer Armee
in Schottland, nahm Berwic ein, und zwang
die Schotten, einen Frieden zu schließen, in welchem sie diese Vestung dem Eduard abtraten.
Dieses Glück machte den Eduard so kühn, daß er
ernstlicher an einen Krieg mit Frankreich zu denken
anfieng; allein, als er die Zurüstungen zu dieser
Unternehmung machte, wurde er von einer Krankheit befallen, an welcher er (den 9ten April) im
zwey und vierzigsten Jahre seines Alters, und im
drey und zwanzigsten seiner Regierung starb:

Ein

Ein Prinz, der mehr prächtig und schimmernd
war, als klug oder tugendhaft: tapfer, jedoch
grausam; den Vergnügungen ergeben, aber doch
wirksam bey wichtigen Vorfällen; und weniger
geschickt, Böses durch Vorsicht zu verhüten, als
es durch Lebhaftigkeit und Entschlossenheit zu verbessern. Außer den fünf Töchtern hinterließ er
zween Söhne; den Eduard, Prinzen von Wallis,
seinen Nachfolger, der damals dreyzehn Jahr alt
war, und den Richard, Herzog von York, im
siebenten Jahre.

Das drey und zwanzigſte Kapitel.

Eduard V. und Richard III.

Eduard der Fünfte. Zuſtand des Hofes. Der
Graf von Rivers wird eingezogen. Der Herzog von Gloceſter wird Protector. Hinrichtung des Lord Haſtings. Der Protector trachtet nach der Krone. Nimmt die Krone an.
Ermordung Eduards des Fünften, und des
Herzogs von York. Richard der Dritte. Mißvergnügen des Herzogs von Buckingham. Der
Graf von Richmond. Buckinghams Hinrichtung. Einfall des Grafen von Richmond.
Schlacht bey Boſworth. Tod und Charakter Richards des Dritten.

Eduard V.

Jn den letzten Jahren Eduards des Vierten
wurde die Nation, welche den blutigen
Streit der beyden Roſen meiſt (i. J. 1483.) ver-
geſſen hatte, und unter der eingeführten Regie-

rung

rung in Frieden lebte, nur von einigen Hof-Intriguen beunruhiget, welche, durch das Ansehen des Königes eingeschränket, der öffentlichen Ruhe gar nicht zu schaden schienen. Diese Intriguen entstunden aus einem beständigen Wetteifer zweyer Parteyen, die eine bestund aus der Königinn und ihren Verwandten, insbesondre dem Grafen von Rivers, ihrem Bruder und dem Marquis von Dorset, ihrem Sohn; der alte Abel, welcher die schleunige Erhöhung und das uneingeschränkte Ansehen dieser Familie beneidete, machte die andre Partey aus a). An der Spitze dieser letzten Partey befand sich der Herzog von Buckingham, ein Mann von sehr großem Abel, von vielen Gütern, von großen Verbindungen, von glänzenden Naturgaben; welcher, ungeachtet er die Schwester der Königinn geheyrathet hatte, doch zu stolz war, gehorsam nach ihrem Willen zu leben, und vielmehr nach einem unabhänglichen Einfluß und Ansehen strebte. Lord Hastings, der Kammerherr, war das zweyte Haupt derselben Partey, und da dieser Herr durch seine Tapferkeit und Entschlossenheit so wohl, als durch seine geprüfte Treue, das Zutrauen und die Gunst seines Herrn

---

a) Sir. T. More. S. 431.

daß er seine Abſichten auf den Beſitz der Krone
ſelbſt richtete, und da dieſer Gegenſtand nicht
ohne Untergang der Königinn und ihrer Familie
ausgeführt werden konnte; ſo trat er ohne Bedenken zu der Gegenparten. Allein da er einſahe,
daß die höchſte Verſtellung erforderlich war, um
dieſen ſträflichen Vorſatz auszuführen, ſo ver-
doppelte er ſeine Verſicherungen des Eifers und
der Zuneigung für dieſe Prinzeßinn, und bekam
ein ſolches Anſehen bey ihr, daß er ſie zu einer
Sache beredete, die von der äufferſten Wichtigkeit war, und worüber die beyden Factionen
heftig ſtritten.

　Der König hielt ſich bey dem Tode ſeines
Vaters in dem Caſtel Ludlow, an den Gränzen
von Wallis auf; wohin er geſchickt war, um
durch den Einfluß ſeiner Gegenwart die Walliſſer
in Furcht zu erhalten, und die Ruhe dieſes Landes, welche durch einige neuliche Unruhen geſtört
war, wieder herzuſtellen. Seine Perſon war der
Sorge ſeines Onkels, des Grafen von Rivers,
des vollkommenſten Herrn in ganz England anvertrauet, welcher einen ungemeinen Geſchmack
an der Litteratur b), mit ſeinen großen Geſchick-
lich-

b) Dieſer Herr führte zuerſt die edle Buchdruckerkunſt
in

lichkeiten im Geschäfften, und mit seiner Tapferkeit im Felde verband, und daher mehr durch
seine Talente, als nahe Verwandschaft berechtigt
war, die Aufsicht über die Erziehung des jungen
Monarchen zu haben. Die Königinn wollte gern
diejenige Herrschaft die sie über ihren Gemahl so
lange gehabt hatte, und schrieb deswegen an den
Grafen von Rivers, daß er einige Truppen werben
sollte, um den König auf der Reise nach London
zu bedecken, ihn bey der Krönung zu beschützen
und zu verhüten, daß er ihren Feinden nicht in
die Hände fiele. Die entgegengesetzte Partey sah
ein, daß Eduard itzt in einem Alter war, wo
sie sich seines Namens und seiner Gegenwart sehr
vortheilhaft bedienen konnten, und daß er sich
demjenigen Alter näherte, wo er nach den Gesetzen berechtiget war, seine Gewalt selbst auszuüben; sie sah voraus, daß man bey dieser Maaßregel die Absicht hätte, ihre Unterwürfigkeit unter
ihren Nebenbuhlern beständig zu machen, und
widersetzte sich einem Entschluß den sie für ein
Zeichen zur Erneurung der bürgerlichen Kriege
in

in England ein. Carton wurde von ihm dem Eduard dem Vierten empfohlen. Siehe das Verzeichniß
königlicher und adlicher Schriftsteller.

im Königreiche ausgab. Lord Hastings drohete
sogleich zu seinem Amte in Calais abzugehen c):
Die andern Adlichen schienen entschlossen, der Gewalt, Gewalt entgegen zu setzen: Und da der Herzog
von Glocester, unter dem Vorwande den Streit
beyzulegen, sich wider alle Bedeckung von bewaffneten Truppen erklärte, als welche gefährlich seyn
könnte, und keinesweges nöthig wäre; so widerrief die Königinn, welche sich auf die Aufrichtigkeit seiner Freundschaft verließ, und durch eine
so gewaltsame Widersetzung furchtsam wurde, ihren Befehl an ihren Bruder, und ersuchte ihn,
kein größeres Gefolge mit zu bringen, als nöthig
wäre, den Staat und die Würde des jungen
Souverains zu unterstützen d).

Unterdessen reiste der Herzog von Glocester
mit einem zahlreichen Gefolge des nördlichen
Adels von York ab. In Northampton kam der
Herzog von Buckingham mit einem prächtigen Ge-
folge zu ihm; und da er hörte, daß man dem
König auf diesem Wege stündlich entgegen sah,
so wollte er seine Ankunft erwarten, unter dem
Vorwande, ihn von da nach London zu begleiten.

Der

c) Hist. Croyl. cont. S. 564. 565.
d) Sir. T. More. S. 483.

Der Graf von Rivers besorgte, der Ort möchte zu klein seyn, das ganze Gefolge zu lassen, schickte deswegen den König auf einem andern Wege nach Stony-Stratford, und kam selbst nach Northampton, um sich deswegen zu entschuldigen, und dem Herzoge von Glocester seine Aufwartung zu machen. Er wurde mit dem größten Scheine der Vertraulichkeit aufgenommen: Er brachte den Abend auf eine freundschaftliche und vertraute Art bey dem Herzoge von Glocester und Buckingham zu: Er reiste den folgenden Tag mit ihnen weiter, um sich mit dem Könige zu vereinigen: Allein als er in Stony-Stratford kam, wurde er auf Befehl des Herzogs von Glocester (den 1sten May.) eingezogen e): Sir Richard Gray, einer von den Söhnen der Königinn, wurde zu eben der Zeit, zugleich mit dem Sir Thomas Vaughan, der eine ansehnliche Bedienung in des Königs Hofstaat bekleidete, gefangen genommen, und alle Gefangne wurden sogleich nach Pomfret geführet. Glocester nahete sich dem jungen Prinzen mit den größten Versicherungen seiner Ehrerbietung, und bemühete sich, ihm wegen der an seinem Onkel und Bruder verübten

Bb 2   Ge

e) Hist. Croyl. cont. S. 564, 565.

Gewalt zu Frieden zu stellen: Allein Eduard, der diesen Verwandten, die ihn so zärtlich erzogen hatten, sehr geneigt war, konnte sich nicht so sehr verstellen, daß er sein Mißvergnügen verbarg f).

Unterdessen war das Volk über diese Veränderung sehr erfreuet, und der Herzog wurde in London (den 4ten May.) mit den fröhlichsten Zurufungen empfangen: Allein die Königinn erhielt nicht so bald Nachricht von der Gefangennehmung ihres Bruders, als sie schon voraus sah, daß Glocesters Gewaltsamkeit hiebey nicht würde stehen bleiben, wo nicht gar aller ihrer Kinder Untergang beschlossen wäre. Sie flüchtete daher in die Kirche von Westminster, mit dem Marquis von Dorset, und nahm die fünf Prinzeßinnen, nebst dem Herzoge von York mit sich g). Sie verließ sich darauf, daß die geistlichen Vorrechte, welche sie ehemals bey dem gänzlichen Untergange ihres Gemahls und ihrer Familie für die Wuth der Lancastrischen Partey geschützet hatten, itzt, da ihr Sohn auf dem Thron säße, von ihrem Schwager nicht würden beleidiget werden

f) Sir. T. More. S. 484.
g) Hist. Croyl. cont. S. 565.

ben, und wollten hier ein besseres Glück erwarten. Allein Glocester, der den Herzog von
York gern in seiner Gewalt haben wollte, setzte
sich vor, ihn mit Gewalt aus der Kirche zu
nehmen, und stellte dem geheimen Rath so wohl
die Unehre vor, welche die ungegründete Furcht
der Königinn der Regierung gemacht hätte, als
auch die Nothwendigkeit, daß der junge Prinz
bey der Krönung seines Bruders erschiene. Es
wurde ferner gesagt, die geistlichen Vorrechte
wären nur dazu, daß sie unglückliche Leute, die
wegen Schulden und Verbrechen verfolget würden, schützen sollten; und wären einer Person
ganz unnütz, die wegen ihres zarten Alters von
beyden frey wäre, und die aus eben der Ursache in einer Kirche unmöglich Sicherheit suchen
könnte. Allein die beyden Erzbischöfe, der Cardinal Bourchier, der Primas und Rotheram,
Erzbischof von York, protestirten wider diesen
Kirchenraub; man beschloß, daß man sich erst
bemühen sollte, die Königinn mit Gutem zu bereden, ehe einige Gewalt wider sie gebraucht
würde. Diese Prälaten waren als aufrichtige
und ehrliebende Personen bekannt; und da sie
selbst von der Aufrichtigkeit der Absichten des
Herzogs überzeugt waren, wendeten sie alle Be-

B b 3　　　wegungs-

wegungsgründe, eifrige Bitten, Ermahnungen
und Versicherungen an, die Königin gleichfalls
zu überzeugen. Sie widersetzte sich lange, und
stellte vor, daß der Herzog von York, indem er
sich in der Kirche aufhielt, nicht nur selbst
sicher wäre, sondern auch dem Könige Sicherheit gäbe, wider dessen Leben niemand etwas
unternehmen würde so lange sein Nachfolger und
Rächer in Sicherheit wäre. Allein da sie fand,
daß keiner ihre Meynung unterstützte, und daß
der Rath, wenn sie sich länger wegerte, Gewalt
drohete; so gab sie endlich nach, und brachte
ihren Sohn zu den beyden Prälaten. Sie wurde
hier plötzlich von einer Art von Ahndung seines
künftigen Schicksals gerührt: Sie umarmete ihn
auf das zärtlichste: Sie netzete ihn mit ihren
Thränen, nahm auf ewig Abschied von ihm,
und überlieferte ihn der Aufsicht derselben mit
vielen Ausdrücken der Traurigkeit und des Wi-
derwillens h).

Der Herzog von Gloeester, als der nächste
männliche Erbe der königlichen Familie, welcher
der Regierung fähig war, schien nach den Gewohnheiten des Reichs zu dem Amte eines Protectors

h) Sir. T. More. S. 491.

tectors völlig berechtiget zu seyn, und der Rath
wartete nicht auf die Bewilligung des Parlaments, sondern übergab ihm diese hohe Würde
ohne Bedenken l). Das allgemeine Vorurtheil
des Adels gegen die Königinn und ihre Verwandte verursachte diese Eilfertigkeit und Unordnung, und niemand besorgte einige Gefahr für
die Thronfolge, vielweniger für das Leben des
unmündigen Prinzen, von diesem so gewöhnlichen
und natürlichen Verfahren. Ausserdem, daß der
Herzog seine wilde und grausame Gemüthsart
durch die größte Verstellung zu verbergen gewußt
hatte, schienen auch die zahlreiche Nachkommenschaft Eduards, nebst den beyden Kindern des
Clarence, ein ewiges Hinderniß für seinen Stolz
zu seyn, und so unmöglich es zu seyn schien, so
viele Personen die ein näheres Recht hatten, aus
dem Wege zu räumen, so unvernünftig war es,
sie auszuschließen. Allein ein Mann, der alle
Grundsätze der Ehre und der Menschlichkeit ver-
leugnete, ließ sich bald von seiner herrschenden
Leidenschaft über die Gränzen der Furcht und der
Vorsichtigkeit fortreißen, und Gloecester, dem
seine Absichten in so weit geglückt waren, trug

Bb 4   nicht

l) Hist. Croyl. cont. S. 566.

nicht länger Bedenken, die übrigen Hindernisse,
die sich zwischen ihm und der Krone befanden,
weg zu heben. Der Tod des Grafen von Rivers,
und der andern Gefangnen zu Pomfret wurde
zuerst beschlossen; und er erhielt so wohl von dem
Herzoge von Buckingham, als dem Lord Hastings
die Einwilligung zu diesem gewaltsamen und blutigen Verfahren. So leicht es auch in diesen
ungesetzlichen und barbarischen Zeiten war, ein
Todesurtheil über die unschuldigste Person zu
erhalten; so schien es doch noch leichter, einen
Feind ohne Verhör und förmlichen Proceß aus
dem Wege zu räumen; und dem zufolge wurde
dem Sir Richard Ratcliffe, einem geschickten
Werkzeuge in den Händen dieses Thrannen Befehl ertheilet, diese edle Gefangne in dem Gefängniß zu enthäupten. Hierauf grief der Protector die Treue des Buckingham an, mit allen
Gründen, welche ein lasterhaftes Gemüth, das
keine andre Bewegungsgründe als Interesse und
Stolz kannte, nur zu beherrschen fähig sind. Er
stellte ihm vor, daß die Ermordung so naher
Verwandte des Königes, welche dieser Prinz so
zärtlich liebte, und gegen welche er jede Beleidigung so übel aufnehmen würde, nicht ungestraft
hingehen könnte; und alle, welche in diesem Auftritt

tritt mitgespielet hätten, wären nach der Klugheit verbunden, den Wirkungen seiner künftigen
Rache zuvor zu kommen. Es wäre unmöglich,
daß die Königinn immer von ihrem Sohn ge-
trennt würde, und eben so unmöglich zu verhindern, daß sie seinem zarten Gemüthe nicht den
Gedanken einprägete, diese blutige Beleidigungen
gegen ihre Familie durch gleiche Hinrichtungen
zu vergelten: Das einzige Mittel diesem Unglück
vorzubeugen sey, den Zepter einem Mann in die
Hände zu geben, von dessen Freundschaft der
Herzog versichert seyn könnte, und den seine
Jahre und Erfahrung gelehrt hätten, für Verdienste und für die Rechte des alten Adels Hochachtung zu haben: Und dieselbe Nothwendigkeit,
welche sie zur Widersetzung wider die Anmaßungen dieser Familie verleitet, müsse sie auch rechtfertigen, wenn sie fernere Neuerungen unternäh-
men, und eine neue Erbfolge mit Bewilligung
der Nation festsetzten. Bey diesen Gründen both
er dem Herzoge von Buckingham auch viele privat Vortheile an; und erhielt leicht das Versprechen von ihm, daß er ihn in allen seinen Unternehmungen unterstützen wollte.

Der Herzog von Glocester, welcher wußte,
wie wichtig es war den Lord Hastings zu gewin-

Bb 5 nen,

nen, forschte von fern seine Gesinnungen durch
den Rechtsgelehrten Catesby aus, der ein großer
Vertrauter dieses Herrn war; fand aber seine
Treue gegen die Kinder des Eduard, der ihn
beständig mit seiner Freundschaft beehret hatte,
unüberwindlich k). Er sah daher, daß er mit
ihm nicht länger in gutem Vernehmen stehen
könnte, und entschloß sich, (den 13ten Junius.)
denjenigen gänzlich zu stürzen, den er nicht mehr
hoffen konnte zu seinen Anmaßungen zu bewegen.
An demselben Tage, da Rivers, Gray und Vaughan zu Pomfret, mit Bewilligung des Lord Hastings, hingerichtet oder vielmehr ermordet wurden, versammelte der Protector einen Rath im
Tower; wohin dieser Herr, der keine Anschläge
wider sich vermuthete, sich auch verfügte.   Der
Herzog von Glocester war fähig, den blutigsten und verrätherischsten Mord mit größten
Kaltsinn und Gleichgültigkeit auszuüben. Als
er seinen Platz in dem Rath einnahm, bezeigte er die vergnügteste und fröhlichste Laune
von der Welt.   Er schien sich in vertraute Gespräche mit den Räthen einzulassen, ehe sie zu
den Geschäfften schreiten wollten; und nachdem

er

---

k) Sir. T. More, S. 493.

er dem Morton, Bischof von Ely, einige Complimente wegen der schönen und frühen Erdbeeren, welche er in seinem Garten zu Holborn zog, gemacht hatte, bath er sich eine Schüssel davon aus, welche dieser Prälat sogleich durch einen Bedienten holen ließ. Der Protector verließ hierauf die Versammlung, als wenn er von einem andern Geschäffte abgerufen würde; allein er kam bald wieder mit zornigen und entbrannten Gesichte, und fragte sie, welche Strafe diejenigen verdienten, die eine Verbindung wider sein Leben gemacht hätten, der er so nah mit dem Könige verwandt, und mit der Verwaltung der Regierung bekleidet wäre? Hastings erwiederte, daß sie die Strafe der Verräther verdienten. Diese Verräther, rief der Protector, sind die Hexe, meines Bruders Frau, und Jane Shore seine Maitresse, nebst ihren andern Mitverschwornen: Seht, in welch einen Zustand sie mich durch ihre Beschwörungen und Zaubereyen gesetzt haben: Worauf er seinen Arm entblößte, der ganz zusammen geschrumpfet und abgestorben war. Allein die Räthe, welche wußten, daß er diesen Fehler von Jugend auf gehabt hatte, sahen einander mit Bestürzung an, und insbesondre Lord Hastings, der, weil er

seit

seit Eduards Tode mit der Jane Shore 1) in einem Liebeshandel verwickelt gewesen war, natürlicher W.ise wegen des Ausganges dieses ausserordentlichen Verfahrens in Sorgen stund. Gewiß Mylord, sagte er; wenn sie dieses Verbrechens schuldig sind, so verdienen sie
die härteste Strafe. Was entwortet ihr
mir, rief der Protector, mit eurem Wenn.
Ihr

---

1) Sir Thomas More, welchem alle Geschichtschreiber
dieser kurzen Regierung gefolgt sind, oder ihn vielmehr ausgeschrieben haben, saget, daß Jane Shore
in einige Verbindungen mit dem Lord Hastings gerathen wäre; und diese Erzählung stimmt am Besten
mit den Begebenheiten überein: Allein in einer Proclamation des Richard, die sich beym Rymer B. XII.
S. 204. findet, werden dem Marquis von Dorset diese
Verbindungen vorgerückt. Unterdessen ist dieser Vorwurf vielleicht von Richard erfunden, oder nur auf
ein Gerücht gegründet; und also nicht hinlänglich,
das Ansehen des Sir Thomas More zu überwiegen.
Die Proclamation ist wegen der heuchlerischen Reinigkeit der Sitten, welche Richard vorgegeben, merkwürdig: Dieser blutgierige und verrätherische Tyrann
wirft dem Marquis und andern ihre Galanterien und
Liebeshändel, als die schrecklichsten Ausschweifungen
vor.

Ihr seyd der vornehmste Aufheger dieser Hexe, Shore: Ihr selbst seyd ein Verrä= ther: Und ich schwöre beym St. Paul, daß ich nicht essen will, bis mir euer Kopf ge= bracht ist. Er schlug mit der Hand auf den Tisch: Bewaffnete Männer stürzten auf dieses Zei= then herein: Die Räthe wurden in die äusserste Bestürzung gesetzt: Und einer von der Wache als von ungefähr, oder aus Versehen, schlug nach dem Lord Stanley mit einer Streitaxt, der die Gefahr sah, und unter den Tisch kroch; ob er gleich beym Leben blieb, so bekam er doch eine starke Wunde am Kopf in Gegenwart des Pro= tectors. Hastings wurde ergriffen, weggeführt, und sogleich auf einem Zimmerklotze auf dem Hofe des Towers enthauptet m). Zwey Stunden nach= her wurde den Bürgern von London eine schön geschriebne und wohl abgefaßte Erklärung vorge= lesen, welche des Hastings Verbrechen bekannt machte, und die eilige Hinrichtung dieses Herrn, der so beliebt unter ihnen war, mit der plötzli= chen Entdeckung derselben entschuldigte. Allein man redete bey dieser Gelegenheit viel von ei= nem Kaufmanne, welcher gesagt hatte, daß

die=

m) Hist. Croyl. cont. S. 566.

diese Erklärung im prophetischen Geiste aufgesetzt
wäre n).

　　Lord Stanley, der Erzbischof von York,
und Ely und andre Räthe, wurden in verschiedne
Kammern des Towers gefangen gesetzt: Und der
Protector befahl, um seiner Anklage einen An=
strich zu geben, daß die Güter der Jane Shore
eingezogen werden sollten; und berief sie vor den
Rath, um wegen ihrer Hexerey und Beschwörung
Rede und Antwort zu geben. Allein da keine
Beweise wider sie geführet wurden, welche, selbst
in diesem unwissenden Zeitalter angenommen wer=
den konnten; so befahl er, sie vor einem geistli=
chen Gerichtshofe, wegen ihres Ehebruchs und
ihrer Unzucht zu verhören, und sie mußte in der
St. Pauls Kirche, in einem weißen Hemde, vor
dem ganzen Volk Buße thun. Dieses Frauen=
zimmer war zu London von ehrbaren Aeltern ge=
bohren, wohl erzogen, und an einen wohlhaben=
den Bürger verheyratet; allein zum Unglück war
diese Partey mehr aus Interesse, als aus Nei=
gung von Seiten des Mägdchens geschlossen, und
ihr Gemüth, welches zwar zur Tugend gebildet
war, hatte doch endlich den Reizungen des Edu=

ard

n) Sir T. More. S. 126.

ard, welcher sich um ihre Gunst bewarb, nicht länger widerstehen können. Allein unterdessen, daß sie von diesem muntern und verliebten Monarchen verführt wurde, machte sie sich durch ihre andre Tugenden ehrwürdig; und die Herrschaft, welche ihre Reize und ihre Lebhaftigkeit lange über ihn behaupteten, wurde ganz zu wohlthätigen und liebreichen Handlungen angewandt. Sie war stets beflissen, sich den Verläumdungen entgegen zu setzen, den Unterdrückten zu schützen, dem Dürftigen zu helfen; und ihre Dienstfertigkeit, diese edle Furcht ihres Herzens, durfte niemals durch Geschenke oder durch Hoffnung gegenseitiger Dienste ermuntert werden. Allein sie lebte nicht nur, um die Bitterkeit der Schande, welche dieser barbarische Tyrann ihr auflegte, sondern auch, um in ihrem hohen Alter und in der Armuth die Undankbarkeit derer Hofleute zu empfinden, welche sich so lange um ihr Freundschaft beworben hatten, und durch ihr Ansehen geschützet waren. Keiner unter den vielen, die sie verbindlich gemacht hatte, erschien, um sie zu trösten, oder ihr zu helfen: Sie brachte in Einsamkeit und Dürftigkeit mühselig ihr Leben zu: Und an einem Hofe, der zu den grausamsten Verbrechen gewöhnt war, rechtfertigten

tigten die Schwachheiten dieses Frauenzimmers
alle diejenigen, welche gegen sie die Freundschaft
kränkten, und ihre vorigen Gunstbezeugungen
gänzlich vergaßen.

Diese an den nähesten Verwandten des vorigen Königes verübte Gewaltthätigkeiten prophe-
zeihten seinen wehrlosen Kindern das härteste
Schicksal; und nach der Ermordung des Hastings machte der Protector nicht länger ein Geheimniß aus seinem Vorhaben, sich die Krone
anzumaßen. — Eduards ausgelaßene Lebensart,
welcher sich in seinen Vergnügungen durch keine
Grundsätze der Ehre oder der Klugheit einschränken ließ, gab ihm einen Vorwand, die Heyrath
desselben mit der Königinn für ungültig, und
alle seine Nachkommen für unächt zu erklären.
Man gab vor, daß er vor seiner Vermählung
mit der Lady Elisabeth Gray, der Lady Eleanor
Talbot, einer Tochter des Grafen von Shrewsbury, günstig gewesen sey; und da er von der
Tugend dieser Lady abgewiesen worden, sey er
genöthiget gewesen, um seiner Begierde ein Gnüge
zu thun, eine geheime Vermählung mit Wissen
des Stillington, Bischofs von Bath einzuge-
hen, welcher das Geheimniß nachher entdeckt
hätte

hätte o): Man behauptete ferner, daß die Verdammung des Herzogs von Clarenc, seine Kinder
zur Thronfolge unfähig machte; und da diese
beyden Familien an die Seite gesetzt waren, so
blieb der Protector natürlicher Weise der einzige
wahre und gesetzmäßige Erbe des Hauses York.
Allein da es schwer, wo nicht unmöglich war,
die erste Heyrath des vorigen Königs zu beweisen; und da der Grundsatz, welcher die Erben
eines Verdammten von einer privat Erbfolge
ausschloß, niemals bis auf die Krone ausgedehnet
wurde; so beschloß der Protector sich eines andern, noch weit schändlichern und ärgerlichern
Vorwandes zu bedienen. Seine Anhänger mußten vorgeben, daß Eduard der Vierte so wohl,
als der Herzog von Clarence unächt wären;
daß die Herzoginn von York verschiedne Liebhaber
in ihr Ehebette aufgenommen hätt, welche Väter
zu diesen Kindern wären; daß die Aehnlichkeit
derselben mit diesen Liebhabern ein hinlänglicher
Beweis von ihrer unächten Geburt, und daß
der Herzog von Glocester allein, wegen seiner
Gesichtszüge und seiner Gestalt, von allen ihren
Söh-

o) Hist. Croyl. cont. S. 567. Comines. Sir. T. More. S. 482.

Söhnen der einzige gesetzmäßige Abkömmling des
Herzogs von York wäre. Nichts kann unver-
schämter gedacht werden, als dieses Vorgeben,
welches seiner eignen noch lebenden Mutter, einer
Prinzeßinn von untadelhafter Tugend, einer so
schändlichen Sache beschuldigte. Dennoch wurde
die Kanzel zu demjenigen Orte gewählet, dieses
zuerst vor dem ganzen Volke und in Gegenwart
des Protectors bekannt zu machen. Dr. Schaw
mußte (den 22sten Junii). in der St. Pauls
Kirche predigen; und da er diese Stelle zu seinem
Text gewählt hatte, unächte Sproßen sollen
nicht aufschießen, so erweiterte er denselben
durch alle Beweise, welche die Geburt Eduards
des Vierten, des Herzogs von Clarence und aller
ihrer Kinder verdächtig machen konnten. Hierauf brach er in eine Lobrede auf den Herzog von
Glocester aus; und sagte, „Sehet diesen vor-
„ trefflichen Prinzen, das Ebenbild seines edlen
„ Vaters, den ächten Nachkommen des Hauses
„ York, welcher sowohl in den Tugenden seines
„ Gemüths, als in den Zügen seines Gesichts
„ den Charakter des tapfern Richard träget, der
„ einst nur Held und Liebling war. Er allein
„ kann euern Gehorsam fodern: Er muß euch
„ von der Herrschaft aller Usurpateurs befreyen:

„ Er

„ Er allein kann den verlohrnen Ruhm und die
„ Ehre der Nation wieder herstellen „. Es war
vorher verabredet, daß der Herzog in die Kirche
kommen sollte, wenn der Doctor diese Worte
ausspräche, und man vermuthete, die Versammlung würde ausrufen: Es lebe der König Richard; welches man sogleich für eine Einwilligung ausgegeben und für eine Stimme der Nation ausgelegt haben würde: Allein durch ein lä-
cherliches Versehen, welches dieser Auftritt verdiente, erschien der Herzog nicht eher; als biß
der Prediger diese Ausrufung schon hergesagt
hatte. Der Doctor war also gezwungen, seine
rhetorische Figur an der unrechten Stelle zu
wiederholen: Die Versammlung beobachtete ein
tiefes Stillschweigen, nicht so sehr wegen der
schlechten Rede, als wegen ihres Abscheues gegen dieses Verfahren, und der Protector und
sein Prediger wurden durch den schlechten Erfolg ihrer List gleich beschämt.

Allein der Herzog war in seinen sträflichen
und stolzen Entwürfen zu weit gegangen, als
daß er wieder zurück treten konnte. Man versuchte ein neues Mittel das Volk zu bewegen.
Der Mayor, ein Bruder des Doctor Schaw,
und von der Partey des Protectors, rief die

Bür-

Bürgerschaft zusammen; vor welcher der Herzog
von Buckingham, ein Mann von einigen Talenten
in der Beredsamkeit eine Rede hielt, in welcher er
das Recht des Protektors zum Throne, und die
vielen Tugenden vorstellte, welche dieser Prinz,
nach seinem Vorgeben, besaß. Hierauf fragte er
sie, ob sie den Herzog nicht zum Könige haben
wollte? und hielt ein, in Erwartung des Zurufs:
Es lebe der König Richard. Er erstaunte,
da sie stillschwieg, wandte sich zu dem Major,
und fragte ihn nach der Ursache. Der Major
erwiederte, daß sie ihn vielleicht nicht verstünden.
Buckingham wiederholte darauf seine Rede mit
einiger Veränderung; stellte dieselben Gründe vor,
that dieselbe Frage, erhielt aber noch einmal keine
Antwort. „Itzt weis ich die Ursache, sagte der
„ Major; die Bürger sind nicht gewohnt, daß
„ jemand anders, als ihr Registrator, zu ihnen
„ redet, und sie wissen daher nicht, wie sie Ih-
„ rer Gnaden antworten sollen.„ Dem Registrator, Fitz-Williams, wurde hierauf befohlen,
das Wesentliche der Rede des Herzogs zu wiederholen; allein dieser Mann, dem dieser Auftrag
sehr zuwider war, machte durch seine ganze Rede, daß man einsehen konnte, er rede nicht für
sich selbst, sondern sage nur die Meynung des
Her-

Herzogs von Buckingham. Die Versammlung beobachtete abermal ein tiefes Stillschweigen: „Das
„ ist eine wunderbare Hartnäckigkeit,„ rief der
Herzog: „ entdeckt eure Meynung, meine Freun-
„ de, auf eine oder die andre Art; wenn wir
„ uns bey dieser Gelegenheit an euch wenden, so
„ geschiehet es blos aus Achtung gegen euch.
„ Die Lords und Gemeinen haben Ansehen ge-
„ nug, ohne eure Bewilligung einen König zu
„ ernennen: Allein, ich verlange, daß ihr euch
„ hier deutlich erklärt, ob ihr den Herzog von
„ Glocester zu eurem Souverain haben wollt,
„ oder nicht?„ Nach allen diesen Bemühungen
erhuben einige von den geringsten Lehrjungen, die
von des Protektors und Buckinghams Bedienten
dazu angereizet waren, ein schwaches Geschrey:
Es lebe der König Richard p): Die Meynungen der Nation waren itzt hinlänglich erkläret;
die Stimme des Volks war die Stimme Gottes:
Und Buckingham eilte (eben 25sten Junii.) mit dem
Castel Baynard, wo sich der Protektor aufhielt,
um ihn zu bewegen, daß er die Krone annähme.

Als man dem Richard sagte, daß eine große
Menge auf dem Hofe wäre, wollte er nicht erscheinen, und stellte sich, als wenn er wegen sei-

p) Sir. Thomas More. S. 496.

ner perſönlichen Sicherheit beſorgt wäre: Ein
Umſtand, deſſen Buckingham ſich bediente, und
den Bürgern vorſtellte, daß der Prinz von dem
ganzen Vorhaben nichts wüßte. Endlich ließ er
ſich überreden, hervor zu kommen hielt ſich aber
noch immer in einiger Entfernung, und fragte
ſie um die Abſicht ihres Zudringens und ihrer Un-
verſchämtheit. Buckingham ſagte ihm, daß die
Nation ihn zum Könige haben wollte: Der Protektor erklärte ihnen ſeinen Entſchluß, dem gegenwärtigen Souverain getreu zu bleiben, und
ermahnte ſie bey eben dieſem Entſchluß zu behar-
ren. Man ſagte ihm, die Nation wäre entſchloſ-
ſen, einen andern Prinzen zu haben, und wenn
er ihre einmüthige Stimme verwürfe, ſo müßte
ſie ſich nach einem andern umſehen, der gefälli-
ger wäre. Dieſer Grund war zu ſtark, um ihm
zu widerſtehen. Er ließ ſich bereden, die Krone
anzunehmen, und verfuhr von der Zeit an als
ein geſetzmäßiger und rechtmäßiger Monarch.

Auf dieſes lächerliche Schauſpiel folgte bald
nachher ein wahrhaftig tragiſcher Auftrit: Die
Ermordung der beyden jungen Prinzen. Richard
ließ dem Sir Robert Brakenbury, dem Conſtable
des Tower, befehlen, ſeine Vettern zu tödten;
allein dieſer Herr, welcher Empfindungen der

Ehre

Ehre hatte, wollte an diese schändliche That keine
Hand legen. Der Tyrann schickte hierauf den Sir
James Tyrrel; welcher Gehorsam versprach; und
ließ dem Brakenbury befehlen, diesem Mann die
Schlüssel des Towers auf Eine Nacht zu überliefern. Tyrrel wählte sich drey Gehülfen, den
Slater, Dighton und Forrest, kam bey Nacht
an die Thür der Kammer, worinn die Prinzen
sich befanden, schickte die Mörder hinein, und
befahl ihnen, ihren Auftrag auszurichten, indem
er selbst draussen blieb. Sie fanden die jungen
Prinzen im Bette und in einem tiefen Schlafe.
Nachdem sie sie mit Küssen und Pfühlen erstickt
hatten, zeigten sie ihre nackten Leichname dem Tyrrel welcher sie unten an der Treppe tief in die
Erde unter einen Haufen Steine begraben ließ q).
Diese Umstände bekannten die Thäter unter der
folgenden Regierung, und wurden wegen des
Verbrechens niemals bestraft: Vermuthlich, weil
Heinrich, dessen Regierungsart sehr willkührlich
war, es gern zu einem Grundsatz machen wollte,
daß die Befehle eines regierenden Prinzen jede
abscheuliche That desjenigen, der ihm gehorchte,
rechtfertige. - Allein, es ist ein Umstand, wovon
man nicht so leicht Grund angeben kann. Man

hat

q) Sir. T. More. S. 501.

hat vorgegeben, daß Richard, über das unan=
ständige Begräbniß seiner Vettern, die er ermor=
det hatte, mißvergnügt, seinem Hofprediger be=
fohlen habe, die Körper auszugraben und in
einem heiligen Boden zu verscharren; und da die=
ser Mann bald nachher starb, so blieb ihre Ru=
hestätte unbekannt, und man konnte die Körper
niemals finden, so sehr Heinrich VII. auch dar=
nach suchen ließ. Doch als man unter der Regie=
rung Karls des Zweyten einige Steine bewegen,
und an demselben Orte graben mußte, wo man
sagte, daß sie begraben worden, fand man die
Gebeine zweyer Personen, deren Größe dem Alter
Eduards und seines Bruders genau entsprach:
Man schloß mit Gewißheit daraus, daß sie die
Ueberbleibsel dieser Prinzen wären, und sie wur=
den unter einem marmornen Monument, auf
Befehl des Königs Karl, begraben r). Vielleicht
war Richards Hofprediger gestorben, ehe er Ge=
legenheit gehabt hatte, seines Herrn Befehl aus=
zurichten; und da man glaubte, daß die Körper
schon von dem Orte weggenommen wären, wo
sie zuerst eingescharrt worden, so ließ Heinrich
daselbst nicht sehr genau suchen.

r) Kennet. S. 551.

Ri=

Richard III.

Die erſten Handlungen des Richard in ſeiner Regierung waren, diejenigen zu belohnen, welche ihm bey der Anmaßung der Krone beygeſtanden hatten, und diejenigen durch Gnadenbezeugungen zu gewinnen, welche er am geſchickteſten glaubte, ſeine künftige Regierung zu unterſtützen. Thomas, Lord Howard, wurde zum Herzoge von Norfolk; Sir Thomas Howard, ſein Sohn, zum Grafen von Surrey; Lord Lovel, zum Vicomte gleiches Namens ernannt; ſogar Lord Stanley wurde in Freyheit geſetzt und zum Oberhofmeiſter des Hofſtaates erhoben. Dieſer Herr war durch ſeine erſte Widerſetzung wider Richards Abſichten, und durch ſeine Vermählung mit der verwittweten Gräfinn von Richmond, der Erbinn der Familie von Sommerſet, verhaßt geworden; da er aber die Nothwendigkeit, ſich der gegenwärtigen Regierung zu unterwerfen, einſah, ſo nahm er einen ſolchen verſtellten Eifer für Richards Sache an, daß er zu Gnaden aufgenommen wurde, und ſogar Mittel fand, von dieſem politiſchen und

ei

eiferſüchtigen Tyrannen mit den wichtigſten Aemtern bekleidet zu werden.

Allein diejenige Perſon, welche ſowohl wegen
der Größe ihrer Dienſte, als der Macht und des
Glanzes ihrer Familie unter der neuen Regierung
zu Gunſtbezeugungen am meiſten berechtiget zu
ſeyn ſchien, war der Herzog von Buckingham;
und Richard ſchien weder Mühe noch Güte zu
ſparen, um ſich ſeiner Freundſchaft zu verſichern.
Buckingham ſtammte von einer Tochter des
Thomas von Woodſtock, eines Onkels des
Herzogs von Gloceſter, Richards des Zweyten,
ab: Und nach dieſer Abkunft war er nicht nur mit
der königlichen Familie verwandt, ſondern konnte
auch auf die wichtigſten Würden und größeſten
Güter Anſpruch machen. Der Herzog von
Gloceſter, und Heinrich, Graf von Derby,
nachmals Heinrich der Vierte, hatten die beyden
Töchter und Miterbinnen des Bohun, Grafen von
Hereford, eines der größeſten alten Baronen,
geheyrathet, deſſen ſehr große Güter alſo in zwey
Theile getheilet wurden. Den einen bekam die
Familie von Buckingham; der andre war durch
die Familie von Lancaſter mit der Krone vereinigt
worden, und nachdem dieſe königliche Linie her-
untergekommen war, hatten die Könige aus dem

Hau-

Hanse York ihn zu sich genommen, als wenn er
ihnen rechtmäßig zukäme. Der Herzog von
Buckingham bediente sich der gegenwärtigen Gelegenheit, und foderte sowohl den Erbtheil der Güter
des Hereford zurück, welcher der Krone anheim-
gefallen war, als auch das große Amt eines
Constables, das diese Familie lange erblich besessen hatte. Richard willigte bald in diese
Foderung, welche vielleicht der für den Buckingham bestimmte Lohn für seinen Beystand bey
der Anmaßung der Krone war. Dieser Herr
erhielt das Amt eines Constables; er bekam
die Güter des Hereford zum Geschenk s); es wurden ihm noch viele andre Würden und Ehrenstellen
ertheilt; und der König glaubte sich der Treue
eines Mannes versichert zu haben, dessen Intereße
mit dem Intereße der gegenwärtigen Regierung so
nahe vereinigt zu seyn schien.

Allein, es war unmöglich, daß eine Freundschaft zwischen zweyen Männern von so ver-
dorbnen Sitten, als Richard und der Herzog von
Buckingham, lange dauern konnte. Die Geschichtschreiber geben die Weigerung des Königs,
ihm Herefords Güter zurückzugeben, als eine

Ur-

s) Dugdale Baron. B. I. S. 168. 169.

Ursache an, worüber sie zuerst zerfielen; allein, man weiß aus Urkunden, daß er zu dem Ende einen Schenkungsbrief bekannt gemacht, und des Buckinghams Foderungen in diesem Falle völlig befriediget hat. Vielleicht sah Richard bald nachher die Gefahr ein, welche erfolgen könnte, wenn so große Güter einem Mann, von einem so aufrührischen Charakter ertheilt würden, und machte nachher wider die Ausführung seiner Verwilligung Schwierigkeiten: Vielleicht schlug er dem Buckingham auch andre Foderungen ab, da er es unmöglich fand, ihn für seine vorigen Dienste zu vergnügen: Vielleicht hatte er nach dem Grundsatze der Staatsmänner beschlossen, die erste Gelegenheit zu ergreifen, diesen mächtigen Unterthan zu stürzen, der das vornehmste Werkzeug zu seiner eignen Erhebung gewesen war; und die Entdeckung dieses Vorhabens erzeugte den ersten Argwohn bey dem Herzoge von Buckingham. Dem sey wie ihm wolle, so ist doch gewiß, daß der Herzog, bald nach Richards Thronbesteigung, eine Verschwörung wider die Regierung machte, um diejenige Usurpation, woran er selbst mit so großem Eifer gearbeitet hatte, wieder umzustürzen.

Nie-

Niemals hat man in irgend einem Lande eine
Usurpation erlebet, welche augenscheinlicher oder
den Grundsätzen der Gerechtigkeit und des öffentlichen Bestens mehr entgegen war, als Richards
Anmaßung. Seine Ansprüche waren auf unverschämte Vorgebungen gegründet; er hatte es niemals versucht sie zu beweisen; einige waren völlig
unerweislich, und alle enthielten die ärgerlichsten
Beschimpfungen seiner eignen Familie, und andrer
Personen, mit welchen er am nähesten verwandt
war. Sein Recht war von keiner Nationalver-
sammlung erkannt, ja kaum von dem geringsten
Pöbel, an den er sich wandte; und war bloß
deswegen durchgegangen, weil es an einer angesehenen Person gefehlet hatte, welche sich ihm
widersetzen, und denenjenigen Empfindungen des
allgemeinen Abscheues, welcher in jeder Brust
entstund, eine Stimme geben konnte. Wären auch
einige geneigt gewesen, die Verletzungen des öffentlichen Rechtes zu verzeihen; so müßte doch die
Empfindung der privat- und häuslichen Pflicht,
welche in den allerbarbarischsten Zeiten nicht aus-
gelöscht ist, einen Abscheu wider ihn erreget; und
die Ermordung der jungen und unschuldigen Prinzen, seiner Vettern, die man seiner Aufsicht über-

ge-

geben hatte, mit den verhaßtesten Farben, die sich
nur denken laßen, abgeschildert haben. Einen so
blutdürstigen Usurpateur zu leiden, scheint der
Nation Schande zu machen, und für eine jede
Person von Geburt, Verdiensten und Aemtern
gefährlich zu seyn. So war itzt die allgemeine
Stimme des Volks; alle Parteyen waren Einer
Meynung; und die Lancastrische, welche so lange
unterdrücket, und noch neulich so sehr herabgekommen war, erneuerte ihre Hoffnungen, und
war sehr aufmerksam auf die Folgen dieser außerordentlichen Begebenheiten. Der Herzog von
Buckingham, dessen Familie es jederzeit mit
dieser Partey gehalten hatte, und der durch seine
Mutter, eine Tochter des Eduard, Herzogs von
Sommerset, mit dem Hause Lancaster vereiniget
worden, wurde bald geneigt, sich der Sache dieser
Partey anzunehmen, und sie in ihre alte Vorrechte
wieder einzusetzen. Morton, der Bischof von Ely,
ein eifriger Anhänger dieser Partey, den der König
gefangen gesetzt, und nachher der Aufsicht des
Buckingham anvertrauet hatte, beförderte diese
Gesinnungen; und durch seine Ermahnungen warf
der Herzog seine Augen auf den jungen Grafen
von Richmond, als die einzige Person, welche die

Na-

Nation von der Tyranney des gegenwärtigen Usurpateurs befreyen konnte t).

Heinrich, Graf von Richmond, war bisher
von dem Herzoge von Bretagne in einer Art von
anständigen Gefängniß gehalten; und seine Abkunft, welche ihm einige Ansprüche an die Krone
zu geben schien, war sowohl unter der vorigen als
der itzigen Regierung ein großer Gegenstand der
Eifersucht gewesen. John, der erst Herzog von
Sommerset, der ein Enkel des John von Gaunt,
und zwar ein Abkömmling von einer unächten,
aber doch vom Parlament für ächt erklärten Linie
war, hatte nur Eine Tochter, Margaretha, hinterlassen; und sein jüngerer Bruder, Edmund,
war ihm in seinen Rechten und in einem guten
Theile seiner Güter gefolget. Margaretha
h tte den Edmund, Grafen von Richmond, geheyrathet, einen Halbbruder Heinrichs des Sechsten, und einen Sohn des Sir Owen Tudor, und
der Katharine von Frankreich, Heinrichs des
Fünften Wittwe, und von ihm nur Einen Sohn
gehabt, der den Namen Heinrich bekommen, und
nach dem Tode seines Vaters die Ehrenstellen und
Güter des Richmond erbte. Seine Mutter hatte,
als

t) Hift. Croyl. cont. S. 568.

als Wittwe, in der zweyten Ehe den Sir Heinrich Stafford, Buckinghams Onkel, und nach dem Tode dises Herrn, den itzigen Lord Stanley geheyrathet; aber mit diesen beyden Männern keine Kinder gehabt; und ihr Sohn Heinrich war also, wenn sie verstarb, der einzige rechtmäßige Erbe aller ihrer Güter. Allein, dieses war noch nicht der wichtigste Vortheil, den er von ihrer Erbfolge zu erwarten hatte: Er stellte alsdenn auch die älteste Linie des Hauses Sommerset vor; er erbte alles Recht dieser Familie zur Krone; und obgleich seine Ansprüche, so lange noch eine gesetzmäßige Linie des Hauses Lancaster übrig war, jederzeit wenig geachtet waren, so gab doch der Eifer der Faction denselben, nach dem Tode Heinrichs des Sechsten, und nach der Ermordung des Prinzen Eduard, sogleich ein Gewicht und Ansehen.

König Eduard der Vierte sah, daß alle Anhänger der Lancastrischen Partey ihre Augen auf den jungen Richmond, als den einzigen Gegenstand ihrer Hoffnungen, geworfen hatten, hielt ihn daher seiner Aufmerksamkeit würdig, und verfolgte ihn bis in seinen heimlichen Aufenthalt in Bretagne, wohin ihn sein Onkel, der Graf von Pembroke, nach der für seine Partey so schädlichen

Schlacht

Schlacht bey Tenkesbury gebracht hatte. Er
wandte sich an den Herzog von Bretagne, Franz
den Zweyten, einen schwachen aber guten Prinzen,
der sein Alliirter war; und bath ihn, daß er diesen
Flüchtling, der die Quelle künftiger Unruhen in
England seyn könnte, ihm ausliefern möchte.
Allein der Herzog, der einen Abscheu vor einem so
unanständigen Vorschlage hatte, bewilligte nur,
daß der junge Herr zu Eduards Sicherheit gefangen behalten werden sollte, und erhielt einen jähr-
lichen Gehalt von England, damit er seinen Gefangenen sicher verwahren oder unterhalten möchte.
Allein, gegen das Ende der Regierung Eduards,
da das Königreich mit einem Kriege von Frankreich
und von Schottland zugleich bedrohet wurde,
nahm die Sorge des englischen Hofes wegen des
Heinrich sehr zu; und Eduard that dem Herzoge
einen neuen Vorschlag, welcher unter dem schönsten Schein die blutigsten und verrätherischsten
Absichten versteckt hielt. Er gab vor, daß er seinen Feind zu gewinnen suchen, und ihn durch eine
Vermählung mit seiner Tochter, Elisabeth, mit
seiner Familie vereinigen wolle, und verlangte
ihn nach England zu haben, um einen Entwurf,
der so sehr zu seinem Vortheil gereichte, zu Stande zu bringen. Dieses Vorgeben, nebst der Be-

stechung des Peter Landais, eines schlechten Ministers, von welchem der Herzog sich gänzlich beherrschen ließ, fanden Eingang bey dem Hofe von
Bretagne: Heinrich wurde den englischen Agenten
überliefert: Er war bereit, abzugehen, als der
Herzog Eduards wahre Absicht errieth, seinen Befehl widerrief, und so den unglücklichen Jüngling
von der Gefahr, welche ihm über dem Kopfe
schwebte, errettete. —

Diese Merkmaale einer beständigen Eifersucht
in der regierenden Familie in England schienen des
Heinrichs Ansprüchen einiges Ansehen zu geben,
und ihn zu einem Gegenstande der allgemeinen
Gunst und des Mitleidens zu machen, wegen der
Gefahren und Verfolgungen, welchen er ausgesetzt
war. Die allgemeine Verabscheuung der Aufführung Richards wendete die Aufmerksamkeit der
Nation noch mehr auf ihn; und da alle Nachkommen des Hauses York entweder Frauenspersonen
oder Minderjährige waren, so schien er die einzige Person zu seyn, von welcher die Nation die
Vertreibung eines verhaßten und blutdürstigen
Tyrannen erwarten konnte. Allein, dieser Umstände ungeachtet, welche dem Heinrich so günstig
zu seyn schienen; wußten doch Buckingham und
der

der Bischof von Ely wohl, daß in seinem Wege
zum Throne noch viele Hinterniße lagen; und daß,
obgleich die Nation sich zwischen Heinrich dem
Sechsten und dem Herzoge von York sehr getheilt
hatten, als gegenwärtiger Besitz und Erbrecht
einander noch entgegengesetzt gewesen, dennoch der
größte Haufen zu der regierenden Familie über-
gangen wäre, sobald diese Rechte in Eduard dem
Vierten vereinigt worden, und daß die Lancaster-
sche Partey an Zahl und Ansehen sehr abgenommen
hätte. Es wurde daher von dem Morton vorgestellet, und von dem Herzoge erkannt, das einzige
Mittel, die gegenwärtige Usurpation umzustürzen,
wäre, die gegenseitigen Factionen durch eine
Heyrath zwischen dem Grafen von Richmond,
und der Prinzeßinn Elisabeth, der ältesten Tochter des Königs Eduard, zu verbinden, und dadurch die wechselseitigen Foderungen ihrer Familien, welche so lange die Quelle öffentlicher
Unruhen und Zerrüttungen gewesen wären, zu
vereinigen. Sie sahen ein, daß das Volk, nach
so vielen blutigen und zerstörenden Unruhen, sich
sehr nach Ruhe sehnte; daß sowohl die Yorkische
als Lancastrische Partey, welche itzt gleich stark
unterdrücket wurden, diesen Entwurf eifrig annehmen würden; und daß die Hoffnung, diese

Dd 2 Par-

Parteyen zu vereinigen, welches an sich sehr zu
wünschen war, bey dem allgemeinen Haffe gegen
die gegenwärtige Regierung ihre Sache ganz unüberwindlich machen würde.   Diesen Absichten
zufolge that der Prälat durch den Reginald Bray,
den Haushofmeister der Gräfinn von Richmond,
dieser Dame die ersten Vorschläge einer solchen
Vereinigung; und der Entwurf schien für ihren
Sohn so vortheilhaft zu seyn, und zugleich einen
so guten Erfolg zu versprechen, daß sie nicht das
geringste Bedenken trug.   Dr. Lewis, ein Arzt aus
Wallis, welcher bey der verwittweten Königinn in
dem Orte ihrer Zuflucht einen Zutritt hatte,
that ihr diese Vorschläge, und fand, daß Rache
wegen der Ermordung ihres Bruders und ihrer
drey Söhne, Furcht für ihre noch übrige Familie,
Zorn wegen ihrer Einsperrung und Unterdrückung,
alle ihre Vorurtheile wider das Haus Lancaster
leicht überwanden, und sie leicht bewegten, zu
einer Heyrath, wozu sowohl Alter und Geburt,
als die gegenwärtige Situation der beyden Parteyen, sie so natürlich einzuladen schienen, ihre
Einwilligung zu geben.   Sie borgte heimlich eine
Summe Geldes in der Stadt, übermachte sie dem
Grafen von Richmond, verlangte von ihm einen
Eid, die Hochzeit, sobald er in England käme, zu

voll-

vollziehen, rieth ihm, so viele fremde Truppen,
als möglich, zu werben, und versprach ihm, sich
mit allen ihren Freunden und Anhängern ihrer
Familie, sobald er erscheinen würde, zu ihm zu
schlagen.

Nachdem der Entwurf so auf den Grundsätzen
der gesunden Vernunft und Politik gegründet war,
wurde er den vornehmsten Personen von beyden
Parteyen in allen Grafschaften von England
heimlich mitgetheilet; und man bemerkte an allen
Ständen einen bewundernswürdigen Eifer, ihn zu
befördern und zur Ausführung zu bringen. Allein
es war unmöglich, daß eine so ausgebreitete
Verschwörung so geheim geführet werden konnte,
daß sie dem eifersüchtigen und wachsamen Auge
des Richards entgieng; und er erfuhr bald, daß
seine Feinde, unter der Anführung des Herzogs
von Buckingham, wider seine Herrschaft einen
Anschlag machten. Er setzte sich sogleich dadurch
in einen Vertheidigungsstand, daß er in dem
Nordlichen Truppen werben ließ; und berief den
Herzog nach Hofe in solchen Ausbrücken, welche
die Erneurung ihrer vorigen Freundschaft anzuzeigen schienen. Allein, dieser Herr, der die
Verrätherey und Barbarey des Richards wohl

Dd 3   kann-

kannte, antwortete nur damit, daß er in Wallis die
Waffen ergriff, und seinen Mitverschwornen das
Zeichen zu einem allgemeinen Aufstande in allen
Gegenden von England gab. Allein, es fiel eben
zu der Zeit (im October) ein so schwerer und beständiger Regen, als bey Menschen Denken nicht
gefallen war; und die Severne sowohl, als die
übrigen Flüsse umher, schwollen so hoch auf, daß
man nicht darüber kommen konnte, und verhinderte den Buckingham ins Herz von England zu
marschiren, und sich da mit seinen Mitverschwornen zu vereinigen. Die Wallisen fielen von ihm
ab, theils aus Aberglauben bey dieser außerordentlichen Begebenheit, theils aus Hungersnoth,
die sie in ihrem Lager erlitten; und Buckingham,
der sich von allen seinen Anhängern verlassen sah,
nahm in einer Verkleidung seine Zuflucht zu dem
Hause des Banister, eines alten Bedienten seiner
Familie. Allein, er wurde in diesem Aufenthalt
entdeckt, zu dem Könige nach Salisbury geführt,
und sogleich verhört, verdammt und hingerichtet,
nach der damals gewöhnlichen summarischen
Weise u). Als die andern Mitverschwornen, welche an vier verschiedenen Orten, zu Exeter, Salis-

bu-

u) Hist. Croyl. cont. S 568.

bury, Newbury und Maidstone, die Waffen ergriffen hatten, von dem Unglück des Buckingham hörten, verzweifelten sie an einem glücklichen Erfolg, und giengen sogleich auseinander.

Der Marquis von Dorset und der Bischof von Ely flüchteten über See: Viele andre waren eben so glücklich. Verschiedene fielen dem Richard in die Hände, an welchen er Exempel gab. Seine Hinrichtungen scheinen nicht sehr strenge gewesen zu seyn; obgleich von einem William Colingbourne erzählet wird, der unter dem Vorwande der Rebellion litte, wirklich aber wegen einiger Knittelverse, welche er wider den Richard und seine Minister gemacht hatte x). Der Graf von Richmond war, nach Verabredung, mit seinen Freunden von St. Malo mit einem Corps von 5000 in auswärtigen Provinzen geworbener Truppen abgesegelt; da aber seine Flotte anfangs vom Sturm

D d 4   zu-

---

x) Die Verse, welche ein Wortspiel enthalten, waren:

The Rat, the Cat, and Lovel that Dog,
Rule all England under the Hog.

Eine Anspielung auf die Namen Ratcliffe und Catesby; und auf Richards Wapen, welches ein Eber war.

zurückgeschlagen wurde, erschien er nicht eher, als
nach der Zerstreuung seiner Freunde an der englischen Küste, und sah sich also genöthiget, nach
Bretagne zurückzukehren.

Da der König so an allen Orten den Sieg
behielt, und durch dieses unglückliche Unternehmen, ihn vom Throne zu stoßen, gestärket wurde,
wagte er es endlich (i. J. 1484, den 23ten Januar)
ein Parlament zusammenzuberufen; ein Schritt,
welchen er wegen seiner Verbrechen und seiner
schändlichen Usurpation bisher vermieden hatte.
Ob es gleich natürlich war, daß das Parlament in
einem Streite der Nationalparteyen, es jederzeit mit
dem Sieger hielt, so scheint er doch befürchtet zu
haben, daß sein Recht, welches auf keinem Grunde
beruhete, und von keiner Partey unterstützet wurde, von dieser Versammlung verworfen werden
möchte. Allein, seine Feinde lagen itzt zu seinen
Füßen, das Parlament hatte sonst keine Wahl,
als seine Herrschaft zu erkennen, und sein Recht
zur Krone zu bestätigen. Sein einziger Sohn,
der damals zwölf Jahr alt war, wurde zum
Prinzen von Wallis ernannt: Tonnen- und
Pfundgeld wurde ihm auf Lebenszeit verwilliget:
Und Richard gab, um die Nation mit seiner Regie-

                                    rung

rung zufrieden zu machen, einige beliebte Gesetze,
insbesondre wider die Gewohnheit, Geld durch
freywillige Darlehne zu erzwingen.

Alle andre Maasregeln des Königs hatten
dieselbe Absicht. Er sah ein, daß der einzige Umstand, der ihn schützen könnte, das Zutrauen der
Yorkischen Partey war, welches er gewinnen
müßte; er machte der verwittweten Königinn mit
so vieler Höflichkeit die Aufwartung, gab ihr
solche ernstliche Versicherungen seines guten Willens und seiner Freundschaft, daß sie der Einsperrung müde, und an dem guten Erfolg ihrer vorigen Entwürfe verzweifelnd, ihren Aufenthalt
verließ, und sich und ihre Töchter in die Hände
des Tyrannen wagte. Allein, er trieb seine Absichten zur Bevestigung seines Thrones bald weiter.
Er hatte die Anna, eine zweyte Tochter des Grafen
von Warwic, eine Wittwe des Eduards, Prinzen
von Wallis, welchen Richard selbst ermordet hatte,
geheyrathet; da er aber mit dieser Prinzeßinn nicht
mehr als Einen Sohn hatte, der um diese Zeit
starb, so sah er sie für ein unüberwindliches
Hinderniß der Bevestigung seines Glücks an; und
man man glaubte, daß er sie mit Gifft aus dem
Wege geschafft habe; ein Verbrechen, wovon das

Publicum zwar keinen gewissen Beweis haben
konnte, welches man aber aus seiner gewöhnlichen
Aufführung mit Grunde vermuthen konnte. Itzt
meynte er, es in seiner Gewalt zu haben, die vornehmsten Gefahren, welche seiner Regierung droheten, aus dem Wege zu räumen. Er wußte, daß
der Graf von Richmond ihm sonst nicht gefährlich
seyn würde, als wegen seiner beschlossenen Heyrath mit der Prinzeßinn Elisabeth, der wahren
Erbinn der Krone; und daher war er Willens,
diese Prinzeßinn, vermittelst einer päpstlichen
Dispensation, selbst zu heyrathen, und solchergestalt ihre miteinander streitende Rechte in seiner
eignen Familie zu vereinigen. Die verwittwete
Königinn wollte ihr verlohrnes Ansehen gern
wieder erhalten, trug daher bey dieser Verbindung
kein Bedenken, welche in England sehr ungewöhnlich war, und für Blutschande gehalten
wurde; vielweniger scheuete sie sich, ihre Tochter
mit dem Mörder ihrer drey Söhne und ihres
Bruders zu verheyrathen: Ja sie vereinigte sich
mit diesem Usurpateur so sehr, daß sie an alle ihre
Anhänger, und unter andern auch an ihren Sohn,
den Marquis von Dorset schrieb, und sie bath,
von dem Grafen von Richmond abzutreten; eine
Beleidigung, welche der Graf nachher niemals
ver-

vergeben konnte. Man hielt bey dem römischen
Hofe um Dispensation an: Richard glaubte, er
könnte sich in der Zwischenzeit, biß sie ankäme,
leicht vertheidigen, und er hätte nachher die angenehme Aussicht einer völligen und sichern Vest-
setzung seiner Regierung. Er schmeichelte sich, die
Nation würde, wenn sie alle Gefahr einer streitigen Erbfolge gehoben sähe, sich der Herrschaft
eines Prinzen geruhig unterwerfen, der reif an
Jahren, von großen Fähigkeiten und von einem
zur Regierung fähigem Genie war; und sie würde
ihm alle Verbrechen verzeihen, welche er begangen
hatte, um sich den Weg zum Throne zu bahnen.

Allein, Richards Verbrechen waren so schrecklich und so unmenschlich, daß die natürlichen
Empfindungen der Nation, ohne alle politische
oder öffentliche Absichten hinlänglich waren, seine
Regierung unbeständig zu machen; und jeder
Aufrichtiger und Ehrliebender war ernstlich bemühet, zu verhüten, daß der Zepter nicht länger von
den blutdürstigen und verrätherischen Händen,
welche ihn führten, beflecket würde. Alle Verbannete eilten zu dem Grafen von Richmond nach
Bretagne, und ermunterten ihn, einen neuen
Einfall zu beschleunigen, und die Heyrath der
Prin-

Prinzeßinn Elisabeth zu verhindern, welche allen seinen Hoffnungen so sehr schaden könnte. Der Graf sah die dringende Noth ein; weil er sich aber vor der Verrätherey des Peter Landais fürchtete, welcher sich mit dem Richard in eine Unterhandlung eingelassen hatte, ihn zu überliefern, so mußte er itzt nur wegen seiner gegenwärtigen Sicherheit aufmerksam seyn, und flüchtete zu dem französischen Hofe.   Die Minister Carls des Achten, welcher seinem Vater Ludewig nach dessen Tode auf dem Thron gefolgt war, gaben ihm Unterstützung und Schutz; und weil sie dem Richard gern Unruhen machen wollten, so unterstützten sie den Grafen heimlich in der Werbung, welche er zu seiner Unternehmung wider England anstellte. Der Graf von Oxford, welchen Richard aus Argwohn ins Gefängniß geworfen hatte, war entkommen, und vereinigte sich hier mit dem Heinrich: Er vermehrte seine Lust zu dieser Unternehmung durch die vortheilhaften Erzählungen von den Gesinnungen der englischen Nation, und ihrem allgemeinen Hasse gegen Richards Verbrechen und Usurpation.

Der Graf von Richmond segelte von Harfleur in der Normandie (i. J. 1485) mit einem Gefol

folge von mehr als 2000 Personen ab, und nachdem er sechs Tage gesegelt hatte, kam er zu
Milford-Haven in Wallis an, wo er ohne Widerstand (den 7ten August) landete. Er richtete seine
Reise nach diesem Theil des Reichs, in der Hoffnung, daß die Wallisen, welche ihn für ihren
Landsmann hielten, und welche bereits durch den
Herzog von Buckingham für seine Sache eingenommen waren, sich unter seine Fahne begeben,
und ihn in den Stand setzen würden, der festgesetzten Regierung die Spitze zu biethen. Richard, welcher wußte, von welcher Seite er den
Einfall vermuthen sollte, hatte sich zu Nottingham, in dem Mittelpunkte des Reichs, gesetzt;
und nachdem er verschiednen Personen in verschiedenen Grafschaften Befehl ertheilet hatte, sich
dem Feinde zu widersetzen, so beschloß er bey dem
ersten Lärm selbst nach demjenigen Orte zu eilen,
der der Gefahr ausgesetzt wäre. Sir Rice ab
Thomas und Sir Walter Herbert hatten diesen
Auftrag in Wallis erhalten; allein der erste gieng
gleich zu dem Heinrich über; der zweyte widersetzte
sich ihm nur schwach: Und der Graf, welcher
gegen Shrewsbury anrückte, bekam täglich einige
Verstärkung von seinen Anhängern. Sir Gilbert
Talbot kam mit allen Vasallen und Anhängern der

Fa-

Familie von Shrewsbury zu ihm: Sir Thomas
Bourchir, Sir Walter Hungerford überredeten
ihre Freunde, sein Schickfal mit ihm zu theilen:
Und die Ankunft so angesehener Männer in seinem
Lager machte, daß seine Sache bereits ein gutes
Ansehen gewann.

Allein die Gefahr, welcher der König ausge-
setzt war, rührte nicht so sehr aus dem Eifer seiner
offenbaren Feinde, als aus der Untreue seiner ver-
stellten Freunde her. Kaum hielt es ein einziger
Mann vom Stande mit ihm, ausgenommen der
Herzog von Norfolk; und alle, die ihm noch am
getreusten zu seyn schienen, warteten nur auf eine
Gelegenheit ihn zu verrathen und zu verlassen.
Allein diejenigen, welche er am meisten in Verdacht
hatte, waren der Lord Stanley und sein Bruder
William, deren Verbindungen mit dem Grafen von
Richmond, ungeachtet sie dem König ihrer Zuneigung versicherten, er niemals vergaß oder übersah.
Als er den Lord Stanley bevollmächtigte, Truppen
zu werben, behielt er den Lord Strange, seinen
ältesten Sohn, als ein Pfand seiner Treue; und
dieser Herr war deswegen genöthiget, mit der
größten Vorsicht und Behutsamkeit zu verfahren.
Er warb ein mächtiges Corps von seinen Freunden
und

und Anhängern in Cheshire und Lancashire, aber
ohne sich öffentlich zu erklären: Und obgleich
Heinrich heimliche Versicherungen von seinen
freundschaftlichen Gesinnungen erhielt, so wußten
doch die Armeen von beyden Seiten nicht, was
sie von seinem zweydeutigen Betragen denken sollten. Die beyden Nebenbuhler stießen endlich
(den 22ten August) aufeinander zu Bosworth bey
Leicester: Heinrich an der Spitze von sechs tausend
Mann, Richard mit einer Armee, die noch mehr
als einmal so stark war; und man erwartete
stündlich ein entscheidendes Treffen zwischen denselben. Stanley, der mehr als 7000 Mann anführte, setzte sich zu Atherstone, nicht weit von
dem vermutheten Schlachtfelde, und nahm eine
solche Stellung, daß er sich zu beyden Parteyen
schlagen konnte. Richard war zu listig, daß er
die Absichten dieser Bewegungen nicht entdecken
sollte; allein er hielt es vor seinen eignen Leuten
verborgen, um ihnen nicht den Muth zu nehmen: Er rächete sich nicht sogleich an Stanleys
Sohn, wie ihm einige Hofleute riethen; weil er
hoffte, ein so theures Pfand würde den Vater
verleiten, sein zweydeutiges Betragen noch länger
fortzusetzen: Und er eilte den Streit mit seinem
Competenten mit den Waffen auszumachen; in
der

der Versicherung, daß ein Sieg über den Grafen von Richmond ihn in den Stand setzen würde, sich an seinen öffentlichen und verborgenen Feinden zu rächen.

Den Vortrupp von Richmonds Armee, der aus Bogenschützen bestund, commandirte der Graf John von Oxford: Sir Gilbert Talbot führte den rechten, und Sir John Savage den linken Flügel an: Der Graf selbst nebst seinem Onkel, dem Grafen von Pembroke, stellte sich vor der Hauptarmee. Richard stellte sich auch vor seiner Hauptarmee, und vertraute seinen Vortrupp dem Herzoge von Norfolk an: Da die Flügel seiner Armee nicht mit ins Treffen kamen, so haben wir die Namen der Anführer derselben nicht erfahren. Bald nach dem Anfange der Schlacht erschien der Lord Stanley, dessen Betragen in dieser ganzen Sache eine große Vorsicht und viele Geschicklichkeiten verräth, auf dem Felde, und erklärte sich für den Grafen von Richmond. Diese Maaßregel, welche den Gemeinen, obgleich nicht den Anführern unerwartet war, that auf beyde Armeen eine verhältnißmäßige Wirkung: Sie machte den Soldaten des Heinrich einen ungewöhnlichen Muth; und brachte Richards Soldaten in Schrecken und Verwirrung. Der unerschrockne Tyrann, der seine verzweifelte Situation erkannt, warf

warf seine Augen auf dem Schlachtfelde herum, und
als er nicht weit von sich seinen Gegner gewahr
wurde, ritte er mit Wuth auf ihn loß, in der Hoffnung, daß entweder sein oder Heinrichs Tod den
Sieg zwischen ihnen entscheiden würde. Er tödtete
den Fähndrich des Grafen, den Sir William Bran-
don, mit eigner Hand: Er hob den Sir John Chey-
ney aus dem Sattel: Er erreichte itzt den Richmond
selbst, der sich dem Zweykampfe nicht entzog; als
Sir William Stanley, der mit seinen Truppen ein-
brach, den Richard umgab, welcher bis an den letzten Augenblick tapfer fochte, endlich aber von der
Anzahl seiner Feinde überwältiget wurde, und also
einen Tod starb, der für seine v elen und schändlichen
Verbrechen zu gelinde und schön war. Seine Leute
suchten sich durch die Flucht zu retten.

In diesem Treffen blieben 4000 von den
Ueberwundenen, und unter diesen der Herzog von
Norfolk, der Lord Ferrars von Chartley, Sir Ri-
chard Ratcliffe, Sir Robert Piercy und Sir Robert
Brackenbury. Der Verlust der Sieger war sehr un-
beträchtlich. Sir William Catesby, ein großes
Werkzeug der Verbrechen des Richards, wurde ge-
fangen, und bald nachher mit einigen andern zu
Leicester enthäuptet. Richards Körper wurde auf

dem Felde gefunden, mit todten Feinden bedecket
und mit Blut beschmieret: Er wurde über ein Pferd
geworfen, unter dem Freudengeschrey der ihn ver-
spottenden Zuschauer nach Leicester geführet, und in
der Kirche der Capuciner dieses Orts begraben.

Die Geschichtschreiber, welche dem Richard
günstig sind, (denn auch er hat Freunde unter den
neuern Schriftstellern gefunden) behaupten, daß er
zur Regierung geschickt gewesen seyn würde, wenn
er sie gesetzmäßig erhalten hätte; und daß er keine
andre Verbrechen begangen habe, als solche, die er
zur Erlangung der Krone nöthig gefunden: Allein
dieß ist eine sehr schlechte Entschuldigung, wenn
man gestehet, daß er bereit gewesen sey, die abscheulichsten Verbrechen, welche zu diesem Endzwecke nöthig zu seyn schienen, zu begehen; und es ist gewiß,
daß aller Muth und alle Fähigkeit, Eigenschaften,
woran es ihm wirklich nicht mangelte, dem Volke
niemals Ersetzung hätten geben können für die Gefahr eines solchen Beyspieles, und für das ansteckend-
de Exempel des auf den Thron erhabenen Lasters
und Mords. Dieser Prinz war von kleiner Statur,
buckelicht und von einer sehr unangenehmen Gesichtsbildung; so, daß sein Körper in allen Stücken
nicht weniger häßlich, als seine Seele war.

Also

Also haben wir die Englische Geschichte durch
eine Reihe vieler barbarischen Jahrhunderte
durchgeführet; bis wir endlich den Anbruch der
Politur und der Wissenschaft erreicht haben, und
im Stande sind, unsern historischen Erzählungen
mehr Gewißheit zu geben, und unsern Lesern Auftritte darzustellen, welche ihrer Aufmerksamkeit
würdiger sind. Unterdessen hat man sich über den
Mangel an Gewißheit und an Umständen durch
keinen Zeitlauf dieser langen Erzählung zu beklagen. Diese Insel hat nicht nur viele alte Geschichtschreiber von Ansehen, sondern auch viele
historische Denkmäler aufzuweisen; und es ist selten, daß die Jahrbücher eines so rohen Volkes,
als die Engländer und alle andre europäische
Nationen waren, nach dem Untergange der Wissenschaften bey den Römern, so vollständig und
mit so wenig Unwahrheiten und Fabeln vermischt,
den Nachkommen überliefert sind. Diesen Vortheil haben wir einzig und allein der Geistlichkeit
der römischen Kirche zu danken; welche die schätz-
bare Litteratur des Alterthums von dem gänzli-

Ee 2 chen

chen Untergange befreyete, weil ihr Ansehen sich
auf ihre vorzügliche Gelehrsamkeit gründete y);
und

y) Wer die alten Schriften der Mönche gelesen hat,
weiß, daß, so barbarisch ihr Stil auch ist, sie doch
voll Anspielungen auf die claßischen Schriftsteller, insbesondere auf die Dichter der Römer sind. Es scheinet auch, daß in diesem mittleren Alter noch alte
Schriftsteller vorhanden gewesen, die itzt verlohren gegangen sind. Malmesbury, der unter der Regierung
Heinrichs des Ersten, und K. Stephens lebte, führt
des Livius Beschreibung von Cäsars Uebergang über
den Rubicon an. Fitz-Stephen, der unter der Regierung Heinrichs des Zweyten lebte, macht eine Anspielung auf eine Stelle in der größern Geschichte des
Sallust. Aus der Sammlung von Briefen, welche
unter dem Namen des Thomas a Becket vorhanden
sind, siehet man, wie bekannt die witzigsten und vornehmsten Geistlichen der Zeit mit der alten Geschichte
und den alten Büchern gewesen, und wie weit folglich dieser Stand alle andre Mitglieder der Gesellschaft übertroffen haben müssen. Dieser Prälat und
seine Freunde nannten sich in allen ihren Briefen, die
sie mit einander gewechselt, Philosophen, und sahen
die übrigen Menschen mit Recht für in Unwissenheit
und Barbarey Versunkene an. Bey der gegenwärtigen
Ausbreitung der Gelehrsamkeit können auch Ungelehrte
es so weit bringen, daß sie Leuten, die aus der Ge-
lehr-

und unter dem Schuße ihrer zahlreichen Privilegien und Vorrechte durch den Aberglauben eine
Sicherheit erhielt, die sie von der Gerechtigkeit
und Menschenliebe in diesen aufrührischen und
ausgelassenen Zeiten umsonst zu erlangen gesucht
haben würde. Denen Auftritten, welche die
Geschichte dieser Zeiten uns darstellet, fehlt es auch
nicht ganz am Unterrichtenden und Lehrreichen.
Die Betrachtung der menschlichen Sitten und
Handlungen in allen ihren verschiednen Gestalten
ist so vortheilhaft als angenehm; und wenn sie
in einigen Zeitpunkten etwas schrecklich und un-
gestaltet sind, so können wir daraus diejenige
Wissenschaft und Sittlichkeit desto höher schätzen
lernen, welche eine so genaue Verbindung mit
der Tugend und Menschenliebe haben, und welche eben so das wirksamste und Heilungsmittel
wider Laster und Ausschweifungen von jeder
Art, wie das beste Gegengift wider den Aberglauben sind.

Der Ursprung, der Fortgang, die Vollkommenheit und die Abnahme der Künste und

Wis-

lehrsamkeit und den Wissenschaften Profeßion machen, fast gleich kommen.

Wiſſenſchaften ſind wichtige Gegenſtände der Betrachtung, und mit einer Erzählung der bürgerlichen Geſchichte genau verknüpft. Man kann von den Begebenheiten eines beſondern Zeitpunkts keine hinlängliche Nachricht geben, wenn man nicht den Grad der Zunahme in den Wiſſenſchaften, welche die Menſchen in denſelben erreichet haben, in Betracht zieht.

Wer auf die allgemeinen Veränderungen der menſchlichen Geſellſchaft nur einen Blick wirft, wird finden, daß alle Verbeſſerungen des menſchlichen Verſtandes, welche in dem Jahrhunderte des Auguſts faſt ihre Vollkommenheit erlanget hatten, nach dieſem Zeitpunkte nach und nach merklich abnahmen, und daß die Menſchen in Unwiſſenheit und Barbarey verfielen. Die umgränzte Ausbreitung des römiſchen Reichs, und der folgende Deſpotiſmus der Kaiſer verhinderte allen Wetteifer, erniedrigte den edlen Geiſt der Menſchen, und unterdrückte diejenige edle Flamme, von welcher alle ſchöne Künſte verbeſſert und belebt werden müſſen. Die kriegiſche Regierung, welche bald erfolgte, machte ſogar das Leben und die Güter der Menſchen unſicher und ungewiß; verhinderte ſelbſt diejenigen

nigen gemeinen und nothwendigern Künste, den
Ackerbau, die Manufacturen und den Handel: und endlich gar die Kriegskunst und das
kriegrische Genie selbst, durch welche das ungeheure Gebäude des Reiches allein unterstützet werden konnte. Der Einfall der barbarischen Nationen, welcher bald darauf erfolgte,
überwältigte alle menschliche Erkenntniß, welche
schon weit in ihrer Abnahme gekommen war;
und die Menschen versunken in jedem Jahrhundert tiefer in Unwissenheit, Dummheit und Aberglauben: bis das Licht der alten Wissenschaft
und Geschichte bey allen europäischen Nationen
fast gänzlich erloschen war.

Allein, sowohl die Erniedrigung als Erhöhung hat Gränzen, wo die menschlichen Sachen
umkehren, und welche sie selten in ihrer Abnahme
oder Zunahme überschreiten. Der Zeitpunkt, in
welchem die Christen am tiefsten in Unwissenheit
und folglich in allerhand Unordnungen versunken
waren, kann mit Recht in das eilfte Jahrhundert, um die Zeit Williams des Eroberers, gesetzt werden: und von dieser Epoche fieng die
wieder aufgehende Sonne der Wissenschaften an,
viele Stralen, welche vor dem völligen Anbruche

des

des Tages hergiengen, von sich zu werfen, als die Wissenschaften im funfzehnten Jahrhundert wieder auflebten. Die Dänen und andre nordliche Völker, welche die Küsten, und sogar das Innere von ganz Europa so lange mit ihren Verheerungen beunruhiget hatten, fanden, nachdem sie das Landwesen und den Ackerbau gelernet hatten, in ihrem Lande gewisse Nahrung, und wurden nicht länger gereizt, ihre Arbeit zu verlassen, um durch Rauben und Plündern an ihren Nachbaren einen unsichern Unterhalt zu suchen. Die Feudal-Regierung war unter den südlichern Nationen in eine Art von System verwandelt; und obgleich die seltsame Gattung bürgerlicher Politik, Freyheit oder Ruhe zu erhalten, ungeschickt war, so war sie doch der allgemeinen Ausgelassenheit und Unordnung, welche allenthalben vor derselben hergegangen war, weit vorzuziehen. Allein vielleicht war keine Begebenheit, welche mehr zur Verbesserung dieser Zeit diente, als eine, die bisher nur wenig bemerkt worden ist, die zufällige Entdeckung einer Abschrift der Pandecten des Justinians, welche man um das Jahr 1130 in der Stadt Amalfi in Italien fand.

Die

Die Geistlichen, welche Muße und einige
Neigung zum Studieren hatten, nahmen dieses
vortreffliche System der Rechtsgelehrsamkeit mit
Eifer auf, und machten es durch ganz Europa
bekannt. Ausser dem innerlichen Werth des Wirks
pries es sich auch durch seine ursprüngliche Verbindung mit der Stadt Rom an, welche, als
der Sitz ihrer Religion, dadurch einen neuen
Glanz und mehr Ansehen erhielt, daß sie ihre
Gesetze über den Occident ausbreitete. In weniger als zehn Jahren nach der Entdeckung der
Pandecten las Vacarius, unter dem Schutz des
Theobald, Erzbischofs von Canterbury auf der
Universität Oxford, öffentlich über das bürgerliche Recht; und die Geistlichen waren es, welche durch ihr Beyspiel und ihre Ermunterung dieser neuen Wissenschaft die größte Hochachtung
verschäfften. Diese Leute, welche große Güter
zu vertheidigen hatten, waren gewissermaßen gezwungen, sich auf das Recht zu legen; und da
ihre Güter oftmals durch die Gewalt der Prinzen
und Baronen in Gefahr geriethen, so wurde es
ihr Interesse, die Beobachtung allgemeiner und
billiger Regeln einzuschärfen, weil sie von diesen
allein Schutz erwarten konnten. Da sie alle Gelehrsamkeit der Zeit besaßen, und allein zu den-

ken

ken gewohnt waren; so fiel sowohl die Wiſſenſchaft als Ausübung des Rechts mehrentheils
ihnen zu: Und obgleich die genaue Verbindung,
welche ſie ohne Noth zwiſchen dem geiſtlichen und
weltlichen Rechte machten, bey den Layen in England Eiferſucht erregte, und verhinderte, daß
das römiſche Recht nicht ſo wie in vielen andern
europäiſchen Staaten das Landgeſetz wurde; ſo
wurde doch ein großer Theil deſſelben in den Ge-
richtshöfen eingeführet, und die Nachahmung ihrer Nachbaren machte, daß ſich die Engländer
bemühten, ihr eignes Recht aus ſeiner urſprünglichen Grobheit und Unvollkommenheit zu ziehen.

  Es iſt leicht einzuſehen, welche Vortheile Europa daraus gezogen habe, daß es von den Alten
eine ſo vollkommne Wiſſenſchaft erbte, welche
allen andern Künſten zur Sicherheit ſo nothwendig war, und welche dadurch, daß ſie die Urtheilskraft ſchärfte, und noch mehr, daß ſie derſelben Gründlichkeit gab, zu einem Muſter mehrerer Verbeſſerungen diente. Der offenbare Nutzen des römiſchen Rechtes in öffentlichen und
privat Angelegenheiten, empfahl das Studium
deſſelben noch mehr zu einer Zeit, da die höhern
und ſpeculativiſchen Wiſſenſchaften keine Reize hätten;

ten; und solchergestalt war der letzte Zweig der
alten Gelehrsamkeit, welcher unversehrt blieb,
zum Glück der erste, der auf die neuere Welt
kam. Denn es ist merkwürdig, daß bey dem
Verfall der römischen Gelehrsamkeit, da die Philosophen von Aberglauben und von Sophisteren,
und die Dichter und Geschichtschreiber von Bar-
barismen angestecket waren, die Rechtsgelehrten,
welche in andern Ländern selten Muster der Gelehrsamkeit und Politesse sind, dennoch durch
einen beständigen Fleiß und eine genaue Nachahmung ihrer Vorgänger im Stande gewesen
sind, dieselbe gesunde Vernunft in ihren Ent-
scheidungen und Vernunftschlüssen, und dieselbe
Reinigkeit in ihrer Sprache und ihren Ausdrücken zu behalten.

Was dem bürgerlichen Rechte noch ein gröf-
feres Verdienst gab, war die große Unbekannt-
schaft und Unvollkommenheit derjenigen Rechtsgelehrsamkeit, welche vor jener bey allen europäischen Nationen, und insbesondre bey den Sachsen oder alten Engländern herrschte. Was für
Ungereimtheiten damals in der Verwaltung der
Gerechtigkeit herrschten, kann man aus den Ue-
berbleibseln des alten sächsischen Rechtes abnehmen;

men; nach welchem für jedes Verbrechen eine
Geldbuße angenommen wurde, in welchem festgesetzte Preise für das Leben und die Gliedmaß-
sen eines Menschen bestimmt, nach welchem die
Selbstrache wegen aller Beleidigungen erlaubt;
nach welchem die Feuerprobe und nachher der
Zweykampf eingeführte Arten des Beweises, und
nach welchem baurische Freysassen die Richter
waren, welche plötzlich versammlet wurden, und
eine Sache nach dem Vortrage, oder vielmehr
nach dem Gezänke der Parteyen entschieden. Ein
solcher Zustand der menschlichen Gesellschaft ist
wenig besser, als der rohe Stand der Natur:
Gewalt herrschete überall, statt allgemeiner und
billiger Regeln: Die vermeinte Freyheit der Zeiten war bloß ein Unvermögen, sich der Regierung unterwerfen zu können. Und Leute, deren
Leben und Güter nicht durch das Recht geschützet wurden, suchten, nach ihrer persönlichen
Knechtschaft und Zuneigung, Schutz unter einem mächtigen Obern, oder in willkührlichen
Verbindungen.

Die stufenweise Zunahme der Verbesserung
erhob die Europäer etwas aus diesem unausge-
besserten Zustande; und die Sachen nahmen,
be-

besonders in dieser Insel, eine Wendung, welche
der Gerechtigkeit und Freyheit günstig war. Ci-
vil-Bedienungen und Aemter kamen bey den Engländern bald in Ansehen: Die Lage dieser Nation machte eine beständige Aufmerksamkeit auf
Kriege nicht so nothwendig, als bey ihren Nachbaren, und alle Achtung schränkte sich auf den
Kriegsstand nicht allein ein. Der kleine und
selbst der große Adel machte sich mit dem Rechte,
als einem nothwendigen Theile des Unterrichtes
bekannt: Sie wurden von dieser Art des Stu-
direns durch andre Wissenschaften weniger, als
nachher abgehalten; und Fortescue erzählet, daß
sich zur Zeit Heinrichs des Sechsten über zwey-
tausend Studenten, mehrentheils Leute von Stande, in den Collegien der Juristen befunden, die
sich auf diesen Theil der Gelehrsamkeit legten.
Ein Umstand, welcher beweiset, daß man in der
Regierungskunst schon einen großen Fortgang
gemacht hatte, und einen noch größern versprach.

Ein sehr wichtiger Vortheil, der aus der
Einführung und dem Fortgange der Künste entstund, war die Einführung und der Fortgang der
Freyheit; und diese Folge interesirte die Leute
so-

ſowohl in ihren perſönlichen als bürgerlichen Characteren.

Wenn wir den alten Zuſtand von Europa betrachten, ſo finden wir, daß der größte Theil der Einwohner ihrer perſönlichen Freyheit beraubt war, und gänzlich nach dem Willen ihrer Herren lebte. Ein jeder, der nicht von Adel war, war ein Sklav: Die Bauern wurden mit den Ländern verkauft: Die wenigen Einwohner der Städte waren in keinem beſſern Zuſtande: Sogar der kleine Adel war den großen Baronen, oder erſten Vaſallen der Krone unterworfen; die dem Anſehen nach zwar in einem glänzenden Zuſtande lebten, doch, da ſie von den Geſetzen nicht viel Schutz hatten, einem jeden Ungewitter des Staates ausgeſetzt waren, und durch den ungewiſſen Zuſtand, worinn ſie lebten, die Gewalt, ihre Untergebene zu unterdrücken und grauſam zu behandeln, theuer bezahlen mußten. Der erſte Zufall, welcher dieſer gewaltſamen Regierungsform ſchadete, war, die in Frankreich angefangene Errichtung gewiſſer Geſellſchaften und Gemeinen, welche mit Vorrechten und einem beſondern Landrechte verſehen waren, die ſie wider die Tyranney der Baronen ſchützten, und die der

Prinz

Prinz selbst für gut fand in Ehren zu halten z).
Die Aufhebung der Lehnsgüter, und eine etwas
genauere Ausübung des öffentlichen Rechtes gab
den Vasallen eine Unabhänglichkeit, welche ihren
Vorvätern unbekannt war.   Und die Landleute
selbst entrissen sich, obgleich später, den Banden
der Leibeigenschaft und Sklaverey, worinn sie
bisher waren eingeschlossen gewesen.

Es ist sonderbar, daß das Wachsthum der
Künste, welches die Zahl der Sklaven bey den
Grie-

z) Man findet frühzeitig Merkmaale davon, daß die
Baronen auf die Aufnahme ter Künste, welche für
ihre unmäßige Gewalt so verderblich war, elfersüchtig
gewesen.   Es wurde durch ein Gesetz verboten. 7.
Henr. IV. Cap. 11, daß niemand, der nicht jährlich
zwanzig Schilling an Land besäße, seine Söhne die
Handlung lernen lassen sollte.   Man fand, daß die
Städte schon anfiengen, den Bauern und Landleuten
ihr Land abzunehmen; und man sah nicht ein, wie
sehr die Zunahme der Handlung den Werth der Länder steigern würde.   Siehe Cotton. S. 17. Der König gab den Dörfern, um sie aufzumuntern, diese
Freyheit, daß jeder Sklave, der ein Jahr in irgend
einer Gemeine gelebt hatte, und ein Mitglied der
Zunft gewesen, künftig für frey angesehen werden
sollte.

Griechen und Römern täglich vermehret zu haben scheinet, in den neuern Zeiten eine Quelle der Freyheit geworden ist: Allein diese Verschieden- heit der Begebenheiten rührt aus einer großen Verschiedenheit der Umstände her, welche mit die- sen Einrichtungen verbunden waren. Die alten Baronen waren genöthiget, sich immer in einer kriegrischen Verfassung zu erhalten, und um Zier- lichkeit und Pracht wenig bekümmert, brauchten sie ihre Leute nicht zu Bedienten des Hauses, vielweniger zu Manufacturen, sondern ihr Ge- folge bestund aus Freyleuten, deren kriegrisches Genie ihren Obersten seinen Nachbaren fürchter- lich machte, und welche bereit waren, ihn in je- der kriegrischen Unternehmung zu begleiten. Die Knechte waren ähnlich mit dem Ackerbau ihres Herrn beschäftiget und zahlten ihre Abgaben entweder in Korn, Vieh und andern Feldfrüch- ten, oder durch Hofbediente, welche sie der Fa- milie ihres Herrn und auf den Meyerhöfen, die er selbst besaß, leisteten. So wie der Ackerbau zunahm, und das Geld vermehrt wurde, fand man, daß diese Dienste ihrem Herrn wenig nüz- ten, ob sie gleich den Leuten selbst sehr zur Last fielen; und daß die Früchte eines großen Gutes weit bequemer von dem Landmann selbst, der es

bear-

bearbeitete, verkaufet werden konnten, als von
dem Herrn des Landes oder seinem Verwalter,
welche sie sonst einnahmen. Daher nahm der
Herr für Dienste Früchte, und nachher für diese
Früchte Geld; und da man in den folgenden
Zeiten entdeckte, daß die Meyerhöfe besser be-
hauet würden, wenn der Pachter einen sichern
Besitz hatte, so kam die Gewohnheit auf, sie
den Besitzern zu verpachten, welche die Bande
der Knechtschaft, die vorher schon gelöset waren,
gänzlich zerbrach. So kam die Leibeigenschaft in
allen gebesserten Theilen von Europa nach und
nach ab: Das Interesse des Herrn sowohl, als
des Sklaven, trug zu dieser Veränderung bey.
Die letzten Gesetze, welche zur Bestätigung und
Einrichtung dieser Art von Knechtschaft in England gegeben sind, finden wir unter der Regierung Heinrichs des Siebenten. Und obgleich die
alten Statuten hierüber niemals vom Parlament
widerrufen sind, so erhellet doch, daß der Unterschied zwischen einem Sklaven und Freymann,
vor der Regierung der Elisabeth, gänzlich, obgleich unvermerkt, abgeschaffet war, und daß
keiner sich mehr in dem Zustande befand, auf
welchen die vorigen Gesetze angewendet werden
konnten.

· · Solchergestalt wurde die persönliche Freyheit in Europa fast ganz allgemein; ein Vortheil,
der den Weg zur Vermehrung der bürgerlichen
oder politischen Freyheit bahnte, und der, wenn
er auch diese heilsame Wirkung nicht gehabt hätte,
doch dazu diente, den Mitgliedern der Gesellschaft
einige der beträchtlichsten Vortheile derselben zu
geben.

· · Die englische Staatsverfassung kann sich rühmen, daß kein Monarch, von dem Einfalle der
Sachsen in diese Insel an, jemals unumschränkt
und souverain gewesen. Allein in andern Absichten muß man gestehen, daß das Gleichgewicht
der Macht unter den verschiednen Ständen des
Staats sehr abgewechselt habe, und daß dieses
Gebäude dieselbe Veränderlichkeit erfahren habe,
welche mit allen menschlichen Werken verbunden ist.

· Unterdessen scheinen die alten Sachsen, so
wie die übrigen deutschen Nationen, wovon ein
jeder unter den Waffen erzogen, und wo die Unabhänglichkeit der Leute durch eine große Gleichheit des Besitzes gesichert war, ziemlich viel von
der Democratie in ihrer Staatsverfassung gehabt
zu

zu haben, und eines der freyesten Völker gewesen zu seyn, wovon wir in der Geschichte Nachricht finden. Nach der Niederlassung dieses Volks
in England, und insbesondre nach der Aufhebung der Heptarchie, machte die Größe des Reichs
eine große Ungleichheit des Eigenthums: und das
Uebergewicht scheint sich auf die Seite der Aristocratie geneigt zu haben. Die Eroberung der
Normänner gab dem Monarchen mehr Gewalt,
welche jedoch eine große Einschränkung zuließ; die
zwar nicht so sehr aus der allgemeinen Staatsverfassung, welche unrichtig und unregelmäßig
war, als aus der Unabhänglichkeit der Macht
eines jeden Barons in seiner Gegend oder Provinz herrührte. Der große Freybrief brachte die
Aristocratie noch höher, setzte der königlichen Gewalt regelmäßige Gränzen, und führte nach und
nach eine gewisse Mischung der Democratie in die
Staatsverfassung ein. Allein selbst während dieses Zeitpunktes von der Thronbesteigung Eduards
des Ersten, bis an den Tod Richards des Dritten, war der Zustand der Gemeinen keinesweges
erwünscht; es herrschte eine Art von polnischer
Aristocratie; und obgleich der König eingeschränkt
war, so war das Volk doch bey weitem nicht
frey. Die unumschränkte Gewalt der Könige,

Ff 2   wel-

welche in dem folgenden Zeitpunkte regierten, war
erforderlich, um diese unordentlichen und ausgelassenen Tyrannen, die dem Frieden und der Freyheit feind waren, zu unterdrücken, und diejenige
ordentliche Ausübung der Gesetze einzuführen,
welche das Volk in den folgenden Zeiten in den
Stand setzte, einen ordentlichen und billigen Entwurf der Freyheit zu Stande zu bringen.

In einer jeden dieser auf einander folgenden
Veränderungen ist die einzige Regel, welche ver-
ständlich ist, oder eine Authorität hat, die eingeführte Gewohnheit der Zeit und die Regierungs-
maxime, welche damals herrschten und überall
galten. Diejenigen, welche, aus einer vorgeblichen Hochachtung für das Alterthum, sich bey
jedem Vorfall auf einen ursprünglichen Plan der
Staatsverfassung berufen, verbergen ihren aufrührischen Geist und ihren privat Stolz nur unter
einer ehrwürdigen Gestalt; und sie mögen einen
Zeitpunkt zum Muster nehmen, welchen sie wollen, so kann man sie noch immer auf eine ältere
Zeit verweisen, wo sie ganz verschiedne Maaßregeln der Gewalt finden werden, und wo jeder
Umstand wegen der größern Barbarey der Zeiten,
immer weniger nachahmungswürdig scheinen wird.

Eine

Eine civilisirte Nation, wie die Englische, die glücklicher Weise das vollkommenste und richtigste System der Freyheit eingeführet hat, welches sich nur immer mit einer Regierung verträgen kann, muß vor allen Dingen vorsichtig seyn, wenn sie sich auf die Gebräuche ihrer Vorfahren berufet, oder wenn sie die Maximen roher Zeitalter für gewisse Regeln ihres gegenwärtigen Betragens ansehen will. Eine Kenntniß der Geschichte von den entferntesten Zeitaltern ihrer Regierung ist insbesondre deswegen nützlich, weil sie daraus ihre gegenwärtige Staatsverfassung, durch eine Vergleichung mit dem Zustande jener entfernter Zeiten, recht zu schätzen lernet. Und sie ist nicht weniger deswegen der Erlernung würdig, weil sie uns die entfernten und gemeiniglich entstellten Urbilder der vollkommensten und vortrefflichsten Einrichtungen zeiget, und uns lehret, wie mannichfaltige Zufälle, gemeiniglich mit wenig Weisheit und Voraussehung vermischt, zusammenlaufen, um das verwickelte Gebäude der vollkommensten Regierung aufzurichten.

Lightning Source UK Ltd.
Milton Keynes UK
UKHW012023201118
332601UK00013B/2042/P